U0880389

2001

中国煤炭工业年鉴

国家安全生产监督管理局
国家煤矿安全监察局　编

煤炭工业出版社

《中国煤炭工业年鉴》编审委员会名单

名誉主任: 张宝明　国家安全生产监督管理局、国家煤矿安全监察局局长
范维唐　中国煤炭工业协会会长

主任委员: 赵铁锤　国家安全生产监督管理局、国家煤矿安全监察局副局长

副主任委员: 吴晓煜　国家安全生产监督管理局、国家煤矿安全监察局政策法规司司长
乌荣康　中国煤炭工业协会副会长
窦庆峰　煤炭信息研究院院长

委　　员:（按姓氏汉语拼音为序）
曹祖民　大屯煤电(集团)公司总经理
陈庆禄　平顶山煤业(集团)公司董事长
付建华　国家安全生产监督管理局、国家煤矿安全监察局煤矿安全监察一司司长
高国安　河南省煤炭工业局局长
耿加怀　兖矿集团公司总经理
黄玉治　国家安全生产监督管理局、国家煤矿安全监察局人事司司长
黄稚达　中联煤层气开发公司总经理
贾复生　国家经贸委经济运行局煤炭处副处长
姜庆俊　煤炭工业发展研究咨询中心主任
金克宁　国家安全生产监督管理局、国家煤矿安全监察局办公室主任
经天亮　中煤进出口(集团)公司总经理
雷景良　神华集团公司副董事长
李　东　准格尔煤炭工业公司总经理
李金柱　国家行政学院办公厅主任
李文俊　中国煤炭工业劳动保护科学技术学会副会长
梁嘉琨　国家安全生产监督管理局、国家煤矿安全监察局煤矿安全监察二司司长
麻禄斗　太原煤气化(集团)公司董事长
宋从恕　淮北矿业(集团)公司董事长
孙旭东　煤炭信息研究院副院长
王金华　煤炭科学研究总院院长
王金镕　淮南矿业(集团)公司董事长
王树鹤　煤炭工业经济运行中心主任

杨　富　国家安全生产监督管理局、国家煤矿安全监察局信息与技术装备保障司司长
杨景才　神华神府东胜煤炭公司董事长
杨　中　开滦集团公司董事长
伊　烈　煤炭信息研究院副院长
易光景　江西煤炭集团公司总经理
张崇惠　山西省煤炭工业局局长
张明元　铁法煤业(集团)公司董事长
赵经彻　兖矿集团公司董事长
朱德仁　中国煤炭工业协会副会长
朱晓喜　大同煤矿(集团)公司董事长

《中国煤炭工业年鉴》出版工作人员

主　　编：孙旭东　伊　烈
常务副主编：王捷帆
执行副主编：刘新建
责任编辑：刘新建　陈　钊　王国慧　田　园
编　　务：智　毅

封面设计：安德馨
版式设计：严　岩　侯海燕
责任校对：郭新艺　尤丽云
国外广告工作人员：德国国际市场咨询公司经理　G·林克

《中国煤炭工业年鉴》编写组成员

（按姓氏汉语拼音为序）

曹宗理　国家煤矿安全监察局
郭　黎　中国煤炭工业协会
贺定超　中煤进出口(集团)公司
胡桂英　国家煤矿安全监察局经济运行中心
韩宇峰　国家煤矿安全监察局办公室
何振祺　河北省煤炭工业局
金永祥　新疆维吾尔自治区煤矿安全监察局
荆大勤　甘肃煤矿安全监察局
黎　坚　宁夏煤矿安全监察局
李传新　陕西省煤炭工业局
李文忠　黑龙江省煤炭工业局
林　冰　国家煤矿安全监察局办公室
林永森　福建省煤炭集团公司
刘衢立　湖南省煤炭工业局
鲁良玉　辽宁煤矿安全监察局
马全林　云南煤炭工业管理局
潘惠楼　北京京煤集团有限责任公司
施锦超　大屯煤电集团公司
宋旭东　江苏省煤矿安全监察局
汪少舟　江西煤炭工业厅
王东明　山东省煤矿安全监察局
王便文　国家煤矿安全监察局经济运行中心
王广德　中国煤炭工业协会
蔚小平　内蒙古煤炭工业管理局
徐　英　浙江省煤炭工业总公司
徐耿龙　神华集团有限责任公司
许升阳　煤炭科学研究总院
闫庆先　河南省煤矿安全监察局
杨乃发　安徽省煤炭工业局
杨　强　四川省煤矿安全监督管理局
张炳安　湖北省煤炭工业厅
张思练　广东省煤炭工业总公司
张维新　广西壮族自治区煤炭工业厅
赵兴旺　平朔煤炭工业公司
周贻朗　贵州省煤矿安全监督局

TIEFA MEIYE JITUAN GONGSI

铁煤集团公司领导班子

铁法煤业集团公司

TIEFA MEIYE JITUAN GONGSI

铁法煤业(集团)有限责任公司于1999年10月20日由铁法矿务局改制而成。2000年8月28日，铁煤集团成立铁法煤业股份有限公司。铁煤集团位于辽宁北部，南距沈阳市90公里。现有已探明煤炭工业储量19亿吨，占辽宁省煤炭总储量的三分之一以上，并有293亿立方米煤层气资源，可供开发利用。

铁法矿区始建于1958年，现有8对生产矿井和1对在建矿井，矿区总体设计年生产能力为1445万吨，实际生产能力可达1500万吨以上。集团公司下属分公司、子公司27个，在册职工43841人。

铁煤集团公司办公大楼

铁法矿区1992年跨入特大型企业行列，现有总资产73.2亿元。1994年被原煤炭部命名为质量标准化矿务局；1995年和1997年获中国煤炭工业企业优秀奖(金石奖)；1996年以来，连续4次被评为中国煤炭工业科技进步十佳企业，1995年和1998年获全国"五一"劳动奖状；1999年12月通过ISO9002质量体系认证。铁煤集团党委于1997年、1999年、2001年连续3次被辽宁省委评为先进党委。

按照可持续发展战略，矿区在大力发展煤炭生产的同时，积极发展非煤产业，目前，铁煤集团已成为集煤炭生产、煤层气开发、建筑安装、发电、机械加工、工矿配件、建材、商业饮服多元化发展的综合性企业，正向国际采矿业先进水平靠拢。

铁法煤业(集团)有限责任公司

通信地址：辽宁省铁法市铁法镇人民路
邮　编:112700
电话：0410-6835892　6835417
传真：0410-6986028　6886080

铁煤集团依靠科技进步，提高装备档次，综采机械化程度已达 97.61%。图为日产 7000 吨的大兴矿综采工作面

铁煤集团是国内首家引进德国全自动化刨煤机的企业，图为刨煤机工作面

张明元同志简历

张明元，男，1945 年生人。1969 年毕业于阜新矿业学院地下开采专业。历任铁法矿务局大明二矿矿长、铁法矿务局党委副书记、副局长，1993 年 5 月任铁法矿务局局长，1999 年 10 月任铁法煤业（集团）有限责任公司董事长、总经理。教授级高级工程师。第九届全国人大代表。

张明元同志曾获第四届中国煤炭工业优秀企业家称号，即“金钟奖”；1996 年获全国“五·一”劳动奖章；1997 年被全国总工会评为全国全心全意依靠职工办企业优秀领导干部；是1995 年和 1997 年度辽宁省特等劳动模范。

刘铁军同志简历

刘铁军，男，1943 年生人。1968 年毕业于北京矿业学院采矿系。历任铁法矿务局大隆矿总工程师、矿长，局生产处处长，大兴矿矿长，铁法矿务局副局长，1995 年 11 月任铁法矿务局党委书记，1999 年 10 月任铁法煤业（集团）有限责任公司党委书记、副董事长。教授级高级工程师。

刘铁军同志于1990 年获中国煤炭工业优秀矿长称号，2000 年获中国煤炭工业第五届石圪节精神奖。

中日双方合作开发铁法煤层气回收利用示范项目总投资 10070 万美元。图为该项目的球型储气罐

铁煤集团公司热电厂

枣庄矿业(集团)公司蒋庄煤矿

矿长 赵厚选

1955年出生，山东省微山县人，中共党员，中央党校经济管理专业毕业，政工师。自1973年参加工作以来，历任枣庄矿业集团山家林煤矿生产区队党支部副书记、书记，矿纪委书记、党委书记、矿长等职务。2001年2月任枣庄矿业集团公司蒋庄煤矿矿长。先后多次被集团公司评为劳动模范；2000年被评为山东省煤炭工业劳动模范。2001年6月份，又被授予山东省煤炭工业第一届“双十佳”矿长光荣称号。2001年2月任枣庄矿业集团公司蒋庄煤矿矿长。先后多次被集团公司评为劳动模范；2000年被评为山东省煤炭工业劳动模范。今年6月份，又被授予山东省煤炭工业第一届“双十佳”矿长光荣称号。

枣庄矿业(集团)公司蒋庄煤矿是一座年设计生产能力150万吨的国有大型机械化矿井，系国家“七五”重点建设项目，于1979年开始动工兴建，1989年6月建成投产，总投资2.8亿元，设计服务年限70.6年。煤种为1/3焦煤，高发热量，低灰、低磷、低硫，高挥发分，为优质动力煤和炼焦配煤。同时配建一座年入洗150万吨的现代化洗煤厂，可生产1#、2#、3#精煤和动力煤等多种产品。1999年通过ISO9002国际质量保证体系认证。

矿井坐落于美丽富饶、人杰地灵、物产丰富的鲁南平原，地跨枣庄、济宁两市，地理位置优越，交通条件十分便利。煤炭水路运输西经微山湖、京杭大运河，可连通海河、黄河、淮河、长江、钱塘江五大水系，纵贯大江南北；陆路运输经矿区专用线可北接兖新铁路，南达陇海铁路，直抵江、浙等地，也可运至日照港、连云港两大海上运输吞吐口岸，出口到日本、东南亚等国家和地区。

全矿现有职工5460人，其中具有高级技术职称的30人，中级技术职称的137人，初级技术职称的466人。

建矿以来，矿井原煤产量以每年10%～15%的幅度递增。原煤产量、掘进进尺分别由1990年的75万吨、1889米增长到2000年的240万吨、19476米。综采队产量由1990年的112.24万吨提高到2000年的140多万吨。建矿以来，累计为国家生产煤炭1800万吨，完成掘进进尺15.8万米，洗精煤657.7万吨。安全生产形势持续稳定发展，百万吨死亡率0.39；工程质量达行业级标准。

建矿以来，累计实现销售收入34.4亿元、上缴利润为7.47亿元，1997～2000年连续4年上缴利润过亿元，成为枣庄矿区的支柱矿井和利润大户。企业经济效益由1992年亏损3700万元上升到2000年上缴利润13923万元。原煤人员效率1990年为1.21吨/工，2000年提高到8.13吨/工，为原来的6倍。1990年固定资产原值2.5亿元，2000年固定资产原值已达4.6亿元，实现了国有资产的保值增值。多种经营和第三产业也有了长足发展，年产值由1989年的700万元增加到2000年的3544万元，投资规模为1.2亿元的矸石热电厂2001年底建成投产发电。

建矿以来，全矿广大干部职工充分发扬“艰苦创业、无私奉献、务实求新、争创一流”的企业精神，坚持“两手抓，两手都要硬”的方针，大力加强精神文明建设，率先建成了全省煤炭系统文明矿创建示范点。矿井先后荣获了部级质量标准化矿井、部级高产高效矿井、中国煤炭工业现场管理先进单位、全国矿际竞赛先进矿、山东省重合同守信用企业、山东省文明单位、山东省思想政治工作先进单位、山东省先进基层党组织等20多项省部级荣誉称号。

目前，该矿正以党的十五届四中、五中全会精神和江泽民总书记“三个代表”的重要思想为指针，以建立现代企业制度为方向，大力开展制度创新，管理创新，技术创新，把矿井建设成安全一流、效益一流、产品质量一流、职工生活福利一流、矿区综合形象一流的现代化矿区。

现代化选煤厂

蒋庄矿办公楼

煤海不夜城

煤炭外运

综采工作面

综采工作面

生活区怡心亭

地 址：山东省滕州市西岗镇
电 话：0632-4063726
邮 编：277519

蓬勃发展的特大型现代化矿井

兖矿集团有限公司济宁二号矿是国家"八五"重点建设项目，是全国矿井设计改革的试点，也是兖州煤业股票上市后收购的第一对矿井。井田面积90平方公里，地质储量8.55亿吨，可采储量4.04亿吨，设计年产量400万吨，服务年限67.5年。1989年12月24日开工，1997年11月8日建成投产，矿井工程荣获了国家建筑行业质量最高奖——鲁班奖。该矿建有一座年入洗原煤400万吨的洗煤厂，洗煤厂与矿井同步建设，1998年10月投产，2001年年底实现达产目标。煤炭品种为气煤和气肥煤，具有低灰、低硫、低磷、高发热量的特点，是优质的炼焦、动力、化工、造气、水煤浆用煤。

该矿坚持高标准起步，高质量发展，全面实施"科技兴矿"战略，配备了国际先进、国内一流的原煤生产、加工技术装备，采用综采放顶煤新技术，煤炭生产一开始就走上了大型化、集中化、系列化的路子，形成了一矿一面一队的生产格局。投产两年原煤生产能力达到了年产400万吨的水平，2000年2月8日实现了三年达产目标，走出了一条同类矿井达产速度快，经济效益好的新路子。

该矿坚持以改革促发展，认真实施"精干主体，放活辅助"的改革战略和"以煤为主，煤与非煤并重"的发展战略，初步建立起了符合现代企业制度要求的劳动用工、干部人事、分配制度，建立起了内部市场体系和内部劳动力管理培训体系，形成了有利于参与市场竞争的激励和约束机制。装机容量4、5兆瓦的煤矸石热电厂于2001年3月29日并网发电，形成了以煤炭生产为主导，融发电、建筑、运输、电器制造、机械制修等为一体的综合经营格局。

1998年，矿井工程荣获国家优质工程奖——鲁班奖

该矿始终坚持把企业管理放到突出位置，形成了以现场管理为基点、以全面质量管理为主导、以管理现代化为手段、以加强成本控制为目标的科学管理模式，经济效益和综合实力大幅度提高。近年来，先后荣获了"全国煤炭工业现场管理先进单位"、"山东省文明单位"、山东省"重合同、守

济宁二号矿

年产400万吨的特大型现代化矿井——济宁二号矿。1989年12月开工，1997年11月投产。2000年2月实现了三年达产目标，走出了一条达产速度快，经济效益好的新路子。

信用先进企业"、省级"双高"矿井和部级"双高"矿井等荣誉，2000年9月在煤炭行业率先同时通过了ISO9000质量保证体系和ISO14000环境管理体系认证。

"十五"期间，该矿以实施"321"工程(即三突出：突出质量管理、采场开拓、科技创新。两加强：加强管理、加强培训。一发展：大力发展非煤产业，提高矿井综合效益)为主线，以经济效益为中心，以安全生产为保障，按照现代企业制度方向，大力推进制度创新、管理创新、技术创新、建成机制灵活、结构合理、竞争力强的现代化矿井，跨入行业特级"双高"矿井，向全国文明单位行列迈进。"十五"总体目标是：原煤产量确保2100万吨，力争2320万吨；掘进进尺确保110000米，力争125000米；洗精煤量确保940万吨，力争1090万吨；销售总收入确保32亿元，力争35亿元，实现利税5亿元。

承继辉煌，再创伟业，济宁二号矿全体职工决心以"为党分忧，为国争光，为煤炭行业争气"的思想境界，弘扬"团结务实，开拓创新，面向世界，争创一流"的企业精神，抓住机遇，乘势而上，努力把建设"高质量、高效益、高度文明现代化矿井"的事业全面推向21世纪！

具有国际领先技术水平的综采放顶煤工作面。

2000年9月，在煤炭行业率先同时通过了ISO9000质量保证体系和ISO14000环境管理体系认证

山东兖州矿业集团济宁二号矿矿长

何烨，男，汉族，中共党员，原籍河北省昌黎县。1957年10月出生，1983年毕业于贵州工学院采矿系，获学士学位，1996年毕业于天津大学系统工程及工商管理专业，获硕士学位。曾任贵州水城局汪家寨矿副矿长、山东兖矿集团南屯矿副矿长、济宁二号矿副矿长，现任济宁二号矿矿长，高级工程师。

湖南省白沙煤电集团有限责任公司

董事长兼总经理

严寅初，现年39岁，毕业于中南财经大学，系中国矿建协会理事；曾先后被中国煤矿企业管理协会、湖南团省委授予"中国煤炭工业优秀矿长"、"优秀青年企业家"等称号。

党委书记兼副董事长

杨伯欢，现年52岁，大专文化，高级政工师。

湖南省白沙煤电集团责任公司是经湖南省人民政府批准，由原白沙矿务局整体改制设立的国有独资公司。公司地处湘南腹地，毗邻两广，交通十分便捷。京广电气化铁路纵贯矿区，自营铁路与其相连，京珠高速公路在矿区内有多个出口。公司总部设在湖南省耒阳市，资产总额11亿元，在职职工2.26万人，矿区总人口约8万人。

近几年来，在党中央、国务院搞活国有大中型企业等一系列方针政策的指引下，公司以建立现代企业制度为契机，大力推进企业改革，加快企业产业产品结构调整，已形成了煤炭、电力、冶炼、建筑建材、机械制造、信息通讯、铁路运输等多业并举的发展格局，并享有自营产品进出口权。1992年被国家经贸委等六部委确定为国家大型企业；1997年经国务院批准，列入全国512家重点国有企业；1998年列为全国督察的300户重点国有企业；2000年经国家经贸委批准，列入全国实施债转股企业。同年5月，与信达、华融两家资产管理公司签署了3.65亿元的债权转股权协议书。目前，正在积极剥离不良资产，分离社会职能，与两家资产管理公司及高新技术企业、科研院所联合组建白沙能源股份公司。通过资本运作，调整产业结构，形成以高科技产品为龙头，以煤、电、锌、铝产品链为主体，以资本营运为双翼的发展格局，加快企业的全面发展。

集团公司总部办公大楼

通信地址：湖南省耒阳市白沙路1号　邮　编：421800
网　址：http://www.chinabaisha.com
电　话：4712114　传　真：4712800

集团公司治企方略：

办事认真

工作量化

考核严格

湘永矿锌品厂

劣质煤综合利用发电

becker
MINING SYSTEMS

山西长防一马荷彩电器有限公司
Changfang Machaczek Electric appliance Co. Ltd.
馈电技术、开关设备（井下隔爆组合开关）
地址：山西省长治市城西路 5 号　邮编：046011
E-mail:sxcfme@public.CZ.SX.CN
Tel:(0355)2010040　　Fax:(0355)2010040

石家庄贝克采矿运输设备有限公司
Shijiazhuang Becker Mining Transport Equipment Co. Ltd
卡轨车、单轨吊、运人系统（猴车）、齿轨车、梭车等
地址：石家庄市跃进路 11 号　邮编：050003
E-mail: shbmtec@public.sj.he.cn
Tel:(0311)5082923　　Fax:(0311)5082923

天津贝克电气有限公司（原天津本布罗）
Tianjin Becker Electronic Co.Ltd
PROMOS 自动化系统（用于工作面电控、皮带电控等），SAIT ENDIS 采区供电设备（包括负荷中心、高、低压馈电开关、移动变电站、磁力起动器、照明设备等）。
地址：天津市河东区华昌大街华旺甲一号楼　邮编：300151
E-mail:tibeco@public.tpt.tj.cn
http://www.tianjin-becker.com
Tel:(022)24344560　Fax:(022)24349213

贝克采矿技术
（中德合资）

肥城矿业集团白庄煤矿矿长　韩成亮

韩成亮，1945年出生，中共党员，大学文化，工程师。1997年任白庄矿矿长以来，产量每年以20%的速度递增，效益连年大幅度攀升，成为全公司效益最好矿。他有多项现代化管理、科技成果在省局获奖，有的属国内首创；他先后被评为"山东煤炭工业劳动模范"、"山东煤炭系统双十佳矿长"、"全国煤矿双十佳矿长"等荣誉称号。

肥城矿业集团白庄煤矿党委书记　徐庆芳

山东肥城矿业集团公司
白庄煤矿

团结奋进的白庄煤矿党政领导班子

肥城矿业集团白庄煤矿矿井全貌

肥城矿业集团公司白庄煤矿座落在泰山西麓肥城市境内，始建于1971年，1979年投产，设计生产能力30万吨/年，目前生产能力达100万吨/年以上。全矿共有职工3900人。地理位置四通八达，铁路、公路东西相通泰安、济南、兖州等地。南临铁路泰湖支线与津浦干线相接。

白庄煤矿为全隐蔽煤田，共有煤层17层，3层煤为主采煤层，最厚达5米，平均厚度为3.2米，总可采厚度为13.84米。属于气肥煤，低灰、低硫、高挥发分、高发热量、富含油率、强粘结性，广泛应用于电力、工业锅炉、建材、炼焦及生活用煤，有利保护生态环境。"白庄煤"以优良的质量享誉齐鲁大地、黄河两岸和江南市场。

白庄矿坚持以市场为导向，以经济效益为中心，以安全生产为重点，以两个文明共同发展为目标，全面加强企业管理，提高企业素质，产量、经济效益连年大幅度攀升，非煤产业稳步发展，文明建设扎实有效，先后被煤炭部命名为"现代化矿井"、"煤炭工业二级企业"、"优秀住宅管理小区"；被中共山东省委及文明委评为"先进基层党组织"、"文明单位"；被山东煤管局评为"双文明先进单位"、"文明煤矿示范点"。白庄矿是全国"煤炭质量管理标准化矿井"、全省"煤炭产品质量信得过单位"。

地址：山东省肥城矿业集团有限责任公司白庄矿

电话：0538-3135230　　传真：0538-3135036　　邮编：271613

长距离运输
智能化
经济化
面向未来

我们的运输机能真正实现距离运输。它结合了CONTITECH 公司和CLOUTH 公司在露天、井工开采方面的优势，在先进的Contitronic运输机胶带系统方面运用了新型原材料、创新的技术以及最先进的计算机智能化系统。通过集成化异频雷达收发机技术，可对运输机进行电子标记、监控以及管理，以最低成本获得最佳用途。举个例子，在落基山脉长34km的钢缆胶带将很快运转(从海拔3400m降至2400m)。该输送胶带以CONTITECH 公司提供的提升服务为支持以确保其可靠性及无可逾越的经济性。

请电话联系
上海办事处
+86-21-62787738
总部
+49(0)5551/702-207

橡胶
及塑料技术
的专家

http://www.contitech.de

Keep on running
可靠的胶带
可靠的服务

ContiTech
Transportbandsysteme GmbH
D-50682 Köln
D-37154 Northeim

ContiTech Group
of Continental AG

CONTITECH
CONVEYOR BELT GROUP

我们是你们
可靠的合作伙伴，
并拥有多种优质产品

例如筛分机

例如取样设备

例如离心机

TEMA

CHEMICAL & MINERAL PROCESS EQUIPMENT

TEMA B.V.
P.O. Box 3220
2280 GE Rijswijk
The Netherlands

Phone : ++31.70/390 65 55
Fax : ++31.70/399 33 90
internet : www.tema.nl
e-mail : sale@tema.nl

兖矿集团有限公司鲍店矿

鲍店煤矿矿长　张英民

张英民，中共党员，硕士研究生，高级工程师。现任兖矿集团鲍店煤矿矿长，兼任中国煤炭企业协会地测分会副理事长、中国煤炭劳动安全环境协会顶板管理分会理事。著有《兖州矿区煤巷锚网支护技术》一书，发表论文数十篇，先后主持或参与完成70多项科技创新项目。

现代化综采工作面

兖矿集团鲍店矿地处人杰地灵的孔孟之乡——邹城市，是我国自行设计施工、实际年产能力600万吨的大型现代化矿井，配有年入洗600万吨的现代化洗煤厂和装机容量1.8万千瓦时的煤泥热电厂各一座。矿井地理位置优越，水陆交通便利，煤炭资源丰富，煤质品种齐全，畅销于国内外市场，先后被评为"全国同行业第一品牌"、"中国煤炭行业知名出口品牌"。主要出口产品为"兖矿牌"2#精煤和1#动力煤，出口日、韩等国家和地区，深受国内外客户好评。矿井自1986年6月投产以来，依靠科技进步，大力推进高产高效矿井建设，原煤产量、全员效率、经济效益连年攀升，已累计为国家贡献原煤4892.35万吨，上交利税14亿多元。非煤产业现已初步形成以煤泥发电、机电制修、建筑建材、木器加工、服装商贸等于一体的多元化非煤发展格局。积极与国际惯例接轨，在同行业率先通过了ISO9002质量体系、ISO14001环境体系和ISO10012计量确认体系的审核认证并保持了有效运行，企业发展活力和管理水平不断提高。先后被上级命名为质量标准化特级矿井、现代化矿井、现场管理先进单位、部特级高产高效矿井、全国文明煤矿，并连续12年保持了省级文明单位称号，矿井呈现出秩序稳定、政通人和、健康快速发展的良好局面。

鲍店煤矿工业广场

WE SET MEASURES

我们制定了标准

TVVS 型

此型 VOITH TURBO 涡轮离合器采用了扩大延尺充填室和环形室(已获专利权)的方法。这种方法是专门为胶带输送机的驱动设计的。其特性曲线的开发以实践应用为主导，可为各款输送机提供适宜的解决办法。

DTP 型与 TPKL 型

此型充填控制式 VOITH TURBO 涡轮离合器具有水力的具体的优势和可调式液体操作管理系统，能符合胶带输送机和刮板输送机驱动的各种需求。
其控制系统及物理特性专为输送机设计，与其它机械及电力驱动相比，具有很大的优越性。

为符合安全及环境保护的需求，许多涡轮离合器也可用水作为操作液体。

丰富经验的传动

TVVS:

建立最优质扭矩的液力偶合器

这个以实际经验为本而开发的液力偶合器拥有加长后辅腔及获专利的侧辅油腔，是专为输送机而设计的，它特有的形状令它成为任何类型带式输送机的最佳解决方法。它令所有其他的方法都变成一个妥协的方法。

优点：

- 以实践为本而开发的形状可适合不同的用途
- 在电机起动後产生极低的扭矩
- 在皮带机起动时可限制输出力矩在设定值

福伊特東亞有限公司
香港九龍紅磡鶴園東街 3 號
衛安中心 908 室
電話：(+852) 2774 4083
圖文傳真：(+852) 2362 5676
電子郵箱：voith@voith.com.hk

VOITH TURBO

上海联络处
上海莘庄沪闵路 3988 号
电话：021-64898550
傳真：021-64898533

ca 013.2 chin MSW Aalen

鄂荆山区的一颗明珠

湖北宝源集团成立于1996年，拥有5家子公司，职工2958人，资产总额1.3亿元，主要产品年生产规模为原煤30万吨、石膏15万吨、人造板2万立方米、石膏粉1.5万吨、编织袋500万平方米。

湖北宝源集团坚持"资源就是财富"的经营理念，坚持"讲究品质，追求完美"的经营宗旨，坚持以市场为导向，充分利用良好的区域优势和资源丰富的优势，内抓管理，外抓市场，大力开展降成本、增效益的增收提效活动，持久实施名牌战略，调整结构，科技兴煤，形成了以煤炭为主导，人造板、石膏系列产品为支柱的多元经济格局，建立起了诚信为本、质量取胜的市场营销体制，促进了经济持续、稳定、健康发展，1992年以来，经济效益连续10年蝉联全省同行业第一名，先后被授予全国煤炭工业现场管理先进单位、湖北省优秀企业、湖北省文明煤矿、湖北省重合同守信用企业、市级最佳文明单位等荣誉称号，"宝源煤"还被授予湖北省地产最畅销产品、湖北省消费者满意商品。

面对新世纪，顺利完成了产权制度改革的湖北宝源集团在向现代企业制度迈进的进程中，将依托现有工业基础，按照集团所形成的"挖掘人力资源，运用科技资源，用好政策资源"总体工作思路，稳定现有煤炭生产规模，进一步抓好人造板材和石膏系列制品的延伸开发，积极寻求跨地区、跨行业的开发、联合，建成科、工、贸一体化、经营多元化、可持续发展的现代企业集团。

湖北省"十杰"青年企业家
湖北宝源集团董事长 总经理 蔡维金

"宝源"牌人造板生产一角

深受职工拥戴的湖北宝源集团领导班子

湖北宝源集团办公大楼

地址：湖北省荆门市安团葛集岗　邮编：448123
电话：(0724)8621999　传真：(0724)8621331　网址：baoyuah988@21on.con

DBT – all in one!

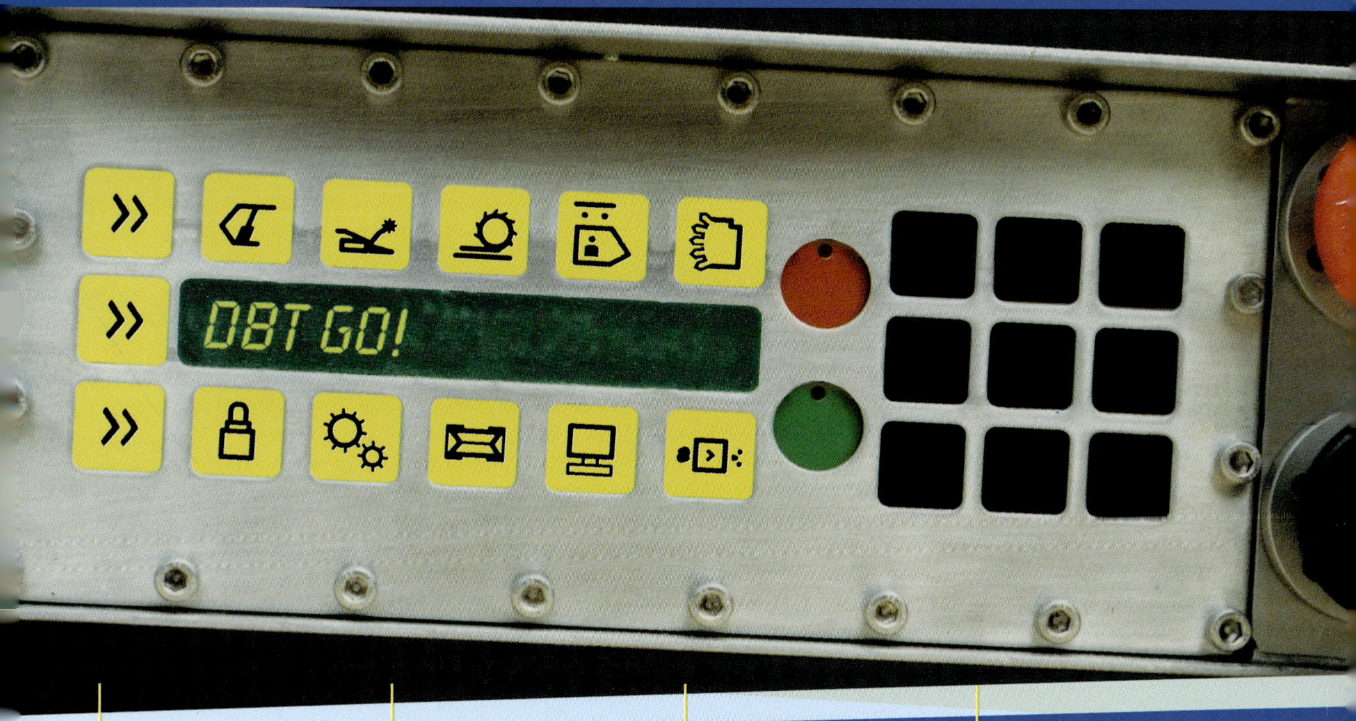

无论您需要什么－掩护式支架，连续采煤机，滚筒采煤机，自动刮板系统，运输系统，DBT 能提供您所需的一切。

另外，DBT 还提供：电压控制系统，破碎机、工作面输送机系统、转载机、胶带输送机、智能传动系统、锚杆安装机、铲斗、托运绞车，现代化选煤厂及二手采矿设备。

DBT China Rep.Office
Room 502,Prime Tower No.22
Chaowai Street,Beijing,China 100020
Phon : 010+65886570
Fax : 010-65882998

DBT

DBT GmbH · Industriestraße 1 · D-44534 Lünen
Phon +49 (23 06) 709-0 · Fax +49 (23 06) 709-421 · www.dbt.de

兖矿集团有限公司
北宿煤矿

田丰泽，男，1956年8月24日出生于山东省无棣县，中共党员，研究生学历，高级经济师。1975年3月在淄博矿务局西河煤矿桃花峪井参加工作，1976年10月调入兖州矿务局北宿煤矿，历任采煤班长、区长、调度室主任、北宿煤矿副矿长等职务，1991年9月起任北宿煤矿矿长，兼任矿党委副书记。系山东省企业管理学会会员、山东省统计学会会员、济宁市青年企业家协会会员，1998年被列为兖矿集团专业技术拔尖人才。多次被矿务局、集团公司评为"劳动模范"、"优秀共产党员"、"十佳党员"、"民主管理先进个人"，曾荣获"全省煤炭工业战线劳动模范"、"山东煤炭工业管理局优秀科学技术干部"、"中国煤炭工业优秀矿长"等荣誉称号。

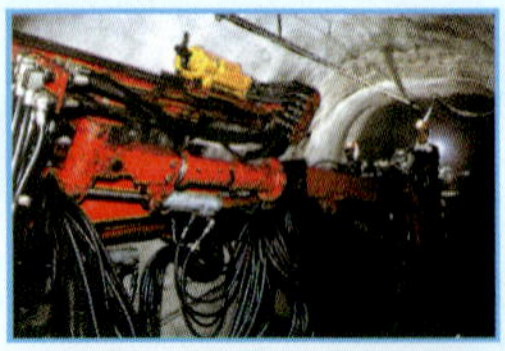

中国煤炭工业龙头企业兖矿集团有限公司所属的北宿煤矿，位于兖州矿区的南部、孔孟之乡邹城市境内，1976年12月26日建成投产，原设计生产能力为45万吨/年，改扩建生产能力为75万吨/年，现实际生产能力达到100万吨/年，逐步迈入薄煤层大型矿井行列，现有职工3805人，固定资产原值2.6762亿元，净值1.9857亿元。建矿20多年来，北宿煤矿在上级党政组织的正确领导下，努力实践"艰苦奋斗、勤俭创业、务实求新、争创一流"的企业精神，坚持党在社会主义初级阶段的基本路线，锐意改革，开拓进取，实现了两个文明建设的同步发展，成为全国薄煤层首批"质量标准化矿井"和"现代化矿井"、"煤炭工业二级企业"、省级"重合同、守信用"企业、"煤质管理标准化特级矿井"、"煤炭系统双文明单位"、省煤管局命名的"花园式单位"。

矿井井田面积27平方公里，煤炭储量丰富，共有可采储量5543万吨，可采煤层4层，总厚度3.7米。现主采煤层为16、17层，平均厚度0.95米，地质储量4557万吨，可采储量3693万吨。煤系属石炭纪系，煤质优良，具有富硫、低灰、低灰熔点、高发热量等特点，发热量约为26.5～28.5兆焦/千克，可作为炼焦配煤，也是液化、气化和化工用煤的理想原料，液化后可代替原油，属于优质工业动力用煤和良好的生活用煤。原煤经筛选、洗选加工后，主要有混煤、精煤和洗混煤等3个品种，并可根据用户需要进行特殊加工。产品市场前景广阔，畅销全国各地，深受用户好评。煤炭质量已连续12年保持全省第一，被省煤管局命名为"煤炭质量管理信得过单位"，被省技术监督局评为"产品质量先进单位"。

近年来，北宿煤矿审时度势，积极探索寻求市场经济条件下薄煤层高硫煤矿井深化改革、转换机制、转产开发、健康发展的新路子。按照兖矿集团"转小矿"战略部署，依托丰富的矿产资源、雄厚的经济实力和巨大的人才、技术优势，提出并认真实施以"加速三大基地(薄煤层高硫煤开采技术与应用研究、高岭土综合开发与利用、生态养殖与深加工)建设、形成三足鼎立格局"为主体内容的扭亏脱困、转产开发战略决策，为实现矿井在新的世纪里振兴发展，铸就新的辉煌奠定了良好的基础。坚持"以煤为主、多种经营、综合开发、全面发展"的方针，不断拓展经营范围。在搞好主导产品煤炭采选销售的同时，先期投资分别为6000万元、2000万元的高岭土厂和生态养殖场已初具规模。高岭土项目作为兖矿集团公司非煤发展的新兴支柱产业，已开发生产出造纸涂料、电缆填料、特种氧化铝等4大系列10多个品种，广泛应用于造纸、陶瓷、化工、油漆、氧化铝、橡胶等生产领域。生态养殖项目计划用3～5年的时间发展成为集产、学、研于一体的纯种猪繁育基地、商品猪养殖基地、肉类品加工基地。此外，矿还经营有工矿配件加工、制作、维修、微机耗材、橡塑制品、印刷、建筑建材、多层板材、铝塑和铝合金等装饰材料、饮食服务等业务。北宿煤矿始终信奉"质量第一、恪守信誉、用户至上、重守合同"的经营宗旨和方针，热诚为国内外朋友、客商提供一流的产品和优质的服务。

北宿煤矿地理位置优越：北依泰岱，南瞻峄峰，西北有著名的水泊梁山，西南有山东省最大的淡水湖微山湖，又处于具有渊源历史文化的圣地孔孟之乡。丰富的人文景观、著名的旅游胜地，吸引着众多的游客。这里交通便利、四通八达：10公里之内有铁路京沪(北京－上海)线、兖石(兖州－石臼所)线、兖新(兖州－新乡)线，矿井铁路专用线与矿区大东章集配站相通；公路有104国道(北京－福州)、岚济(岚山头－济宁)线；西有白马河并接京杭大运河，可停泊150吨级船只，日照石臼所有集团公司自营港口；矿井驻地向西距济宁机场约25公里。

地　址：山东省邹城市北宿镇　　　　邮政编码：273516

彬县 煤炭有限责任总公司

董事长兼总经理　何万盈

何万盈，男，汉族，中共党员，陕西彬县人，生于1950年10月，大专文化程度，工程师，1976年7月毕业于陕西省煤炭工业学校，现任彬县煤炭有限责任总公司董事长、总经理兼党委副书记。1997年获第八届中国煤炭工业优秀企业经营者（金钟奖），2000年被命名为全国煤矿优秀矿长、咸阳市劳动模范。

2000年3月21日在北京举行的下沟矿技改项目签字仪式

下沟矿全貌

彬县煤炭有限责任总公司属地方国有煤矿，国家中二型企业，1998年元月完成股份合作制改造。现有职工2347名，拥有3对生产矿井，总设计生产能力为年产原煤141万吨。企业曾获第八届中国煤炭工业优秀企业（金石奖）、部级质量标准化矿井、陕西省经济明星企业、省级先进企业、文明单位、花园企业等40多项荣誉称号。

公司始终以"团结拼搏，艰苦创业，依靠科技，勇攀高峰"为企业精神，走"产、学、研"相结合的路子，经过"九五"期间的创新发展，产量由61万吨提高到现在的120万吨，资产总额由9811万元增长到2.54亿元。累计自筹投资1.49亿元，于1997年建成了年产45万吨的下沟矿，2000年又投资3319万元，和煤科总院北京开采研究所完成了下沟矿综合机械化放顶煤技改工程，矿井产量由45万吨提高到90万吨，机械化程度达到了100%，煤炭安全生产水平迈上了新台阶。该矿地处彬长煤田边缘，储量丰富，煤层平均厚度16.78米，煤质优良，属低灰（<11%）、低硫（0.67%）、特低磷（<0.01%）、高发热量（30.04兆焦/千克），高挥发分（30.74%）的不粘结煤，是良好的动力、气化用煤和民用燃料，畅销省内外，远销日本，深受用户青睐。

综合机械化放顶煤采煤工作面

CNCIEC

中国煤炭工业进出口集团公司

中国煤炭工业进出口集团公司原为中国煤炭进出口总公司，成立于1982年7月，是经国务院批准的中国煤炭行业从事对外贸易和经济合作的全国性公司。1999年5月，国家对中国煤炭工业进出口集团公司进行了重组，并列入由中央企业工委管理的国有重要骨干企业范围。

公司已与世界上50多个国家和地区建立了经济贸易合作关系，形成比较完善的国内国际供销渠道和信息服务网络，是以煤炭贸易为主业，涵盖焦炭、煤气、电力、煤机、机械零部件、矿产建材等产品的生产、销售、运输、进出口以及技术咨询的综合性经济实体，业务投资范围已扩展到高科技、电子、金融、建材、化工等行业。

截止2000年底，公司国内企业资产总额为215亿元，员工5.6万余人，离退休职工1.2万余人。当年工业总产值为48.07亿元，销售收入141亿元，进出口总额13.32亿美元，利润2.37亿元；煤炭贸易量达6025万吨（其中出口3921万吨），煤炭生产量2585万吨，焦炭产量72万吨，煤气产量2.16亿立方米，发电8.33亿度。同年，包括焦炭、各类机械、成套洗选设备、机电产品、五矿化工原材料等产品在内的非煤产品的进出口总额为2.1亿美元。集团公司资产总额、年销售收入、年出口创汇、煤炭及焦炭出口量在全国煤炭行业位居前茅。

中国煤炭工业进出口集团公司
总经理　经天亮

查询电话：(010)64287188

网址:www.chinacoal.com

年产突破500万吨的综放工作面

兖矿集团东滩矿

曲天智，兖矿集团东滩矿矿长，高级工程师，先后荣获煤炭部劳动模范、孙越崎优秀青年科技奖、山东省十佳采煤队长、济宁市"八五"建功奖章、全国煤炭系统第三批专业技术拔尖人才、山东省"双十佳"矿长等荣誉称号，其主持或参与的科研项目曾获得两项国家实用新型专利、煤炭工业科技进步特等奖、国家科技进步一等奖和山东省科技进步二等奖、三等奖等奖励。

东滩矿是"七·五"期间我国自行设计、自行建设的年产原煤400万吨的特大型现代化矿井，总投资12.5亿元，可采储量4.4亿吨，配有年入洗原煤400万吨的现代化洗煤厂和装机容量3.6万千瓦的煤泥热电厂。煤质稳定，发热量高，属低灰、低硫、低磷、中变质气煤。产品主要用于电力、冶金、化工及民用。

1989年底建成投产以来，原煤产量平均以每年70多万吨的幅度递增，创全国同类型矿井产量增幅最大、达产速度最快纪录，1990～2000年累计生产原煤4400多万吨，实现利润11亿元。1996～2000年矿井分别产煤473万吨、488万吨、540万吨、606万吨和668万吨，均居全国立井开采之冠；1997～2000年综采队用国产设备分别产煤410万吨、501万吨、505万吨和512万吨，成为全国第一支突破400万吨、500万吨的采煤队。

矿井相继通过ISO9000质量保证体系和ISO14000环境管理体系认证，先后被授予"特级质量标准化矿井"、"现代化矿井"、"部特级高产高效矿井"、"行业特级高产高效矿井"、"省级文明单位"等荣誉称号。

兖矿集团东滩矿概貌

矿长牛海金

牛海金，1957年生，山西省高平市人，大学文化，高级工程师。1996年起历任成庄矿总工程师、常务副矿长、矿长职务。获省、部级以上管理、科技成果10项，发表论文10余篇，获全国双十佳矿长、山西省企业工委优秀共产党员、省质量管理卓越领导者等称号。

矿领导班子成员

（从左至右：副矿长李志华、副矿长姚延生、副矿长成根太、副矿长杨晓峰、党委书记刘成林、矿长牛海金，副矿长付峻青、党委副书记董清、工会主席赵俊萩、总工程师王平虎）

花园式生活小区

奋进中的晋城煤业集团成庄矿

晋城煤业集团成庄矿位于山西省晋城市泽州县境内。矿井年设计生产能力400万吨，1989年12月20日开工建设，1997年9月19日投产，2000年达产。

成庄矿井田面积63.66平方公里，可采储量52635.6万吨，主要开采煤层3#煤，储量30544万吨。所产煤炭产品品种齐全、性能优良，具有热稳定性好、发热量高、机械强度大、低灰、低硫、低挥发分等特性，是化工、冶金、建材、发电、民用的优质原料和燃料，产品供不应求，赢得国内外广大用户的一致好评。

矿井拥有年入洗能力400万吨的洗煤厂、装机容量3×6000千瓦的热电联供车间、运力600万吨的铁路专用线以及其他具国际国内先进水平的设施、设备。

成庄矿以改革为动力，坚持管理、科技两个创新，突出安全、煤质、成本三个重点，狠抓职工队伍建设，各项工作都取得了长足的发展，1999年通过ISO9002质量体系认证，2000年取得了《进出口产品质量许可证书》，先后获得"全国五一劳动奖状"、"山西省模范单位"、"全国模范职工之家"、"行业特级高产高效矿井"、"行业级质量标准化矿井"、"省思想政治工作优秀企业"、"省环保达标单位"、"市文明单位"等多项荣誉称号。

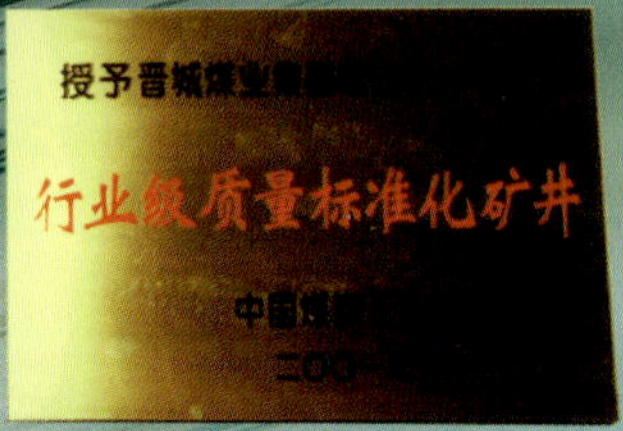

行业特级高产高效矿井、
行业级质量标准化矿井

全国五一劳动奖状

日产万吨的综采工作面

具世界先进水平的主井提升系统

《中国煤炭工业年鉴》

《中国煤炭工业年鉴》创刊于1982年，是一部记载中国煤炭工业发展全貌的大型文献资料工具书。每年以中、英文两种版本向国内外公开发行。

《中国煤炭工业年鉴》刊载党和国家有关煤炭工业的法律、法规、大事纪要和重要文件，提供煤炭系统全面的最新统计资料和发展动态，具有权威性、政策性、资料性和可读性，是各级领导必备的决策参考书，是各行各业了解煤炭工业的一个重要窗口。

为了加大对外宣传力度，形象、生动地展现煤炭工业所取得的成就，再现煤炭职工自力更生、艰苦奋斗、乐于奉献的精神风貌，本《年鉴》设有“先进单位”、“先进个人”以及“煤炭企事业单位介绍”等栏目，以配合各单位宣传煤炭工业优秀企业、优秀企业家。希望获奖的优秀企业、优秀企业家及十佳矿长及时与我们联系。

地　　址：北京市朝阳区芍药居35号
邮政编码：100029
电　　话：010-84657831
联 系 人：刘新建、王国慧、田　园、陈　钊

Vimarc®
Breda.The Netherlands

积30年生产以及在世界各地的使用经验、本公司产品用途广泛，品种繁多。

· 50Hz- 标准型，230/380V 或 500V
· 60Hz- 标准型，265/460V 或双电压
· 50Hz- 提高安全型 eEExe II T4
· 50Hz- 或 60Hz- 铠装密封型 dEExd II BT4
· 50Hz- 或 60Hz- 防爆型，美国(FM)+ 加拿大(CSA)
· 法兰 - 振动电机
· 带变频器的可调速振动电机
· 振动电机用的直流制动器
· 特殊电压和特殊结构

Certificate
Nº 901050

中国代理 - 新兰贝克振动机公司 · 传真：(0373)2693838
电话：(0373)2022005/2022870 · 邮编：453002

Vimarc®
Breda.The Netherlands

振　动　电　机

峰峰矿务局局长刘延安

刘延安，中共党员，教授级高级工程师，享受国务院政府特殊津贴专家。1959年到峰峰矿务局工作，先后担任技术员、工程师、副矿长兼总工程师，矿长兼党委书记，1989年担任矿务局总工程师，1992年任副局长兼总工程师，1994年至今任峰峰矿务局局长。曾获河北省优秀企业家"金球奖"、煤炭工业部中国煤炭工业优秀企业经营者"金钟奖"、煤炭工业部中国煤炭工业优秀企业家称号。

峰峰矿务局

采用轻型放顶煤支架装备的薛村矿903回采工作面，2000年产量突破100万吨，创同类采煤机械化和采煤工艺全国先进水平

峰峰矿务局是我国主焦煤生产基地，特大型国有企业。1949年建局，1977年达到年产原煤1000万吨，至今千万吨规模已维持20多年。全局现有生产矿井8对，设计生产能力795万吨，2对在建矿井，设计生产能力210万吨，实际年产原煤1000万吨，精煤300万吨。主要产品为优质冶炼主焦煤和动力煤。多种经营主要有水泥、焦炭、建筑陶瓷、电力、生铁、火工品、矿山采掘及洗选设备制修、建井施工等。建局以来，共生产原煤4.1亿吨，生产精煤1.3亿吨，上缴利税23亿元。

峰峰局认真贯彻党的十五大和十五届四中、五中全会精神，坚持以市场为导向，以经济效益为中心，加快实行两个根本性转变，推动企业全面发展。依靠科技进步，加强技术改造，企业的技术装备水平和科技创新能力不断提高。采煤技术由高档普采发展成以轻放综采采煤为主，2000年轻放及综采机械化程度达到60%以上；洗煤工艺由跳汰发展到重介工艺，精煤质量升级，竞争力增强。引入市场机制，在企业内部模拟法人管理，模拟市场运行。深化三项制度改革，全面实行了劳动合同制、管理及专业技术人员聘任制和岗位技能工资制。推行主辅分离，实行煤炭主业、多种经营和后勤服务三条线分线管理、分线运营。积极推进减员增效、下岗分流和实施再就业工程，大力减员增效。按照"三改一加强"的方针，全面加强财务管理、资金管理、成本管理和质量管理，使企业的基础管理工作不断强化。实施可持续发展战略，依托矿区的资源优势，因地制宜发展接续和替代产业，开发建设了一批煤炭深加工、资源综合利用多种经营骨干项目，形成了以煤为基础、多种经营的发展格局。坚持安全第一的方针和"安全、管理、装备"并重的原则，突出强化安全管理，严格安全生产责任制，杜绝了各类重大事故的发生。1994年荣获全国用户满意企业称号，1996年被评为全国资源综合利用先进企业，1996年获中国煤炭工业优秀企业"金石奖"，从1991年至今，先后多次荣获河北省思想政治工作优秀企业、先进基层党组织称号。

通讯地址：河北省邯郸市峰峰矿区
电话：0310-5012323
传真：0310-5012752
邮编：056201

正在建设当中的现代化矿井梧桐庄矿，年设计生产能力120万吨

淮南工业学院

淮南工业学院西区教学楼

淮南工业学院位于安徽省淮南市，占地面积1330亩，是一所原隶属国家煤炭工业部、现由安徽省管理并重点建设的高等院校，具有50多年的办学历史，基础条件较好，办学水平较高。

学校是国务院学位委员会1981年第一批批准的硕士学位授予单位，现拥有工学、理学、医学、管理学等七大学科门类，15个硕士点；在校本科生、研究生人数已超过万人，是安徽省重点建设的两万人大学之一；具有国家工程硕士授予权，具有在职人员以研究生毕业同等学历申请硕士学位授予权，是安徽省重点扶持、争取2002年获得博士学位授权单位资格的院校。

学校拥有一批高学历、高水平优秀教师，教师队伍的学历、年龄及专业结构比较合理，整体素质较高；人才培养模式科学，素质教育深入人心，毕业生理论基础扎实，专业知识牢固，知识面较宽，具有创新精神和较强的实践及创新能力，深受用人单位好评，就业率逐年提高。一次就业率1999年以来连续两年居全省第一。

学校拥有一支结构合理、水平较高、具有创新精神和创新能力的科研队伍，先后建立了20多个科研机构，形成了独特的科研方向和开发优势；科研经费一直保持较高的增长速度，科研成果比较丰硕，"八五"以来，承担和完成各类课题千余项，其中很多项目获得奖励，仅"九五"期间，就获得50多项国家级和省部级奖励。

淮南工业学院大门

淮南工业学院本部教学楼

张文祥，男，汉族，教授，生于1946年，安徽省五河县人。1975年毕业于淮南矿业学院机械系，留校任教。1984年至1987年在澳大利亚悉尼大学机械工程系学习。现任淮南工业学院（原淮南矿业学院）院长、淮南工业学院董事会董事长，中国煤炭工业协会理事。

张文祥教授长期从事机械原理的教学和研究工作，在国内外刊物和有关学术会议上发表学术论文20多篇，其中：《有限螺旋位移和无穷小螺旋位移之间联系的几个公式及其在刚体力学中的应用》、《螺旋二系的代数法研究》、《螺旋三系的代数构造》等论文，富有创见。

璀璨的一颗新星

——陕西黄陵矿业有限责任公司

外商考察矿区

这是一片古老而神奇的土地。

50多年前，这里曾聚集着一群中华儿女优秀的子孙，一曲悠悠的信天游，真的唱红了东方的天，巍巍的宝塔山、清清延河水，演绎成革命圣地延安的特殊风景。50多万年前，黄河畔一个女人，抚育出一群黑眼睛、黑头发、黄皮肤的炎黄子孙，他们生生不息，终于走出了800里秦川，将皇帝部落那龙的家庭图腾，印在了华夏的每一寸土地上。亿万年前，中侏罗纪那场苍海桑田的巨变，窒息了横亘百里的绿色生命，大自然把它造就成了黄帝子孙的宝藏——乌金。

历史的车轮流动到了20世纪90年代，一批开采乌金的建设大军伴随着时代跳动的脉搏，肩负着中国煤炭战略西移的历史使命，进驻这块神圣的处女地，全面拉开了黄陵矿业公司建设的序幕。黄陵矿区煤炭储量丰富，煤田总面积1000平方公里，地质储量20亿吨，可采储量15亿吨，地质构造简单，埋藏较浅，倾角平缓，开采方便，煤质具有中灰、特低硫、特低磷、低瓦斯、高发热量等特点，是国内少有的优质动力煤。

现代化的洗煤控置中心

黄陵矿区地理位置优越，交通方便。东与国道西(安)包(头)公路衔接，西有省黄(陵)畛(上畛子)公路穿越矿区，直达甘肃境内。国铁西(安)延(安)铁路从矿区东部通过，在西延线秦家川车站接轨的矿区34公里铁路专用线，直通选煤厂仓下。

黄陵矿业有限责任公司是国家"八五"期间确立的重点建设项目，是国家煤炭投资体制和管理体制改革的试点单位和20项兴陕工程之一。10多年来，矿区建设者们战酷暑、斗严寒，已累计完成国家投资14.7亿元，先期建设的年产420万吨的一号煤矿已形成一定的生产能力，34公里的铁路专用线1992年建成投入使用，每年安全运送煤炭近200万吨，与一号煤矿建设相配套的选(洗)煤厂交工使用后，能满足国内外用户不同煤种的需要。随着国家煤炭战略西移步伐的加快，黄陵矿业有限责任公司肩负陕西煤炭工业跨世纪的历史使命，必将成为镶嵌在渭北高原上璀璨的一颗新星，为振兴革命老区——延安经济发挥应有的作用。

黄陵矿业有限责任公司总经理高仰才、党委书记严广劳和全体员工热忱欢迎各新老用户、各届朋友与黄陵矿业有限责任公司共同合作，携手共进，共谋发展之路。

地址：陕西黄陵县店头镇黄陵矿业公司　邮编：727307
电话：0911-5519071 转 25188　图／文　王成祥

工业广场一角

繁忙的矿区煤专线

环境优雅的职工住宅

湖北省黄石矿务局

地址：湖北省黄石市湖滨569号
电话：6224901
传真：6223300
邮编：435000

黄石矿务局局长　卢在龙

黄石矿务局地处湖北省黄石市，是湖北省主要煤炭工业基地，已有92年开采历史。建国初仅有2对矿井，年产量15万吨。70年代发展到10对矿井，年生产能力110万吨。90年代初因部分矿井衰老，加之优化矿井结构，先后关停6对矿井。现有5对矿井，年生产能力66万吨。全矿区含煤面积约500万平方米，煤厚一般2米左右，探明储量1.2亿吨，预测储量1亿吨，现有矿井保有储量3000万吨。煤质大部分属中灰、中硫、中等发热量无烟煤，主要销往本省和长江中下游一带。

党的十一届三中全会以来，黄石矿务局大力发展非煤产业。主要产业有建材、建筑安装、房地产、机械制造、锅炉制造、汽车运输、冶炼、竹木业、商贸业。主要产品有矿渣水泥、模具钢、热管锅炉、煤矿专用风筒、搪瓷溜槽、劳保用品、高级仿瓷餐具、竹地板、木地板等。

目前全局年总收入1亿元左右，原煤、非煤产业基本各占一半，具有广阔的发展前景。

黄石矿务局袁仓煤矿井口。该矿年产能力30万吨，是湖北省目前规模最大的矿

黄石矿务局利用地处城市的优势开发房地产，图为在市区建的商品房

黄石矿务局水泥厂，年产能力25万吨，是该局非煤产业的骨干厂

1. 山西潞安矿业(集团)有限责任公司总部办公楼雄姿（张武福摄／并文）

2.2000 年 8 月 8 日上午在欢庆的鞭炮鼓乐声中挂上了“中国共产党山西潞安矿业(集团)有限责任公司党委”,“山西潞安矿业(集团)有限责任公司”的新牌子，潞安人大步踏上了市场经济的新征程。图为公司总经理、董事长任润厚在挂牌仪式上讲话（张武福摄／并文）

3. 该公司与国内煤机厂家联合开发综采放顶煤技术和设备，达世界领先水平。图为高产高效的综采放顶煤工作面（张武福供稿）

潞安矿业（集团）有限责任公司

潞安矿业(集团)有限责任公司地处山西上党盆地北缘，地跨长治市的5个县区。是由1959年1月建局的潞安矿务局改制而成的。集团公司现有石圪节、五阳、漳村、王庄和常村5对生产矿井，拥有固定资产原值45.04 亿元、净值30.64 亿元；现有职工26899人，其中各类专业技术人员4559名，年产煤炭1200万吨以上，为全国500家最大工业企业之一。

该公司地理位置优越，交通便利。距长治市30公里，距太原市、郑州市均为250公里左右。四邻有较好的工业基础，化工、发电、钢铁、机制等大型工厂星罗棋布。不仅煤炭就地消化能力很大，而且煤炭外运十分便利。太焦铁路纵贯全境，并与长邯线交汇于长治北站；新建的208国道和309国道在矿区内纵横交错，南通北达，东接西连。

该公司所属煤田为沁水煤田东部边段中段，煤炭储量丰富，煤质优良。发展前景十分广阔。规划利用储量为126.12 亿吨，可均衡生产 82 年以上。煤质牌号为焦煤、瘦煤、贫瘦煤、贫煤及无烟煤，商品煤主要有洗精煤、洗混块、混煤、混块、末煤五大种类，属特低硫、低磷、低中灰、高发热量的优质动力煤或炼焦配煤，适用于炼焦、动力、钢铁、化工生产，用途十分广泛。现5个生产矿均有配套的洗选厂，洗选加工原煤能力为1060万吨／年。拥有10多个省市的500多家用户，并向日本等国家出口。

该公司机械化水平高、生产手段先进，现主要采用自己研究开发的居世界领先地位的综采放顶煤技术开采。已发展成为以产煤为主，包括洗煤、机制、发电、化工、水泥、建材、汽修、印刷、林业等多种经营、全面发展的特大型现代化煤炭企业。近年来，先后获得国家、部、省级荣誉和奖励100多项。1986年建成第一个“中国煤炭工业现代化矿区”；1987年荣获全国“五一”劳动奖状；1990年第三次荣获国家企业管理优秀奖——金马奖；1991年晋升为国家一级企业，并荣获“六五”、“七五”国家级企业科技进步奖；1997年被大公国际资信评估有限责任公司评定为AAA级信用企业；1998年11月通过了ISO9002质量体系认证，是全国煤炭行业第一家整体通过认证的企业；1999年被评为“全国质量效益型先进企业”和“全国实施用户满意工程先进单位”；连续3年被评为全国煤炭工业“科技进步十佳企业”；连续6年保持“全国煤炭质量信得过单位”称号。

该公司十分重视企业文化和精神文明建设，以艰苦奋斗的石圪节精神闻名全国，多年来一直保持“全国职工思想政治工作优秀企业”的光荣称号。目前，该公司适应市场经济的需要，正在全方位加大改革力度，优化资本运营，探索具有自身特色的发展道路，力争在不久的将来建设成为科、工、贸并举、“四跨”经营、集团化发展的高效率、高效益、高技术、高管理的世界一流的“中国潞安”。

枣庄联创实业有限责任公司

枣庄联创实业有限公司董事长总经理　刘学典

枣庄联创实业有限责任公司是对枣庄矿业（集团）有限责任公司陶庄煤矿优良资产的剥离重组创建的股份合作制企业，也是鲁南地区国有煤矿第一家通过股份合作制形式改制的新型企业。

该公司位于枣（庄）薛（城）滕（州）经济带的腹地，是山东枣陶煤田重要的煤炭生产基地，其主要产品强肥煤属全国独有。公司西临京沪铁路和京福高速公路，北通枣滕高速公路并连接104国道，企业有铁路专线与京沪铁路接轨，地理位置优越，交通十分便利。

联创公司是从陶庄煤矿母体中分离出来的，该矿是一座具有百年开采历史的老矿，曾为国家煤炭生产建设做出过巨大贡献，受到过党和国家领导人的表扬。进入20世纪90年代，在市场经济条件下，面对激烈的市场竞争和资源逐年枯竭的严峻形势，陶庄煤矿毅然选择了依靠改革求生存的发展之路，在产权制度改革方面取得了突破，创建了联创实业有限责任公司。公司辖煤炭洗销公司、煤矸石热电厂、纸板包装有限公司、特种油品厂、不锈钢镜面板材等多个生产经营厂点，形成了以煤炭生产营销为依托，以8级冶炼精煤、电力、纸板包装、特种油、活性碳等为主导产品的多产业结构。年盈利水平为2000万元，新的经济发展已显示了勃勃生机。

联创公司将通过规范的市场运作和科学的管理，按照"大干五年，滚动发展，抓住机遇，全面转产"的发展战略目标，从现在起5年内，新上3～5个投资额在3000～5000万元的"三高"项目，最终实现陶庄煤矿的全面转产。

世纪肇始，万象更新。枣庄联创实业有限公司真诚地希望与社会各界朋友携手合作，共同开创更美好的未来，再铸衰老矿井新的辉煌。

枣庄联创实业有限公司活性炭厂是由煤炭工业部、省煤炭工业管理局、山东省科委联合投资兴办的专业生产厂。工厂始建于1982年，总占地面积2万平方米。目前可生产各种规格的TH系列煤质颗粒炭和THZ系列果壳活性炭1500吨/年。该厂有较强的技术后盾可为用户提供技术咨询、技术服务和产品的研制。

TH系列活性炭产品灰份低、比表面积大、孔隙发达、机械强度高、耐压、耐高温、易再生、寿命长、吸附优良，主要用于水净化、污水处理、脱色和空气净化、贵金属回收和作流化床合成维尼纶的触媒载体使用。

本厂产品远销韩国、德国、加拿大、日本、泰国和港台地区，在国内用户中有很高的信誉。

本厂信守合同。精心经营，竭诚为用户提供优质服务。

董事长、总经理：刘学典
公司地址：山东省枣庄市薛城区陶庄镇　邮编：277011
电话：0632-4099518　传真：0632-4811126

刘学典，男，1965年2月生，汉族，山东招远人，中共党员，大学文化，会计师。1981年12月参加工作，历任枣庄矿务局枣庄煤矿财务科会计、副科长、副总会计师，1996年8月任陶庄煤矿副矿长，1998年4月任陶庄煤矿矿长，2000年8月陶庄煤矿实行改制成立枣庄联创实业有限责任公司后任董事长兼总经理至今。他首倡和发起实施了陶庄煤矿剥离优良资产进行股份合作制改造，并被枣庄矿业集团公司确定为试点单位。在他的带领下，联创公司一班人以"经济是基础，精神是支柱，管理是灵魂，自强是出路，干部职工就是财富"为经营理念，坚持深化改革，致力管理创新，稳步推进"大干五年，滚动发展，抓住机遇，全面转产"的发展战略，使一个资源濒临枯竭、被注销生产能力的煤矿重新焕发了生机。

枣庄联创包装有限公司纸板生产线。该生产线具有国内领先水平，各类纸箱从进料、烘干到开槽彩印一次完成，所生产的三层、五层包装纸箱，适合家电、酒水、农产品、精密仪器、配件等各类包装

淮北矿业集团公司临涣煤矿

谢清焕 男，汉族，中共党员。1949年7月出生，安徽淮北市人，大学文化，高级经济师。

1970年1月参加工作，1974年12月入党。1970年1月至1975年12月，在淮北矿业集团公司沈庄矿井下采煤，后任队长、党支部副书记。1975年12月至1990年2月，任沈庄矿党委组织部副部长、采煤二区书记兼区长、办公室主任。1990年2月至1995年3月，任淮北矿业集团公司童亭矿党委副书记、副矿长。1995年3月至1998年6月，任淮北矿业集团公司石台矿党委书记。1998年6月至今任淮北矿业集团公司临涣煤矿党委委员、矿长。

1988年以来，他撰写的多篇论文在《改革丛书》、《学理论》、《成都煤炭干部管理学院学刊》、《淮北日报》、《淮北矿工报》等刊物发表。论文《一刻也不能忘了群众》被编入由江泽民主席题字的《中国改革者风采录》一书。

2000年被评为"全国煤矿双十佳矿长"。

国家煤炭工业局原副局长王显政等领导来矿视察

团结奋进的矿党政领导班子

美丽如画的花园式矿井

科学规划，走向未来

淮北矿业集团公司临涣煤矿座落在淮北市濉溪县韩村镇，因靠近淮海战役总前委指挥部所在地临涣镇而得名。矿北距淮北市50公里，东距宿州市30公里，交通便利。矿井核定年生产能力120万吨，服务年限120年。矿井蕴藏的煤炭主要为焦肥煤，现主要供应上海宝钢等钢铁工业和江浙地区工业用户。

临涣矿于1985年12月28日投产，全矿现拥有职工5458人。矿井投产以来，全矿职工克服了筹备时间短、移交标准低、收尾工程量大、勘探资料不详、地质条件变幻无常等一系列难题，使临涣矿的生产和管理逐步走上正规。特别是近几年来，在社会主义市场经济条件下，在建立现代企业制度的进程中，临涣煤矿不断深化企业内部改革，强化内部经营管理，煤炭生产能力、安全、经济效益、煤矿基本建设、职工收入、生产机械化水平等方面一年一个台阶，一年一个新起点，为矿井的持续、稳定、快速发展奠定了基础，使临涣矿成长为年产150万吨左右，具有较强盈利能力的矿井。1999～2000年，实现利润7400.5万元，被安徽省评为"最佳效益单位"。矿长谢清焕被评为第五届"全国煤矿双十佳矿长"。

在"九五"期间，临涣矿积极贯彻"发展两翼，稳定中部"的总体生产布局，狠抓西翼4采区、东翼9采区的生产，稳定中部2采区的生产能力，逐步形成东、西、中三大主力采区相互竞争、相互策应、相互补充的生产格局。特别是近年来，以抓科技进步促煤炭生产，把科技进步的主攻方向放在生产工艺改革上。在掘进方面推行煤巷锚杆支护，使这项技术在临涣矿从无到有、从点到面、从10层煤推广到7、8、9层煤。在成功推行煤巷锚杆支护的同时，积极着手推行轻型综采放顶煤新工艺，成立了两个轻放区并投入生产，轻放开采所具有的提高单产、节省材料、煤炭资源回收率高的优点逐渐显露出来。

在煤炭生产经营管理中，临涣煤矿始终坚持"安全第一"的方针。一方面抓安全管理、安全监察，不断丰富和完善抓安全工作的手段。重点是整章建制，完善标准；加强培训，提高干部职工素质；落实责任，严格事故追查；严格考核，强化质量标准化建设；大力推行集工程质量、机电管理、一通三防、文明生产为一体的"四合一"检查，改进矿井现场安全检查办法。另一方面狠抓安全基础，组织人力物力，有计划、有步骤、高标准地开展大规模安全工程建设，从根本上、从基础上提高矿井安全水平。近年来，投入资金近千万元，开展了西二大巷治理，扩巷道、卧轨道、挖水沟、装架线，彻底排除了通风运输安全隐患；组织了架线向采区车场延伸，5个采区车场全部铺设了架线，井下所有电瓶车全部更换成架线电机车；安装了KJ66安全监控系统，使井下各重要部位的瓦斯状况处于24小时不间断监控状态；安排了较为先进的主井提升系统电控改造，保证了提升系统长期安全可靠；组织了国内尚无先例的主井井塔沉降治理，排除了我矿的一个重大安全隐患；突击进行了东七和东九大巷的重轨更换，开展了井下大巷的风水管路改造等等。

企业发展的动力是改革，而改革的根本目的是解放生产力，增强内部活力。围绕这一目标，几年来细化了内部承包，划小了核算单位；实施减人提效和再就业工程，减轻了企业负担；实行煤与非煤分离，努力调整非煤产业发展方向；深化劳保、医疗和住房改革，不断向社会化管理过渡；适应新形势，推行了灵活、高效的劳动、人事管理和工资分配制度改革等等。在内部管理机制上，明确了实现区队车间实体化、运行机制市场化、企业管理法制化的"三化"机制改革方向。在区队车间实体化方面，建立了以分解两翼、切块经营、经济承包为核心内容的政策体系，下放经济分配权，促使成本管理中心下移。在运行机制市场化方面，建立以劳务输出、内部结算、挂钩计奖、计件承包为特点的工资管理办法，把过去的行政命令、服务协作，改变为以买卖、供需等市场因素为主，行政命令为辅的新型关系。在企业管理法制化方面，重点是理顺管理机制和加大经济政策的兑现考核力度。这一系列企业改革措施的实施，大大增强了临涣矿的市场竞争能力，各项工作呈现出一派勃勃生机。

"雄关漫道真如铁，而今迈步从头越"。进入蕴蓄着新的机遇、新的希望的21世纪，临涣煤矿广大干部职工高举邓小平理论伟大旗帜，按照"三个代表"的要求，进一步加大两个文明建设力度，树立信心，克服困难，团结协作，积极进取，在改革与发展的道路上阔步前进。

地　址：安徽省淮北市濉溪县韩村镇

电　话：0561－4984412

传　真：0561－498412

邮　编：235136

山西晋城无烟煤矿业集团有限责任公司

山西晋城无烟煤矿业集团有限责任公司是经山西省人民政府批准，按照《公司法》在原晋城矿务局基础上组建的国有独资公司，是国家确认的全国520家重点企业之一，是山西省34户优势企业和13家重点骨干企业之一，是我国重要的优质无烟煤生产基地。公司现有4对生产矿井，设计能力为1310万吨／年。设计能力400万吨／年的寺河矿正在建设中。公司2000年工业生产总值12.6亿元。截止2000年底，总资产52.84亿元，职工28246人。

公司生产的优质无烟煤，具有低灰、低硫、高发热量、机械强度高、热稳定性好等特点，分别获得国家、省、部优质产品称号，1999年公司整体通过ISO9002质量体系认证。公司的优质无烟煤广泛用于化工造气、冶炼喷吹、建材、电力、民用等行业。产品畅销全国20多个省、市、自治区，部分产品远销国外。

跨入新世纪，晋城煤业集团正在以新的体制、新的机制、新的风貌，在新的起点上，着力构建"煤、气、电、化"综合发展、建设环保型绿色矿山的发展战略，加快公司由单纯的煤炭生产向煤、气、电、化综合发展过渡，由单纯的生产经营向生产经营和资本运营相结合过渡的步伐。最终将公司建成一个跨地区、跨行业、跨所有制和跨国的经营多元化、组织集团化、管理现代化的大型企业集团。

上　成庄矿引进国外先进设备建成了模块式洗煤车间，生产的优质洗末煤畅销国内并出口日本、韩国（摄影：张志勇）

中　晋城煤业集团　开发利用煤层气资源，培育新的经济增长点。图为晋城煤业集团寺河矿井煤层气地面抽放作业系统（摄影：张志勇）

下　2000年8月28日，晋城煤业集团成立。图为成立大会会场（摄影：张志勇）

宁夏灵州集团公司位于中国宁夏灵武市境内，银古(银川－古窑子)一级公路横穿矿区，古太高速公路正在加紧建设之中。矿区距宁夏首府银川市仅42公里，矿区铁路专用线大古铁路(大坝电厂－古窑子站)全长70公里，与国铁包兰线接轨于大坝车站，至兰州483公里，至宁夏河东机场31公里，矿区交通十分便利。公司现有职工9000余人，其中专业技术人员1898人，公司现辖煤炭生产、基本建设和其他直属公司等经营性单位23家。

灵州集团公司所辖矿区是宁夏银川黄河东岸宁东煤田的一部分，宁东煤田含煤面积3500平方公里，探明地质储量273.14亿吨，占宁夏探明储量的88.6%，相当于中国东北三省煤炭剩余储量总和。灵武矿区属于宁东煤田碎石井勘探区，储量丰富，稳定可靠，开采条件极为优越。批准规模为1190万吨/年，矿区现有生产能力500万吨/年。矿区主要供煤用户宁夏大坝电厂(设计规模为240万千瓦，年耗煤820万吨，现已建成120万千瓦，耗煤400万吨)，另外我们还向甘肃省、青海省、陕西延安等地区供应动力用煤和民用煤，受到良好赞誉。现已建成年产30万吨的羊一矿和宁夏规模最大且技术含量最高的现代化矿井——灵新煤矿(240万吨/年)。矿区累计完成基建投资12.26亿元。公司在"七五"、"八五"期间被列为国家西部大型煤炭基地和全国20个煤电路综合发展的能源基地重点项目之一。煤种主要为低灰、特低硫、特低磷、高化学活性的不粘结煤，是洁净的动力用煤和化工原料，是宁夏环保局认证推广的优质环保煤，被银川、延安等城市确定为环保首选煤种，享有"洁净燃料"的美誉，并已向自治区商标局申请注册"灵武香砟子"环保洁净煤品牌。

目前公司已经与香港、美国、加拿大等外商洽谈合资兴建矿井及煤化工等项目，根据市场分析，灵武矿区将有非常好的发展前景。

在改革开放和建设社会主义市场经济体制的新形势下，灵州集团公司党政一班人精诚团结，发扬"艰苦创业、求实奋进、民主人和、开拓奉献"的企业精神，按照"用人少、效率高、安全设施可靠、经济效益好、管理先进、环境舒适优美"的矿区建设方针，深化改革，强化管理，逐步形成以煤电路为主导，多业并举，多种经济成份并存的跨行业、跨地区、跨所有制经营的企业集团。

在国家实施西部大开发的美好前景下，"灵州人"将以崭新的精神风貌，迎接新机遇、新时代的挑战。热忱欢迎海内外各界朋友前来矿区投资洽谈合作。

公司名称：宁夏灵州(集团)有限责任公司
公司地址：宁夏灵武市磁窑堡镇
联系电话：0951-6960192
传真：0951-6960057
邮编：751411
网址：WWW.LWCOAL.COM.CN

宁夏灵州(集团)有限责任公司

党委书记、副董事长 刘学长

董事长、党委副书记 白武昌

党委常委、总经理 姚具元

团结奋进、开拓创新的集团公司领导班子

兖矿集团南屯矿

兖矿集团山东比特电子有限公司是兖矿以承担债务方式兼并原山东比特电子集团公司的基础上重新组建的全资子公司。兖矿山东比特电子有限公司拥有固定资产8000余万元，产品远销欧美及东南亚地区。

矿长：闫吉太

党委书记：翟忠泉

综采工作面

兖州东方机电有限公司是兖矿集团与日本上野电机株式会社合资兴办的企业，是高低压成套开关设备、矿用防爆电器设备的专业制造商，是兖矿电器制造业的龙头企业

兖矿集团南屯矿地处孟子故里邹城市，北依气势恢宏的泰山，南临风景如画的微山湖，西靠玉带临风的京杭大运河。整个矿区毗临京—沪、石(臼所)—兖(州)—新(乡)铁路、京沪、京福高速公路和104、327国道，交通运输形成网络，交错纵横，方便快捷。

矿领导班子研究矿井长远发展规划

南屯矿是1973年末建成投产的大型生产矿井，设计能力150万吨，改扩建能力240万吨，近几年来，南屯矿以科技进步为依托，广泛采用具有世界一流水平的综采放顶煤等先进采煤工艺，煤炭产量现已达到450万吨水平。目前，全矿在册职工7745人，固定资产4.8亿元。

南屯矿井田面积54.6平方公里。煤层倾角小，地质构造简单，适宜于综采机械化开采。南屯矿煤种为气煤，具有低灰、低磷、低硫、高发热量、高挥发性、高灰熔点等优势，广泛应用于冶金炼焦、气化液化、火力发电等方面，是优质动力用煤和炼焦配煤。

南屯矿现有设计能力180万吨的大型现代化选煤厂，选煤厂生产采用先进的984PLC集中控制系统、微机区域控制网络和ZED大屏幕生产数据反馈系统。经洗选后的优质动力煤在国内外用户中享有高度赞誉。

南屯矿在矿井可持续发展上一直保持着前瞻性，积极采取有效措施，不断加快矿井经济结构的战略性调整，切实推动非煤产业上水平、上档次、上规模。目前非煤经营范围已涉及机械加工、矸石发电、综机维修、电器制造、建筑建材、水陆运输、装饰装璜、制衣、化工、商贸等领域，初步实现了煤与非煤两大主体，同步驱动，比翼齐飞。

集团公司办公大楼

萍乡矿业集团有限责任公司

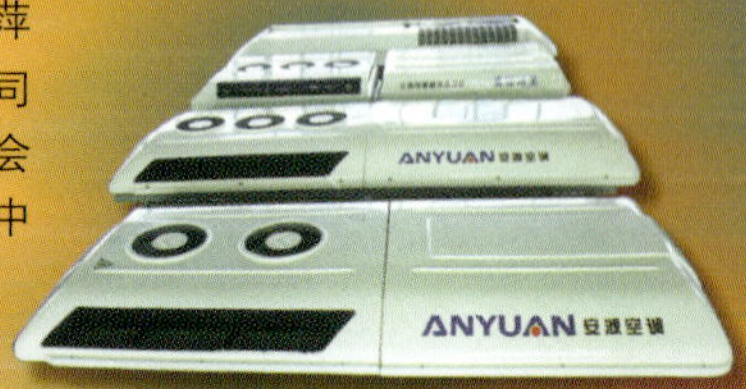

制冷设备厂生产的安源牌客车空调

文培斌，大学文化，高级经济师。历任萍乡矿务局劳动人事处科长、副处长、处长、萍乡矿务局副局长、萍乡矿业集团公司副董事长、副总经理、党委书记等职，现任集团公司董事长、代总经理。2000年被评为江西省优秀厂长(经理)。社会兼职有江西省劳动学会理事、江西省企业家协会常务理事、江西省企业联合会理事、中国煤炭工业协会理事、中国矿业协会常务理事，系江西省九届人大代表。

萍乡矿业集团有限责任公司由原萍乡矿务局改制而成，是一个以煤为本、多业并举、综合发展的国家大一型综合性企业。公司拥有8对生产矿井，18家工厂、公司，在册职工3.2万人，总资产19.7亿元，其中固定资产净值11亿元，年产值12亿元。

萍乡矿业集团公司依靠科技进步，深化改革，转换经营机制，不断推进管理现代化，坚持走"以煤为本，多业并举，综合发展"的道路，大力调整产业结构，培育壮大支柱产业，推进产业升级换代。目前已形成煤炭、玻璃、客车与客车空调、建筑等为支柱的产业集群。生产经营范围为煤炭、建材、机械、建筑、电力、轻化、火工、设计等10多个行业。主要产品有煤炭、玻璃、客车、客车空调、水泥、电焊条、火工产品、矿泉水等。

在立足国内市场的同时，萍乡矿业集团公司充分发挥技术和人才优势，积极开拓国外承包工程和对外贸易，先后在阿尔及利亚、尼泊尔、西班牙、喀麦隆等国开展了经济技术合作。2000年实现外经外贸额达800万美元。外经外贸成为萍乡矿业集团公司新的经济增长点。

萍乡矿业集团公司是全国资源型企业转型的典型之一，曾列512家国家重点企业，连续多年被评为中国煤炭工业优秀企业和江西省优秀企业。2001年被列为江西省重点扶植发展的30家企业(集团)之一。

萍乡客车生产的城市公交车

设计生产能力为212万重箱/年的浮法玻璃生产线

河北省磁县
申家庄煤矿

申家庄煤矿位于河北省邯郸市磁县黄沙镇境内，属地方国有中型企业。矿井年改造设计生产能力21万吨，现实际年生产能力60万吨以上。还建有洗煤厂、矸石电厂，企业总资产1.25亿元，职工1983人。

申家庄煤矿主要业务有生产原煤、洗精煤及发电。其主导产品原煤、精煤牌号为焦肥煤，煤质为低硫、低灰，热值在29260千焦以上，广泛适用于民用与工业，是优质燃料用品，产品畅销冀、鲁、豫等地。

80年代以来，在党的改革开放政策的指引下，申家庄煤矿坚持"科技兴矿"的发展战略方针，积极引进推广先进技术、工艺，采掘生产实现了机械化，生产管理实现了现代化。科学技术的注入，使企业插上了腾飞的翅膀，劳动效率和经济效益逐年提高。14年累计生产原煤447.6万吨，洗精煤103.26万吨，发电1.21亿度，实现利税1.28亿元，上交利税1.06亿元。

申家庄煤矿由一个小煤窑靠自力更生滚动发展到今天的规模，生产经营由一个单一生产煤炭向多元化经营格局发展，创造了辉煌的业绩。企业先后被省政府授予"省级先进企业"，煤炭部授予"质量标准化矿井"，邯郸市政府授予"经济效益先进企业"。

王俊杰矿长在办公

王俊杰，男，1947年7月30日生，汉族，大专文化，系河北省磁县人，高级采煤工程师，现任河北省磁县申家庄煤矿矿长，党委书记。从事煤矿工作32年，脚踏实地干工作，一步一个脚印，从采煤工到高级工程师，取得了辉煌的业绩。

生产调度实现现代化指挥

生活区照片

坑口矸石发电厂

河北省磁县
申家庄煤矿

江苏天能集团公司

集团公司总经理　李乃钊

江苏天能集团公司组建于1994年，其前身徐州市煤炭工业公司是地市合并时由地区矿务局及所辖的地方国营煤矿组成的。

集团公司现辖新庄、沛城、大刘、马庄、柳新、陈楼、永固、龙固等8个煤矿，13个非煤企业和矿山医院、能源工业学校、矿山救护队3个事业单位。职工15000人，资产总额6亿元，年产煤炭140万吨，年销售收入近5亿元。

集团公司总经理兼党委书记李乃钊，1949年生，毕业于淮南矿院，历任技术员、生产科副科长、科长、副经理，1988年市政府公开招标经理，他中标后注重改革，强化企业内部管理，致力于企业发展，使集团公司不断发展壮大，他先后被评为江苏省优秀企业经营者，煤炭部优秀企业家，徐州市优秀企业家。

近几年，集团公司有了较大发展，由年产煤炭70多万吨的地方煤矿上升到年产150万吨规模的大型企业。2001年，投资2亿多元年产45万吨的龙固煤矿可望投产，集团公司多种经营也有了长足发展，多种经营年产值1亿多元，销售收入2亿多元。集团公司开发的白水泥填补了徐州地区的空白。1999年，集团公司获国家经贸部批准的自营进出口权，服装、再生橡胶制品、氨基酸、玩具等远销欧、美、日等十几个国家和地区。

集团公司先后被评为中国100家最大煤炭采选企业，被国家六部委评为大型二类企业，部级质量标准化矿务局，市发展规模经济先进企业。

冲浪全景

正在建设中的龙固煤矿

山西潞安矿业(集团)公司

王庄煤矿

2001年7月，荣获"中国煤炭业知名出口企业"称号

郭金刚，男，回族，中共党员，1964年9月出生，河南省中牟县人，中国矿业大学硕士研究生，成绩优异的高级工程师。先后荣获第四届"中国优秀青年科技创新奖"、孙越崎教育基金会"优秀青年科技奖"、第六届全国煤矿双十佳矿长、山西省第十二届"杰出青年企业家"、"山西省五·一劳动奖章"，现为潞安矿业(集团)公司王庄煤矿矿长。

山西潞安矿业(集团)公司王庄煤矿建成投产于1966年12月，原设计能力为90万吨，经过两次矿井改扩建，现设计能力为360万吨，目前，实际生产能力稳定维持在440万吨左右。全矿现有职工6500人，资产总值达6亿元。矿井地处山西省长治市北郊，铁路专用线至长治北站13公里，与太焦线、邯长线连接，309国道横穿井田，交通十分便利。改革开放以来，王庄煤矿坚持走科技进步之路，各项经济技术指标屡创全国第一，1984年3月，被中国企业管理协会授予"企业管理优秀奖"，荣获"景泰兰"杯，即"金马奖"。1987年，率先在全国建成了现代化样板矿，被誉为"全国煤炭战线上的一盏明灯"和"矿井现代化建设的排头兵"。1994年，被原煤炭部命名为全国首批建成的12个"高产高效矿井"之一。1997年被中煤企协评为"中国煤炭工业优秀企业"，荣获"金石奖"，取得ISO9002质量体系认证证书，1998年元月被命名为"部特级高产高效矿井"。年入洗原煤达460万吨的选煤厂，先后于1998年和2000年两次被中国煤炭工业协会表彰为"优质高效选煤厂"。主要煤炭品种14级混煤和11级洗精(块)煤均荣获"山西省优质产品"称号，14级混煤还荣获"山西省标志性名牌产品"称号，2000年荣获国家"出口产品质量许可证"，2001年，先后荣获"中国煤炭业知名出口企业"、"质量兴企争创名牌示范企业"、"山西省2001年创名牌优秀企业"等荣誉称号。产品远销日本等国家和地区。

中国煤炭工业战线上的"一盏明灯"
——山西潞安矿业(集团)公司王庄煤矿全景

风景优美的办公楼广场

270米超长综放工作面

优质高效选煤厂

地址：山西省长治市北郊故县
电话：0355-5932261
传真：0355-5932020
邮编：046031

文山州煤业有限责任公司是按照现代企业制度要求，以普阳煤矿为核心，由原州普阳煤矿、州煤管处、州煤炭工业联合发展有限公司联合改制而成立的股份制企业。公司共有股东290名，注册资本为2975.8万元，注册地点为文山城普阳路中段。公司现拥有普阳煤矿、普阳大酒店、富宁汽车维修中心及广南煤业有限公司3个分支机构1个控股子公司。公司普阳煤矿是文山州的重点煤炭基地，煤炭储量占全州的95%，担负全州工农业生产及军民生活用煤的重任，该矿已连续数年年均上交利税超百万元，该矿技术力量雄厚，可对外承接大型工程的设计、施工以及修理任务。公司普阳大酒店是严格按国际二星级标准兴建的多功能综合性大酒店，该酒店座落在文山城田坝心普阳路中段，地处文山城中心繁华地段，地理位置优越，交通便利。酒店设有豪华、普通、经济型单、双套间84间共141个床位，设有可供400人同时就餐的餐厅，另外还有高档豪华夜总会、桑拿足道保健、烧烤美食、洗车停车、大型会议室等功能，是住宿、娱乐、举办会议的理想之地。

公司发展的目标是：以资本为纽带，以煤炭生产经营为龙头，通过开展多种经营和第三产业，实现多业并举，跨区域、跨行业、多元化发展的企业集团。公司以优惠条件，诚邀海内外有识之士前来洽谈生意、投资融资，共同为文山煤炭事业发展作贡献。

公司地址：文山城普阳路中段
联系电话：(0876)2181316　2184234(传真)
邮　　编：663000

1998年12月23日，公司正式宣告成立

公司多种经营战略重要投资项目——二星级普阳大酒店

文山州煤业有限责任公司

公司核心企业普阳煤矿

事业的起点 成才的摇篮

——湘潭工学院

湘潭工学院创建于1978年，座落在一代伟人毛泽东、彭德怀的故乡湘潭市，是一所培养高级工程技术人才和管理人才的新型高校。学院占地面积52万平方米，建筑面积25万平方米，校园环境优美、风景秀丽，是湖南省文明卫生单位、湖南省园林式单位。

学院设有资源工程、土木工程、机械工程及自动化、信息与电气工程、化学工程、经济与管理科学、数理、外语、计算机科学与技术、人文社会科学等10个系和体育、成人教育等2个部，以及高等职业技术学院、潇湘科技学院等两个二级学院；10个研究所，25个本科专业，其中国家管理的专业7个，省级重点建设专业2个，省级重点学科1个。现有在校学生9000多人。

学院教学、科研、生活设施完善，图书馆藏书丰富，现代化查阅、检索设备先进齐全。学院建有10个院级实验中心以及40多个专业实验室，用于教学的生均计算机拥有量、外语教学条件以及化学实验条件属湖南省一流水平，大型电工电子中心处于国内先进水平，新建学生公寓达到国内一流水平。

学院拥有一支学术造诣深、敬业精神强、教学经验丰富、梯队结构合理、发展潜力大的教师队伍，在500多名教师中，教授60余人，副教授179人，60%的青年教师具有博士、硕士学位，大批年富力强的教授、博士成为各学科的学术带头人。"九五"期间，学院承担和完成包括6项国家自然科学基金、社会科学基金项目在内的科研项目750项，发表论文1943篇，被美国《工程索引》(EI)收录的论文篇数在全国排行榜中1996年列第37位，1999年居第58位。1998年数学论文核心区域影响因子在全国高校中排名为第46位。学院学报是湖南省一级期刊，国际8大著名检索期刊统计源刊，是全国高校16家被美国《工程索引》(EI)检索的源刊之一。

(上) 新建的国内一流的学生公寓

(中) 校园节日夜景

(下) 省内一流的电工电子实验中心一角

学院坚持"从严治校、严谨治学"的办学方针，努力创建"团结、勤奋、求实、创新"的优良校风。学院实施了综合素质教育工程，尖子人才培养工程和扶贫助学工程，设立了心理咨询、勤工助学、就业指导、国家助学贷款管理等4个直接面向学生的服务中心，形成了一整套激励机制及多种奖励助学办法，建立了全省高校最大的毕业生人才信息网站。世纪之初，学院启动"新世纪教育质量工程"，教学改革进一步深化，教育质量稳步提高。学院毕业生面向全国各地各行业就业，一次性就业率连续7年保持在95%以上，供需比例始终保持在1：3左右。据湖南省教育厅最新公布的统计数据，学院2000年毕业生一次性就业率为99.63%，为全省本科院校第一名，应届毕业研究生录取率居全省高校第三名。在2001年8月举行的第八届全国大学生田径锦标赛上，我院女子田径运动员夺得了一金、二银、二个第五、一个第七、一个第八的好成绩，获甲B组女子团体总分第七名，湖南省参赛的10所高校女子排名第一。

新疆煤田灭火工程处处长侯学成（右一）、党委书记陈明样（左二）陪同上级领导和专家在灭火现场检查指导工作

新疆煤田灭火工程处

新疆煤田灭火工程处成立于1958年，系从事煤田火灾勘探与治理的专业化公益性事业单位。长期致力于宝贵煤炭资源的保护工作，是全国乃至全世界唯一具有科学的煤田灭火理论、丰富的煤田灭火经验、有效的煤田灭火办法的综合专业化煤田灭火队伍。

煤田灭火工程处现有职工370人，专业技术人员82人，拥有各类现代化机械设备380台件，固定资产总值达3794万元。

众所周知，新疆的煤炭资源蕴藏量居全国之冠，预测储量1.8万亿吨，占全国总预测储量的40.6%，但是煤田火灾在全国也是最严重的，经查明新疆煤田火区有35块之多，面积97平方公里，由此每年损失1000多万吨煤炭资源。

新疆煤田灭火工程处从成立伊始就肩负着"灭火保煤，造福人民"的神圣使命，经过40余年的艰苦奋斗，取得了巨大的成果，成功扑灭了国务院确定的奇台北山、阜康白杨河等火灾最为严重的五大重点火区，保护了3100.07亿吨煤炭资源，减少有毒有害气体13.23万吨，形成新的草场4393亩，有效地避免了土地荒漠化和水土流失，保护了生态环境。为了彻底的扑灭新疆的煤田火灾，新疆煤田灭火工程处对全疆的煤田火区进行了详细的勘察，根据火区面积、燃烧程度、资源损失情况和环境污染程度编制了《新疆煤田火区治理规划》，计划再用20年的时间全面扑灭新疆的煤田火灾。煤田灭火工程处正在全力扑灭昌吉硫磺沟煤田火区。

煤田火灾的治理是一个世界性的难题，党和政府对此都非常重视，国务院有关部委的领导和专家经常亲临灭火现场检查指导工作，对煤田火灾的治理给予了大力的支持。煤田灭火工程处有决心、有能力带领全处各族职工艰苦奋斗，排除万难，早日扑灭全疆煤田火灾，为保护煤炭资源作出更大的贡献。

正在燃烧的煤田火区

煤田灭火职工在恶劣的环境中施工

扑灭后的煤田火区

通讯地址：新疆乌鲁木齐市克拉玛依东路146号
电话：0991-4611651
传真：0991-4611651
邮编：830063

兖矿集团有限公司兴隆庄矿矿长来存良

来存良，男，汉族，中共党员，采矿工程硕士，高级工程师。1960年8月出生，山东邹城市人。现任兖矿集团有限公司兴隆庄矿矿长。曾是华东地区首家成功实验综采放顶煤的综采队队长，国家煤炭行业"九五"和"十五"重点科技攻关项目主要负责人之一，先后获得"山东省煤炭工业专业技术拔尖人才"等多项殊荣。

兖矿集团有限公司兴隆庄矿

兴隆庄矿始终坚持矿井建设与环境保护同步发展
图为工业广场一角

兴隆庄矿致力于用先进技术发展传统产业的生产力，
图为井下胶带输送机运行地面集控室

应用世界领先的厚煤层开采工艺——综采放顶煤技术的工作面

代表中国煤炭工业和兖矿科技发展缩影的兖矿集团兴隆庄矿是我国"六五"期间自行设计、建设的第一座年产300万吨大型现代化矿井，地质储量丰富，开采条件优越，其主要设备从世界最先进的采矿国家引进，采掘机械化程度均为100%。与矿井配套的有由中美联合设计的年入洗量300万吨的大型现代化选煤厂和全国第一家煤泥发电厂。煤炭产品具有低灰、低硫、低磷、高发热量等特点，是良好的动力用煤和炼焦配煤，深加工后的8级冶炼精煤获省优、部优产品称号，4级冶炼精煤获国家煤质最高奖——银质奖。"八五"期间，在华东地区首家成功地进行了综采放顶煤新工艺的试验；"九五"期间，完成了煤炭行业"九五"重点科技攻关项目的试验任务；目前，正在全力组织实施行业"十五"重点科技攻关项目。全矿科技贡献率达到了60%以上，综放核心技术世界领先。1999年，矿井产量首次实现设计能力翻番，2000年全矿生产原煤621万吨，实现利润2.69亿元。上缴利润连续7年稳居全行业榜首，最高年利润达到3.56亿元，并创出了连续安全生产8周年国际井工矿井开采先进水平。先后获得"中国矿井排头兵"、"现代化矿井"、"特级质量标准化矿井"、"部特级高产高效矿井"、"全国精神文明建设先进单位"等100多项省部级以上的荣誉称号，并连续15年保持省级精神文明先进单位。

窑街煤电有限责任公司

建设中的海石湾矿区。设计能力为150万吨的海石湾矿井是甘肃省重点建设项目，1993年经国务院批准开工建设

公司董事长、党委书记：朱志全

公司总经理：何元纲

窑街煤电公司是由原窑街矿务局整体改组而成的有限责任公司，属国有大型煤炭企业。位于甘肃省兰州市连海经济开发区，地处甘、青两省交界，介于兰青、兰新两铁路和109、312两国道之间。公司管辖窑街、天祝、大有、大滩、海石湾5块煤田，现开采的窑街、天祝两矿区有4对生产矿井，年产优质煤炭300多万吨，另有1对设计能力为150万吨的在建矿井。1个5万千瓦的在建劣质煤热电厂，还有21个附属工业生产及多种经营、生活服务单位，已形成以煤为主，煤电联营，兼有水泥、硅铁、化工产品生产和铁路运输、供水供电、机械制修、建筑安装、文教卫生、农副产品加工的综合发展格局。经过40年的建设与发展，已拥有总额为20亿元的企业资产。

公司坚持"质量第一、用户至上、竭诚服务、共同发展"的经营宗旨，发扬"自力更生办矿、奉献精神育人"的企业精神，深化改革转机制，从严治企炼内功，创建文明塑形象，科教兴企促发展，自1997年以来连年递增盈利。先后被评为国家二级企业，甘肃省一级企业、优秀企业，能源部和全国思想政治工作优秀企业，煤炭部质量标准化矿务局，"中华老字号"企业，甘肃省、兰州市"重合同、守信用"先进单位、先进纳税企业和省级文明企业。

窑街煤种为不粘煤，属低硫、低灰的优质动力、气化用煤；天祝煤种为低硫、低灰、高挥发、高发热量的优质一号气煤，是炼焦、动力、煤制气、活性炭、煤炭液化的优质原料。矿区除煤炭资源外，还有石油、油页岩、硅石、建材原料及地热资源等，具有开发价值，发展前景良好。窑街煤电公司以西部大开发为契机，实施企业发展规划和大集团战略，营造企业竞争优势，着力建设企业商品煤、多种经营和第一产业三个基地，再铸企业新的辉煌。

建设中的劣质煤热电厂，是国家节能综合利用示范工程，总装机容量为5万千瓦

矿区花园住宅小区　　（摄影：王海涛）

公司地址：甘肃省兰州市红古区平安路　　邮　编：730084

联系电话：（0931）6911010　6911122　　传　真：（0931）6911010

扬州市煤炭工业公司经理、党委书记、扬州市矿务局局长顾同生

扬州市煤炭工业公司

（扬州市矿务局）

顾同生，1951年出生，江苏泰州市人，中共党员，大专文化，高级经济师。1970年到煤炭系统工作，曾任煤矿企业班组长、区队长和矿领导职务。1983年以来，历任扬州市煤炭工业公司副经理、经理、党委书记、扬州市矿务局局长等职。

全国特级质量标准化矿井、江苏省文明单位、江苏省先进集体——王庄煤矿

扬州市矿务局蓝天大厦

建成营运6年多来保持安全供电的标准化变电所——扬州煤矿35千伏变电所

扬州市煤炭工业公司现有王庄煤矿和拾屯煤矿两对矿井（均在徐州），2001年产煤51万吨。1993年5月，成立扬州市矿务局。其下属单位或投资兴办的企业有：王庄煤矿、蓝天大厦、煤矿变电所、徐州维扬食品有限公司、徐州银王种鸡场、扬州市高扬机电有限公司（原扬州市煤矿机械厂）、扬州市煤炭工业供销公司、扬州太阳石商场。经过多年艰苦拼搏，扬州市矿务局已由单一的原煤生产发展成集煤炭开采、煤机制造、商旅服务、食品制造、物资贸易、商品批发零售及现代化养殖等多产业综合发展的新兴经济实体。全系统形成了煤炭生产和多种经营"两块经济"共同发展的战略格局。截止2000年底，公司已连续15年煤矿百万吨死亡率不超标，1997年4月至今，煤矿消灭了死亡事故，煤矿安全生产、全员效率、吨煤成本、吨煤电耗、坑木消耗等指标居全省乃至全国地方煤矿先进水平。公司和两矿连续8年被评为全国煤炭行业质量标准化矿务局和质量标准化矿井（或特级质量标准化矿井）。全局至今无一人下岗，全系统人均收入连续5年超万元，2001年达11209元，全局实现了无负债经营。依靠自我积累投资上亿元、经营面积2万多平方米、集宾馆、餐饮、娱乐、休闲于一体的大型综合性多种经营单位——蓝天大厦，在扬州及周边地区享有很高的知名度，先后获得江苏省消费者满意娱乐场所、扬州市十佳宾馆等多项荣誉，成为全局经济新的增长点。高扬公司多项产品获国家专利和部、省科技进步奖，银王种鸡场饲养的优良种鸡在苏、鲁、豫、皖供不应求。两矿和蓝天大厦分别被评为省市文明单位。

义马煤业（集团）有限责任公司

地址：河南省义马市千秋东路6号
电话：0398-5898324
传真：0398-5898050
邮编：472300

义马集团公司中国520家重点企业之一，近几年来荣获的部分荣誉证书

职工生活住宅小区

义马煤业（集团）有限责任公司是一个特大型煤炭生产企业，总设计能力为年产原煤1146万吨，年产洗精煤能力372万吨，主要煤种有长焰煤、焦煤和贫瘦煤。长焰煤年产量760万吨，发热量18000～23000千焦，具有挥发分高、不粘结、化学活性强、燃烧性能好等特点，不仅是电厂、工业锅炉的优良燃料，也是良好的造气原料，还可做海棉铁生产还原剂。焦煤年产量170万吨，发热量21000～27000千焦，具有挥发分适中、粘结性强、发热量高等特点，主要供焦化厂、水泥厂、电厂和工业锅炉做原料和燃料。贫瘦煤年产量65万吨，发热量24000～26000千焦，具有发热量高、粘结性弱，可磨性好、燃烧持续时间长等特点，主要用于电厂和工业锅炉。义煤（集团）公司每年为用户提供860万吨混煤、80万吨混块、20万吨洗混块和38万吨洗混煤的同时，还可根据用户需求，生产动力配煤，使各煤种优势互补。

义煤（集团）坚持"质量第一，信誉至上"，连年被评为"重合同、守信用"企业，是国家经贸委确定的全国520家重点企业之一，在河南省利润百强企业中排名第8位，曾被原煤炭部命名为优秀企业，荣获"金石奖"。

集团公司办公大楼

煤矿办公大楼

河南省三门峡英豪煤矿

河南省三门峡英豪煤矿（原名黄门煤矿）始建于1958年，位于渑池、陕县交界处，矿区有自备10公里铁路和公路专用线与陇海铁路和310国道衔接。

英豪煤矿建设40多年来，从一个年产不足10万吨的小矿通过自力更生，技术改造，逐步发展为中型煤矿。1987年被核定为"中一型"企业，1991年被河南省政府定为省一级先进企业，同时也是三门峡地区唯一的国有煤炭骨干企业。现有职工2850人，两对生产矿井（梁家洼井、天坛井），固定资产3089万元，年生产能力45万吨，煤种为工业用主焦煤，发热量25080千焦／千克左右，具有含硫低、挥发分高、易燃耐焚等优点，运销湖南、湖北、江西、山东、江苏、浙江等地，是发电、化肥等工业的理想原料。

英豪煤矿发展前景广阔，年设计生产能力21万吨，服务33年的梁家洼新井已经投产。年产60万吨的龙王庄矿井已报国家经贸委，以煤为主、多业并举及2010年发展规划已交职代会通过，正逐步实施。英豪煤矿全体职工按照市场经济要求，全方位、大力度地深化企业内部改革，转换经营机制，坚持内抓管理，外抓市场，一切围绕市场转，一切为了效益干，以市场为导向，视用户为上帝，视质量为生命，视信誉为效益，作为企业发展的经营之道。坚持"两手抓，两手都要硬"的方针，使企业步入了新的时期，焕发出勃勃生机和活力，创出了显著成绩。先后被河南省政府命名为"优秀政治工作"企业，河南省煤炭系统"安全生产先进单位"及三门峡市"质量、计量信得过单位"、"完成利润指标先进单位"、"中国工商银行三门峡支行一级信用企业"、"物价计量最佳单位"等项光荣称号。

周正钦，男，现年47岁，中共党员，大专文化，工程师，1970年参加工作，先后担任英豪煤矿梁家洼井班组长、区队长，1981年担任梁家洼井副井长、井长职务，1994年任英豪煤矿管理副矿长及生产副矿长，1997年任英豪煤矿矿长、党委副书记。

具有整列取送能力的装卸煤仓

中国煤矿工人昆明疗养院，是国家安全生产监督管理局（国家煤矿安全监察局）直属事业单位，系昆明市旅游涉外定点接待单位。

昆明煤矿疗养院地处四季如春、风景如画的昆明滇池国家旅游度假区内，交通便利。院区占地120余亩，曲桥流水，小径通幽，是疗（休）养、举办会议、旅游度假的理想之地。

昆明煤矿疗养院从1985年开始建设并在南方崭露新容以来，集天时、地利、人和之便，不断开拓经营门路，形成了集食、住、行、医、游、娱为一体的全方位经营体系。院内除拥有高档花园别墅式疗（休）养楼、水上餐厅，还形成了具有一定规模和层次的医疗中心、会务中心、信息化（电脑）培训中心和集健身房、网球场、小高尔夫球场、歌舞厅、KTV包房、室内外游泳池、桑拿浴、斯诺克、棋艺厅等为一体的康体娱乐中心。还在院外开办了服装厂、矿泉水厂、装饰工程公司等多种经营实体。同时为满足客人需求，成立了专业旅行社，承办省内外及缅甸、老挝、越南等周边国家的热线旅游，深受宾客欢迎。

在改革开放的大潮中，面对经济体制大变革和疗养业低迷不振的双重影响，昆明煤矿疗养院坚持"疗养为主、多种经营"的方针，采取了切实有效的营销策略和措施，以煤炭行业为主，面向全国各行业，目前全国已有民航、邮电等系统客人在该院疗养，仅民航系统的飞行员、空乘人员疗养人数就达上千名。同时，该院以"面向中档消费群体，以优质服务争市场"这一既能求发展，又立足于服务大众的经营思路，在职工中强化竞争、效益两个意识，树立"信誉第一、宾客至上、奉献社会"的精神，走出了一条求真务实的发展之路，赢得了市场，赢得了顾客，取得了良好的社会效益和经济效益。

迪庆中甸——神秘的香格里拉

美丽富饶的西双版纳

丽江宁蒗泸沽湖——"阿夏婚姻"的故乡

魏光宁　中国煤矿工人昆明疗养院院长
地　址：昆明市昆明滇池国家旅游度假区
邮　编：650228　传　真：0871-4311817
电　话：0871-4311123（总台）

滇池畔有一个美丽的地方

中国煤矿工人昆明疗养院

院区全景图

用准格尔绿色煤炭，还世界碧水蓝天

神华准格尔能源有限责任公司的前身是准格尔煤炭工业公司，负责开发建设经营的准格尔煤田位于内蒙古准格尔旗境内，探明地质储量272亿吨。属低硫、特低磷的环保型优质动力煤，有"绿色煤炭"之称。公司现拥有年产1200万吨的特大型露天煤矿和配套洗选能力的选煤厂，装机容量20万千瓦的坑口发电厂（二期电厂66万千瓦机组正在建设中），正线长264公里，年运量1500万吨的自营电气化重载铁路线，资产存量达90亿元。矿区公用设施配套齐全，非煤产业发展势头强劲。公司集煤炭开采、坑口发电、铁路运输为一体，是特大型综合能源企业，被称为煤炭行业崭新的"准格尔模式"。公司设施、设备先进，现代化程度高，成为中国露天煤矿现代化的缩影。

走进新千年的准格尔能源公司已成功实现了债转股，并首次扭亏为盈。同时将完成曾为亚洲第一大选煤厂的技术改造，提高洗选原煤发热量，扩大适销对路产品。另外开辟新的融资渠道，进行铁路的股份制改造，组织运作股票上市，实现资本运营，待露天矿实现内排后可以引进国际最新的采矿设备——大型吊斗铲，使露天矿的年产量达到1500～1800万吨，以适应二期电厂和托克托电厂等坑口和周边电厂的用煤需求。另外筹资兴建新的运煤铁路专线，与神华朔黄铁路接轨，使准格尔能源公司成为煤炭系统一流的煤电路型能源企业。

董 事 长：李 东

党委书记：刘子安

总 经 理：马军

地 址：呼和浩特薛家湾

电 话：0477-4316098

传 真：4316206

邮 编：010300

李 东，1960年生，硕士，在读博士，教授级高工，1982年毕业于阜新矿业学院采矿工程专业，先后在辽宁煤管局、东煤公司、统配煤矿总公司、煤炭部、神华集团工作，历任处长、办公室主任等职。1998年起任准煤公司副总经理、总经理，2000年任神华准格尔能源有限公司董事长。1993年出版《煤炭建筑工程概预算》。

1. 公司所属2×103千瓦坑口电厂，旁边为集团正在建设的二期2×33万千瓦电厂

2. 神华集团董事长叶青同志视察准格尔，右二、右一分别为准能公司董事长李东，书记刘子安

3. 公司所属黑岱沟露天矿采掘区一角

4. 公司所属大（同）准（格尔）铁路线，正线长264公里，Ⅰ级电气化

5. 从德国引进的大型设备轮斗挖掘机正在进行土层剥离作业

编辑说明

《中国煤炭工业年鉴》是经新闻出版署批准，国家安全生产监督管理局（国家煤矿安全监察局）主管煤炭信息研究院主办的大型年鉴类期刊，创办于1982年。每年以中、英文两种版本向国内外公开发行。

“全面、准确、权威”是《中国煤炭工业年鉴》的办刊宗旨。2001年版《中国煤炭工业年鉴》继续贯彻国家安全生产监督管理局（国家煤矿安全监察局）确定的编纂方针，在编审委员会的领导下，紧紧围绕国家局的中心工作，全方位、多层次地记载一年来中国煤炭工业所发生的巨大变化，真实反映了煤矿安全生产监督管理、全行业扭亏脱困等方面取得的不同业绩，为煤炭工业的可持续地健康稳定地发展贡献我们的一份力量。2001年版《中国煤炭工业年鉴》继续坚持面向市场、服务基层的办刊特色。

2001年版《中国煤炭工业年鉴》在保留大部分栏目的前提下，针对目前中国煤炭工业出现的上市公司增多，洁净煤技术受到广泛关注等新情况，增设了“上市公司”等栏目，着重介绍了主要上市公司的财务报表和2000年度报告，邀请一些中青年学者撰写中国洁净煤技术的现状和发展趋势，体现我们为读者服务的办刊思想。

2000年煤炭行业在深化改革、调整结构、控制总量，关井压产，限产压库，努力扩大出口，积极稳妥地实施煤矿的关闭破产和债转股等方面成效显著，保持了煤炭工业稳定健康发展的局面。为了全面记录煤炭工业的发展现状，我们力争做到重点突出，全面均衡。对一些关系到中国煤炭工业长远发展的前瞻性科研成果给予了积极的关注，并重点增加了上市公司栏目的篇幅。

2001年版《中国煤炭工业年鉴》的“统计资料”栏目，是煤炭行业2000年的重要统计数字。在“省（市、区）煤炭工业概况”栏目中，也列举了一些统计数字。由于统计的口径不尽相同，某些数字可能略有出入。凡统计数字不一致之处，均以“统计资料”栏目中所列数字为准。

2001年版《中国煤炭工业年鉴》中的全国性数据，不包括我国台湾省的数据。

谨向为2001年版《中国煤炭工业年鉴》撰文、提供资料和核稿的单位及有关同志表示衷心的感谢，并祈望继续予以关心和大力支持。

由于编辑人员少，在《中国煤炭工业年鉴》的编辑和出版中出现一些错误和不足之处，敬请广大读者批评指正。

《中国煤炭工业年鉴》编辑部

2001年12月18日

目 录

煤矿安全

煤炭工业基本建设项目

省（市、区）煤炭工业概况

上市公司

人事、机构、体制

对外经济贸易合作

科研成果

强化管理 调控总量 调整结构 迎接新世纪曙光

国家安全生产监督管理局
国家煤矿安全监察局 局长 张宝明

2000年，在党中央和国务院的正确领导下，煤炭行业深化改革，调整结构，控制总量，关井压产，限产压库，努力扩大煤炭出口，积极稳妥地实施煤矿的关闭破产和债转股工作，加大全行业扭亏脱困工作力度，加强对安全生产的监督管理，克服煤炭工业和企业生产经营中遇到的种种困难，各项重点工作都取得了明显的成效，保持了煤炭工业稳定健康发展的局面。

关井压产、调控总量推动了煤炭工业的结构调整。国务院决定关闭非法和布局不合理的煤矿，各级人民政府高度重视，切实加强领导，并采取行政的、法律的和经济的手段，推动关井压产和总量调控五”计划的实施，经济增长速度的加快，将全面拉动煤炭的社会需求；高技术的应用已经并将继续降低煤炭生产成本；洁净煤技术的推广，使煤炭的潜在价值得以发掘，应用领域不断拓宽；我国煤炭资源丰富，煤炭在一次能源中的比例现在占70%，在今后30～50年仍占50%以上。这个基本特点，决定了煤炭仍是我国的主体能源。总之，煤炭工业在我国国民经济中的基础地位，将是长期和稳固的；煤炭工业的发展前景，将是广阔和光明的。对此，应当充满信心。

21世纪的第一个五年计划期间，是我国经济和社会发展的重要时期，煤炭工业要以“三个代表”重要思想为指导，以实现全行业整体扭亏为盈和安全生产稳定好转为目标，突出结构调整主线，继续抓好关井压产和关闭破产，大力整顿和关闭不符合安全生产条件的小煤矿，淘汰落后生产能力，实现供需总量的基本平衡；继续深化改革，转换机制，搞好国有煤炭企业的战略重组，提高煤炭行业的集中度，增强国有煤炭经济的控制力和市场竞争力；继续推进煤炭科技创新，加快技术改造的力度，提高机械化、现代化程度。大力发展洁净煤技术，提高洁净煤和优质煤比重，带动产业升级和产品更新换代；依法强化煤矿安全监察执法工作，大幅度降低煤矿事故，实现煤炭工业的持续、稳定、健康发展。

大事纪要

2000年

1 月

△3日　张宝明同志1月3日主持召开局党组会议，研究有关煤矿安全监察体制的问题。王显政、濮洪九同志出席了会议，有关司室负责同志列席了会议。

△4日　上午，张宝明同志主持召开局长办公会议，听取煤炭行业关闭破产工作的汇报，濮洪九同志和有关司室负责同志出席了会议。随后，主持召开会议，研究煤矿安全监察管理体制改革座谈会的有关材料，王显政同志和有关司室负责同志出席了会议。

下午，张宝明同志在局接受了人民日报社和《今日中国》杂志社记者的采访。

△5日　上午，张宝明同志在中南海怀仁堂出席了全国“三讲”教育工作会议开幕式。

下午，张宝明同志主持召开局长办公会议，部署煤矿安全监察的有关工作，濮洪九同志和有关司室负责同志出席了会议。

△5日　王显政同志在西安主持召开会议，研究煤炭订货的有关工作。

△6日　上午，张宝明、王显政同志在西安出席了2000年度全国煤炭订货交易会开幕大会。国家计委副主任张国宝同志、国家经贸委副主任石万鹏同志、交通部副部长洪善祥同志、陕西省省长程安东同志和国家煤炭工业局局长张宝明同志分别讲了话。会议由国家煤炭工业局副局长王显政同志主持。

△6日　濮洪九同志在西郊宾馆出席了煤炭企业债转股工作座谈会议并讲话。中国信达资产管理公司总裁朱登山同志也出席了会议并讲话。

△6日　上午，张宝明同志在全国煤炭订货交易会开幕大会上的讲话中指出，2000年全国煤炭订货交易会的基本思路和要求是：以党的十五届四中全会和中央经济工作会议精神为指针，继续深化煤炭订货交易改革；对订货主体实行资格制；继续保证重点，优先满足国有煤炭企业和重点用煤企业的供需要求；电煤继续执行国家指导价格；严格履行《合同法》，依法规范煤炭买卖合同和运输合同。第一、要坚决贯彻国务院关于关井压产、整顿煤炭经营秩序的决策精神，严格订货资格。第二、要严格按市场规则办事，依法规范经营行为。第三、要自觉维护公平竞争秩序。第四、要端正会风，加强勤政廉政建设，把这次订货会开成一个廉洁高效的会议，一个平等协商的会议，一个卓有成效的会议。

△7日　上午，张宝明、濮洪九同志在人民大会堂出席了形势报告会。朱镕基总理出席会议并作形势报告。

△7日　上午，王显政同志在西安主持召开参加全国煤炭订货交易会煤炭系统厅局长会议，研究煤炭订货的有关工作。

下午，王显政同志与山西省副省长杨志明同志一起研究煤炭订货的有关问题。随后，到中国煤田地质总局航测遥感局视察工作。

△8日　上午，张宝明同志在京西宾馆出席了全国组织部长会议。

下午，张宝明同志主持召开局长办公会议，研究安全监察机构行政经费问题和有关会议材料。濮洪九、赵铁锤同志和有关司室负责同志出席了会议。

△9日　上午，濮洪九同志出席了煤炭科学研究总院2000年工作会议并讲了话。

下午，张宝明、王显政、濮洪九、赵铁锤同志在局出席了在京单位“三讲”总结会。会上，宣读了中组部、国务院关于赵铁锤同志任国家煤炭工业局副局长和党组成员的任命。张宝明、赵铁锤同志分别讲了话。

△10日　上午，国家煤矿安全监察局成立大会在京举行。张宝明、王显政、濮洪九、赵铁锤同志、范维唐同志和离休老部长许在廉、刘辉同志出席了大会。中组部、中编办、经贸委和国管局的有关负责同志，各省（区、市）煤管局（厅、公司）和部分矿务局（公司）的主要负责同志参加了会议。张宝明同志讲话并为国家煤矿安全监察局揭牌，王显政同志宣读了《国务院办公厅关于印发煤矿安全监察管理体制改革实施方案的通知》（国办发［1999］104号文件），濮洪九同志主持了大会。张宝明同志在讲话中强调，成立国家煤矿安全监察局是煤矿安全监察管理体制的重大改革，是煤炭行

业的一件大事。这充分体现了党中央、国务院对煤矿安全工作的高度重视和对煤矿职工的亲切关怀。我们一定要按照国务院的通知精神，抓紧做好各项工作，履行好煤矿安全监察的职责，促进煤矿安全状况的根本好转。改革煤矿安全监察管理体制，实行安全监察与安全管理分开，是强化行政执法的客观需要；是深化我国煤炭工业管理体制改革的重要组成部分，涉及体制、机构、人员编制等方面的调整，影响面较大。因此，必须坚持积极稳妥的方针，切实加强组织领导，把工作做实做细，确保思想不散、秩序不乱、人员妥善安排、国有资产不流失、各项工作正常运转。这项改革的组织实施，由国家煤矿安全监察局负责。各省区煤炭管理部门，要及时向省（区）政府汇报，并抓紧研究拟定煤矿安全监察机构的组建方案，上报给国家局。要认真学习领会国务院《通知》精神，按照改革的要求，研究煤矿安全监察的工作思路。新组建的煤矿安全监察机构，不同于过去的煤矿安全管理部门，不能套用原来的那种工作模式，必须按照管理与监察分开的原则，坚持改革的精神，转变思想观念，要从实际出发，研究探索具有中国特色的煤矿安全监察工作的新路子。既要吸取过去安全监察管理上的成功经验，又要打破计划经济体制下形成的老框框；既要坚持以保障煤矿安全生产为中心，又要实行安全监察与安全管理分开，突出依法治理煤矿安全；既要加大行政执法的力度，又要充分运用行政、法律、经济和教育等手段，实行综合治理。要突出抓好春节期间的煤矿安全监察工作。加强煤矿安全监察的法制建设，加大行政执法力度，尽快把监察工作纳入法制化轨道。

△11 日　上午，王显政、赵铁锤同志在西郊宾馆出席了 2000 年原煤生产总量控制目标落实情况汇报大会。王显政同志作了讲话，赵铁锤同志主持会议。

△11 日　王显政同志在西郊宾馆听取了有关单位关于 2000 年原煤生产总量控制目标落实情况的汇报。

△11 日　濮洪九、赵铁锤同志在国家经贸委出席了李荣融副主任主持召开的会议。随后，在国家经贸委向蒋黔贵副主任汇报了煤炭行业关闭破产的有关工作。

△11 日　王显政同志在局调度室主持召开会议，研究徐州矿务集团公司大黄山矿透水事故的抢救处理工作。徐州矿务集团公司大黄山矿 1 月 11 日 9 时 50 分发生透水事故，造成 3 人死亡、60 人被困井下。

△12 日　王显政同志在西郊宾馆出席了第五届煤炭工业技术委员会大会并讲了话。

△12 日　濮洪九同志在京西宾馆出席了中纪委第四次全体会议。

△12 日　张宝明同志在局主持召开局党组会议，研究近期煤矿安全监察重点工作等有关问题。王显政、濮洪九、赵铁锤同志出席了会议，有关司室负责同志列席了会议。

△13 日　王显政同志在徐州矿务集团公司大黄山矿透水事故现场组织事故抢救和调查处理工作。

△14 日　王显政同志在徐州矿务集团公司大黄山矿透水事故现场听取了有关负责同志关于事故抢救方案和抢救进展情况的汇报，并对事故抢救和处理的有关工作进行了研究。然后，与江苏省副省长陈必亭同志就有关问题交换了意见。

△17 日　王显政同志在局主持召开会议，研究煤炭企业春节停产放假的有关工作。

△17 日　濮洪九同志在上海召开国家煤炭工业局驻上海办事处、上海中国煤炭大厦有限责任公司等单位负责同志会议，研究有关工作。

△17 日　赵铁锤同志走访了各司室和部分在京单位。

△18 日　濮洪九同志会见了上海市委副书记孟建柱同志。

△18 日　赵铁锤同志看望了部分老部长，走访了部分在京单位。

△19 日　濮洪九同志会见了上海市副市长周禹鹏同志，就大屯煤电（集团）有限责任公司在上海设立上海大屯能源股份有限公司的有关问题进行了磋商。

△19 日　上午，王显政同志在中央党校大礼堂出席了省部级主要领导干部财税专题研讨班结业式。

下午，王显政、赵铁锤同志在局召开会议，研究煤炭安全工作。

△19 日　赵铁锤同志看望了部分老部长。

△20 日　上午，王显政同志在西郊宾馆先后听取了河北、山西、内蒙古煤管局负责同志有关机构设置、人员编制和改组为煤矿安全监察局、设立矿区安全监察办事处的设想和建议的汇报。

下午，王显政主持召开机关司室和在京单位有关负责同志会议，研究煤炭行业结构调整的基本思路。

△20 日　上午，赵铁锤同志在局听取了规划司、整顿办有关负责同志工作汇报。

下午，赵铁锤同志在西郊宾馆先后听取了辽宁、吉林、黑龙江和云南煤管局负责同志有关机构设置、人员编制和改组为煤矿安全监察局、设立矿区安全监察办事处的设想和建议的汇报。

△21 日　王显政同志主持召开机关司室和在京单位有关负责同志会议，研究我国加入 WTO 后煤炭行业应对措施。

△21 日　赵铁锤同志在西郊宾馆先后听取了河南、山东煤管局负责同志有关机构设置、人员编制和改组为煤矿安全监察局、设立矿区安全监察办事处的设想和建议的汇报。

△24 日　上午，王显政同志在局主持会议，研究赴大同矿务局调研的有关事项。

下午，王显政同志在局主持党组会议，学习江泽民总书记在省部级主要领导干部财税专题研讨班结业式上的重要讲话和中纪委第四次全会精神。濮洪九、赵铁锤同志出席会议，机关有关司室负责同志列席会议。

△24 日　赵铁锤同志在国务院小礼堂参加了中央国家机关第十四次党的工作会议。

△25 日　王显政、濮洪九同志在局听取了有关司室关于春节期间活动安排的汇报。

△25 日　赵铁锤同志率国家煤炭工业局与国家经贸委、山西省人民政府有关人员组成的联合调研组在大同矿务局进行调研。

△27 日　上午，王显政同志在国家经贸委向张志刚副主任汇报了中国加入 WTO 后煤炭行业应当采取的应对措施。

下午，王显政同志率有关司室负责同志慰问了部分老部长。

△27 日　濮洪九同志率有关司室负责同志慰问了部分老部长。

△27 日　上午，赵铁锤同志在大同矿务局永定庄煤矿主持召开座谈会并到部分职工家里慰问。

下午，赵铁锤同志在大同矿务局第二工程处主持召开座谈会并到部分职工家里慰问。

△28 日　上午，王显政同志在人民大会堂出席了中组部、总政治部、北京市委举行的在京老同志迎春茶话会。

下午，王显政同志在局会见了国家电力公司副总经理陆延昌同志一行。随后，率有关司室负责同志慰问了部分老部长。

△28 日　上午，濮洪九同志会见了 ABB 瑞典公司负责自动化系统的副总裁诺瑞尔先生一行。

下午，濮洪九同志在局会见了辽宁省省长助理杨宝善同志一行。双方就煤炭企业关闭破产的有关问题交换了意见。随后，出席了中国煤炭建设协会、中煤建设集团、北京煤炭设计研究院（集团）举行的 2000 年春节茶话会并讲了话。

△28 日　上午，赵铁锤同志在大同矿务局云岗煤矿进行调研。

下午，赵铁锤同志在大同矿务局主持召开联合调研组全体成员会议，听取有关情况汇报，研究调研工作。

△31 日　上午，张宝明同志主持召开局党组会议，传达中央有关文件、通报近期工作情况、研究讨论煤矿安全体制有关问题。王显政、赵铁锤同志出席了会议，有关司室负责同志列席了会议。

下午，张宝明同志率有关司室负责同志慰问了部分老部长。

△31 日　王显政、赵铁锤同志在局电话会议室出席了全国煤矿电话会议。王显政同志讲了话，赵铁锤同志主持会议。局机关全体司局级领导和部分在京单位的主要负责同志出席了会议。王显政同志在讲话中强调了以下五个问题：一、统一思想，提高认识，认真组织全国煤矿春节停产放假工作。对春节停产放假工作，要做到：第一，全行业上下一定要统一思想，协调行动；第二，各级煤炭管理部门对所属煤炭企业停产放假工作要加强监督检查，及时协调解决停产放假期间出现的问题；第三，严格履行恢复生产的报批手续。二、突出重点，认真落实安全生产责任制，扭转煤矿安全生产的被动局面。一是认真落实安全生产责任制，切实把煤矿安全工作放到应有的高度上去认识和落实；二是制定切实可行的安全技术措施，确保停产放假期间矿井的安全；三是突出重点，坚决遏制重大事故的发生；四是依法加强煤矿安全监察工作。三、充分利用停产放假的有利时机，认真抓好矿井检修工作。四、制定供煤预案，组织好煤炭运销工作，大力清收货款。五、妥善安排职工生活，确保矿区稳定。

△31 日　王显政同志率有关司室负责同志慰问了部分老部长。

△31 日　赵铁锤同志率有关司室负责同志慰问了部分老部长。

2 月

△1 日　上午，张宝明、王显政、赵铁锤同志在局机关多功能厅出席了国家煤炭工业局新春茶话会。部分老部长、老红军、离退休老干部和机关各司室、社团组织、有关事业单位及民主党派、侨联的负责人出席了茶话会。

下午，张宝明同志在中编办和张志坚副主任商谈了煤炭安全监察体制有关工作。

△1 日　上午，王显政同志在局主持召开全国煤矿春节期间统一停产放假工作小组会议，听取了关于全国煤矿统一停产放假情况的汇报，并对做好放假期间的监督检查和日常管理工作提出了要求。

下午，王显政同志率有关司室负责同志到部分单位慰问。

△1 日　濮洪九同志在合肥出席了淮南矿业（集团）公司与中国信达资产管理公司债转股协议签字仪式并讲了话。中国信达资产管理公司总裁朱登山同志和安徽省副省长黄岳忠同志出席了签字仪式。

△1 日　赵铁锤同志在局听取了企事业改革司负责同志的工作汇报。

△2 日　张宝明同志在局主持召开局党组会议，传达中央有关文件，听取赴大同矿务局调研组的汇报。王显政、赵铁锤同志出席了会议，有关司室负责同志列席了会议。

△3 日　张宝明同志在国家经贸委向盛华仁主任汇报了有关工作。随后，率有关司室负责同志到中国矿业大学北京校区慰问了韩德馨院士、余力教授等专家和学者。

△3 日　张宝明、王显政同志在局先后会见了中国信达资产管理公司总裁朱登山同志和神华集团公司董事长叶青同志。

△3 日　王显政同志率有关司室负责同志到部分单位慰问。

△4 日　张宝明、王显政、濮洪九同志出席了中共中央、国务院在人民大会堂举行的春节团拜会。

△4 日　张宝明同志率有关司室负责同志到中国煤炭工业进出口集团公司慰问。

△11 日　王显政同志在局主持召开会议，研究部署对全国煤矿春节期间停产放假情况进行检查的有关工作。

△12 日　王显政同志在局主持召开会议，研究煤矿安全监察立法的有关工作。

△13 日　上午，张宝明同志在局主持召开局长办公会议，研究 2000 年煤矿安全监察工作要点。王显政、濮洪九、赵铁锤同志和机关各司室负责同志出席了会议。

随后，张宝明同志在局主持召开局党组会议，研究贯彻落实中纪委第四次全会精神的有关工作和煤矿安全监察管理体制的有关问题。王显政、濮洪九、赵铁锤同志出席了会议，有关司室负责同志列席了会议。

△13 日　赵铁锤同志在局先后听取了机关党委和机关服务中心的工作汇报。

△14 日　上午，王显政同志在局主持召开会议，研究《煤矿安全监察条例》框架意见。

下午，在局主持召开会议，听取江苏省煤炭工业管理办公室负责同志关于徐州矿务集团公司大黄山煤矿“1.11”透水事故有关情况的汇报。

△14 日　上午，赵铁锤同志在局分别听取了下放办、人事司、监察局的工作汇报。

下午，赵铁锤同志在局听取了企改司扭亏脱困方面工作的汇报。

△15 日　上午，张宝明同志在国务院第一会议室出席了李岚清副总理主持召开的高校体制改革和布局调整座谈会。

下午，张宝明同志在办公室会见了前来拜访的印度矿产部副部长 S.S. 波帕雷一行。王显政同志会见时在座。

△15 日　上午，王显政同志在局主持召开会议，研究中印煤炭联合工作组第六次会议的有关事宜。

下午，王显政同志出席了在局举行的中印煤炭联合工作组第六次会议。印度矿产部副部长 S.S. 波帕雷率代表团出席了会议。我局有关司室和在京有关煤炭企业的负责同志出席了会议。

晚上，王显政同志在北京饭店宴请了出席中印煤炭联合工作组第六次会议的印度代表团全体成员。

△15 日　赵铁锤同志在局听取了办公室的工作汇报。

△16 日　上午，张宝明同志在办公室主持召开会议，研究华晋焦煤公司管理体制的有关问题。有关司室和中煤建设集团公司的负责同志参加了会议。

下午，张宝明同志在办公室听取了规划发展司关于煤炭结构调整工作的汇报。

△16 日　上午，王显政同志在办公室主持召开会议，研究对印设备出口的有关工作。

下午，王显政同志在办公室主持召开会议，研究煤炭运销的有关工作。

△16 日　赵铁锤同志在办公室先后听取了安全监察司筹备组、人才交流中心的工作汇报。

△17 日　上午，张宝明同志在局主持召开局长办公会议，研究《煤矿安全监察条例》起草工作有关问题和关井压产、关闭破产、扭亏脱困的有关工作。王显政、濮洪九、赵铁锤同志和机关各司室、有关单位的负责同志出席了会议。

下午，在国务院出席了国务院第二次廉政工作会议。

△17 日　王显政同志和印度矿产部副部长 S.S. 波帕雷签署了中印煤炭联合工作组第六次会议商谈纪要。

△17 日　赵铁锤到美迪国际旅行社平安府宾馆建设项目现场检查工作。

△17 日　王显政、濮洪九、赵铁锤同志在人民大会堂观看了纪念毛主席“开发矿业”题词 50 周年《走向辉煌》大型文艺晚会。

△18 日　张宝明、王显政、濮洪九、赵铁锤同志在局机关多功能厅出席了局机关、在京直属单位副局级以上党员领导干部大会。会议传达了中央有关文件。张宝明同志主持会议并讲了话。部分老部长出席了会议。

△18 日　王显政同志在局主持召开会议，研究召开总量控制和全国煤矿春节停产放假汇报会的有关工作。

△18 日　赵铁锤同志在西郊宾馆出席了国家煤炭工业局直属机关思想政治工作会议并讲了话。赵铁锤同志指出，一、坚持从严治党的方针，切实加强局机关和直属单位党的建设。二、充分认识加强和改进思想政治工作的重要性，把思想政治工作任务落到实处。三、切实改进工作方法和活动方式，增强党建工作和思想政治工作的实效性。

△21 日　赵铁锤同志到科技苑二期工程施工现场检查了工作。

△22 日　上午，张宝明、王显政、濮洪九同志在局机关多功能厅出席了局机关全体公务员、社团组织副处级以上干部、在京直属单位领导班子成员大会。王显政同志传达了江泽民同志在中央纪委第四次全体会议上的讲话，濮洪九同志传达了朱镕基同志在国务院第二次廉政工作会议上的讲话精神和尉健行同志在中央纪委第四次全体会议上的讲话精神，张宝明同志在会上讲了话。会议由濮洪九同志主持。

下午，张宝明、赵铁锤同志在国家经贸委向石万鹏副主任汇报了赴大同矿务局调研情况。

晚上，张宝明、赵铁锤同志在西郊宾馆会见了吉林省李介车副省长一行。双方商谈了吉林省煤矿安全监察体制的有关问题。

△22 日　王显政同志在局主持召开会议，听取四川煤管局关于 1999 年工作总结及 2000 年工作思路，煤矿安全监察体制，煤炭企业关闭矿产工作的汇报。有

关司室负责同志出席了会议。

△22日　赵铁锤同志在国务院第一会议室出席国务委员兼国务院秘书长王忠禹同志主持召开的会议。会议部署了有关“两会”的服务工作。

△23日　张宝明同志在局主持召开局长办公会议，听取科技苑工程情况汇报。王显政、濮洪九、赵铁锤同志和有关司室负责同志出席了会议。

△23日　上午，张宝明、王显政、濮洪九、赵铁锤同志在局向国家经贸委副主任李荣融同志汇报了有关工作。

下午，王显政同志在西郊宾馆出席了部分炼焦煤生产企业联合销售会议并讲了话。

△24日　张宝明同志在局主持召开安全监察队伍自身建设座谈会并作了总结讲话。赵铁锤同志和各司室、有关单位负责同志，部分专家、学者出席了会议。张宝明同志在总结讲话中充分肯定了与会同志提出的好的建议和意见，并就贯彻落实吴邦国副总理的批示精神，搞好煤矿安全监察机构组建、安全监察队伍自身建设和今年的安全监察重点工作提出了具体要求。

△24日　王显政同志在西郊宾馆出席了煤炭销售座谈会并讲了话。王显政同志对今年煤炭销售工作提出了如下要求：一是坚定不移地抓好关井压产、总量控制工作。二是认真落实订货计划，为国有煤炭企业扭亏脱困创造条件。三是联合起来，统一行动，充分发挥行业的整体优势。四是加大货款回收力度，力争做到新账不欠，陈欠逐步收回。五是运用法律武器和国家政策，保护行业和企业自身利益。六是贯彻执行《煤炭经营管理办法》，加大煤炭经营秩序整顿的力度。

△24日　上午，赵铁锤同志在局听取了中国煤矿文工团的工作汇报。

下午，在局主持召开会议，研究做好为“两会”服务的有关工作。随后，在局听取了机关党委关于“三讲”教育回头看活动安排情况的汇报。

△25日　张宝明同志在局主持召开局“三讲”教育领导小组会议，研究局“三讲”教育“回头看”活动方案。王显政、濮洪九、赵铁锤同志和有关司室负责同志出席了会议。

△25日　上午张宝明同志在局主持召开局党组会议，研究有关体制方面的问题。王显政、濮洪九、赵铁锤同志出席了会议，有关司室负责同志列席了会议。

△25日　王显政同志在局主持召开会议，听取煤炭工业通讯信息中心的工作汇报。有关司室负责同志出席了会议。

△26日　赵铁锤同志2月26日在中国煤田地质总局听取了工作汇报并视察了有关单位。

△27日　王显政同志在局主持召开会议，研究煤矿安全监察的有关工作。

△28日　上午，张宝明同志在局主持召开会议，研究煤矿安全监察的有关工作。

下午，张宝明同志在局主持召开会议，与国家经贸委安全生产局主要负责同志一起研究煤矿安全监察的有关工作。

△28日　上午，王显政同志在长沙出席了全国煤炭行业总量控制、压减库存及春节停产放假工作汇报会。

下午，听取了湖南煤管局的工作汇报。

△28日　上午赵铁锤同志在局分别听取了中国煤矿文联、中国煤矿体育协会的工作汇报。

下午，在局听取了中煤信托投资有限责任公司的工作汇报。

△29日　张宝明、濮洪九、赵铁锤同志在西郊宾馆出席了煤炭企业关闭破产工作座谈会。国家经贸委副主任蒋黔贵同志出席会议并讲了话。张宝明、濮洪九同志和财政部、劳动和社会保障部、中国人民银行的有关负责同志先后讲了话。中国煤矿地质工会主席赵永金同志出席了会议。上午的会议由濮洪九同志主持，下午的会议由赵铁锤同志主持。辽宁、贵州、河北煤管局和鸡西矿务局、辽宁省经贸委先后介绍了煤炭企业关闭破产工作情况。

△29日　张宝明同志在煤炭企业关闭破产工作座谈会上讲话时，对煤炭企业关闭破产工作提出了如下要求：一、深化认识，加强领导，把关闭破产作为煤炭工业结构调整的关键环节抓紧抓好。煤炭工业结构调整的主攻方向：一是加大关井压产、限产压库的工作力度，下决心解决总量过剩的问题；二是实施关闭破产工作，让那些资源枯竭、扭亏无望、高硫高灰、产品没市场的煤矿退出市场。二、认真贯彻国家有关法律和各项政策措施，依法规范煤炭企业的关闭破产工作。三、要扎实工作，确保关闭破产工作的稳定实施。煤炭企业关闭破产过程中的稳定工作，要注意抓好三个环节：一是地方政府以及煤炭管理部门，要组织工作组，深入到拟关闭破产单位，提前做好各项工作，特别是思想政治工作；二是要发挥企业党组织和行政领导的作用；三是要善于通过工会和职工代表大会，做好群众工作。

3 月

△1日　张宝明、濮洪九同志在长春先后听取了辽宁煤管局、黑龙江煤管局有关体制方面的汇报。随后，与吉林省李介车副省长商谈了有关吉林省煤炭体制的问题。

△1日　上午，王显政同志到湖南省煤炭坝煤矿视察工作。

下午，王显政同志到长沙市宁乡县现场检查关井压产工作情况。

△1日　上午，赵铁锤同志在北京中国国际贸易中心出席了“中国国际防灾减灾设备、物品与服务展览会”开幕式。随后，出席了“中国减灾与经济发展（部长）论坛”并发表题为《中国煤矿防灾减灾状况及展望》的演讲。

下午，赵铁锤同志在西郊宾馆出席了煤炭企业关闭破产工作座谈会总结大会并讲了话。赵铁锤同志指出，为搞好下一步煤炭企业关闭破产工作，各级煤炭管理部门和煤炭企业必须做好以下工作：一、坚持思想领先原则，切实解决好干部、职工对关闭破产的思想认识问题。一方面，要从煤炭行业向社会主义市场经济转变和煤炭企业扭亏脱困的全局高度，把大道理讲清楚。另一方面，要从职工切身利益和企业实际出发，把煤炭企业关闭破产的实质、实行关闭破产的益处、国家采取的安置政策等，向职工讲清楚，帮助打消思想顾虑。二、认真吸取经验教训，改进工作作风和工作方法。一是要进一步转变作风；二是要增强工作的主动性，做到超前防范；三是要依靠群众搞好关闭破产；四是要注意发挥企业的党政工团组织的作用。三、抓好几个关键环节，扎实稳妥地推动煤炭企业的关闭破产工作。一是认真做好关闭破产项目的前期准备；二是切实做好职工安置工作；三是认真落实企业关闭破产费用。

△2日　张宝明、濮洪九同志在长春出席了全国煤炭系统纪检监察工作会议。濮洪九同志传达了中纪委四次全会的有关文件，张宝明同志讲了话。张宝明同志讲了四个问题。一、正确认识煤炭行业党风廉政建设和反腐败斗争的形势，增强抓好这项工作的自觉性和坚定性。二、坚持从严治党的方针，把中央关于从严治党、从严治政的各项要求落到实处。三、以高度的责任感，认真抓好今年的党风廉政建设和反腐败工作。四、切实加强纪检监察机关的自身建设。

△2日　王显政同志在涟邵矿务局先后听取了娄底市政府关于关井压产工作情况的汇报及涟邵矿务局的工作汇报。

△2日　濮洪九同志继续在长春出席全国煤炭系统纪检监察工作会议。

△2日　上午，赵铁锤同志在中国信达资产管理公司与朱登山总裁商谈了煤炭企业债转股工作的有关问题。

下午，在局主持召开局机关、在京直属单位负责人会议并讲了话。会议对“两会”期间的有关工作进行了部署。赵铁锤同志提出如下要求：一是各单位要切实加强领导，认真贯彻落实中办、国办有关做好“两会”期间稳定工作的文件精神和要求；二是对各种不稳定因素要超前防范，出现问题要及时妥善处理；三是有关单位要加强值班工作，坚持24小时值班，并要有一名领导干部在岗值班；四是必须保证信息畅通无阻，有情况要及时报告；五是要继续认真抓好煤矿安全生产等各项工作，确保矿区和社会稳定。

△3日　王显政同志在湘潭工学院听取了工作汇报。

△3日　濮洪九同志在长春出席全国煤炭系统纪检监察工作会议并讲了话。濮洪九同志指出，煤炭系统的反腐倡廉工作今年要切实抓好以下几个方面，把从严治党的方针真正落到实处。第一，严格要求，继续加强领导干部廉洁自律工作。第二，坚持不懈，大力查办各类违纪违法案件。第三，注重防范，从源头上预防和治理腐败。一要加强党风廉政教育；二要加大对干部管理和监督的力度；三要加强财务和资金管理；四要认真开展清理干部职工自用小汽车工作；五要逐步推行政府采购制度。第四，严肃责任追究，进一步抓好党风廉政建设责任制的落实。第五，全面履行职能，深入开展执法、效能监察。一是继续加强对关井压产的执法监察；二是加大安全执法监察力度；三是继续加强对煤矿生产经营秩序和煤炭建筑市场的执法和效能监察；四是对国有资产管理开展执法和效能监察。第六，适应改革形势，进一步搞好纪检监察队伍的自身建设。

△3日　赵铁锤同志在局主持召开会议，研究大同矿务局解困的有关问题和煤炭企业扭亏脱困的有关工作。

△7日　张宝明同志到九届全国人大三次会议内蒙古代表团全体会议听取意见。

△7日　上午，王显政同志在华北矿业高等专科学校主持召开煤炭系统高级职称评审委员会会议，评审煤炭系统成绩优异高级工程师。

下午，在人民大会堂列席了全国政协九届三次会议全体会议。

△7日　赵铁锤同志3月7日继续出席九届全国人大三次会议。

△9日　上午，张宝明同志在人民大会堂列席了九届全国人大三次会议。

下午，张宝明同志在局主持召开局党组会议，研究关闭破产及稳定工作。王显政、濮洪九、赵铁锤同志出席了会议，有关司室负责同志列席了会议。

△9～13日　赵铁锤同志继续出席九届全国人大三次会议。

△10日　上午，张宝明同志3月10日上午在人民大会堂列席了九届全国人大三次会议。

下午，在局主持召开会议，听取精煤销售联合情况的汇报。王显政、濮洪九同志和有关司室负责同志出席了会议。

△10日　王显政同志在局主持召开会议，研究煤炭销售的有关问题。

△10日　濮洪九同志在局主持召开会议，研究煤炭企业关闭破产及稳定的有关工作。

△12日　濮洪九同志在国家经贸委出席了蒋黔贵副主任主持召开的会议，研究资源枯竭矿山企业的有关问题。

△13日　张宝明、王显政同志到九届全国人大三次会议山西代表团讨论会听取了意见。

△13日　濮洪九同志在局主持召开会议，研究煤炭企业关闭破产的有关工作。

△13日　张宝明同志在局主持召开局党组会议，传达中央有关文件。王显政、濮洪九、赵铁锤同志出席了会议，有关司室负责同志列席了会议。

△14日　上午，张宝明同志在中国矿业大学（北京校区）出席了煤炭工业WTO基本知识培训班开学典礼并讲了话。

张宝明同志在讲话中提出：一、认清形势，统一思想，充分认识这次培训的重要性和紧迫性。二、加强学习，深入研究，做好迎接挑战的准备。三、加强领导，精心组织，确保培训质量。

下午，张宝明同志在局主持召开国家煤炭工业局党风廉政建设和反腐败工作领导小组会议。随后，在局会见了黑龙江省副省长张成义同志。

△14 日　王显政同志在济南听取了赴山东关井压产验收组的工作汇报。

△14 日　濮洪九同志在贵州煤管局听取了关于六枝矿务局破产工作情况的汇报。

△14 日　上午，赵铁锤同志在局主持召开会议，研究大同矿务局解困的有关工作。随后，在局听取了中煤建设集团公司的工作汇报。

△15 日　张宝明同志列席了九届全国人大三次会议闭幕大会。

△15 日　上午，王显政同志在济南分别听取了山东煤管局的工作汇报和赴山东关井压产验收组的工作汇报，并与山东省副省长韩寓群同志就关井压产验收工作交换了意见。

下午，就煤炭运销等有关工作与山东煤管局有关负责同志进行了座谈。

△15 日　上午，濮洪九同志在贵阳听取了贵州煤管局和六枝工矿（集团）有限责任公司的情况汇报。

下午，与贵州省副省长刘长贵同志就六枝矿务局破产的有关工作交换了意见。

△16 日　上午，张宝明同志在局先后会见了黑龙江省省长宋法棠同志和山西省省长刘振华同志。

下午，张宝明同志在局主持召开局长办公会议，研究煤炭企业关闭破产的有关问题。濮洪九、赵铁锤同志和有关司室负责同志出席了会议。

△16 日　上午，王显政同志 3 月 16 日上午视察了淄博矿务局岱庄矿。

下午，在兖矿集团公司听取了工作汇报。

△16 日　赵铁锤同志在局主持召开会议，研究九届全国人大三次会议山西代表团提出的有关煤炭方面的问题。随后，听取了中国煤炭教育协会的工作汇报。

△17 日　上午，张宝明同志出席了中央财经领导小组副秘书长兼办公室主任华建敏同志主持召开的会议。会议研究了资源枯竭矿山企业的有关问题。

下午，张宝明、濮洪九、赵铁锤同志在西郊宾馆出席了教育体制改革座谈会。张宝明、濮洪九、赵铁锤同志分别讲了话，赵铁锤同志主持了会议。

△17 日　上午，王显政同志在兖矿集团公司东滩矿视察并到井下现场检查工作。

下午，王显政同志在兖矿集团公司济三矿视察。

△18 日　张宝明同志出席了中央财经领导小组办公室召开的会议。会议研究了资源枯竭矿山企业的有关问题。

△18 日　王显政同志在淮北市先后听取了淮北市关井压产工作情况的汇报和赴安徽关井压产验收组的工作汇报。

△19 日　上午，王显政同志先后到淮北矿业（集团）公司临涣洗煤厂、临涣矿、海孜矿检查工作。

下午，王显政同志听取了淮北矿业（集团）公司的工作汇报。

△19 日　赵铁锤同志到科技苑二期工程建设工地检查工作。

△20 日　王显政同志在局主持召开会议，研究煤炭运销的有关工作。

△20 日　上午，张宝明同志在局主持召开局党组会议，传达中央有关文件。王显政、濮洪九、赵铁锤同志出席了会议，有关司室负责同志列席了会议。

随后，张宝明同志在局主持召开局“三讲”教育领导小组会议，研究局“三讲”教育“回头看”活动安排。赵铁锤同志出席了会议。

下午，张宝明同志在局主持召开中央财经领导小组办公室组织的资源枯竭矿山企业第一调研小组会议，研究有关调研事宜。

△21 日　上午，张宝明同志在局主持召开局党组会议，研究局“三讲”教育“回头看”实施方案。王显政、濮洪九、赵铁锤同志出席了会议，有关司室负责同志列席了会议。

下午，张宝明同志在局主持召开局长办公会议，审议《煤矿安全监察条例草案（送审稿）》，研究近期有关工作。王显政、濮洪九、赵铁锤同志和各司室负责同志出席了会议。

△22 日　张宝明同志率中财办调研组第一小组赴辽宁开展调研工作。

△22 日　王显政同志在局主持召开局长办公会议，研究九届人大三次会议山西代表团提出的山西煤炭企业改革脱困有关问题。濮洪九、赵铁锤同志和各司室负责同志出席了会议。

△22 日　赵铁锤同志在国管局礼堂出席了中央国家机关精神文明建设领导小组等七个单位召开的 1999 年度总结表彰大会，并作了题为《以绿化为己任，努力建设美好家园》的经验介绍。国家煤炭工业局被评为“中央国家机关文明单位”。

△23 日　张宝明同志率中财办调研组第一小组继续在辽宁开展调研工作。

△23 日　王显政同志在局会见了国家有色金属局副局长高德柱同志一行，双方交流了企业下放等工作经验。

△23 日　上午，赵铁锤同志在香山饭店出席了中煤建设集团公司工作会议并讲了话。

下午，赵铁锤同志在局主持召开局机关房改领导小组第一次会议，学习中央有关房改的文件精神。

△24 日　王显政同志在局会见了陕西省副省长巩德顺同志。

△24 日　赵铁锤同志在局听取了中国煤炭报社

的工作汇报。

△25日　王显政同志在京西宾馆出席了国家计委召开的西气东输专家论证会。

△26日　王显政同志在中国矿业大学（北京校区）出席了煤炭工业WTO基本知识第二期培训班开学典礼并作了动员报告。

△26日　张宝明同志率中财办调研组听取了葫芦岛市委、市政府的有关工作汇报。

△27日　张宝明同志率中财办调研组在有色金属系统的杨家杖子矿务局进行调研。

△27日　王显政同志在人民大会堂出席了"中国发展高层论坛"国际研讨会。

△28日　张宝明、王显政、濮洪九、赵铁锤同志在局出席了局机关和在京直属单位"三讲"教育"回头看"活动动员大会。王显政同志主持会议，张宝明同志讲了话，部分老部长出席了会议。局机关全体干部、在京单位负责同志和离退休老干部支部书记参加了会议。张宝明同志在讲话中指出，为搞好"回头看"活动，一要正确估价前段集中开展"三讲"教育的成果，增强搞好整改工作的紧迫感和自觉性。二要充分认识"三讲"教育"回头看"的重大意义，扎扎实实搞好"回头看"活动。三要切实加强组织领导，确保"回头看"工作的质量和效果。局党组和机关的"回头看"要坚持高标准，严要求，以整改工作的新成效接受中央的检查指导。

△28日　张宝明同志在局主持召开局长办公会议，研究安全监察、扭亏脱困等有关工作。王显政、濮洪九、赵铁锤同志和有关司室负责同志出席了会议。

△29日　张宝明同志在沈阳出席了辽宁煤矿安全监察局挂牌仪式并讲了话。张宝明同志要求辽宁煤矿安全监察局下一步要抓好以下工作：一是尽快理顺煤矿安全监察管理体系，建立正常的工作秩序；二是依照煤矿安全监察局的职能，强化煤矿安全监察；三是加强煤矿安全法律法规知识的学习，强化依法行政的观念；四是加强煤矿安全监察队伍的自身建设，树立良好的职业道德，努力提高安全监察的效能。

△29日　上午，张宝明同志率中财办调研组听取了抚顺市委、市政府的有关工作汇报。

下午，张宝明同志率中财办调研组与辽宁省委、省政府有关负责同志进行了座谈。

△29日　王显政同志在局听取了山东煤管局的有关工作汇报。

△29日　上午，赵铁锤同志上午在华北矿业高等专科学校听取了该校的工作汇报。

下午，赵铁锤同志在局主持召开会议，听取了四川煤管局关于煤炭企业关闭破产工作情况的汇报。随后，在局听取了外事司等单位有关中波合作情况的汇报。

△30日　张宝明同志率中财办调研组在黑龙江省进行调研。

△30日　上午，王显政同志到国家经贸委向盛华仁主任汇报有关工作。随后，王显政同志在局主持召开会议，研究煤炭运销的有关工作。

下午，王显政同志在局主持召开会议，听取赴各省（区、市）关井压产验收组的情况汇报。

△30日　上午，赵铁锤同志在国家经贸委出席了王万宾副主任主持召开的会议。会议研究了"西气东输"的有关问题。

下午，赵铁锤同志在局会见了波兰经济部副国务秘书布瓦什切克一行。双方就中波在煤炭领域经济、技术的交流与合作广泛交换了意见。随后，在煤炭科学研究总院听取了该院的工作汇报。

△31日　王显政同志在局主持召开会议，继续听取赴各省（区、市）关井压产验收组的情况汇报。

△31日　赵铁锤同志在局出席了煤炭企业扭亏脱困研讨会并讲了话。随后，到煤炭信息研究院听取该院的工作汇报。

△3月　王显政同志在煤炭工业经济运行中心关于江西省丰城矿务局尚二矿留守处一个人承包小井发生瓦斯涌出事故的电话记录上批示：请江西煤管局认真调查，严肃处理。近期国有重点矿矿办小井连续发生事故，请安监司筹备组专门针对矿办小井安全工作发一通知，提出要求，对不具备安全条件或影响大矿生产安全的一律停产整顿，直至关闭。

4 月

△1～2日　张宝明同志率中财办调研组继续在黑龙江省进行调研。

△3日　张宝明同志即日起在中央党校省部级领导干部国际经济贸易知识专题研究班参加学习。

△3日　上午，王显政同志在局主持召开局长办公会议，研究有关工作。濮洪九、赵铁锤同志和有关司室负责同志出席了会议。

下午，王显政同志在办公室听取了整顿办关于关井压产工作的汇报。

△4日　上午，张宝明同志继续在中央党校省部级领导干部国际经济贸易知识专题研究班参加学习。

下午，张宝明同志在西郊宾馆主持召开中财办调研组总结会议。

晚上，张宝明同志在西郊宾馆主持召开局党组会议，研究有关工作。王显政、濮洪九、赵铁锤同志出席了会议，有关司室负责同志列席了会议。

△4日　上午，王显政同志到审计署与翟熙贵副审计长商谈有关事宜。随后，王显政同志在局听取了湖北省煤炭行业管理办公室负责同志的工作汇报。

△4日　赵铁锤同志在西郊宾馆出席了部分煤炭企业扭亏脱困工作座谈会。

△5日　上午，赵铁锤同志在中国矿业大学北京校区出席了第八期局级干部工商管理培训班、第七期

矿(处)级干部工商管理培训班和总工程师工商管理培训班开学典礼并讲了话。

下午，赵铁锤同志在西郊宾馆出席了部分煤炭企业扭亏脱困座谈会并讲了话。赵铁锤同志在讲话中指出：一、国有企业三年改革脱困是中央确定的目标，必须站在讲政治的高度，坚定不移地贯彻落实。二、煤炭行业今年整体扭亏，不仅是大势所趋，同时也是切实可行的。三、扭亏脱困需要有好的外部环境，但关键要靠自身努力，在自力更生、艰苦奋斗的基础上实现扭亏。四、国有煤炭企业的扭亏和脱困是一个整体目标，必须统筹兼顾，同步推进。

△6日　张宝明同志在局主持召开局党组中心学习组会议，对局“三讲”教育“回头看”活动进行专题研讨。王显政、赵铁锤同志和有关司室负责同志出席了会议。

△6日　上午，张宝明同志在人民大会堂参加了吴仪国务委员与土耳其副总理兼能源部长埃尔苏迈尔举行的会谈。

下午，张宝明同志在局会见了德国鲁尔集团董事长兼首席执行官施大哲先生一行。双方就在中国北方煤田火灾监测、治理方面开展合作事宜进行了商谈。

△6日　王显政同志在局会见了宁夏回族自治区政府副主席王全诗同志一行。双方商谈了宁夏回族自治区煤炭管理体制的有关问题。

△6日　濮洪九同志受中组部委派，率中组部《党政领导干部选拔任用工作暂行条例》检查组赴上海市检查工作。

△7日　上午，张宝明同志在中财办出席了华建敏主任主持召开的会议。会议研究了对资源枯竭矿山联合调研的有关工作。

下午，张宝明同志继续在中央党校省部级领导干部国际经济贸易知识专题研究班参加学习。

△7日　上午，王显政同志在国家经贸委出席了李荣融副主任主持召开的经济运行分析会议。

下午，王显政同志在国务院第一会议室出席了全国加强安全生产、防范安全事故电视电话会议。

△7日　赵铁锤同志出席了局机关服务中心“三讲”教育“回头看”活动动员大会。随后，在局听取了北京煤炭设计研究院（集团）关于改革工作的汇报。

△8日　濮洪九同志在上海出席了上海大屯能源股份有限公司揭牌仪式。

△10日　张宝明同志在局主持召开局长办公会议，传达党中央、国务院召开的加强安全生产防范安全事故电视电话会议精神，听取一季度安全工作汇报。王显政同志和各司室负责同志出席了会议。

△10日　张宝明同志在局出席了局机关和在京直属单位“三讲”教育“回头看”活动情况通报会并讲了话。

△10日　张宝明、王显政同志在局出席了全国煤矿安全生产电话会议。张宝明同志讲了话，王显政同志主持会议。张宝明同志对煤矿安全工作提出了如下要求：第一，认真学习贯彻江总书记重要批示和党中央、国务院4月7日召开的电视电话会议精神，充分认识安全生产的重要性。第二，加大煤矿安全监察工作力度。第三，深入抓好关井压产，坚决关实关死非法和不具备安全生产条件的小煤矿。第四，要认真抓好瓦斯、煤尘重大事故的防治。第五，认真落实安全生产责任制。第六，加强教育培训，提高职工队伍安全技术素质。第七，组织开展煤矿安全生产大检查。

△10日　濮洪九同志在上海出席了国家经贸委召开的企业改革与管理工作会议。

△10日　赵铁锤同志在长沙出席了湖南煤矿安全监察局挂牌仪式并讲了话。湖南省副省长周时昌出席了仪式并讲了话。赵铁锤同志在讲话中指出，要重点抓好以下工作：一是要尽快理顺煤矿安全监察管理体系；二是要以大幅度降低事故率和死亡人数为近期工作目标，以矿井“一通三防”为重点，扎实有效地开展煤矿安全监察工作；三是加强煤矿安全法律法规知识的学习，强化依法行政的观念；四是加强煤矿安全监察队伍的自身建设，树立良好的职业道德规范，努力提高安全监察工作效率。

△11日　张宝明同志在中财办出席了华建敏主任主持召开的会议。会议研究了国企改革脱困的有关政策。

△11日　王显政同志在长春出席了吉林煤矿安全监察局挂牌仪式并讲了话。吉林省副省长刘树莹同志出席了挂牌仪式并讲了话。王显政同志在讲话中要求重点抓好以下工作：一是强化执法责任，以控制重大事故、大幅度减少事故死亡人数为近期目标，加大煤矿安全监察工作力度；二是要理顺煤矿安全监察管理体系，健全执法机构和执法手段；三是要加强煤矿安全法律法规知识的学习，提高执法水平；四是加强队伍建设，树立良好的煤矿安全监察执法形象。

△11日　王显政同志到吉林省煤矿安全培训中心检查工作。

△11日　濮洪九同志在上海出席了吴邦国副总理主持召开的全国企业改革与管理工作座谈会。

△12日　上午，张宝明同志在局接受了中央电视台记者的采访。

下午，张宝明同志在离退休干部局主持召开老干部座谈会，征求对“三讲”教育“回头看”活动的意见。

△12日　赵铁锤同志在局出席了局机关和社团部分干部座谈会，征求对“三讲”教育“回头看”活动的意见。

△13日　上午，张宝明同志在局主持召开局党组会议，研究省级煤矿安全监察系统干部管理暂行办法。王显政、赵铁锤同志出席了会议，有关司室负责同志列席了会议。

下午，张宝明同志在局会见了吉林省副省长王国发同志一行。双方就吉林省煤炭企业扭亏脱困的有关工作交换了意见。随后，在西郊宾馆参加了中财办调研组的会议。

△13日 上午，王显政同志在局主持召开会议，协调有关企业资源纠纷问题。

下午，王显政同志在国家经贸委出席了煤炭行业关井压产工作领导小组第七次会议。

△13日 赵铁锤同志在局主持召开会议，落实局党组的有关工作部署。有关司室负责同志出席了会议。

赵铁锤同志在办公室听取了科技苑筹建办负责同志的工作汇报。

赵铁锤同志在局主持召开会议，传达中央有关文件。部分老部长出席了会议。

赵铁锤同志在局主持召开会议，研究煤炭企业改革脱困工作会议筹备工作。有关司室负责同志出席了会议。

△14日 张宝明同志在西郊宾馆出席了中财办主任华建敏同志主持召开的会议。会议研究了资源枯竭矿山调研工作的有关问题。

△14日 王显政、赵铁锤同志在局出席了局党组"三讲"教育"回头看"活动征求意见座谈会。部分司室、社团组织、在京直属单位的负责同志参加了会议。

△14日 赵铁锤同志在局主持召开局房改领导小组会议，研究房改有关问题。

△15日 赵铁锤同志在西郊宾馆主持召开会议，研究科技苑二期工程的有关问题。

△16日 上午，张宝明同志在局主持召开会议，研究煤矿安全监察会议报告，王显政同志及有关司室的负责同志参加了会议。

下午，张宝明同志在西郊宾馆出席了中财办主任华建敏同志主持召开的会议。会议研究了资源枯竭矿山调研组有关工作。

△16日 王显政同志在局召集紧急会议，研究山西省临汾地区古县永乐乡煤矿瓦斯爆炸事故的处理意见。

△16日 出席了陕西煤矿安全监察局成立大会并讲了话，随后，参加了陕西创能煤电股份有限责任公司成立揭牌仪式并讲了话。

△17日 王显政同志在山西省临汾地区古县永乐乡煤矿瓦斯爆炸事故现场指挥抢救、调查工作。

△18日 张宝明同志在国家经贸委出席了盛华仁主任主持召开的会议。

△18日 王显政同志在煤炭科学研究总院出席了天地科技股份有限公司揭牌仪式并讲了话。

△18日 赵铁锤同志在成都出席了四川煤矿安全监察局挂牌仪式并讲了话。

△19～20日 煤矿安全监察会议在杭州召开。吴邦国副总理4月18日向会议发来贺信，贺信全文如下：祝贺第一次工作会议的召开。国务院决定组建煤矿安全监察局，目的在于从体制上、制度上解决煤矿安全问题，大幅度降低煤矿因工死亡人数，这体现党对广大矿工的关心。希望不辜负党中央、国务院的期望，切实负起责任，为根本扭转煤矿安全生产严峻形势做出贡献。

△19日 张宝明、王显政、濮洪九同志在杭州出席了煤矿安全监察会议。会议由濮洪九同志主持，张宝明同志作了题为《认真履行职责，依法强化监察，努力实现煤矿安全状况的稳定好转》的报告，浙江省副省长叶荣宝同志讲了话。张宝明同志在报告中指出：一、认真贯彻落实江总书记关于安全工作的重要指示，增强抓好安全监察的责任感和紧迫感。二、尽快建立健全煤矿安全监察管理体制，认真履行国家赋予的安全监察职责。重点抓好五个方面的工作：一是尽快理顺煤矿安全监察管理体制，建立正常的工作秩序；二是加强煤矿安全监察的法制建设，完善安全监察法律法规体系；三是依照国家煤矿安全监察局的职能，强化煤矿安全监察；四是建立技术保障体系，加强煤矿安全监察的基础工作；五是加强煤矿安全监察队伍的自身建设。三、按照高标准、严要求，加强煤矿安全监察队伍建设，树立良好的监察执法形象。当前要抓好以下四项工作：第一，抓紧组建省级煤矿安全监察机构；第二，组建好强有力的安全监察办事处；第三，切实加强党风廉政建设；第四，加强煤矿安全培训，努力提高安全技术素质。四、以大幅度降低煤矿事故率和死亡人数为目标，加大执法力度，强化安全监察工作。第一，加强对煤矿安全生产责任体系的监察，确保安全第一、预防为主的方针落到实处；第二，结合关井压产，坚决关闭不具备基本安全生产条件的小煤矿；第三，加强对矿井"一通三防"工作的监察，坚决防止瓦斯、煤尘重大事故发生；第四，加大事故查处力度，做到防患于未然；第五，组织开展好煤矿安全生产大检查。五、进一步强化行业管理，坚决实现国有煤炭企业改革脱困的目标。

△19日 张宝明同志分别听取了部分省局领导同志的工作汇报。

△19日 王显政同志出席了煤矿安全监察会议分组讨论。

△19日 赵铁锤同志到科技苑工程现场检查工作。

赵铁锤同志在局听取了局房改办负责同志的工作汇报。

△20日 上午，张宝明同志分别听取了部分省局领导同志的工作汇报。

下午，张宝明、王显政同志在杭州出席了煤矿安全监察会议闭幕大会。张宝明同志主持会议，王显政同志作了总结讲话。国家经贸委安全生产局副局长杨富同志、全总煤矿地质工会主席赵永金同志先后讲了话。辽宁煤矿安全监察局、河南省平顶山市、阳泉煤业集团公司的有关负责同志分别作了发言。

△20日 上午，王显政同志出席了煤矿安全监察会议分组讨论。

△20日　上午，赵铁锤同志在局听取了机关服务中心负责同志的工作汇报。

下午，赵铁锤同志到北京医院看望了因病住院的老部长李建平同志。

△21日　张宝明同志在浙江省煤炭集团公司洁净煤中心考察，并听取了浙江煤炭集团公司负责同志的工作汇报。

△21日　赵铁锤同志在局听取了科技苑筹建办负责同志关于科技苑工程情况的汇报。

△22日　王显政同志在贵阳出席了贵州煤矿安全监察局挂牌仪式并讲了话。贵州省副省长刘长贵同志出席挂牌仪式并讲话。王显政同志在讲话中指出，下一步要抓好以下工作：一是强化执法责任，以大幅度降低煤矿事故和事故死亡人数为目标，加大监察工作力度；二是要理顺煤矿安全监察管理体系，健全执法机构和执法手段；三是要加强煤矿安全法律法规知识的学习，提高执法水平；四是加强队伍建设，树立良好的煤炭安全监察执法形象。

△24日　王显政同志在局主持召开会议，研究煤矿安全有关工作。

△24日　赵铁锤同志在局主持召开会议，研究九届全国人大三次会议山西代表团提出的有关煤炭方面的问题。

△25日　张宝明同志在局主持召开局党组会议，听取局"三讲办"关于"三讲"教育"回头看"活动进展情况汇报及征求意见反馈。王显政、赵铁锤同志出席了会议，有关司室负责同志列席了会议。

△25日　王显政同志在局主持召开会议，听取了煤炭工业通讯信息中心关于安全通讯网络有关工作的汇报。

△25日　赵铁锤同志在局主持召开会议，研究局"三讲"教育"回头看"活动下一步工作安排。

△26日　上午，张宝明同志在局会见了中国矿业协会秘书长郭振西同志。随后，在局主持召开局长办公会议，听取局房改领导小组办公室的工作汇报和规划发展司关于淘汰落后生产能力、关闭小煤矿意见的汇报。王显政、赵铁锤同志和有关司室负责同志出席了会议。

△26日　王显政同志在局主持召开会议，听取安全监察处罚条例课题组的汇报。

△26日　赵铁锤同志在局主持召开会议，部署对"三讲"教育"回头看"活动进行检查的有关工作。

△27日　上午，张宝明同志出席了中组部召开的全国选拔年轻干部座谈会。

下午，张宝明同志在局主持召开局党组"三讲"教育"回头看"活动专题民主生活会。王显政、赵铁锤同志和国家经贸委有关司局的负责同志、我局各司室负责同志出席了会议。

△27日　赵铁锤同志在局出席了机关各司室、部分在京单位有关负责同志会议并讲了话。会议布置了房改有关工作。

△28日　上午，张宝明、赵铁锤同志在局听取了企业下放办公室关于资源枯竭矿山关闭破产有关工作的汇报。

下午，张宝明同志出席了办公室"三讲"教育"回头看"活动专题民主生活会。

△28日　赵铁锤同志在华北矿业高等专科学校出席了该校领导班子"三讲"教育"回头看"活动专题民主生活会。

△29日　上午，张宝明、王显政、赵铁锤同志在局出席了局党组"三讲"教育"回头看"活动情况通报大会。张宝明同志讲了话，王显政同志主持了会议。部分老部长出席了会议，机关全体公务员、社团全体工作人员、在京单位领导班子成员和离退休老干部支部书记参加了会议。

△29日　上午，张宝明同志到财政部与高强副部长商谈了有关工作。

下午，张宝明同志在人民大会堂出席了2000年全国劳动模范和先进工作者表彰大会。

△29日　赵铁锤同志在局主持召开会议，研究扭亏脱困的有关工作。

△30日　张宝明同志在西郊宾馆出席了煤炭系统全国劳动模范和先进工作者座谈会并讲了话。

△30日　王显政同志在重庆出席了重庆煤矿安全监察局挂牌仪式并讲了话。重庆市副市长程贻举同志出席挂牌仪式并讲话。王显政同志在讲话中指出：要重点抓好以下四个方面的工作：一是认真贯彻落实中央领导同志的重要指示精神，强化安全监察，坚决防止煤矿重大事故；二是尽快理顺煤矿安全监察体系，健全执法机构，完善执法手段；三是认真开展煤矿安全生产大检查，依法从严查处各类煤矿事故；四是加强队伍建设，树立良好的监察执法形象。

△30日　上午，王显政同志与重庆市副市长吴家农同志商谈了煤炭安全监察的有关工作。

下午，王显政同志先后到重庆煤矿安全技术培训中心、煤科总院重庆分院和中梁山矿务局检查工作。

△30日　赵铁锤同志在合肥出席了安徽煤矿安全监察局、安徽省煤炭工业局挂牌仪式并讲了话。安徽省副省长田维谦同志出席挂牌仪式并讲话。

5 月

△1日　张宝明同志在局主持召开会议，研究贯彻落实《中共中央办公厅、国务院办公厅关于做好今年"五一"节期间安全工作的紧急通知》的有关工作。

△7日　张宝明同志在新疆煤炭局听取了工作汇报。随后，与新疆煤矿安全监察局领导班子成员分别谈了话。

△8日　张宝明同志到乌鲁木齐矿务局检查工作，并听取了矿务局领导的工作汇报。

△8日　张宝明同志出席了新疆煤矿安全监察局挂牌仪式并讲了话。新疆维吾尔自治区政府副主席吾甫尔·阿不杜拉同志出席挂牌仪式并讲话。张宝明同

志在讲话中指出：重点抓好四个方面的工作：一是尽快理顺煤矿安全监察管理体系，建立正常的工作秩序；二是依照煤矿安全监察局的职能，强化煤矿安全监察工作；三是加强煤矿安全法律法规知识的学习，强化依法行政的观念；四是加强煤矿安全监察队伍的自身建设，树立良好的职业道德规范，努力提高安全监察的效能。

△8日　上午，赵铁锤同志在波兰大使馆出席波兰国庆招待会。

下午，赵铁锤同志在国家经贸委出席了李荣融副主任主持召开的会议。会议研究落实了朱镕基总理考察辽宁省时布置的有关工作。

△9日　王显政同志在中国矿业大学（北京校区）先后参观了力学实验室、水煤浆实验室、放顶煤实验室。

△9日　赵铁锤同志听取了科技苑二期工程进展情况的汇报；随后，听取了企事业改革司关于国有煤炭企业改革脱困会议筹备情况的汇报。

△9日　赵铁锤同志召集有关司室同志研究如何根据国家经贸委李荣融副主任5月8日主持召开的会议精神，落实朱镕基总理考察辽宁省时布置的有关工作。

△10日　上午，张宝明同志在局主持召开局党组会议，研究有关工作并听取了扭亏脱困会议筹备情况汇报。王显政、赵铁锤同志出席了会议，有关司室负责同志列席了会议。

下午，张宝明、王显政同志在北京电信管理局出席了全国煤炭行业关井压产电视电话会议。王显政同志主持了会议。张宝明同志讲了话。国家经贸委副主任石万鹏同志出席会议并讲了话。他在讲话中指出：一、要正确估价前一时期的关井压产工作，统一思想，坚定信心，坚决把关井压产一抓底。二、要突出重点，集中力量打好关井压产攻坚战。三、进一步加大关井压产力度，推动煤炭行业结构调整和扭亏脱困。二是要认真落实今年的关井压产指标。三是强化安全监察，坚决关闭非法和不符合安全生产条件的小煤矿。四是加强领导，提高认识，确保今年关井压产目标的实现。

张宝明同志重点讲了三个问题：一、全国关井压产检查验收的情况。二、统一思想，坚定信心，加大关井压产的工作力度，下决心解决煤炭总量过剩问题。三、强化煤矿安全监察，推动关井压产，坚决关闭不具备基本安全生产条件的小煤矿。

△10日　赵铁锤同志与国家计委、财政部有关同志研究了落实朱镕基总理考察辽宁时布置的有关工作，组成赴辽宁联合调研组的有关事宜。随后，听取了北京矿务局有关关闭破产工作情况的汇报。

△11日　张宝明、王显政、赵铁锤同志到国务院向吴邦国副总理汇报工作。

△11日　上午，张宝明同志在局主持召开会议，研究国有煤炭企业改革脱困会议有关材料。

下午，张宝明同志到国家经贸委向盛华仁主任汇报有关工作。

△11日　上午，王显政同志在局会见了内蒙古自治区包头市副市长哈达同志一行。双方商谈了整顿煤炭经营秩序的有关工作。

下午，王显政同志在局主持召开会议，研究解决有关经济纠纷事宜。

△11日　赵铁锤同志在局主持召开会议，听取了中国煤田地质总局关于该局与日本国新能源·产业技术综合开发机构合作进行煤田地质勘探的有关情况汇报。

△12日　王显政同志在石家庄出席了河北煤矿安全监察局挂牌仪式并讲了话。王显政同志在讲话中指出，要重点抓好以下几个方面的工作：一是认真贯彻落实江泽民总书记关于安全生产的重要指示，强化煤矿安全监察，坚决防止重大事故。二是尽快理顺煤矿安全监察体系，健全执法机构，完善执法手段，提高执法水平。三是认真开展煤矿安全生产大检查，依法从严查处各类煤矿事故。四是加强队伍建设，树立良好的监察执法形象。五是强化行业管理，促进河北煤炭工业健康发展。

△12日　上午，赵铁锤同志在唐山宾馆出席了全国防震减灾工作会议。

下午，赵铁锤同志在煤炭总医院出席了该院庆祝国际护士节表彰大会并讲了话。

△12～14日　张宝明同志率由国家计委、财政部、国家煤炭工业局有关司室负责同志组成的联合调研组，就落实朱镕基总理在辽宁考察时的指示赴辽宁进行调研。

△13日　赵铁锤同志到科技苑二期工程施工现场检查工作。

△15日　张宝明、赵铁锤同志在局会见了重庆市副市长吴家农同志一行。双方就煤炭企业改革、破产的有关工作进行了商谈。

△15日　王显政同志在南昌出席了江西煤矿安全监察局挂牌仪式并讲了话。江西省副省长王君同志出席挂牌仪式并讲话。

△15日　赵铁锤同志在局主持召开会议，听取了办公室关于机关后勤服务体制改革的工作汇报。

△16日　张宝明、王显政、赵铁锤同志在西郊宾馆出席了国有煤炭企业改革脱困会议。会议由赵铁锤同志主持，王显政同志在会上传达了全国企业改革与管理工作会议精神，张宝明同志作了题为《深化改革　强化管理　打好国有煤炭企业改革脱困攻坚战》的报告。张宝明同志的报告分为三个部分。一、正确认识煤炭经济形势，增强改革脱困的紧迫感和责任感。二、坚定信心，迎难而上，全力抓好后7个月的改革脱困工作。三、立足自身，在深化改革、强化管理上下功夫，努力实现2000年煤炭行业整体扭亏的目标。

△16日　张宝明、王显政、赵铁锤同志继续出席国有煤炭企业改革脱困会议。赵铁锤同志主持会议，淄博矿务局、萍乡矿业（集团）公司、兖矿集团有限公司、鹤壁煤业（集团）公司、广东省煤炭工业总公司先后介

绍了经验。

△17日　上午，张宝明同志分别与部分参加国有煤炭企业改革脱困会议的省局领导同志谈话。

下午，张宝明、王显政、赵铁锤同志在西郊宾馆出席了国有煤炭企业改革脱困会议的闭幕大会。会议由王显政同志主持，赵铁锤同志作了总结讲话。四川煤炭工业局、河北煤炭工业局、铜川矿务局的有关负责同志先后发言。赵铁锤同志在讲话中指出，通过这次会议与会代表认清了煤炭经济形势的严峻性，增强了抓好改革脱困的责任感和紧迫感；进一步坚定了抓好改革脱困的信心；对下一步改革脱困工作思路和重点，做到了胸中有数。为贯彻落实好这次会议的精神，各省（区、市）煤炭工业管理部门和国有重点煤炭企业要做好以下工作：一、紧密结合本省（区、市）、本单位实际，贯彻落实好会议精神。二、按照会议的要求和部署，加强企业自身工作，在深化改革和强化管理上真抓实干。三、加强领导，落实措施，确保奋斗目标的实现。

△17日　上午，王显政、赵铁锤同志在西郊宾馆出席了国有煤炭企业改革脱困会议的分组讨论。

下午，王显政同志在西郊宾馆主持召开了部分炼焦煤生产企业运销工作座谈会。

△18日　张宝明同志在局主持召开局党组会议，传达中组部选拔年轻干部座谈会精神，并研究了有关省区加挂煤炭工业局牌子问题及其他有关工作。王显政、赵铁锤同志出席会议，有关司室负责同志列席了会议。

△18日　张宝明同志出席了北京美迪国际旅行社有限责任公司平安府宾馆开业仪式。全国人大常委会副委员长程思远、国务院机关事务管理局副局长唐树杰也出席了开业仪式。

△18日　张宝明同志在办公室主持召开局领导碰头会议。王显政、赵铁锤同志和有关司室负责同志参加了会议。

△19日　张宝明同志在银川听取了宁夏煤炭工业局的工作汇报。宁夏回族自治区政府副主席王全诗同志出席了汇报会，宁夏有关煤炭企事业单位的负责同志参加了汇报会。

△19日　王显政同志在局会见了贵州省副省长刘长贵同志一行。双方就煤炭行业产业结构调整、支援西部开发和债转股等工作进行了商谈。范维唐同志出席了会见。

△19日　上午，赵铁锤同志在局出席机关党委召开的会议，听取了"三讲"教育"回头看"活动检查组工作情况汇报。

下午，赵铁锤同志在局出席了国家煤炭工业局直属机关先进团组织、优秀团干部、优秀团员、"十佳青年"和优秀青年表彰大会并讲了话。

△19日　张宝明同志在银川会见了宁夏回族自治区政府副主席于革胜同志。双方就宁夏煤矿安全监察机构经费等问题进行了商谈。

△20日　张宝明同志在银川会见了宁夏回族自治区政府主席马启智同志。双方就宁夏煤炭工业改革与发展等问题进行了商谈。

△20日　张宝明同志在银川出席了宁夏煤矿安全监察局成立大会并讲话。宁夏回族自治区政府副主席王全诗同志出席了大会。

△20日　张宝明同志在银川会见了宁夏回族自治区党委书记毛如柏同志。双方就宁夏煤炭工业改革与发展等问题进行了商谈。

△20日　赵铁锤同志到华北矿业高等专科学校检查工作。

△21日　张宝明同志在局主持召开会议，研究学习贯彻江泽民总书记"三个代表"重要论述的有关工作。赵铁锤同志和有关司室负责同志出席了会议。

△22日　张宝明同志在局主持召开局党组会议，学习江泽民总书记"三个代表"的重要论述、研究"三讲"教育"回头看"活动汇报材料。王显政、赵铁锤同志出席了会议，有关司室负责同志列席了会议。

△22日　张宝明同志在局会见了澳大利亚外贸部长马克·韦尔和驻华大使艾大伟一行。双方就在煤炭领域加强合作与交流进行了亲切友好的会谈。

△22日　张宝明同志在局出席了中澳煤炭技术交流会开幕式并致辞。澳大利亚外贸部长马克·韦尔出席了开幕式。

△22日　王显政同志在局主持召开煤炭经济运行分析会议。

△22日　赵铁锤同志在局主持召开会议，研究科技苑二期工程的有关工作。

△23日　张宝明同志在局向中央"三讲"教育"回头看"活动检查组汇报了局党组"三讲"教育"回头看"活动情况。王显政、赵铁锤同志和局"三讲"教育领导小组成员参加了汇报。

△24日　张宝明、王显政、赵铁锤同志在局听取了中央"三讲"教育"回头看"活动检查组的意见反馈。

△24日　王显政同志在局主持召开会议，听取行业管理司关于煤炭行业科技规划工作的汇报。

△24日　赵铁锤同志在局主持召开会议，研究答复出席九届全国人大三次会议山西代表团提出问题的有关意见。

△25日　王显政同志在昆明出席了云南煤矿安全监察局揭牌仪式并讲了话。云南省副省长牛绍尧同志出席揭牌仪式并讲话。

△25日　赵铁锤同志在呼和浩特听取了内蒙古煤炭工业局的工作汇报。内蒙古自治区政府副主席云公民同志出席了汇报会。

△26日　赵铁锤同志在呼和浩特出席了内蒙古煤矿安全监察局、内蒙古自治区煤炭工业局挂牌仪式并讲了话。

△26日　赵铁锤同志在包头矿务局听取了该局的工作汇报。

△27日　张宝明同志出席第三届全国地层会议开幕式。温家宝副总理出席开幕式并作了重要讲话。

△28日　张宝明同志在局主持召开会议，研究分析1～5月份煤炭经济形势。有关司（室）负责同志参加了会议。

△29日　上午，张宝明同志在局主持召开党组会议，研究有关工作。王显政、濮洪九、赵铁锤同志出席会议，有关司（室）负责同志列席了会议。

下午，张宝明同志在局主持召开司局级干部会议，宣布了国家煤矿安全监察局机关内设司(室)及领导班子调整情况；通报了中央检查组来局检查“三讲”教育“回头看”活动的情况；并按江总书记“三个代表”的重要思想和中央检查组的意见，结合深入整改的措施，部署了下一步工作。王显政、濮洪九、赵铁锤同志出席会议，机关各司（室）全体司局级干部和协会、在京直属单位主要负责同志参加了会议。

△30日　张宝明同志在局主持召开会议，听取了行业管理司关于煤炭企业关闭破产工作的汇报。赵铁锤同志出席会议。

△30日　张宝明同志在局主持召开会议，听取了科技苑二期工程建设有关情况的汇报。赵铁锤同志出席会议。科技苑筹建办和有关单位负责同志参加了会议。

△30日　王显政同志在哈尔滨出席黑龙江煤矿安全监察局挂牌仪式并讲了话。

△30日　王显政同志在哈尔滨与黑龙江省副省长张成义同志进行了会谈。

△31日　张宝明同志在局听取了中煤建设集团公司有关工作的汇报。

△31日　赵铁锤同志在局听取了发展研究咨询中心的工作汇报。

下午，赵铁锤同志在局主持召开房改领导小组会议，研究房改有关工作。

6 月

△1日　张宝明同志在局主持局长办公会议，分析煤炭工业1～5月份经济运行形势，听取通讯信息中心关于煤矿安全监察网络预可行性研究的汇报。王显政、濮洪九、赵铁锤同志出席会议，有关司（室）和直属单位主要负责同志参加了会议。

△1日　上午，张宝明同志到国务院向石秀诗副秘书长汇报有关工作。

下午，张宝明同志在局主持会议，听取山西煤矿安全监察局工作汇报，有关司(室)负责同志参加了会议。

△1日　赵铁锤同志在局出席了机关幼儿园庆祝“六一”国际儿童节活动并观看了孩子们表演的节目。

△2日　王显政同志在煤炭信息研究院出席了“美国煤矿安全与监察体系”课题专家研讨会。

△2日　上午，赵铁锤同志在兰州与甘肃省委副书记陆浩、副省长韩修国同志商谈了甘肃省煤炭工业有关工作。

下午，赵铁锤同志在兰州出席甘肃煤矿安全监察局挂牌仪式并讲了话。甘肃省副省长韩修国同志出席挂牌仪式并讲话。赵铁锤同志在讲话中指出，要重点抓好以下工作：一是理顺体制，建立正常的工作秩序；二是以大幅度降低事故为目标，强化煤矿安全监察；三是要强化法治观念，提高依法行政的能力；四是要以江总书记“三个代表”重要思想为指导，切实加强思想作风建设。

△3日　张宝明同志在局主持召开会议，研究人事工作会议有关材料。有关司（室）负责同志参加了会议。

△4日　王显政同志在局主持召开会议，研究煤炭行业国家奖励项目推荐事宜，有关专家参加了会议。

△5日　上午，王显政同志出席了国家科技奖励办公室组织的国家科技奖励评审会议。

下午，王显政同志到财政部与高强副部长商谈了有关工作。

△6日　上午，张宝明同志在厦门出席国家煤炭工业局、国家煤矿安全监察局人事工作会议，并作了题为《做好新形势下的干部人事工作，努力建设一支高素质的干部队伍》重要讲话。张宝明同志的讲话分四个方面内容：一、从煤炭工业跨世纪发展的高度，增强做好干部人事工作的责任感和使命感。二、学习贯彻江总书记“三个代表”的重要思想，在用科学理论武装队伍上狠下功夫。三、适应煤矿安全监察管理体制改革需要，推进煤矿安全监察领导班子和干部队伍建设。四、从煤炭工业跨世纪战略任务着眼，认真做好培养选拔年轻干部的工作。培养年轻干部的目标。

下午，张宝明同志继续出席人事工作会议大会。

△6日　王显政同志6月6日上午在局主持召开会议，研究总量控制、关井压产工作。有关司（室）负责同志参加了会议。

△6日　濮洪九、赵铁锤同志6月6日下午在局主持召开会议，研究关闭破产有关工作。有关司（室）负责同志参加了会议。

△6日　赵铁锤同志在国家经贸委出席了债转股工作协商会议。

△7日　上午，张宝明同志在厦门分别与部分省局领导同志谈话。

下午，张宝明同志出席了国家煤炭工业局、国家煤矿安全监察局人事工作会议闭幕大会。

△7日　王显政同志出席了国家科技奖励办公室组织的国家科技奖励评审会议。

△7日　赵铁锤同志到北京煤炭设计研究院（集团）考察工作并听取了院领导的工作汇报。

△8日　张宝明同志在福建省副省长贾锡太同志陪同下先后到石狮热电厂、肖厝煤码头考察工作。

△8日　王显政同志继续出席国家科技奖励办公室组织的国家科技奖励评审会议。

△8日　上午，赵铁锤同志在局听取了中国煤炭建设协会的工作汇报。

下午，赵铁锤同志在局听取了南桐矿务局有关工作的汇报。

△9日　王显政同志在局主持召开会议，研究近期煤矿安全监察工作。

随后，继续出席国家科技奖励办公室组织的国家科技奖励评审会议。

△9日　赵铁锤同志在西郊宾馆出席了中央国家机关保密工作第四协作组第二次会议并讲话。

△12日　张宝明、赵铁锤同志在局听取了局房改领导小组办公室有关工作汇报。

△12日　张宝明、濮洪九、赵铁锤同志在局听取了行业管理司关于关闭破产工作的汇报。

△12日　张宝明同志在局听取了局办公室、人事司有关工作汇报。

△12日　王显政同志到国家经贸委与有关负责同志就制定《中华人民共和国煤矿安全监察条例》的有关问题交换了意见。

△12日　王显政同志在局召集有关司（室）主要负责同志研究了煤矿安全监察有关工作。

△12日　濮洪九同志在局听取了开滦（集团）公司负责同志关于公司党政领导班子党风廉政“四集中”活动情况的汇报。

△12日　赵铁锤同志在局听取了规划发展司关于煤炭行业“十五”规划和技术改造等工作情况的汇报。

△13日　上午，张宝明同志在局主持召开局党组会议，传达学习中办发［2000］11号文件，研究机构改革及房改等有关工作。王显政、濮洪九、赵铁锤同志出席会议，有关司（室）主要负责同志列席了会议。

下午，张宝明、赵铁锤同志在局与山西省副省长杨志明同志商谈了山西省有关煤炭企业关闭破产、扭亏脱困问题。

△13日　张宝明同志在北京皇家大饭店会见英国力拓矿业勘探有限公司总裁柯大伟先生，就该公司在江西进行煤炭资源勘探的有关事宜进行了商谈。

△13日　王显政同志在西郊宾馆出席了中联煤炭销售有限责任公司第一次董事会。

△14日　张宝明同志在局主持召开局党组成员碰头会议，研究近期有关工作。王显政、濮洪九、赵铁锤同志出席会议。

△14日　张宝明同志在局主持召开局长办公会议，听取大同煤矿集团公司关于扭亏脱困问题的汇报。赵铁锤同志和有关司（室）负责同志参加会议。山西省副省长杨志明同志列席了会议。

△15日　王显政同志在局主持召开会议，研究煤矿职工伤亡事故调查处理办法，有关司（室）负责同志参加了会议。

△15日　赵铁锤同志到科技苑工地检查了工程进展情况。

△15日　濮洪九同志在济南会见了山东省副省长邵桂芳同志。

△16日　上午，张宝明同志在局接受了《中华英才》杂志记者的采访。

下午，张宝明、赵铁锤同志在局分别听取了机关服务中心、企事业改革司、规划发展司、机关党委有关工作的汇报。

△16日　王显政同志在西郊宾馆会见贵州省副省长刘长贵同志，商谈了举办贵州煤炭发展战略研讨会等问题。

△16日　王显政同志在西郊宾馆出席整顿煤炭经营秩序工作座谈会，并在会上作了题为《统一思想，扎实工作，把煤炭经营秩序整顿推向新阶段》的讲话。王显政同志的讲话共分四个部分：一、正确看待煤炭经济形势，增强抓好煤炭经营秩序整顿工作的责任感和紧迫感。二、进一步统一思想，从深化认识入手，推动煤炭经营秩序整顿工作上新台阶。三、认真负责地做好煤炭经营资格审批工作，切实加强煤炭经营管理行政执法。在实施煤炭经营资格审批过程中，必须按照国家有关规定，依法从严进行。四、加强领导，搞好机构和队伍建设，把整顿工作扎实有效地向前推进。

△16日　濮洪九同志在济南出席了山东煤矿安全监察局、山东省煤炭工业局揭牌仪式并讲了话。山东省副省长邵桂芳同志出席揭牌仪式并讲话。濮洪九同志在讲话中指出，要突出抓好以下几个方面的工作：一是尽快理顺煤矿安全监察管理体系，建立正常的工作秩序。建立健全各种规章制度，尽快使安全监察工作步入正轨。二是以大幅度降低事故率和死亡人数为目标，强化煤矿安全监察。三是要认真学习煤矿安全法律法规知识，强化依法行政的观念。四是加强安全监察队伍自身建设。五是要以国有煤炭企业扭亏脱困为中心任务，加强行业管理。

△16日　赵铁锤同志在局听取了机关服务中心的工作汇报。

△17日　濮洪九同志在山东出席了各省局纪检组长座谈会并讲话。濮洪九同志的讲话分三个部分：一、今年以来反腐倡廉工作的简要情况。二、下半年应突出抓好的几项工作。三、纪检监察工作的几个问题。

△19日　张宝明同志在局主持召开局长办公会议，分别听取了机关服务中心关于改革方案的汇报、规划发展司关于成立煤炭行业发展洁净煤技术领导小组意见的汇报、企事业改革司关于煤炭企业改革脱困调研工作意见的汇报，并审定了《关于煤矿职工伤亡事故报告和调查处理暂行规定的通知》。王显政、赵铁锤同志和各司（室）主要负责同志参加了会议。张宝明同志在会议所作讲话中指出：一、转变观念，尽快适应新机构、新职能的要求。二、抓住重点，履行职能，努力开创煤矿安全监察的新局面。三、围绕实现改革脱困两大目标，继续强化行业管理。

△19日　张宝明同志在局主持召开局党组会议，听取直属机关党委关于学习江泽民总书记“三个代表”重要思想、迎接建党79周年系列活动的汇报。王显政、赵铁锤同志出席会议，有关司（室）主要负责同志列席了会议。

△20 日　上午，张宝明同志在国家经贸委出席盛华仁主任主持召开的会议。会议研究了委管局所属地质勘查队伍管理体制有关问题。

下午，张宝明同志在局主持召开局长办公会议，研究煤炭地质勘查队伍管理体制有关问题。赵铁锤同志和有关司（室）主要负责同志参加了会议。

△20 日　上午，濮洪九同志在烟台听取了中国煤炭经济学院的工作汇报，并参观了部分教学设施。

下午，濮洪九同志在烟台听取了龙口矿务局的工作汇报。

△20 日　赵铁锤同志出席煤炭工业十五计划和2015年规划专家咨询论证会，并作了题为《认清形势，明确任务，切实编制好〈煤炭工业“十五”计划和2015年规划〉》的讲话。赵铁锤同志在讲话中主要谈了两个问题：一、煤炭工业的发展形势及发展任务。进入“九五”以来，我国煤炭工业发生了许多重要变化，煤炭工业发展的主要任务已不是增加数量，而是以可持续发展为着眼点，调整结构、提高质量，形成适应市场经济要求的能够健康稳定持续发展的煤炭工业体系。二、对论证“十五”计划的几点意见。要充分认识煤炭在我国一次能源结构中的主体地位；要充分考虑煤炭工业在市场经济中的定位；要把着重点放在结构调整上。

△20 日　赵铁锤同志在局主持召开会议，研究对国有重点煤矿进行改革脱困调研的有关工作。有关司（室）负责同志参加了会议。

△23 日　张宝明同志视察了中煤信托投资有限责任公司深圳证券部，并听取了公司负责同志的有关工作汇报。

△23 日　上午，赵铁锤同志在局主持会议，研究煤炭总医院有关工作。有关司（室）负责同志参加了会议。

下午，赵铁锤同志在华辰宾馆主持会议，研究中国煤田地质总局有关工作。有关司（室）负责同志参加了会议。

△24 日　张宝明同志在局主持召开局党组会议，研究中国煤田地质总局有关工作。濮洪九、赵铁锤同志出席会议，有关司（室）负责同志列席了会议。

△25 日　王显政、濮洪九同志在局听取了有关司室关于春节期间活动安排的汇报。

△25 日　赵铁锤同志率国家煤炭工业局与国家经贸委、山西省人民政府有关人员组成的联合调研组在大同矿务局进行调研。

△25 日　张宝明同志在西郊宾馆出席中国矿业协会第三次全会暨中国矿业联合会成立大会，并主持成立大会开幕式。

△25 日　张宝明同志在局接受了中央电视台记者的采访。

△26 日　张宝明同志在国家经贸委出席了李荣融副主任主持的会议。

△26 日　张宝明同志在局主持局党组成员碰头会，研究有关工作。濮洪九、赵铁锤同志出席会议。

△26 日　赵铁锤同志在局听取了重庆市煤炭工业局负责同志关于部分煤炭企业关闭破产工作的汇报。

△27 日　张宝明、濮洪九、赵铁锤同志在局多功能厅出席国家煤炭工业局、国家煤矿安全监察局庆“七一”表彰大会并带领局机关和在京单位新党员宣誓，赵铁锤同志在表彰大会上讲了话。赵铁锤同志在讲话中提出三个方面的要求：一、以“三个代表”重要思想为指导，进一步加强直属机关党的建设。二、大力弘扬先进思想，以先进为榜样，推动机关工作和煤炭工业的改革发展。三、充分发挥广大党员的先锋模范作用，深入开展立足岗位、建功立业活动。会上还向先进基层党组织、优秀党员、优秀党务工作者颁发了证书；宣布了局机关“四新杯”和在京单位“双文明优胜杯”获奖单位名单。

△27 日　濮洪九同志在煤炭科学研究总院听取了煤炭液化技术有关情况汇报并参观了煤炭液化研究室。

△27 日　赵铁锤同志在局出席局机关和在京单位学习江总书记“三个代表”重要思想座谈会并讲话。赵铁锤同志在讲话中指出：一、“三个代表”是马克思主义党建理论的新发展，为新时期党建工作指明了方向。二、贯彻“三个代表”的重要思想，关键是要坚持从严治党，切实加强党的思想作风建设。三、学习贯彻“三个代表”重要思想必须理论联系实际，指导推进煤炭工业的改革与发展。

△27 日　赵铁锤同志在局出席机关服务中心改革工作会议并讲了话。

△28 日　上午，濮洪九同志在西郊宾馆出席了中纪委组织召开的纪检监察工作座谈会。

下午，濮洪九同志在国务院出席了全国贯彻实施《中华人民共和国会计法》电视电话会议。

△28 日　赵铁锤同志在京出席中央思想政治工作会议。

△28～30 日　张宝明同志在德国参加了朱镕基总理访德有关活动，并与德国鲁尔集团公司总裁签署了《关于开展中国新疆煤田火区灭火工程合作协议书》。

△29 日　濮洪九同志在中纪委小礼堂出席了中央和国家机关派驻纪检监察机构负责人会议。尉健行同志在会上作了重要讲话。

△29 日　赵铁锤同志继续出席中央思想政治工作会议。

△30 日　濮洪九、赵铁锤同志在西郊宾馆出席了中联煤炭销售有限责任公司揭牌仪式。濮洪九同志为公司揭牌，赵铁锤同志在仪式上讲话。

7　月

△2～5 日　张宝明同志陪同中共中央政治局委员、国务院副总理吴邦国同志在贵州考察工作。陪同吴邦国副总理在贵州考察的还有中央企业工委副书记郑

斯林、劳动保障部部长张左己、国家经贸委副主任王万宾、国防科工委副主任栾恩杰、财政部副部长朱志刚等同志。

△2日　赵铁锤同志在局召集有关司（室）负责同志研究处理云南省田坝煤矿发生的瓦斯爆炸事故。

△3日　濮洪九同志在局听取了煤炭科学研究总院、肥城矿业集团公司主要负责同志关于煤炭液化等有关工作的汇报。

△3日　赵铁锤同志在局主持会议，研究如何学习贯彻中央思想政治工作会议精神。有关司（室）负责同志参加了会议。

△3日　上午，赵铁锤同志在局听取了中国煤炭报社的工作汇报。

下午，赵铁锤同志在局召集有关司（室）负责同志研究煤矿安全监察有关工作。

△4日　赵铁锤同志在局主持会议，研究贯彻党中央、国务院领导同志对广东省江门市烟花厂爆炸事故的重要批示、部署开展煤矿安全大检查的有关工作。有关司（室）负责同志参加了会议。

△4日　濮洪九同志陪同李岚清副总理视察了煤炭科学研究总院。李岚清副总理听取了煤炭科学研究总院负责同志关于该院转制后经济运行、发展战略、科技经营等情况的汇报，随后参观了煤炭液化试验装置。陪同李岚清副总理视察的还有国务院副秘书长徐荣凯、中央企业工委副书记王瑞祥、国家经贸委副主任张志刚、科技部副部长徐冠华、财政部副部长张佑才、劳动和社会保障部副部长林用三、国家税务总局副局长许善达、国家冶金工业局局长蒲海清等同志。

△5日　濮洪九同志出席了中央纪委召开的会议。

△5日　赵铁锤同志陪同全国政协副主席孙孚凌同志及全国政协人口资源环境委员会的20多位委员，在煤炭科学研究总院分别听取了中国工程院能源咨询项目组关于“减排二氧化硫合理技术经济途径及其综合效益评估”课题的汇报和有关专家关于煤炭直接液化技术、水煤浆技术最新进展情况的介绍，并参观了煤炭直接液化试验装置。孙孚凌、范维唐、赵铁锤同志先后在课题汇报会上讲话。

△5日　赵铁锤同志和中央国家机关工委副书记周敬东同志一起为西郊宾馆颁发了“中央国家机关先进基层党组织”奖牌。

△6日　张宝明同志在局主持召开局党组会议，传达贯彻中央思想政治工作会议精神。王显政、濮洪九、赵铁锤同志出席会议，有关司（室）负责同志列席了会议。

△6日　上午，赵铁锤同志在有关司（室）负责同志陪同下到科技苑建设工地检查了二期工程的进展情况。

下午，赵铁锤同志在局会见中央金融工委副书记谢旭人同志，就深化企业改革的有关工作交换了意见。有关司（室）负责同志参加了会见。

△7日　张宝明同志在局主持召开局长办公会议，学习江泽民总书记和中央其他领导同志对广东省江门市烟花厂特大爆炸事故的重要批示，部署煤矿安全检查工作；通报朱镕基总理访德期间有关中德合作项目签订协议情况；传达李岚清副总理在煤炭科学研究总院视察时的重要指示精神；传达吴邦国副总理在贵州省考察时对煤炭工业的重要指示精神。王显政、濮洪九、赵铁锤同志和有关司（室）负责同志参加了会议。

△7日　上午，张宝明同志在局主持召开局党组会议，研究讨论国家煤炭工业局、国家煤矿安全监察局《关于不准领导干部配偶子女在其管辖业务范围内个人经商办企业的若干规定》。王显政、濮洪九、赵铁锤同志出席会议，监察局负责同志列席了会议。

下午，张宝明同志在局会见了日本煤炭能源中心理事长安藤胜良一行。双方对有关合作项目进行了回顾和总结，并探讨了在煤矿安全监察和煤炭贸易等方面进一步开展合作的可能性。

△7日　王显政同志在局听取了煤炭工业通讯信息中心有关工作汇报。

△7日　赵铁锤同志在局听取了规划发展司关于煤炭工业“十五”计划和2015年规划的汇报。

△9日　张宝明同志在局主持召开会议，研究近期煤矿安全生产工作。有关司（室）负责同志参加了会议。

△10日　张宝明同志在国家经贸委出席了盛华仁主任主持召开的委主任办公会议。会议传达了总理办公会议关于安全生产工作的指示精神。

△10日　张宝明同志在西郊宾馆主持召开局长办公会议，传达国家经贸委委主任办公会议精神。王显政、濮洪九、赵铁锤同志和有关司（室）负责同志参加了会议。

△10日　王显政同志在局主持召开会议，研究安全大检查的有关工作。有关司（室）负责同志参加了会议。

△10日　王显政、赵铁锤同志在局召开会议，部署安全大检查工作。有关司(室)负责同志参加了会议。

△11日　上午，张宝明、王显政、濮洪九、赵铁锤同志在西郊宾馆出席了煤矿安全工作紧急会议。王显政同志主持会议，张宝明同志传达了江总书记和党中央、国务院其他领导同志有关安全生产的重要批示和总理办公会议精神，濮洪九同志传达了7月2日国务院研究广东省江门市烟花厂爆炸事故有关问题的会议纪要，赵铁锤同志传达了国务院办公厅关于切实加强安全生产工作有关问题的紧急通知。会议还听取了省级煤矿安全监察局和煤炭管理部门安全工作汇报。

下午，张宝明、王显政、濮洪九、赵铁锤同志在西郊宾馆继续出席煤矿安全工作紧急会议。王显政同志主持会议，张宝明同志作了安全工作报告。张宝明同志在报告中提出了四个方面的要求：一、认真学习领会江总书记的重要批示，从坚持“三个代表”重要思想的高度，统一对安全工作的认识。二、清醒地认识和估计当前煤矿安全生产的形势，看到工作中的差距，增强搞好安全生产的责任感。三、认真贯彻落实党中央、国务院领导同志对安全生产工作的重要指示，切实加强领导，强化监察，坚决防范重特大事故的发生。四、尽快理顺煤矿安全监察管理体制，抓紧机构、人员、职能“三到位”，依法加大安全监察力度。

△11 日　张宝明同志在西郊宾馆主持召开会议，研究有关工作。王显政、濮洪九、赵铁锤同志和有关司（室）负责同志参加了会议。

△12 日　上午，张宝明同志在国务院第一会议室出席了全国安全生产电视电话会议。随后，在局主持召开会议，传达全国安全生产电视电话会议精神，研究安全生产工作。王显政、濮洪九、赵铁锤同志和关司（室）负责同志参加了会议。

下午，在局主持召开会议，先后听取山西煤矿安全监察局、河南煤矿安全监察局有关工作汇报。有关司（室）负责同志参加了会议。

△12 日　濮洪九同志在京出席了全国厂务公开工作电视电话会议。

△12 日　王显政同志率检查组赴黑龙江省开展安全大检查。

△12 日　赵铁锤同志率检查组赴四川省开展安全大检查。

△13 日　张宝明同志在国务院出席了国务院调整中央所属有色金属企事业单位管理体制工作会议。

中午，张宝明同志在局会见了河南省副省长张以祥同志。

△13 日　王显政同志在哈尔滨与黑龙江省委常委、政法委书记唐宪强同志就黑龙江省煤矿安全生产与矿区稳定工作交换了意见。随后，听取了黑龙江省煤炭工业局负责同志关于全省关井压产和安全大检查工作情况的汇报。

△13 日　濮洪九同志在国务院出席了国家经贸委副主任蒋黔贵同志主持召开的会议。会议研究了资源枯竭矿山关闭破产的有关工作。

△13 日　上午，濮洪九同志在成都与四川省委副书记黄寅逵同志商谈了有关煤矿安全生产工作。

下午，濮洪九同志和四川省委副书记黄寅逵同志一起听取了四川省煤炭工业局负责同志关于全省煤矿安全生产情况的汇报。

△14 日　张宝明、濮洪九同志出席了全国煤矿安全生产紧急电话会议。濮洪九同志主持会议，张宝明同志讲了话。张宝明同志在讲话中要求：一、清醒地认识煤矿安全生产的形势，增强做好安全工作的紧迫感和责任感。二、从严从细搞好煤矿安全大检查，下决心关闭不具备基本安全生产条件的小煤矿。三、建立安全生产的责任追究制度，从严从重查处重大、特大责任事故。四、尽快理顺煤矿安全监察管理体制，抓紧机构、人员、职能“三到位”，依法强化安全监察。

濮洪九同志在会上通报了 7 月 12 日云南省富源县竹园乡合乐武煤矿发生的煤与瓦斯突出事故和江西省乐平市涌山镇双沿煤矿发生的瓦斯爆炸事故，并提出如下要求：第一，要严肃查处这两起重特大事故，依法追究有关人员的责任，该撤的撤，该判的判，决不姑息迁就。第二，从现在起，云南省乡镇煤矿和其他存在事故隐患的煤矿，要全部停产整顿。整顿合格后，必须经过主管部门的验收签字，才能恢复生产。谁验收，谁签字，谁负责。经过整顿仍然不符合条件、没有把握做到安全生产的，要坚决予以关闭。第三，各级煤炭管理部门、安全监察部门和各煤炭企业要认真吸取这两起事故的教训，举一反三，结合安全大检查，发现问题及时纠正，把事故消灭在萌芽状态。

△14 日　张宝明同志到国务院向吴邦国副总理汇报有关工作。随后，在局会见了江苏省副省长陈必亭同志。

下午，张宝明同志在局会见了江西省副省长王君同志。

△14 日　王显政同志率检查组先后听取了双鸭山市政府和双鸭山矿务局关于煤矿安全生产情况的汇报。下午，对双鸭山市三个乡镇煤矿进行了安全检查。

△14 日　赵铁锤同志率检查组听取了攀枝花市政府关于煤矿安全生产情况的汇报，并到部分乡镇煤矿进行安全检查。

下午，赵铁锤同志听取了攀枝花矿务局安全生产情况汇报，随后到该局小宝鼎煤矿井下进行安全检查。

△15 日　上午，王显政同志到双鸭山煤矿安全监察办事处检查工作。

△15～17 日　王显政同志在双鸭山市检查乡镇煤炭安全情况。

△15～17 日　赵铁锤同志在云南省检查乡镇煤矿安全情况。

△17 日　张宝明同志在局主持召开局长办公会议，听取规划发展司关于《煤炭工业“十五”计划和 2015 年规划》（草案）的汇报。濮洪九同志和有关司（室）负责同志参加了会议。

△17 日　张宝明同志在局主持会议，听取有关司（室）关于煤炭企业关闭破产工作座谈会准备情况的汇报。濮洪九同志出席会议，有关司（室）负责同志参加了会议。

△17 日　张宝明同志在局主持会议，研究赴河北进行安全大检查的有关工作。有关司（室）和中国煤炭报社负责同志参加了会议。

△17 日　王显政同志在哈尔滨市与黑龙江省副省长张成义同志就黑龙江省煤矿安全大检查中查出的问题及下一步安全监察办事处的建设、煤矿法人代表的培训等工作深入地交换了意见。

△19 日　上午，张宝明同志率检查组前往唐山市古冶区和开平区检查乡镇煤矿安全生产情况与关井压产工作。

下午，张宝明同志在唐山市听取了河北省和唐山市关于煤矿安全生产情况的汇报。

△19 日　王显政同志在哈尔滨市主持会议，研究黑龙江省矿长资格证培训有关工作。黑龙江煤矿安全监察局、黑龙江矿业学院有关负责同志参加了会议。

△19 日　濮洪九同志出席了外经贸部召开的平朔煤炭工业公司安家岭露开煤矿进口汽车协调会。

△19 日　濮洪九同志在局听取了湖北省煤炭行业管理办公室负责同志的工作汇报。

△19 日　赵铁锤同志在云南省一平浪煤矿检查安全生产情况，并听取了该矿负责同志的工作汇报。

△20 日　上午，张宝明同志在局主持召开会议，传达中央有关文件。王显政、濮洪九同志和部分老部长出席了会议。

下午，张宝明、濮洪九同志在八宝山革命公墓大礼堂出席了陈一凡同志遗体告别仪式。

晚上，张宝明同志应澳大利亚驻华大使艾大伟先生邀请，在中国大饭店出席了“外国投资中国矿业机会”讨论会。

△20 日　王显政同志出席了煤炭科技苑二期工程封顶工作汇报会。有关司（室）和在京单位负责同志参加了会议。

△20 日　王显政同志在局召集有关人员研究河南平顶山市新华区豫兴煤矿遭山洪淹井事故的抢救措施。至 21 日早晨，井下被困 26 人已全部安全升井，无一人伤亡。

△20 日　赵铁锤同志在昆明和云南省副省长陈勋儒同志一起听取了云南省煤矿安全工作的汇报。

△21 日　张宝明、濮洪九、赵铁锤同志在西郊宾馆出席煤炭企业关闭破产工作座谈会。濮洪九同志主持会议并传达了中央有关文件，张宝明同志在会上作了题为《认真贯彻落实中央指示精神，积极稳妥地做好煤炭企业关闭破产工作》的讲话。有关省（区、市）煤炭管理部门、煤炭企业的负责同志和局机关有关司（室）负责同志参加了会议。财政部、劳动保障部、民政部、公安部、国家开发银行、中国建设银行和全国总工会有关部门的负责同志应邀出席了会议。张宝明同志的讲话分 4 个部分：一、充分认识中办发 11 号文件的重大意义，尽快把思想统一到中央精神上来。二、正确估价煤炭行业关闭破产工作，抓住机遇，加快进度，推动关闭破产项目的顺利实施。三、正确理解、准确把握国家对资源枯竭矿山关闭破产的政策，下力量做好职工安置工作。四、加强组织领导，尽职尽责抓工作，在确保稳定的前提下，完成今年的关闭破产任务。

△21 日　王显政同志在南戴河出席煤科总院经济工作会议并讲了话。王显政同志在讲话中提出 3 个要求：第一、认真学习贯彻江泽民总书记“三个代表”的重要思想，增强实施科教兴煤战略的责任感和紧迫感，加快推进煤炭工业科技进步。第二、抓住企业化转制的大好机遇，加快煤科总院的改革和发展。第三、以煤矿安全监察管理体制改革为契机，加强煤矿安全技术的研究与开发，为煤矿安全生产的稳定好转提供技术支持。

△21 日　张宝明在国家经贸委出席了盛华仁主任主持召开的会议。

△21 日　濮洪九、赵铁锤同志继续在西郊宾馆出席煤炭企业关闭破产工作座谈会。赵铁锤同志主持会议，涟邵矿务局等 7 个前期工作搞得比较好的单位，介绍了他们的做法。

△21 日　上午，张宝明、濮洪九、赵铁锤同志在西郊宾馆分别参加了煤炭企业关闭破产工作座谈会分组讨论。

下午，张宝明、濮洪九、赵铁锤同志在西郊宾馆出席煤炭企业关闭破产工作座谈会闭幕大会，濮洪九同志主持会议，赵铁锤同志作了总结讲话。赵铁锤同志在讲话强调了三点意见：一、认真学习贯彻中办发 11 号文件，把煤炭行业关闭破产工作纳入按政策进行的轨道。二、扎扎实实做好前期准备工作，确保今年关闭破产项目的顺利实施。第一，准备工作要做到统筹兼顾，突出重点。第二，准备工作要以稳定为前提，确保不出事、不出乱子。第三，加强对准备工作的领导。第四，切实抓紧抓好首先启动的 8 个项目，为下一步的全面实施创造经验。三、增强信心，真抓实干，尽快打开煤炭行业关闭破产工作的新局面。

△23 日　赵铁锤同志在局研究了赴四川、云南两省进行煤矿安全大检查的汇总材料。

△24 日　张宝明同志在财政部与楼继伟副部长商谈了有关工作。

△24 日　张宝明同志在局主持召开局党组会议，传达国家经贸委有关会议精神。王显政、濮洪九、赵铁锤同志出席会议，有关司（室）负责同志列席了会议。

△24 日　王显政、赵铁锤同志在局听取了赴重点地区进行煤矿安全大检查的各个检查组的情况汇报。

△25 日　张宝明同志在局主持召开局长办公会议，听取政策法规司关于《煤矿安全监察条例》立法进展情况的汇报，研究 2000 年煤矿安全监察立法计划；听取煤炭工业通讯信息中心关于组建通信公司的情况汇报；听取人事司关于安全培训工作的汇报。王显政、赵铁锤同志和有关司（室）主要负责同志参加了会议。

△25 日　濮洪九同志和山西省副省长杨志明同志在深圳出席了西山煤电股份有限公司股票发行上市招待会并分别讲话。

△26 日　张宝明同志在中国矿业大学国际会议中心出席了第一期煤矿安全监察人员培训班开学典礼并讲话。张宝明同志在讲话中对煤矿安全监察培训工作提出了 3 点要求：一、充分认识安全监察培训工作的重要性，提高学习的自觉性。二、明确学习培训的重点，在增强依法行政的能力上下功夫。三、认真学习，加强管理，确保培训取得好的效果。

△26 日　王显政同志在局主持召开了 1～6 月份煤炭经济运行情况分析会议。有关司（室）负责同志参加了会议。

△26 日　濮洪九同志与山西省副省长杨志明同

志在深圳出席了西山煤电股份有限公司股票发行上市仪式并分别讲话。

△26日　上午，濮洪九同志在深圳出席了中国煤炭工业进出口集团公司书记经理会议并讲话。

下午，濮洪九同志在深圳主持会议，听取了中煤深圳公司的工作汇报。有关司（室）和中煤信托投资有限责任公司的有关负责同志参加了会议。

△27日　张宝明同志在局主持局长办公会议，听取全国煤矿安全大检查情况汇报。王显政、赵铁锤同志和有关司（室）负责同志参加了会议。

△27日　上午，张宝明同志在局接受了《中华英才》杂志记者的采访。

下午，张宝明同志在局主持会议，听取了江苏省煤炭工业管理办公室负责同志的工作汇报。有关司（室）负责同志参加了会议。

△27日　上午，濮洪九同志在深圳听取了广东省煤炭工业总公司负责同志的工作汇报，并看望了原广东省煤炭厅的部分老同志。

下午，濮洪九同志在深圳会见了深圳市副市长郭荣俊同志。

△27日　赵铁锤同志在局听取了机关服务中心的工作汇报。

△28日　张宝明同志在北京怀柔出席了内蒙古自治区煤炭工业暨煤矿安全监察工作会议并讲话。内蒙古自治区政府云公民副主席也出席了会议并讲话。结合全国煤炭工业形势和内蒙古自治区煤炭行业的实际情况，张宝明同志提出了3个方面的要求：一、要正确认识和全面把握煤炭工业形势，进一步增强工作的责任感和紧迫感。二、要加强领导，强化监察，坚决防范重特大事故的发生。三、要进一步强化行业管理，坚决实现国有煤炭企业改革脱困的目标。

△28日　赵铁锤同志在局会见了四川省王金祥副省长，双方就四川省煤炭企业关闭破产和安全生产有关问题交换了意见。

△29日　王显政同志在贵阳市出席西部大开发·贵州煤炭工业结构调整与发展研讨会并讲话。贵州省副省长刘长贵同志主持会议，国务院发展研究中心副主任鲁志强同志出席会议并讲话，范维唐同志和中国科学院、中国工程院部分院士及有关专家、学者出席了会议。王显政同志在讲话中指出：一、结构调整是煤炭工业持续健康发展的战略选择。二、西部大开发为贵州煤炭工业结构调整提供了难得的历史机遇。三、依靠科技进步，加快贵州煤炭工业结构调整，促进国民经济发展。

△29～30日　王显政同志继续在贵阳市出席西部大开发·贵州煤炭工业结构调整与发展研讨会，并参加了专家组研讨。

△29日　赵铁锤同志在大同市出席大同煤矿集团有限责任公司揭牌仪式，并与王森浩同志及有关领导一同为公司揭牌，随后出席庆典大会并讲话。

△30日　赵铁锤同志在张家口市听取了张家口煤机厂负责同志的工作汇报。

△30～31日　张宝明同志在北京京西宾馆出席了国家经贸委召开的全国经贸委主任座谈会。

△31日　上午，王显政同志在贵阳市主持会议，研究开发煤层气的有关工作，范维唐同志和部分专家出席了会议。

下午，王显政同志主持西部大开发·贵州煤炭工业结构调整与发展研讨会闭幕大会。

△31日　赵铁锤同志在局主持会议，研究煤炭企业关闭破产、改革脱困及房改有关工作。有关司（室）负责同志参加了会议。

△31日　王显政同志在贵阳市与贵州省委书记刘方仁同志、省长钱运录同志就西部大开发贵州煤炭工业结构调整与发展的有关问题交换了意见。

8月

△1日　上午，张宝明同志继续在北京京西宾馆出席国家经贸委召开的全国经贸委主任座谈会。

下午，张宝明同志在局主持会议，研究有关工作。王显政同志和有关司（室）负责同志参加了会议。

△1日　濮洪九同志在局主持召开了局党风廉政建设和反腐败工作领导小组会议。

△2日　上午，张宝明同志在局主持召开局党组会议，传达全国经贸委主任座谈会精神、研究有关工作。王显政、赵铁锤同志出席会议，有关司（室）负责同志列席了会议。

下午，张宝明同志在局主持召开局长办公会议，传达全国经贸委主任座谈会精神、部署有关工作。王显政、赵铁锤同志和机关各司（室）全体司局级干部、各协会及有关在京事业单位的主要负责同志参加了会议。张宝明同志在会上结合煤炭行业的情况，提出了贯彻落实全国经贸委主任座谈会议精神的4条意见：一、认清形势，统一思想，坚定信心，增强做好工作的责任感和紧迫感。二、围绕改革脱困，全力做好后五个月的工作。三、加强领导，转变作风，狠抓落实。四、着眼长远，继续研究和完善今后煤炭工业改革发展的思路。

△3日　张宝明同志在局主持会议，研究部署关井压产有关工作。王显政同志与有关司（室）负责同志参加了会议。

△3日　王显政同志在局主持会议，研究赴部分省进行关井压产、安全监察的有关工作。有关司（室）负责同志参加了会议。

△3日　王显政同志在局听取了甘肃省煤炭工业局、白银市人民政府负责同志关于关井压产工作的汇报。

△3日　赵铁锤同志在西郊宾馆出席省级煤矿安全监察局资产财务关系划转工作座谈会，并在上午的会议上讲话。赵铁锤同志在讲话中指出：要做好省级煤矿安全监察局资产财务关系划转工作，一要充分认识资产财务划转对建立垂直管理的煤矿安全监察体制的重要性，增强责任感和紧迫感；二要坚持原则，顾全大

局，把思想认识和实际行动统一到财政部、国家局文件规定的原则精神上来；三要认真领会和掌握文件精神，结合实际创造性地工作，把政策用足、用活、用好；四要以只争朝夕的精神，加强与地方财政及有关方面的协商，全面完成资产财务的划转工作。

△3日　赵铁锤同志在西郊宾馆听取了局房改领导小组办公室的工作汇报。

△4日　张宝明同志在局主持局长办公会议，研究成立煤炭行业发展洁净煤技术领导小组的有关工作。赵铁锤同志以及机关各司（室）、有关协会、在京事业单位的负责同志参加了会议。

△4日　赵铁锤同志继续在西郊宾馆出席省级煤矿安全监察局资产财务关系划转工作座谈会。

△5日　上午，张宝明、王显政、赵铁锤同志在西郊宾馆出席五省一市关井压产工作汇报会，王显政同志主持了会议。会议先后听取了山西、河南、河北三省和北京市关井压产领导小组办公室及三省煤炭工业局、煤矿安全监察局负责同志的汇报。

下午，张宝明、王显政、赵铁锤同志在西郊宾馆继续出席五省一市关井压产工作汇报会。会议先后听取了黑龙江、贵州省关井压产领导小组办公室、煤炭工业局、煤矿安全监察局负责同志的汇报。张宝明同志在会上传达了国家经贸委主任座谈会精神，并要求与会同志认清形势，进一步认识到关井压产、关闭破产等工作的紧迫性，统一思想，坚定信心，打好结构调整、扭亏脱困攻坚战，做好后五个月关井压产、扭亏脱困和安全生产工作。

王显政同志主持了会议，并对开展关井压产、安全生产大检查的安排作了说明。

△7日　赵铁锤同志在局主持会议，研究关闭破产、扭亏脱困工作。有关司（室）负责同志参加了会议。

随后，研究了煤炭运销和整顿煤炭经营秩序工作。

△7日　赵铁锤同志在局听取了贵州省煤炭工业局关于煤炭企业改革脱困工作的汇报。

△8日　张宝明同志在有关司（室）负责同志陪同下，到北京煤炭设计研究院（集团）考察工作。

△8日　张宝明同志在局主持召开局长碰头会，研究有关工作。王显政、赵铁锤同志和有关司（室）负责同志出席了会议。

△8日　王显政同志在国家经贸委出席了石万鹏副主任主持召开的煤炭出口部际协调会第二次会议。

△9日　张宝明同志在有关司（室）负责同志陪同下，到煤炭科学研究总院考察工作。张宝明同志在听取了煤炭科学研究总院党政负责同志的工作汇报后，对该院一年来取得的工作成绩给予了充分肯定。

△9日　赵铁锤同志在郑州与河南省副省长张以祥同志商谈有关工作。局机关有关司（室）和河南省政府有关部门的负责同志参加了商谈。

△10日　张宝明同志在局主持召开局党组会议，研究有关工作。王显政、濮洪九、赵铁锤同志出席会议，有关司（室）负责同志列席了会议。

△11日　张宝明同志在局主持召开局党组会议，传达学习中央有关文件精神。王显政、濮洪九、赵铁锤同志出席会议，有关司（室）负责同志列席了会议。

△11日　赵铁锤同志在局听取了离退休干部局负责同志的工作汇报。

下午，在局听取了局房改领导小组办公室负责同志的工作汇报。

△14日　张宝明同志在国务院出席了吴邦国副总理主持召开的会议。

△14日　王显政、赵铁锤同志在局出席了赴部分省（市）进行关井压产、安全生产检查动员会议。赵铁锤同志主持会议，王显政同志做动员讲话，检查组全体成员参加了会议。

△14日　濮洪九同志到中组部汇报了率《党政领导干部选拔任用工作暂行条例》检查组在上海检查的有关情况。

△14日　赵铁锤同志出席了煤炭总医院中层以上干部会议并讲话。赵铁锤同志在讲话中指出，煤炭总医院下一步工作，一是要以江总书记“三个代表”重要思想为指导，切实加强领导班子和员工队伍思想作风建设；二是增强危机感和紧迫感，迎接国家医疗卫生制度改革的挑战；三是在管理上狠下功夫，全面抓好医院基础管理工作。

△14日　赵铁锤同志在局主持召开会议，研究对煤炭行业改革脱困情况进行调研的有关工作。有关司（室）负责同志参加了会议。

△15日　上午，张宝明同志在局主持召开局党组会议，传达国务院有关会议精神。王显政、濮洪九、赵铁锤同志出席了会议。

晚上，张宝明同志在西郊宾馆会见了德国鲁尔公司总裁 Starzacher 一行。

△15日　王显政、赵铁锤同志分别率检查组前往河南省、山西省进行关井压产、安全生产大检查。

△15日　王显政同志在郑州与河南省副省长张以祥同志就该省关井压产、煤矿安全生产和煤炭企业扭亏脱困工作交换了意见。

△16日　上午，王显政同志在郑州听取了河南省煤炭工业局、河南煤矿安全监察局关于关井压产、扭亏脱困和安全生产工作的汇报。

△16日　上午，赵铁锤同志在太原听取了山西省煤炭工业局、山西煤矿安全监察局关于关井压产、扭亏脱困和安全生产工作的汇报。

下午，在西山煤电（集团）公司检查工作。

△17日　张宝明、濮洪九同志分别在局听取了湖北省煤炭行业管理办公室负责同志的工作汇报。

△17日　赵铁锤同志先后听取了大同市人民政府关于关井压产、煤矿安全生产工作的汇报和大同煤矿集团公司关于关井压产、扭亏脱困和安全生产工作的汇报。

△18日　张宝明同志在局主持召开局长办公会议，研究有关工作。濮洪九同志和有关司（室）负责同

志出席了会议。

△18日　赵铁锤同志在大同市南郊区现场检查关井压产和乡镇煤矿安全生产情况。随后，到大同煤矿集团公司就企业改革脱困工作进行调研。

△21日　张宝明、王显政同志到国务院向吴邦国副总理汇报了有关工作。

△21日　上午，张宝明同志在局主持召开局党组会议，学习中央文件，研究有关工作。濮洪九、赵铁锤同志出席会议，有关司（室）负责同志列席了会议。

下午，张宝明同志在局主持会议，听取大同煤矿集团公司工作汇报。王显政、濮洪九、赵铁锤同志和有关司（室）负责同志出席了会议。

△22日　赵铁锤同志在局听取了局房改领导小组办公室的工作汇报。

△23日　上午，张宝明同志在局听取了大屯煤电（集团）公司负责同志关于股票上市情况的汇报。

下午，张宝明同志在局主持召开会议，研究有关工作。王显政、濮洪九、赵铁锤同志出席了会议。

△23日　濮洪九、赵铁锤同志在北京矿务局听取了该局负责同志关于关闭破产工作的汇报。

△24日　张宝明同志在华北矿业高等专科学校出席煤矿安全监察培训班结业式并讲了话。张宝明同志在讲话中指出：这期培训班是煤矿安全监察管理体制改革、安全监察队伍组建之后，国家煤矿安全监察局组织开展的首批培训，具有开拓创新意义和引路作用。结合当前煤矿安全生产的形势，张宝明同志向参加培训班的同志提出了三点要求：一、充分估价煤矿安全生产的形势，增强做好安全监察工作的紧迫感和责任感。二、认真履行职责，依法强化安全监察，大幅度降低煤矿事故和死亡人数。三、加强思想作风建设和业务建设，做一个过硬的煤矿安全监察员。

△24日　张宝明同志在局会见了由日本贸易振兴会和澳大利亚贸易委员会组成的煤炭联合考察团。有关司（室）负责同志参加了会见。

△24日　濮洪九同志在局主持会议，研究有关工作。有关司（室）负责同志参加了会议。

△24日　赵铁锤同志在局听取了局房改领导小组办公室关于房改工作的汇报。

△25日　张宝明、濮洪九同志在局听取了局房改领导小组的工作汇报。

△25日　赵铁锤同志在国务院第一会议室出席了高校“三讲”教育工作电视电话会议。

△26日　濮洪九同志在京出席了国务院办公厅召开的全国老龄工作会议。

△26日　赵铁锤同志在西安出席煤炭工业电子信息工作会议并讲了话。随后，到煤航（集团）实业有限公司考察了工作。

△27日　赵铁锤同志在晋城矿务局考察了工作。

△28日　张宝明同志在局多功能厅出席第二期煤矿安全监察培训班开学典礼并讲话。濮洪九同志和有关司（室）负责同志出席了会议。对搞好这期学习培训，张宝明同志提出了三点意见：一、充分认识安全监察培训工作的重要性，提高学习的自觉性。二、明确学习培训的重点，在增强依法行政的能力上下功夫。三、认真学习，加强管理，确保培训取得好的效果。

△28日　赵铁锤同志在晋城出席了晋城无烟煤矿业集团有限责任公司成立大会并讲话。

△29日　上午，张宝明同志在局主持召开会议，研究有关工作。王显政、濮洪九、赵铁锤同志和机关各司（室）、有关直属事业单位主要负责同志出席了会议。

下午，张宝明同志在西郊宾馆主持召开局长办公会议，研究科技苑二期工程及有关工作。濮洪九、赵铁锤同志和有关司（室）负责同志出席了会议。

△30日　张宝明同志在郑州听取了局赴河南省关井压产、安全生产检查组的工作汇报。

△30日　上午，赵铁锤同志在局听取了四川省达川市人民政府、达竹煤电（集团）公司负责同志关于关闭破产工作的汇报。

下午，赵铁锤同志在局分别听取了蒲白矿务局、华蓥山矿务局负责同志关于关闭破产等工作的汇报。

晚上，赵铁锤同志在昆仑饭店出席了中国煤炭工业进出口集团公司与美国小松采矿系统公司关于安家岭项目矿用卡车采购合同的签字仪式。

△31日　上午，张宝明同志在河南省副省长张以祥同志陪同下到河南省新密市检查了关井压产、安全生产工作。

下午，张宝明同志在郑州与河南省副省长张以祥同志就河南省关井压产、安全生产检查工作交换了意见。

△31日　赵铁锤同志在局听取了发展研究咨询中心负责同志的工作汇报。

9 月

△1日　上午，张宝明同志在郑州与河南省副省长张以祥同志商谈了河南省煤炭工业有关工作。

下午，张宝明同志在郑州煤矿安全监察办事处考察工作。

△1日　赵铁锤同志在局听取了煤炭信息研究院负责同志的工作汇报。

△2日　张宝明同志在局主持召开会议，研究煤矿安全生产工作。赵铁锤同志和有关司（室）负责同志参加了会议。

△4日　上午，张宝明同志在局主持召开局长办公会议，听取赴五省一市关井压产、安全生产检查组的汇报。濮洪九、赵铁锤同志和有关司（室）负责同志出席了会议。

下午，张宝明同志在局听取了山东煤矿安全监察局负责同志的工作汇报。

△4日　赵铁锤同志在局听取了离退休干部局负责同志的工作汇报。

△5日　张宝明同志到国务院向吴邦国副总理汇报了关于贯彻落实江总书记重要批示、抓好煤矿安全

监察管理工作有关情况。

△5 日　濮洪九同志到 301 医院看望了因病住院的老同志。

△5 日　赵铁锤同志在局听取了企事业改革司负责同志的工作汇报。

△6 日　张宝明同志在局主持召开局党组会议，学习中央有关文件精神。濮洪九、赵铁锤同志出席了会议。

△6 日　赵铁锤同志在局主持召开会议，布置安全生产有关工作。有关司（室）负责同志参加了会议。

△6 日　赵铁锤同志在局听取了规划发展司负责同志有关工作的汇报。

△6 日　赵铁锤同志在人民大会堂出席了中国煤炭工业进出口集团公司与美国卡特彼勒公司关于平朔安家岭项目矿用卡车采购合同的签字仪式。

△7 日　张宝明同志在局主持召开局长办公会议，研究近期煤矿安全工作。濮洪九、赵铁锤同志和各司室主要负责同志出席了会议。

△7 日　赵铁锤同志在西郊宾馆出席了组建中煤通信有限责任公司第一次筹备领导小组工作会议并讲话。组建中煤通信有限责任公司要做好以下工作：第一，加强学习。第二，进一步解放思想、转变观念，在深化煤炭通信信息改革方面积极探索。第三，强化服务意识。第四，加快工作进度。

△7 日　赵铁锤同志到国家开发银行与陈元行长就煤炭工业有关问题进行了商谈。

△9 日　张宝明同志在局主持召开会议，研究煤矿安全有关工作。濮洪九、赵铁锤同志和有关司（室）负责同志参加了会议。

△11 日　张宝明同志在局主持召开局党组会议，学习中央有关文件。濮洪九、赵铁锤同志出席了会议，有关司（室）负责同志列席了会议。

△11 日　濮洪九同志在局主持召开会议，研究在局机关和在京单位处级以上党员干部中开展“警示教育月”活动的安排。有关司（室）负责同志参加了会议。

△11 日　赵铁锤同志在局先后听取了内蒙古自治区煤炭工业局和局房改领导小组办公室负责同志的工作汇报。

△12 日　张宝明同志在局会见了英国 AEA 科技集团公司董事长克里夫爵士一行，双方就洁净煤技术的合作等问题进行了商谈。局有关司（室）和煤炭科学研究总院负责同志参加了会见。

下午，张宝明同志在局主持召开局长办公会议，听取了中联煤层气有限责任公司有关情况的汇报。赵铁锤同志及有关司（室）负责同志参加了会议。

△12 日　濮洪九同志在中组部出席了曾庆红同志主持召开的《党政领导干部选拔任用工作暂行条例》检查汇报会。

△12 日　赵铁锤同志在京西宾馆出席了国家计委召开的“十五”行业规划工作座谈会。

△13 日　赵铁锤同志在局主持召开会议，研究有关煤炭企业管理体制问题。有关司（室）及有关单位负责同志参加了会议。

△14 日　张宝明、濮洪九、赵铁锤同志在局多功能厅出席局机关和在京直属单位处级以上党员干部“警示教育月”活动动员大会上。濮洪九同志主持会议，张宝明同志在会上讲了话。张宝明同志的讲话分三个部分：一、认清开展“警示教育月”活动的重大意义，积极主动地投身这场教育活动中去。二、关于“警示教育月”活动的安排部署。三、以开展警示教育活动为动力，努力推动后四个月的各项工作。

△15 日　上午，张宝明、濮洪九、赵铁锤同志在西郊宾馆与局“警示教育月”活动领导小组其他成员一起观看了《胡长清案件警示录》、《代号 9898－广东省湛江特大走私案透视》、《被钱和色推向深渊的市长》等录像片。

下午，张宝明、濮洪九同志在西郊宾馆自学了“警示教育月”活动有关学习材料。

△15 日　赵铁锤同志在国务院第三会议室出席了石秀诗副秘书长主持召开的会议。会议研究了有关煤炭企业管理体制问题。

△16 日　上午，张宝明、濮洪九、赵铁锤同志继续在西郊宾馆自学“警示教育月”活动有关学习材料。

下午，张宝明同志在西郊宾馆主持召开警示教育活动专题研讨会。濮洪九、赵铁锤同志与局“警示教育月”活动领导小组其他成员参加了研讨。

△18 日　上午，张宝明同志在国家经贸委出席了盛华仁主任主持召开的会议。会议听取了山西省负责同志关于大同煤矿集团有限责任公司扭亏脱困工作的汇报。

下午，张宝明同志在局听取了赴澳大利亚参加第五届国际矿山安全会议代表团的汇报。

△18 日　濮洪九、赵铁锤同志在中国人民革命军事博物馆观看了北京市打击和预防经济犯罪展览。

△19 日　上午，张宝明同志在局主持召开局长办公会议，听取企事业改革司关于 2001 年国家煤炭工业局、国家煤矿安全监察局预算编制情况的汇报。赵铁锤同志和有关司（室）负责同志参加了会议。

△19 日　濮洪九同志在西郊宾馆出席了中央纪委、监察部召开的国有企业党风廉政建设座谈会。

△19 日　赵铁锤同志在局听取了局房改领导小组办公室的工作汇报。

△20 日　张宝明同志在北京亮马河大厦出席了国家煤炭工业局和美国环境保护局联合主办的煤矿区煤层气项目投资国际研讨会，并致开幕词。

△20 日　赵铁锤同志在局主持召开 8 月份煤炭工业经济运行分析会。有关司（室）负责同志参加了会议。

△20 日　赵铁锤同志在北京亮马河大厦出席了煤矿区煤层气项目投资国际研讨会招待会。

△21 日　张宝明同志在有关司（室）负责同志的陪同下，到煤炭信息研究院考察工作。张宝明同志对煤

炭信息研究院下一步工作提出了要求：一是要提高信息意识，增强发展信息产业的紧迫感。二是要围绕煤炭工业“十五”发展战略，加快煤矿安全监察信息网络体系建设。三是要围绕煤炭行业的改革和发展，抓住当今信息化、产业化的机遇，适应时代要求，成为信息产业的排头兵、领头羊，为煤炭行业的可持续发展做出应有贡献。

△21日　赵铁锤同志在京西宾馆出席了中央部门预算工作座谈会。

△21日　赵铁锤同志在局主持召开局房改工作领导小组会议，研究局房改有关工作。

△22日　濮洪九同志在局主持召开会议，听取了有关司（室）和部分在京直属单位负责同志关于“警示教育月”活动进展情况的汇报，并对活动的下一步工作提出了要求。

△22日　赵铁锤同志在局主持召开会议，研究有关工作。有关司（室）负责同志参加了会议。

△25日　上午，张宝明同志在局主持召开会议，研究大同煤矿（集团）公司扭亏脱困有关材料。赵铁锤同志和有关司（室）负责同志参加了会议。

下午，张宝明同志在局主持召开党组会议，研究人事问题。濮洪九、赵铁锤同志参加了会议，路德信同志列席了会议。

△25日　濮洪九同志在煤炭科学研究总院北京建井研究所基地检查工作，并听取了该所领导同志的工作汇报。

△26日　上午，张宝明同志在国家经贸委出席了盛华仁主任主持召开的会议。会议传达了国务院关于国家经贸委机构改革方案的精神。

下午，张宝明同志在西郊宾馆主持召开局党组会议，传达国务院关于国家经贸委机构改革方案的精神。濮洪九、赵铁锤同志出席会议，有关司（室）负责同志列席了会议。

△26日　濮洪九、赵铁锤同志在局出席了“警示教育月”活动专题报告会。中央纪委宣教室戴俭明主任作了典型案例剖析报告。濮洪九同志主持报告会，机关全体公务员、在京单位领导班子成员及部分处级干部听取了报告。

△26日　濮洪九同志在西郊宾馆出席了第2期煤矿安全监察人员培训班结业典礼并讲话。

△27日　上午，张宝明同志在局主持召开会议。会议传达了国务院关于国家经贸委及委管国家局机构改革方案的精神。濮洪九、赵铁锤同志和部分老部长、局机关各司（室）主要负责人和在京单位党政一把手出席了会议。

下午，张宝明同志在局主持召开会议。会议传达了国务院关于国家经贸委及委管国家局机构改革方案的精神。濮洪九、赵铁锤同志出席会议，机关全体公务员，社团组织，在京单位领导班子成员和离退休司局长参加了会议。

△27日　张宝明同志在局主持召开局长办公会议，研究有关工作。濮洪九、赵铁锤同志和有关司（室）负责同志出席了会议。

△28日　上午，张宝明、濮洪九同志在北京西郊宾馆出席煤矿安全监察局局长会议。张宝明同志在会上通报了贵州水城矿务局木冲沟矿9月27日发生的特别重大瓦斯爆炸事故，对煤矿安全生产工作进行了部署，并介绍了机构改革的有关情况。濮洪九同志传达了国务院关于国家经贸委及委管国家局机构改革方案的精神。濮洪九同志主持会议，各煤矿安全监察局局长参加了会议。

中午，张宝明同志率有关司（室）负责同志赶赴贵州处理“9·27”特别重大瓦斯爆炸事故。

△28日　赵铁锤同志在太原出席山西煤矿安全监察局、山西省煤炭工业局揭牌仪式并讲话。山西省长刘振华同志，副省长杨志明、王显政同志也出席了揭牌仪式。

随后，赵铁锤同志听取了山西煤矿安全监察局和山西省煤炭工业局的工作汇报。

△28日　张宝明同志当日23时赶到水城矿务局木冲沟矿，随即勘察了井口事故现场，看望了受伤人员，慰问了抢险队员和医护人员。

△29日　凌晨，张宝明同志听取了水城矿务局关于事故抢救工作的汇报。

上午，组织有关部门研究事故抢救工作。

下午，主持召开了“9·27”特大事故调查处理领导小组会议。

△29日　濮洪九同志在局主持召开了“警示教育月”活动学习交流会，并对下一步的活动安排作了部署。局机关全体司局级干部、各社团组织一把手和在京直属单位党政主要负责同志参加了会议。

△29日　赵铁锤同志在局调度室听取了关于“9·27”特大事故情况的汇报，对安全调度等工作进行了部署，对有关司（室）的工作提出了要求。

下午，在局召集有关司（室）负责同志研究了国庆节期间全国煤矿停产检修和安全生产有关工作。

△30日　张宝明同志继续在贵州省水城矿务局木冲沟矿调查处理“9·27”特大事故。

△30日　赵铁锤同志在局调度室听取了关于“9·27”特大事故抢救进展情况的汇报，并就贯彻落实国务院文件精神、搞好国庆节期间安全生产的有关工作进行了部署。

10　月

△1～4日　张宝明同志作为“9·27”事故调查处理领导小组组长之一，继续在贵州水城矿务局木冲沟煤矿，组织领导和指挥抢救、善后和事故原因调查工作。

△1日　上午，张宝明同志在研究分析了井下抢救工作形势后，重点对处理巷道冒顶，完善压风系统、如何实施高档普采面抢救方案、做好井下有关地点素描等提出了具体要求。

下午，张宝明同志召开事故原因调查组全体人员会议。

晚上，张宝明同志到抢救指挥部研究了抢救工作。

△1日　濮洪九、赵铁锤同志在西郊宾馆向国务院副秘书长石秀诗同志汇报了安全生产的有关工作。

△1～6日　濮洪九、赵铁锤同志，每天上午在局主持召开调度会议，了解“9·27”事故抢救和全国煤矿安全生产情况，并对安全工作进行部署。

△2日　濮洪九、赵铁锤同志在局召集会议，研究部署与“法轮功”邪教组织斗争的有关工作。局机关有关司（室）负责同志参加了会议。

△2日　上午，张宝明同志研究了井下抢救工作，并看望了辨认遇难者遗体的法医等工作人员。

下午，张宝明同志研究了善后处理、维护矿区稳定工作。

晚上，张宝明同志到抢救指挥部研究了普采面机巷排水降瓦斯等工作，并参加了事故原因调查组会议。

△3日　上午，张宝明同志研究了抢救和善后工作，对抢救工作提出了5条要求，并要求加大善后工作力度，把剩下的70户家属的工作做好，尽快签订协议。

下午，张宝明同志到抢救指挥部研究了井下抢救工作，要求从汪家寨矿增调骨干力量，并向支援抢救工作的大湾矿矿长了解了井下情况。

△4日　张宝明同志主持召开领导小组成员及各专业组负责人会议，听取了井下情况和善后工作汇报，对前段工作进行了小结，对下一步抢救、善后和维护稳定工作分别提出了具体要求。

△7日　赵铁锤同志在局主持召开调度会议，了解“9·27”事故抢救和全国煤矿安全生产情况，并对有关工作进行了部署。

下午，在局主持召开会议，研究安全生产等有关工作。

△8日　张宝明同志在局主持召开了局长办公会议。会议通报了“9·27”事故抢救及处理情况、局机关近日安全工作开展情况；研究了下一步安全生产、安全监察工作；听取了经济运行中心关于国庆节停产放假矿井检修及恢复生产情况的汇报和安全技术装备保障司关于安全监察办事处经费安排意见的汇报。濮洪九、赵铁锤同志和局机关各司（室）负责同志出席了会议。

△9日　张宝明同志在京出席党的十五届五中全会。

△9日　赵铁锤同志上午在局出席局直属机关党委召开的机关总支（支部）书记、在京单位党委书记会议，研究部署与“法轮功”邪教组织斗争的有关工作。随后，在局主持召开会议，研究安全生产工作有关问题。

△9日　赵铁锤同志率机关有关司（室）负责同志到科技苑二期工程工地现场办公。随后，在局主持召开会议，听取了局房改领导小组办公室的工作汇报。

△10日　濮洪九、赵铁锤同志到煤炭信息研究院检查工作。听取了该院主要负责同志的工作汇报，并对该院的下一步工作提出了要求和希望。

△10日　赵铁锤同志在局听取了煤炭总医院负责同志的工作汇报。

下午在局主持召开局房改领导小组会议，研究房改有关工作。

△11日　上午，赵铁锤同志到局属部分职工住宅区进行考察。

下午，赵铁锤同志在局主持召开会议，听取了行业管理司和中国煤炭运销协会关于煤炭运销工作的情况汇报。

△12日　上午，张宝明同志在局主持召开局党组会议，传达党的十五届五中全会精神。濮洪九、赵铁锤同志和党组中心学习组成员出席了会议。

下午，张宝明同志在局主持召开会议，传达党的十五届五中全会精神。濮洪九、赵铁锤同志和部分老部长出席了会议。

△13日　张宝明同志在局主持召开会议，传达党的十五届五中全会精神。濮洪九同志主持会议，赵铁锤同志出席了会议。局机关和各协会全体党员、各在京直属单位领导班子中的党员和离退休党员司局级干部参加了会议。张宝明同志在会上要求各单位和各级煤炭管理部门、煤矿安全监察机构努力做好以下4个方面的工作，促进煤炭工业的跨世纪发展。第一，认真学习领会五中全会的文件，把思想认识统一到全会精神上来。第二，继续做好编制煤炭工业“十五”计划的有关工作，进一步完善改革发展思路。第三，要继续抓好几项重点工作。第四，进一步完善煤矿安全监察管理体制，强化执法监督，促进煤矿安全状况的稳定好转。

△13日　张宝明同志在局主持召开局长办公会议，研究2001年度煤炭订货问题。濮洪九、赵铁锤同志和有关司（室）负责同志参加了会议。

△16日　张宝明同志在局主持召开局党组会议，研究煤矿事故处理有关问题。濮洪九、赵铁锤同志出席会议，有关司（室）负责同志列席了会议。

△16日　上午，赵铁锤同志在局主持召开会议，研究煤矿事故处理的有关材料。有关司（室）负责同志参加了会议。

下午在平安府宾馆主持召开会议，研究安全生产有关工作。有关司（室）负责同志参加了会议。

△17日　张宝明同志率团赴日本，出席在东京举行的世界能源理事会亚太地区能源论坛。

△17日　上午，赵铁锤同志在北京全国农业展览馆参观了第八届国际消防设备技术交流展览。

下午，赵铁锤同志到中国矿业大学北京校区东校园考察工作。

△18日　上午，张宝明同志以世界能源理事会中国国家委员会副主席的身份，在世界能源理事会亚太地区能源论坛上作了题为《亚太地区的环境问题与挑战》的主题发言。

下午，张宝明同志会见了日本国通产省资源能源厅长官河野博文先生，随后会见了日本新能源产业技术综合开发机构副理事长牧野力先生。

晚上，张宝明同志出席了日本能源协会主席、世界能源理事会日本国家委员会主席、世界能源理事会亚太地区能源论坛主席宫原茂锐先生举行的欢迎宴会。

△18日　濮洪九同志在局主持召开会议，听取局机关和在京直属单位关于警示教育对照交流及制定整改措施的情况汇报，并对下一步工作提出了要求。

△18日　赵铁锤同志在局主持召开会议，听取安全技术装备保障司关于安全监察设备采购方案的汇报。有关司（室）负责同志参加了会议。

△19日　张宝明同志在日本北海道考察了太平洋煤矿的地面设施、集中监控设施、急救设施及安全培训中心。

△19日　上午，赵铁锤同志在局听取了安全监察司主要负责同志关于贵州省水城矿务局木冲沟煤矿“9·27”事故调查情况的汇报。

下午，赵铁锤同志在局听取了中国煤田地质总局主要负责同志的有关工作汇报。

△22日　张宝明同志在局会见了美国CONSOL公司、日本伊藤忠商事株式会社、亚洲交流协会代表团，双方就引进外资和加强合作等问题交换了意见。有关司（室）和中煤建设集团公司的负责同志参加了会见。

△23日　上午，张宝明同志在局主持召开会议，研究近期工作。濮洪九、赵铁锤同志出席了会议。

下午，张宝明同志在局主持召开局长办公会，研究“警示教育”、煤矿安全监察和煤炭企业扭亏脱困的有关问题。濮洪九、赵铁锤同志出席会议，有关司（室）主要负责同志参加了会议。

△24日　上午，张宝明同志在局主持召开局长办公会议，听取大同煤矿集团公司关于扭亏脱困有关问题的汇报。赵铁锤同志出席会议，有关司（室）主要负责同志参加了会议。

下午，张宝明同志在局会见了贵州省副省长刘长贵同志，双方就贵州省煤矿安全和关井压产等有关问题交换了意见。有关司（室）负责同志参加了会见。

△24日　上午，濮洪九同志赴宁夏出席全国煤炭系统反腐败抓源头工作经验交流会。

中午，濮洪九同志会见了宁夏回族自治区纪委书记刘丰富同志。

下午，濮洪九同志听取了宁夏煤炭工业局、宁夏煤矿安全监察局领导班子的工作汇报。

晚上，濮洪九同志会见了宁夏回族自治区党委副书记任启兴同志。

△24日　赵铁锤同志在办公室听取了科技苑筹建办主要负责同志的工作汇报。

△25日　张宝明同志、赵铁锤同志在局召集会议，听取有关司（室）负责同志关于煤矿安全监察会议筹备情况的汇报。

△25日　濮洪九同志出席了在银川市召开的全国煤炭系统反腐败抓源头工作经验交流会。宁夏自治区党委副书记任启兴同志、纪委书记刘丰富同志出席上午的会议，任启兴同志讲了话。

△26日　张宝明同志在局主持召开局长办公会议，听取规划发展司关于“十五”能源发展规划意见的汇报。机关有关司（室）主要负责同志参加了会议。

△26日　濮洪九同志在银川出席全国煤炭系统反腐败抓源头工作经验交流会并讲话。各省、自治区、直辖市煤炭管理部门和各煤矿安全监察局纪检组长（纪委书记）、监察室主任，有关煤炭企事业单位纪检监察部门负责同志参加了会议。

△26日　濮洪九同志与宁夏自治区党委副书记任启兴同志到石嘴山矿务局，听取了矿务局领导班子关于近期工作及该局三矿关闭破产有关情况的汇报，随后到矿区检查工作。

△26日　上午，赵铁锤同志在国务院第一会议室出席了全国“打假”联合行动电视电话会议。

下午，赵铁锤同志在局主持召开会议，研究科技苑二期工程建设的有关工作。随后，在局听取了四川省煤炭工业局有关负责同志的工作汇报。

△27日　张宝明同志在国务院第三会议室出席了吴邦国副总理主持召开的“十五”能源发展规划汇报会。

△27日　上午，濮洪九同志在宁夏太西集团有限责任公司听取了该公司领导班子的工作汇报，随后到该公司所属铁合金厂和大武口煤矿安全监察办事处检查工作。

下午，濮洪九同志在灵武矿务局听取了该局领导班子的工作汇报，随后到灵武煤矿安全监察办事处检查工作。

晚上，濮洪九同志在银川看望了煤炭系统部分离退休老同志。

△27日　上午，赵铁锤同志在局听取了煤炭信息研究院有关负责同志关于“煤矿安全监察体系研究课题”进展情况的汇报。

下午，赵铁锤同志在国家经贸委出席了经贸委系统报刊、出版社整顿精减工作会议。

△28日　张宝明同志在西郊宾馆主持召开局党组会议，党组成员进行了警示教育对照交流。濮洪九、赵铁锤同志出席会议，有关司（室）负责同志列席了会议。

△29日　张宝明同志陪同吴邦国副总理到大同煤矿集团公司现场办公，并在火车上出席了吴邦国副总理主持召开的会议，研究大同煤矿集团公司扭亏脱困的有关问题。

△30日　上午，赵铁锤同志在国家经贸委出席李荣融副主任主持召开的会议。会议通报了机构改革的有关情况。

下午，赵铁锤同志在局听取了煤炭总医院主要负责同志的工作汇报。

△30日　上午，张宝明同志陪同吴邦国副总理在

大同煤矿集团公司马脊梁煤矿井下视察工作并慰问一线职工。

下午，张宝明同志出席了吴邦国副总理主持召开的会议，研究大同煤矿集团公司扭亏脱困的有关问题。

△31 日　张宝明同志出席了吴邦国副总理主持召开的座谈会，研究大同煤矿集团公司改革及扭亏脱困有关问题。

△31 日　赵铁锤同志在西郊宾馆出席了有色、煤炭矿山企业破产审查会议。

11 月

△1 日　张宝明同志在局主持召开国家煤炭工业局、国家煤矿安全监察局“警示教育月”活动总结大会。濮洪九同志主持会议，赵铁锤同志出席会议，机关全体公务员、各社团组织副处级以上干部、各在京直属单位领导班子成员参加了会议。张宝明同志在会上要求各单位和各级煤炭管理部门、煤矿安全监察机构，要以五中全会精神为动力，把警示教育激发出的政治热情，引导到做好当前各项工作上来。一是要认真学习贯彻党的十五届五中全会精神，统一思想认识，以此为指导，继续做好编制煤炭工业“十五”计划的有关工作，进一步完善煤炭工业改革发展的思路。二是围绕关井压产、关闭破产，加大结构调整的工作力度。三是引导企业切实加强成本、质量、资金管理，挖掘潜力，促进扭亏脱困。四是强化煤矿安全监察，扭转事故多发的被动局面。五是做好机构改革调整的有关工作。

△1 日　张宝明同志在国务院出席了朱镕基总理主持召开的国务院第 32 次常务会议。会议审议并原则通过了《煤矿安全监察条例》（草案）。

△1 日　赵铁锤同志在局主持召开局长办公会议，研究 2001 年工作思路。有关司（室）主要负责同志参加了会议。

△2 日　上午，张宝明、濮洪九、赵铁锤同志在西郊宾馆出席煤矿安全监察会议。张宝明同志传达了党中央、国务院领导同志关于安全生产的重要批示并作报告，濮洪九同志主持会议，国家经贸委主任盛华仁同志出席会议并讲话。各煤矿安全监察局局长，山西、河南省煤炭工业局局长，各煤矿安全监察办事处主任，局机关各司（室）和有关在京单位、社团组织负责同志参加了会议。

△2 日　上午，张宝明同志在国家经贸委出席盛华仁主任主持召开的会议。会议传达了总理办公会议关于明年经济工作安排的精神，研究了国家经贸委明年的工作思路。

晚上，在西郊宾馆主持召开座谈会，听取了有关省局主要负责同志关于明年工作思路的汇报。

△2 日　濮洪九同志、赵铁锤同志在西郊宾馆主持了煤矿安全监察会议分组讨论。

△3 日　张宝明、濮洪九、赵铁锤同志在西郊宾馆主持煤矿安全监察会议分组讨论。

△3 日　张宝明同志在西郊宾馆出席煤矿安全监察会议并讲话。濮洪九同志主持会议，赵铁锤同志做了会议总结。张宝明同志在讲话中强调：第一，要结合本地区的实际和存在的问题，抓好会议精神的贯彻落实。第二，要大张旗鼓、理直气壮地抓好《煤矿安全监察条例》的学习和宣传贯彻。第三，要尽快做好资产划转工作。第四，要立即开展秋冬安全大检查。

赵铁锤同志就如何贯彻落实这次会议精神提出了明确要求：一、认真学习、深刻领会党中央、国务院领导同志的重要指示精神，牢固树立安全第一的思想。二、强化组织纪律观念，坚决贯彻执行国家煤矿安全监察局党组的安排部署。三、加强领导，落实措施，确保今年全国煤矿安全生产奋斗目标的实现。

△3 日　张宝明同志在西郊宾馆主持召开局党组会议，研究明年工作思路。濮洪九、赵铁锤同志出席会议，有关司室负责同志列席会议。

△4 日　张宝明同志在国家经贸委出席了盛华仁主任主持召开的会议，汇报煤炭工业明年的工作思路。

△5 日　张宝明、赵铁锤同志在局调度室召开会议，研究吉林省辽源矿务局西安矿矿办小井瓦斯爆炸事故的抢救工作。

△6 日　张宝明同志在局主持召开会议，听取规划司关于煤炭行业加强基础设施建设有关情况的汇报。有关司（室）负责同志参加了会议。

△6 日　上午，赵铁锤同志在局先后听取了离退休干部局、煤炭总医院主要负责同志的工作汇报。

下午，赵铁锤同志在局主持召开局房改领导小组会议，研究有关工作。

△7 日　濮洪九同志在局主持召开会议，研究省级煤矿安全监察局资产划拨问题。有关司（室）负责同志参加了会议。

△7 日　上午，赵铁锤同志在局听取了安全监察司负责同志有关工作情况的汇报。

下午，在西郊宾馆出席了煤炭运销工作座谈会并讲话。

△8 日　张宝明同志在局主持召开局长办公会议，研究宣传贯彻《煤矿安全监察条例》、关闭矿办小井的有关工作，并研究部署冬季煤矿安全大检查工作。赵铁锤同志和有关司（室）主要负责同志出席了会议。

△8 日　上午，赵铁锤同志在局主持召开会议，研究煤矿安全监察工作。有关司（室）负责同志参加了会议。

晚上，赵铁锤同志在人民大会堂出席了中联煤层气有限责任公司与美国德士古公司合作开采煤层气合同签字仪式。

△8 日　濮洪九同志出席了中组部召开的赴中央机关部分部委“党政领导干部选拔任用工作暂行条例”检查组动员会。随后，受中组部委派，率中组部检查组到铁道部检查“党政领导干部选拔任用工作暂行条例”的执行情况。

△9 日　张宝明同志出席了全国人大财经委召开的加强基础设施建设座谈会。机关有关司（室）、中国

煤田地质总局和中联煤层气有限责任公司的负责同志参加了会议。

△9日　赵铁锤同志在中国矿业大学（北京校区）出席第三期煤矿安全监察员培训班结业典礼，下午在华北矿业高等专科学校出席第四期煤矿安全监察员培训班结业典礼，并分别讲了话。赵铁锤同志在讲话中强调了三个问题：一、当前煤矿安全生产形势。二、现阶段煤矿安全监察的主要任务。三、加强煤矿安全监察人员的素质建设。

△10日　张宝明同志在局主持召开局长办公会议，研究落实财政部有关文件精神。濮洪九、赵铁锤同志和机关有关司（室）、中国煤炭工业进出口集团公司、中煤信托投资有限责任公司、中煤深圳公司的主要负责同志出席了会议。

△10日　上午，赵铁锤同志在局听取了华北矿业高等专科学校主要负责同志的工作汇报。

下午，赵铁锤同志在局主持召开会议，研究部署下去进行安全监察的有关工作。有关司（室）和在京单位负责同志参加了会议。

△12日　上午，张宝明同志在局主持召开局长办公会议，研究机构改革有关问题。濮洪九、赵铁锤同志及有关司（室）和协会的负责同志出席了会议。

下午，张宝明同志在局主持召开局长碰头会议，研究近期有关工作。濮洪九、赵铁锤同志出席会议，有关司（室）主要负责同志参加了会议。

△13日　张宝明、赵铁锤同志在局听取了安全监察司主要负责同志的工作汇报。随后，出席了冬季安全大检查各检查组全体人员会议，并对安全大检查工作提出要求。

△13日　赵铁锤同志在国家经贸委出席了王万宾副主任主持召开的会议，研究部署地质勘查单位管理体制改革属地化有关问题。

△14日　上午，张宝明同志与国家有关部委负责同志在局召开会议，研究贵州省水城矿务局木冲沟矿"9·27"瓦斯爆炸事故调查处理的有关问题。局有关司（室）负责同志参加了会议。

下午，张宝明同志在局主持召开会议，研究乡镇煤矿安全生产工作。赵铁锤同志和有关司（室）负责同志出席了会议。

△14日　上午，赵铁锤同志在局听取了离退休干部局主要负责同志的工作汇报。

下午，赵铁锤同志听取了中国煤矿文联主要负责同志关于在全国煤矿系统开展"安源杯"矿山平安夜文艺汇演情况的汇报。

△15日　赵铁锤同志在怀柔出席了离退休干部局党委召开的离退休干部思想政治工作座谈会并讲话。赵铁锤同志在讲话中强调了3个问题：一、充分认识新形势下做好离退休干部思想政治工作的重要性。二、积极探索和实践新形势下做好离退休干部思想政治工作的方法和途径。三、切实加强党组织建设，加强对离退休干部工作的领导。

△16日　赵铁锤同志在局听取了安全技术装备保障司主要负责同志的有关工作汇报。

△17日　张宝明同志在国家经贸委出席了有关机构改革方面的会议。

△17日　上午，赵铁锤同志在局会见了波兰国家矿业局副局长师柴尔宾斯基先生一行，双方就开展煤矿安全监察领域的合作与交流等事宜广泛地进行了商谈。

晚上，赵铁锤同志与师柴尔宾斯基先生签署了《中国国家煤矿安全监察局与波兰国家矿业局关于在煤矿安全监察领域开展合作的备忘录》。随后，赵铁锤同志宴请了波兰代表团。

△18日　张宝明同志在局主持召开局党组会议，研究机构改革有关问题。濮洪九、赵铁锤同志出席会议，有关司（室）主要负责同志列席了会议。

△20日　上午，张宝明同志在局主持召开局长办公会议，通报机构改革及近期有关工作。赵铁锤同志和机关各司（室）、离退休干部局、经济运行中心、机关服务中心全体司局级负责同志出席了会议。

下午，张宝明同志在局主持召开座谈会，欢迎国家经贸委安全生产局全体同志到局办公。赵铁锤同志和机关有关司（室）主要负责同志出席了会议。

△20日　赵铁锤同志在局主持召开会议，研究近期煤矿安全监察工作。机关有关司（室）负责同志参加了会议。

△21日　上午，赵铁锤同志在局听取了中国煤矿文联主要负责同志的有关工作汇报。

下午，在局听取了地方乡镇煤矿整顿与安全监察办公室主要负责同志的有关工作汇报。

△22日　张宝明同志在局主持召开会议，研究评选、表彰煤炭系统劳动模范的有关事宜。赵铁锤同志和有关司（室）、中国煤炭职工思想政治工作研究会、全国煤矿地质工会的负责同志出席了会议。

△22日　赵铁锤同志在局出席了中国煤矿文联、中国作家协会联合举办的第四届全国煤矿题材文学"乌金奖"评奖会议。中国作家协会有关领导同志出席了会议，文艺届部分著名作家、评论家参加了会议。

△23日　张宝明同志在国家经贸委出席了石万鹏副主任主持召开的会议，落实国家安全体制改革的有关问题。

△23日　上午，赵铁锤同志在局听取了安全技术装备保障司主要负责同志的有关工作汇报。

下午，赵铁锤同志在局主持召开会议，对学习、宣传、贯彻和落实《煤矿安全监察条例》的有关工作提出了要求。有关司（室）负责同志参加了会议。

△24日　张宝明同志在局会见了山西省副省长王显政同志一行，双方就山西省煤炭工业改革、脱困有关问题交换了意见。濮洪九、赵铁锤同志参见了会见。

△25日　张宝明同志在局主持召开局长办公会，听取了机关各司（室）、离退休干部局、经济运行中心主要负责同志关于今年工作情况和明年工作思路的汇

报。濮洪九、赵铁锤同志出席了会议。

△25 日　张宝明、赵铁锤同志在局调度室研究了内蒙古大雁煤业公司二矿当天发生的瓦斯爆炸事故的抢救工作。

△26 日　张宝明同志在局主持召开座谈会，研究煤炭工业今后改革发展和明年工作思路。濮洪九同志和有关在京煤炭企事业单位的主要负责同志出席了会议。

△26 日　上午，赵铁锤同志在大雁煤业公司二矿听取了公司负责同志关于“11·25”事故情况的汇报，并对事故抢救和处理工作提出了要求。

下午，赵铁锤同志主持召开事故抢救领导小组会议，研究事故抢救方案，对事故抢救、善后处理和矿区稳定工作提出了具体要求。随后，到医院看望伤员，并听取了医务人员关于医治情况的汇报。

△27 日　张宝明同志在局主持召开座谈会，研究煤炭工业今后改革发展和明年工作思路。各社团组织主要负责同志出席了会议。

△27 日　濮洪九同志在南京听取了江苏煤矿安全监察局、江苏省煤炭工业局领导班子的工作汇报。

△27 日　濮洪九同志会见了江苏省副省长王珉同志，就江苏省煤矿安全监察和煤炭工业发展有关工作交换了意见。

△27 日　上午，赵铁锤同志在大雁煤业公司二矿主持召开事故抢救领导小组会议，听取事故抢救、善后处理、矿区稳定等工作情况的汇报。

下午，赵铁锤同志看望了参加抢救工作的救护队员，并到井口和调度室检查工作。随后，主持召开会议，听取了内蒙古煤矿安全监察局有关负责同志关于井下情况的汇报，研究事故抢救措施。

晚上，赵铁锤同志在大雁煤业公司二矿主持召开会议，研究成立“11·25”事故调查组及事故抢救等有关工作。随后，听取了从北京赶去参加事故救援工作的煤炭总医院医疗专家组的工作汇报。

△28 日　上午，赵铁锤同志在大雁煤业公司二矿听取了“11·25”事故抢救、善后处理和社会稳定等工作的汇报，对下一步工作做了部署。随后，深入井下检查指导事故抢救工作。

下午，赵铁锤同志主持召开“11·25”事故调查组成立会议，并对事故调查处理工作提出了要求。

△28 日　濮洪九同志在南京出席了江苏煤矿安全监察局、江苏省煤炭工业局挂牌仪式并讲话。江苏省副省长王珉同志也出席了挂牌仪式并讲话。

随后，濮洪九同志接见了江苏省煤炭企事业单位的负责同志，对加强煤矿安全生产工作提出了要求。

中午，濮洪九同志会见了江苏省委常委、组织部长徐国建和江苏省委企业工委书记柯广坚同志。

△29 日　上午，赵铁锤同志在大雁煤业公司二矿主持召开会议，听取“11·25”事故抢救小组、善后处理小组和社会稳定小组的工作汇报，对各项工作提出了要求。

下午，赵铁锤同志听取“11·25”事故调查组关于事故抢救进展情况的汇报，对下一步的抢救工作进行了部署。

△28～30 日　张宝明同志在北京出席了中央经济工作会议。

△30 日　张宝明同志在局主持召开会议，传达中央经济工作会议精神。有关司（室）主要负责同志参加了会议。

△30 日　濮洪九同志受中组部委派，率中组部“党政领导干部选拔任用工作暂行条例”检查组到教育部检查工作。

△30 日　上午，赵铁锤同志在大雁煤业公司二矿主持召开会议，听取“11·25”事故抢救小组、善后处理小组和社会稳定小组的工作汇报，对各项工作提出了要求。

下午，赵铁锤同志听取“11·25”事故调查组关于事故抢救进展情况的汇报，部署了下一步的抢救工作。

12　月

△1 日　张宝明同志在局多功能厅主持召开会议，传达贯彻中央经济工作会议精神。新机构筹备组成员闪淳昌同志传达了朱镕基总理在中央经济工作会议上的讲话，张宝明同志传达了江泽民总书记在中央经济工作会议上的讲话，并就如何贯彻中央经济工作会议精神，做好国家局的工作以及新机构的筹备工作进行了部署。原煤炭部部分老部长以及局机关各司（室）、各在京直属事业单位和社团组织、参加新机构内设司（室）筹备工作的其他委管国家局的司局级党员领导干部参加了会议。张宝明同志的讲话分 3 个部分：一、关于今年煤炭行业的简要情况。二、关于煤炭工业明年工作的想法。三、关于新机构的筹建工作。

△1 日　上午，赵铁锤同志在大雁煤业公司二矿听取了“11·25”事故抢救小组、善后处理小组和社会稳定小组的工作汇报，并对各项工作提出了要求。

下午，赵铁锤同志听取了“11·25”事故调查组关于事故抢救进展情况的汇报，研究、部署了下一步的抢救工作。

△2 日　张宝明同志和北京市委书记贾庆林、市长刘淇同志一起到北京燕山石化公司考察了脱硫型水煤浆示范项目。

△4 日　上午，张宝明同志在局主持召开会议，研究召开全国煤矿安全电话会议的有关问题。有关司（室）负责同志参加了会议。

下午，张宝明在局主持召开座谈会，欢迎在此次机构改革中由局调往国家经贸委工作的全体同志。有关司（室）负责同志参加了会议。

△2 日　上午，赵铁锤同志和内蒙古自治区政府副主席云公民同志一起在大雁煤业公司二矿听取了“11·25”事故抢救和善后处理工作的汇报，对事故抢救工作进行了安排。随后，到宝日希勒煤炭（集团）公司检查工作，听取了该公司领导班子的工作汇报，并对

该公司安全生产工作提出了要求。

下午，赵铁锤同志在大雁煤业公司二矿听取“11·25”事故抢救工作进展情况汇报并对下一步事故抢救工作进行了部署。

△3日　上午，赵铁锤同志在大雁煤业公司二矿听取了“11·25”事故抢救和善后处理工作的汇报，对事故抢救工作进行了安排。

下午，赵铁锤同志和内蒙古自治区政府代主席乌云其木格、自治区政府副主席云公民同志一起出席了“11·25”事故抢救领导小组召开的会议，分别对下一步的事故抢救工作提出了要求。随后，到井口慰问了刚升井的抢险一线职工，并到医院看望了伤员。

晚上，赵铁锤同志和内蒙古自治区政府副主席云公民同志一起听取了“11·25”事故抢救进展情况的汇报。

△4日　赵铁锤同志和内蒙古自治区政府副主席云公民同志一起到扎赉诺尔煤业公司检查工作，听取了该公司领导班子的工作汇报，并对该公司安全生产工作提出了要求。

△5日　张宝明同志在局主持召开局长办公会议，听取安全技术装备保障司关于煤矿安全技改情况的汇报和局赴安徽、陕西、黑龙江、江西、湖南省煤矿安全监察组关于安全大检查情况的汇报。机关各司(室)、经济运行中心主要负责同志和各安全监察组组长、副组长参加了会议。

△5日　赵铁锤同志和内蒙古自治区政府副主席云公民同志一起在大雁煤业公司二矿听取了“11·25”事故抢救、善后处理工作进展情况的汇报，对下一步抢救工作进行部署。

△6日　上午，赵铁锤同志和内蒙古自治区政府副主席云公民同志在大雁煤业公司二矿听取了“11·25”事故抢救工作全面汇报，对事故抢救工作进行了安排部署。随后，听取了事故调查组工作情况汇报，对调查组下一步工作提出了要求。

下午，赵铁锤同志听取了事故抢救工作进展情况汇报，对事故抢救工作提出了要求。

△7日　张宝明同志在华北矿业高等专科学校出席安全业务培训班开学典礼并讲话。机关有关司（室）负责同志参加了开学典礼。张宝明同志在讲话中提了3个方面的要求：一、充分认识安全生产监督管理体制改革的重大意义，增强事业心和责任感。二、认清安全生产业务培训的必要性和紧迫性，尽快实现职能和角色的转换。三、发扬理论联系实际的学风，勤奋努力，确保培训的质量和效果。

△7日　张宝明同志在国家经贸委出席由王万宾副主任主持召开的有关委管国家局负责人座谈会。会议征求了对《国家经贸委系统行业协会管理意见》(征求意见稿）的修改意见。

△7日　赵铁锤同志在内蒙古海拉尔煤矿安全监察办事处检查工作，并听取了办事处负责同志的工作汇报，对办事处的工作提出了要求。

△8日　张宝明同志在局电话会议室出席全国煤矿安全电话会议并讲话。赵铁锤同志主持会议。监察部副部长陈昌智、国家经贸委安全生产局副局长杨富、公安部资源管理局副局长鲍遂献、全国煤矿地质工会主席赵永金同志出席会议。机关各司（室）、有关在京煤炭企事业单位、社团组织的负责同志参加了主会场的会议。各级煤矿安全监察机构、各省（区、市）煤炭管理部门机关全体人员；有关产煤地（市）、县（区）政府主管煤炭工业的负责同志和煤炭管理部门全体人员；有关国有煤矿科级以上管理人员在分会场参加了会议。张宝明同志在会上讲了3个方面的问题：一、全国煤矿安全生产情况。二、全国煤矿冬季安全大检查情况和当前煤矿安全生产上存在的问题。三、下一步工作意见。当前，要重点做好以下几个方面的工作：一、充分认识当前煤矿安全生产形势的严峻性，切实加强对煤矿安全工作的领导；二、切实抓好“一通三防”这个关键环节，坚决遏制重特大瓦斯爆炸事故的发生；三、结合关井压产，强化对小煤矿的安全监督和管理；四、强化企业内部安全管理，落实安全生产责任制；五、以《煤矿安全监察条例》为武器，强化煤矿安全监察工作。

△11日　张宝明同志在北京出席全国经贸工作会议。

△11日　上午，赵铁锤同志在局听取了机关服务中心主要负责同志的有关工作汇报。

下午，赵铁锤同志在局会见了出席中德煤炭工作组第十次会议的德方代表团主要成员。

△12日　张宝明同志继续在京出席全国经贸工作会议。

△12日　赵铁锤同志先后出席在华北矿业高等专科学校和中国矿业大学北京校区举行的第四期煤矿安全监察员培训班结业典礼并讲话。赵铁锤同志在讲话中谈了两方面的问题：一、当前煤矿安全生产形势。二、增强事业心和责任感，切实加大煤矿安全监察力度。

△13日　张宝明同志在局主持召开局党组会议，传达全国经贸工作会议精神。濮洪九、赵铁锤同志出席会议。机关各司（室）负责同志列席了会议。

△14日　张宝明、赵铁锤同志陪同国家经贸委盛华仁主任、石万鹏副主任在华北矿业高等专科学校看望了新机构机关人员安全业务培训班学员。盛华仁主任、石万鹏副主任分别讲话。新机构筹备组成员闪淳昌同志参加了上述活动。

△14日　张宝明、赵铁锤同志在国家经贸委出席盛华仁主任、王万宾副主任召开的会议，汇报煤矿安全技改工作。

△16日　张宝明、赵铁锤同志在人民大会堂出席了全国“三讲”教育工作总结会议开幕式。

△16～17日　赵铁锤同志在京西宾馆出席了全国“三讲”教育工作总结会议。

△17日　上午，张宝明同志在局主持召开座谈

会，研究煤矿安全工作，有关司（室）和在京单位、社团组织负责同志参加了会议。

下午，张宝明同志在局主持召开局党组会议，研究纪检等有关工作。濮洪九、赵铁锤同志出席会议，有关司（室）主要负责同志列席会议。

△18日　濮洪九同志到中组部就检查铁道部执行《党政领导干部选拔任用工作暂行条例》的情况做了汇报。

△18日　赵铁锤同志在局听取了直属机关党委主要负责同志有关工作汇报。

△19日　张宝明同志在京西宾馆出席了国家经贸委召开的部分行业工作座谈会。

△19日　濮洪九同志在中组部出席了曾庆红同志主持召开的《党政领导干部选拔任用工作暂行条例》执行情况汇报会。

△19日　赵铁锤同志在人民大会堂大礼堂出席由中宣部、中直机关工委、中央国家机关工委、中央党校、解放军总政治部、中共北京市委联合举办的形势报告会。朱镕基总理在会上作了关于中央经济工作会议精神和当前经济形势的报告。

△20日　张宝明、濮洪九、赵铁锤同志在北京西郊宾馆出席全国煤矿安全监察工作会议。濮洪九同志主持会议，张宝明同志做了题为《依法强化监察　实行综合治理　促进煤矿安全生产的稳定好转》的工作报告，监察部副部长陈昌智同志讲了话。范维唐同志和老部长许在廉、张超、刘辉、徐达本同志，国家经贸委、中组部、国家计委、公安部、财政部、全国煤矿地质工会有关负责同志出席了会议。张宝明同志的报告共分三个部分。一、关于煤炭工业改革发展的回顾与展望。二、煤矿安全生产面临的形势和任务。三、扎扎实实做好明年的安全监察工作，努力开创新的局面。

△20日　张宝明同志在西郊宾馆主持召开会议，听取安全技术装备保障司关于政府采购工作情况汇报。濮洪九、赵铁锤同志出席了会议。

△20日　张宝明、濮洪九、赵铁锤同志在西郊宾馆分别参加了全国煤矿安全监察工作会议的小组讨论。

△21日　张宝明同志在西郊宾馆分别听取了部分省级煤矿安全监察局、部分国有重点煤炭企业主要负责同志的工作汇报。

△21日　濮洪九同志在西郊宾馆分别听取了部分省级煤矿安全监察局主要负责同志有关工作的汇报。

△21日　赵铁锤同志在西郊宾馆听取了工作会议分组讨论情况汇报。

△21日　张宝明、濮洪九、赵铁锤同志在西郊宾馆出席全国煤矿安全监察工作会议闭幕大会。濮洪九同志主诗会议，赵铁锤同志作会议总结。山西、河南、黑龙江煤矿安全监察局和邯郸、淮南煤矿安全监察办事处的代表发了言。赵铁锤同志在会议总结中强调了三个问题。一、继续下功夫解决好思想认识问题，把思想和行动统一到这次会议精神上来。二、切实加强监察机构自身建设，逐步形成煤矿安全监察工作正常运行机制。三、进一步转变作风，狠抓落实，确保年底和春节期间的安全生产。

△22日　张宝明同志在局主持召开会议，听取江苏煤矿安全监察局主要负责同志的工作汇报。有关司（室）负责同志参加了会议。

△22日　上午，赵铁锤同志在中国矿业大学北京校区出席中国矿业大学研究生院揭牌仪式并讲话。

△23日　张宝明同志在国家经贸委出席李荣融、王万宾副主任主持召开的会议，研究行业协会有关问题。

△25日　张宝明同志在局主持召开局长办公会议，听取华北矿业高等专科学校关于人事制度改革的汇报。有关司（室）负责同志出席了会议。

随后，张宝明同志在局主持召开局党组会议，研究行业协会管理有关问题。濮洪九、赵铁锤同志出席会议，范维唐同志和有关司（室）主要负责同志列席了会议。

△25日　濮洪九同志在京西宾馆出席了中央纪律检查委员会第五次全体会议。

△26日　张宝明、濮洪九同志在中南海怀仁堂听取了江泽民总书记在中央纪律检查委员会第五次全体会议上的重要讲话。

△26日　濮洪九同志继续在京西宾馆出席中央纪律检查委员会第五次全体会议。

△26日　赵铁锤同志在北京铁道大厦出席国务院召开的全国社会保障工作会议。

△27日　张宝明同志在局多功能厅主持召开会议，通报社团改革有关问题，并对下一步工作提出了要求。范维唐同志、有关司（室）负责同志和各社团组织全体工作人员参加了会议。

△27日　濮洪九同志继续在京西宾馆出席中央纪律检查委员会第五次全体会议。

△27日　赵铁锤同志继续在北京铁道大厦出席国务院召开的全国社会保障工作会议。

△28日　上午，张宝明同志在局主持召开局长办公会议，审议《煤矿安全监察行政处罚暂行办法》、《煤矿安全监察员管理办法》和《煤矿安全监察档案管理规定》。濮洪九同志及机关各司（室）、经济运行中心、档案馆主要负责同志出席了会议。

下午，张宝明同志在国务院小礼堂听取了朱镕基同志在中央国家机关党工委第十五次工作会议上的重要讲话。

△28日　濮洪九同志在京出席中组部召开的全国组织部长会议，听取了胡锦涛同志所作的重要报告。

△28日　上午，赵铁锤同志在郑州出席河南煤矿安全监察局挂牌仪式暨河南省煤矿安全监察工作会议并讲话。赵铁锤同志在讲话中指出，当前，要突出抓好三个方面的工作：一、认真学习宣传贯彻《煤矿安全监察条例》，为煤矿安全监察执法创造一个好的舆论环

境。二、以大幅度降低事故为目标，强化煤矿安全监察工作。三、切实加强监察机构自身建设，建立规范有序的煤矿安全监察工作机制。

△29 日　上午，赵铁锤同志在局主持召开会议，研究煤矿安全监察有关工作。有关司（室）负责同志参加了会议。

下午，赵铁锤同志在煤炭信息研究院出席“美国煤矿安全监察体系”课题专家研讨会并讲话。

统计资料

煤炭工业总产值（按1990年不变价格计算）

单位：万元

	1999年	2000年	2000年比1999年增（+）减（-）
全国总计	7526251	7517516	-8735
国有重点煤矿	4192773	4519781	+327008
地方煤矿	3333478	2997735	-335743
其中：集体所有制煤矿	1554946	1397374	-157571
煤矿机械厂及其他工厂	334436	353202	+18766
按大中小型企业分			
大型企业	4382878	4681817	+298939
中型企业	446759	446888	+129
小型企业	2696614	2388812	-307802

注：本表系煤炭系统数字，下同。

煤炭工业主要产品产量

	计算单位	1999年	2000年	2000年比1999年增（+）、减（-）
一、原煤产量	10^4t	104363	99917	-4446
其中：国有重点煤矿	10^4t	51271	53574	+2303
二、炼焦用洗精煤产量	10^4t	7975	8390	+415
其中：本系统	10^4t	7135	8265	+1130
三、煤矿机械产品产量	10^4t	19.51		

续表

	计算单位	1999 年	2000 年	2000 年比 1999 年 增（+）、减（—）
四、多种经营综合利用产品产量				
电 力	10^8kW·h	146.18	158.17	+11.99
生 铁	10^4t	15.87	16.91	+1.04
钢	10^4t	6	8	+2
轧钢材	10^4t	0.7	1	+0.3
硫铁矿	10^4t	1.08	0.22	−1.63
焦 炭	10^4t	1161	652	−509
水 泥	10^4t	1219	1203	−16
金属支架	万架	2.5	1.65	−0.85

原煤产量增长速度

	全 国	国有重点矿	地方煤矿 合 计	地方煤矿 其中：集体所有制煤矿
一、增长速度（%）				
1985 年比 1980 年	40.7	17.9	69.0	134.7
1990 年比 1985 年	2.4	4.8	0.5	2.5
1991 年比 1990 年	0.5	0.1	0.8	2.9
1992 年比 1991 年	2.8	0.4	4.5	6.9
1995 年比 1994 年	5.1	2.9	6.4	9.5
1996 年比 1995 年	6.3	11.4	3.3	3.1
1997 年比 1996 年	−3.6	−1.6	−5.6	−7.3
1998 年比 1997 年	−7.0	−4.8	−8.4	−9.5
1999 年比 1998 年	−15.3	1.8	−27.2	−38.5
2000 年比 1999 年	−4.3	4.5	−12.7	−15.1
二、增长数量（10^4t）				
1985 年比 1980 年	25215	6187	19028	15309
1990 年比 1985 年	2515	2192	323	853
1991 年比 1990 年	498	38	460	1013
1992 年比 1991 年	3027	194	2833	2478
1995 年比 1994 年	6265	1361	4909	4500
1996 年比 1995 年	8190	4810	3380	1822
1997 年比 1996 年	−4883	−809	−4614	−4435
1998 年比 1997 年	−9274	−2567	−6707	−5425
1999 年比 1998 年	−18888	922	−19810	−19917
2000 年比 1999 年	−4446	2303	−6749	−4783

按经济类型分的原煤产量

单位：10^4t

	1999 年		2000 年		2000 年比 1999 年增（+）、减（－）
	产量	比重（%）	产量	比重（%）	
全国总计	104363	100	99917	100	－4446
国有重点煤矿	51271	49.1	53574	53.6	＋2303
地方煤矿	53092	50.9	46343	46.4	－6749
其中：省营煤矿	4473	4.3	4296	4.3	－177
专营煤矿	6181	5.9	6160	6.2	－21
县营煤矿	10738	10.3	8970	9.0	－1768
集体所有制煤矿	31700	30.4	26917	26.9	－4783
其中：个体煤矿	1873	1.8	1325	1.3	－548

按煤种牌号分的原煤产量

单位：10^4t

	1999 年		2000 年	
	产量	比重（%）	产量	比重（%）
全国总计	104363	100	99917	100
无烟煤	18181	17.42	17573	17.58
烟　煤	81625	78.21	78067	78.13
其中：炼焦烟煤	49912	47.82	47425	47.46
贫瘦煤	2264	2.17	2607	2.61
瘦　煤	4140	3.96	3486	3.49
焦　煤	8963	8.59	8204	8.21
肥　煤	6508	6.23	5841	5.85
1/3 焦煤	9035	8.65	9190	9.20
气肥煤	5344	5.12	4911	4.92
气　煤	11466	10.98	11148	11.16
分不出牌号煤	2192	2.10	2038	2.04
一般烟煤	31713	30.39	30642	30.67
贫　煤	5052	4.84	4462	4.47
1/2 中粘煤				
弱粘煤	6358	6.09	5919	5.92
不粘煤	3106	2.98	3948	3.95
长焰煤	10036	9.61	8883	8.89
分不出牌号煤	7161	6.86	7429	7.44
褐　煤	4557	4.37	4277	4.20

按省、市、自治区分的原煤产量

单位：10^4t

	全国		国有重点煤矿		地方煤矿			
					合计		其中：集体所有制煤矿	
	1999 年	2000 年	1999 年	2000 年	1999 年	2000 年	1999 年	2000 年
全国总计	104363	99917	51271	53574	53092	46343	31700	26917
北京	765	678	419	427	346	252	346	252
河北	5497	5438	3633	3761	1864	1677	1045	836
山西	24610	24612	11776	12025	12834	12586	7950	8654
内蒙古	7281	8369	4259	5870	3022	2499	1684	1318
辽宁	4733	4405	3712	3688	1021	717	775	527
吉林	1826	1655	945	886	881	769	446	351
黑龙江	6230	5438	3713	3706	2517	1732	1227	608
江苏	2425	2505	1905	2028	520	477	250	198
浙江	91	72	74	65	17	7	9	6
安徽	4668	4783	3035	3121	1633	1662	334	273
福建	577	460			577	460	202	138
江西	1720	1464	577	536	1143	928	803	680
山东	8474	8038	5909	5812	2565	2226	590	342
河南	8002	7692	4255	4377	3747	3316	2264	1969
湖北	911	647			911	647	682	450
湖南	2619	2106	532	500	2087	1606	1512	984
广东	487	422			487	422	332	328
广西	794	705			794	705	282	204
四川	4351	3981	855	883	3496	3098	2544	2088
重庆市	2026	1592	800	824	1226	768	910	662
贵州	4025	3677	998	1076	3027	2601	2731	2294
云南	2663	2182	198	204	2465	1978	1665	1206
西藏								
陕西	3140	2765	1273	1327	1867	1438	1227	857
甘肃	1892	1633	844	873	1048	760	491	261
青海	247	216			247	216	79	62
宁夏	1531	1581	1020	1041	511	540	173	168
新疆	2778	2799	539	544	2239	2255	1148	1201
海南								

按构成分的国有重点煤矿原煤产量

单位：10^4t

	1999年		2000年		2000年比1999年增（+）、减（－）
	产量	比重（%）	产量	比重（%）	
总计	51271	100	53574	100	＋2303
一、矿井产量	43379	84.61	44934	83.87	＋1555
其中：回采	38588	75.26	40860	76.27	＋2272
掘进	2574	5.02	2772	5.17	＋198
其他	2217	4.32	1302	2.43	－915
二、露天产量	3589	7.00	4061	7.58	＋472
三、其他产量	4302	8.39	4579	8.55	＋277

按省、市、自治区分的炼焦用洗精煤产量

单位：10^4t

	炼焦用洗精煤产量			其中：冶炼用炼焦精煤产量		
	1999年	2000年	2000年比1999年增（+）、减（－）	1999年	2000年	2000年比1999年增（+）、减（－）
全国总计	7975	8390	＋415	7272	7704	＋432
北京						
河北	915	953	＋38	915	953	＋38
山西	1526	1587	＋61	1319	1332	＋13
内蒙古	478	383	－95	401	383	－18
辽宁	244	236	－8	226	226	—
吉林	23	22	－1	22	21	－1
黑龙江	787	770	－17	616	555	－61
江苏	209	219	－10	197	186	－11
安徽	483	465	－18	452	439	－13
江西	85	72	－13	81	68	－13
山东	1493	1869	＋376	1493	1869	＋376
河南	385	322	－63	385	322	－63
湖南	76	70	－6	76	70	－6
湖北						
广东						
四川	299	425	－126	274	392	＋118
重庆	185	172	－13	151	138	－13
贵州	280	316	＋36	196	285	＋89
云南	207	208	＋1	207	206	－1
陕西	80	80	—	80	80	—
宁夏	198	195	－3	159	153	－6
新疆	22	26	＋4	22	26	＋4

煤炭工业洗选煤产品产量

单位：10^4t

	1999 年	2000 年	2000 年比 1999 年增（+）、减（－）
一、洗　煤			
炼焦用洗精煤	7975	8390	+415
冶炼用洗精煤	7272	7704	+432
其他用炼焦精煤	703	686	－17
洗混末煤	2279	2810	+531
中　煤	389	398	+9
洗块煤	282	405	+123
二、筛选块煤	3100	3864	+764
无烟块煤	1379	1864	+486
烟块煤	1466	1883	+417
褐块煤	255	117	－138

煤炭工业国有重点煤矿选煤厂选煤产量

单位：10^4t

	1999 年	2000 年	2000 年比 1999 年增（+）、减（－）
一、合　　计			
入选原煤	21475	23989	+2514
入选比重（%）	41.88	44.78	+2.9
二、炼焦煤选煤厂			
入选原煤	12595	13305	+710
精煤产量	7269	8122	+853
产率（%）	57.71	61.05	+3.34
三、动力煤选煤厂			
入选原煤	8880	10684	+1804
洗选产量	7227	9230	+2003
产率（%）	81.39	86.39	+5

国有重点煤矿煤炭调出调入量

单位：10^4t

	1999 年			2000 年		
	调入量	调出量	净调出（+）、调入（-）量	调入量	调出量	净调出（+）、调入（-）量
全国总计	-25787	+29553		-30213	35731	5518
北　京	-1249	+327	-922	-1451	390	-1061
天　津	-1435		-1435	-1608		-1608
河　北	-2847	+1385	-1462	-3564	1064	-2500
山　西		+14548	+14548	-2	18504	18502
内蒙古	-162	+2536	+2374	-140	2450	2310
辽　宁	-2622	64	-2558	-2577	42	-2535
吉　林	-969	191	-778	-1189	213	-976
黑龙江	-609	1631	1022	-552	1661	1109
上　海	-2292		-2292	-2545		-2545
江　苏	-3096	376	-2720	-3833	515	-3318
浙　江	-2015		-2015	-2441		-2441
安　徽	-394	1232	838	-467	1794	1327
福　建	-429		-429	-559		-559
江　西	-376	100	-276	-431	112	-319
山　东	-2069	2051	-18	-2802	2604	-198
河　南	-461	2057	1596	-532	2348	1816
湖　北	-1911		-1911	-1928		-1928
湖　南	-402	176	-226	-412	242	-170
广　东	-1176		-1176	-1887		-1887
广　西	-298		-298	-378		-378
海　南	-10		-10	-39		-39
四　川	-38	68	30	-201	86	-115
重　庆	-2	102	100	-35	249	214
贵　州	-13	450	437	-4	433	429
云　南		22	22	-18	30	12
西　藏	-1		-1	-1		-1
陕　西	-111	943	832	-109	2120	2011
甘　肃	-701	129	-572	-418	77	-341
青　海	-89		-89	-83		-83
宁　夏		771	771	-	514	514
新　疆	-10	161	151	-7	165	158

注：调出量与调入量差额即出口量。

煤矿机械厂主要机电产品产量

	计算单位	1999 年	2000 年
煤矿机电产品产量合计	t	195105	171690
1. 采煤机	台/t	78/2025	100/2739
2. 刮板输送机	台/t	1224/36015	631/28358
3. 转载机	台/t	65/2419	58/2834
4. 掘进装载设备	台/t		
5. 液压支架	套—架/t	3049/37403	2352/30598
6. 单体液压支柱	万根/t	22/24330	24/12871
7. 煤矿矿井专用设备	t	2648	4504
8. 煤田勘探设备	t	421	801
9. 煤电钻及岩石电钻	台	10114	8522
10. 矿　灯	万盏	165	149
11. 煤矿信号元件	台（套）	203	719
12. 煤矿专用仪器仪表	台（套）	149670	108347

煤炭工业国有重点煤矿主要经济技术指标

	计算单位	1999 年	2000 年	2000 年比 1999 年增（＋）、减（－）
一、主要产品产量				
原煤产量	10^4t	51271	53574	＋2303
冶炼用洗精煤产量	10^4t	6496	7061	＋565
二、开拓进尺	10^4m	54	56	＋2
三、质　量				
商品煤灰分	%	—	—	—
商品煤含矸率	%	—	—	—
冶炼用精煤灰分	%	9.71	9.66	－0.05
冶炼用精煤产率	%	51.70	52.66	＋0.96
四、劳动生产率				
原煤全员效率	t/工	2.258	2.526	＋0.268

续表

	计算单位	1999年	2000年	2000年比1999年增（+）、减（−）
回采工效率	t/工	10.521	11.472	+0.951
五、材料及电力消耗				
原煤生产坑木消耗	$m^3/10^4t$			
综合电力消耗	（kW·h）/t			
六、回采工作面平均月产量	t/（个·月）	24438	27038	+2600
七、掘进工作面平均月进度	m/（个·月）	133.92		
八、采区回采率	%	78.57	77.97	−0.6
九、采煤机械化程度	%	73.41	74.43	+1.02
十、掘进装载机械化程度	%	72.01	73.29	+1.28

国有重点煤矿回采工作面利用指标

		计算单位	1999年	2000年	2000年比1999年增（+）、减（−）
回采产量		10^4t	38588	40860	+2270
年末工作面	个　数	个	1315	1429	+114
	总长度	m	154721	157481	+2760
平均工作面	个　数	个	1315	1259	−56
	总长度	m	141930	162255	+20325
	长　度	m	107	129	+22
	月进度	m	61.07	54.74	−6.33
	月产量	t/（个·月）	24438	27038	+2600
煤层生产能力		t/m^2	3.71	3.83	+0.12

国有重点煤矿掘进进尺及掘进工作面利用指标

		计算单位	1999 年	2000 年	2000 年比 1999 年增（＋）、减（－）
掘进进尺	全　部	10^4m	500	505	＋5
	其中：开拓巷道	10^4m	54	56	＋2
	煤　　巷	10^4m			
	半煤岩巷	10^4m			
	岩　　巷	10^4m			
掘进工作面平均个数	全　部	个	3112	2983	－129
	其中：开拓巷道	个	604	607	＋3
	煤　　巷	个			
	半煤岩巷	个			
	岩　　巷	个			
掘进工作面平均月进度	全　部	m	133.92	140.96	＋7.04
	其中：开拓巷道	m	75.16	76.72	＋1.56
	煤　　巷	m			
	半煤岩巷	m			
	岩　　巷	m			

国有重点煤矿回采工作面采煤机械化程度及单产

	计算单位	1999 年	2000 年	2000 年比 1999 年增（＋）、减（－）
一、采煤机械化程度	%	73.41	74.43	＋1.02
其中：综　采	%	51.70	56.73	＋5.03
高档普采	%	19.27	15.67	－3.6
普　采	%	1.05	0.77	－0.28
水　采	%	1.39	1.26	－0.13
二、工作面平均个数				
全部工作面	个	1316	1259	－57
1. 机采工作面	个	567	544	－23
其中：综　采	个	241	266	＋25
高档普采	个	275	234	－41
普　采	个	33	26	－7
水　采	个	18	18	—
2. 非机采工作面	个	749	715	－34
三、工作面单产				
全部工作面	t/（个·月）	24438	27038	＋2600

续表

	计算单位	1999 年	2000 年	2000 年比 1999 年增（+）、减（-）
1. 机采工作面	t/（个·月）	41652	46621	+4969
其中：综采	t/（个·月）	69120	72699	+3579
高档普采	t/（个·月）	21229	21529	+300
普采	t/（个·月）	10379	9997	-382
水采	t/（个·月）	24249	24035	-214
2. 非机采工作面	t/（个·月）	11415	12163	+748

重点煤矿机械厂概况

	计算单位	1999 年	2000 年		计算单位	1999 年	2000 年
机械厂数	个	53	77	年末职工人数	人	80848	109601
工业总产值（按 1990 年不变价格计算）	10^4 元	295702	416532	固定资产原值	10^4 元	510172	697276
总产量	t	180163	219839	金属切削机床拥有量	台	9413	13186
全员劳动生产率	元/人	36871	38997	锻压设备拥有量	台	1661	2074

煤炭工业基本建设投资及新增固定资产

单位：10^4 元

	1999 年		2000 年	
	投资额	比重（%）	投资额	比重（%）
一、基本建设投资额	989469	100.0	794199	100.0
1. 按资金来源分				
其中：国家投资	110151	11.13	154236	19.42
自筹投资	225438	22.78	173409	21.83
2. 按投资构成分				
建筑安装	506533	51.19	404082	50.88
设备工器具购置	246305	24.89	188914	23.79
其他	236631	23.91	201203	25.33
住宅	47151	4.77		
其他				
二、基本建设新增固定资产	572749	57.88	624224	78.60

按用向分的煤炭基本建设投资额

单位：10^4 元

	合　计				其中：直属直供项目			
	1999 年		2000 年		1999 年		2000 年	
	投资额	比重（%）	投资额	比重（%）	投资额	比重（%）	投资额	比重（%）
总　计	989469	100.0	794199	100.0	746549	100.0		
一、矿区建设	878152	88.75	719618	90.60	665268	89.11		
1. 矿井（露天）建设	684367	69.16	609342	76.72	507251	67.95		
2. 选煤厂建设	91529	9.25	55672	7.0	86546	11.59		
3. 矿区附属工厂	36854	3.72	14673	1.85	13620	1.82		
4. 矿区公用工程	36647	3.70	20293	2.56	34194	4.58		
其中：铁路专用线	29784	3.0	12468	1.57	29784	3.99		
5. 生活福利文教卫生	8223	0.83	2760	0.35	6522	0.87		
6. 其　他	20532	2.07	16878	2.13	17135	2.29		
二、基地建设	3189	0.32	2182	0.27	1386	0.18		
三、煤矿机械厂	1329	0.13	148	0.02	1304	0.17		
四、设　计	182	0.01	—	0	182	0.02		
五、地　质	14292	1.44	4550	0.57	9989	1.34		
六、科　研	6374	0.64	9258	1.16	6364	0.85		
七、院　校	15511	1.57	823	0.10	12755	1.71		
八、其　他	70440	7.12	57620	7.26	49301	6.60		

煤炭工业基本建设规模

	计算单位	合　计		其中：直属直供	
		1999 年	2000 年	1999 年	2000 年
一、矿井建设规模					
上年末续建	处—10^4t	274—16522	194—11021	52—11340	
本年投产	处—10^4t	34—2503	12—1044	7—2055	
本年新开工	处—10^4t	6—493	8—153	3—390	
本年末续建	处—10^4t	194—11021	166—9719	34—6930	
二、选煤厂建设规模					
上年末续建	处—10^4t	12—3810	11—3278	10—3480	
本年投产	处—10^4t	3—1620	1—60	2—1320	
本年新开工	处—10^4t	3—308	7—731	2—300	
本年末续建	处—10^4t	11—3278	19—4166	7—2940	

煤炭工业基建矿井井巷工程主要经济指标

	计算单位	1999年	2000年	2000年比1999年增（+）、减（－）
一、矿井成巷进尺	m	214820	246226	+31384
二、井巷平均月进度				
立　井	m/个	54.19	50.80	－3.39
斜　井	m/个	75.29	65.26	－10.03
岩石平巷	m/个	79.51	78.24	－1.27
半煤岩巷	m/个	107.80	119.55	+11.75
煤　巷	m/个	133.14	140.29	+7.15
三、掘进工效率				
立　井	m^3/工	1.000	0.749	－0.251
斜　井	m^3/工	0.847	0.720	－0.127
岩石平巷	m^3/工	0.793	0.894	+0.101
半煤岩巷	m^3/工	0.982	0.793	－0.189
煤　巷	m^3/工	1.266	1.149	－0.117

煤炭工业基建施工主要经济指标

	计算单位	1999年	2000年	2000年比1999年增（+）、减（－）
一、工程量				
井　巷	m	214820	246226	+31406
土建竣工	m^2	4105600	4009170	－96430
二、施工产值	10^4元	1041000	1042500	+1500
三、劳动生产率				
全　员	元/（人·年）	41342	44209	+2867
矿建工人	元/（人·年）	50415	59346	+8931
土建工人	元/（人·年）	66590	77291	+10701
安装工人	元/（人·年）	54203	75885	+21682
四、实物效率				
井　巷	m/（人·年）	8.38	11.27	+2.89
土建竣工	m^2/（人·年）	38.31	43.56	+5.25
五、机械设备				
完好率	%	89.31	89.58	+0.27
利用率	%	68.36	69.77	+1.41
六、三类工程优良率				
矿　建	%	70	66	－4
土　建	%	72	80	+8
安　装	%	84	82	－2

注：全员劳动生产率按施工产值计算。

煤炭工业企业固定资产及流动资金

单位：10^4 元

	1999 年	2000 年	2000 年比 1999 年 增（+）、减（—）
年末固定资产原值	29405814	31967021	+2561207
其中：工业生产	22287974	24721774	+2433800
年末固定资产净值	20506990	21666761	+1159771
年末流动资产	12797578	14234952	+1437374

全国统配煤矿销售情况

单位：10^4t

	1999 年	2000 年	2000 年比 1999 年 增（+）、减（—）
合　计	51095	61544	+10449
中央部	25184	27967	+2783
省、市、自治区	22214	28059	+5845
出　口	3156	5518	+2362
其　他	541		

全国能源生产、消费构成

	计算单位	1999 年	2000 年
一、能源生产构成			
标准煤国内生产总量以能源生产总量为 100	10^4t	100	100
煤　炭	%	68.2	67.2
石　油	%	20.9	21.4
天然气	%	3.1	3.4
水力发电	%	7.8	8.0
二、能源消费构成			
标准煤料国内消费总量以能源消费总量为 100	10^4t	100	100
煤　炭	%	67.1	67.0
石　油	%	23.4	23.6
天然气	%	2.8	2.5
水力发电	%	6.7	6.9

煤炭工业县营以上单位年末职工人数及工资情况

	期末职工人数（人）		职工工资总额（万元）		在岗职工年平均工资（元）
	合　计	在岗职工	合　计	在岗职工	
总　计	4255701	3424337	2877366.2	2685071.5	7688
北　京	75412	59660	76744.8	70798.5	11805
河　北	301911	255905	249224.9	235257.9	9056
山　西	599221	544911	433047.4	422782.4	7610
内　蒙	179898	133476	106600.2	90357.0	7461
辽　宁	247754	180567	157865.0	143270.0	7979
吉　林	158036	105644	80577.4	74270.3	6802
黑龙江	347588	232025	137985.7	115109.7	4970
上　海	12	12	29.2	29.2	22462
江　苏	160513	124532	136603.6	121947.9	9530
浙　江	16253	13450	14118.0	13135.1	9227
安　徽	269637	231222	217656.7	207759.1	8886
福　建	27452	24196	25675.0	24601.0	9909
江　西	124855	87122	62109.0	53935.6	5996
山　东	394597	340698	363926.5	350047.4	10061
河　南	407384	343056	241422.7	228499.9	6511
湖　北	21649	10909	9683.0	7311.6	6446
湖　南	142515	96568	76397.1	67314.0	6092
广　东	26501	20126	22032.0	21868.2	7031
广　西	40642	23512	21201.7	18111.4	7103
重　庆	104259	80942	65764.4	59286.6	6752
四　川	162966	126132	80948.1	73693.8	5824
贵　州	82707	76821	51565.5	50270.2	6535
云　南	38977	34460	26191.7	24949.2	7136
陕　西	114048	84970	64224.2	58538.4	6623
甘　肃	79884	67808	50363.2	48646.3	7065
青　海	8549	7009	5203.4	4540.2	6556
宁　夏	65136	62715	60474.8	59711.6	9739
新　疆	57345	55889	39731.0	39029.0	6954

吴邦国同志在全国安全生产电视电话会议上的讲话（摘要）

2001 年 4 月 28 日

一、充分认识安全生产工作面临的严峻形势，下决心对安全生产突出问题进行专项整治

去年以来，各地区、各部门认真贯彻落实江泽民总书记和党中央、国务院关于安全生产工作的一系列重要指示，在加强监管、防范安全事故等方面做了大量工作，取得了一定成效。今年以来，国家经贸委等有关部门先后开展了两次全国安全生产大检查，派出 15 个检查组，分赴全国各地进行督察。今年一季度，全国安全生产形势基本稳定，事故发生起数和死亡人数都比去年同期有所下降，今年一季度发生事故 14.87 万起，比去年同期下降 19.6%；死亡 1.87 万人，比去年同期下降 23%。

但是，目前安全生产工作基础仍然比较薄弱，一些领域和部分地区安全生产事故隐患仍然比较多，特别是重大特大事故有上升势头。比如，今年 1 月 29 日重庆合川市一艘个体客船因严重超载触礁翻沉，死亡 46 人；3 月 12 日巫山县又有一艘个体客船严重超载翻沉，死亡 25 人；2 月 5 日黑龙江省鸡西市平安煤矿瓦斯爆炸，死亡 37 人；3 月 1 日黑龙江农垦总局鹤岗新华农场煤矿发生瓦斯爆炸，死亡 32 人。特别是在全国社会治安工作会议、全国整顿和规范市场经济秩序工作会议之后，不到半个月的时间，陕西省连续发生三起特大伤亡事故：4 月 6 日铜川矿务局陈家山煤矿发生瓦斯爆炸事故，死亡 38 人；4 月 8 日华阴市一庙会在通往华山的人行涵洞内发生人群拥挤踩踏伤亡事故，死亡 17 人；4 月 21 日韩城矿务局下峪口矿多种经营公司个体承包矿井发生瓦斯爆炸，死亡 48 人。今年一季度全国发生一次死亡 10 人以上特大事故 34 起、死亡 591 人，比去年同期分别上升 13.7%和 7.8%。重大特大事故频繁发生，尤其是同类事故在同一地区频繁发生，不但使国家和人民群众生命财产蒙受了巨大损失，而且造成了恶劣的影响，必须引起各级领导和有关部门的高度重视。

分析近年来安全生产形势，一些新的情况应引起我们高度重视，一是交通运输、煤矿及公众聚集场所为事故多发领域，二是县、乡地区发生的事故居多，煤矿瓦斯爆炸事故 80%发生在乡镇煤矿，三是非公有制企业、个体私营企业发生的事故居多，如烟花爆竹事故多数发生在个体私营厂（点），公路和水上运输事故 80%发生在个体运输户，公众娱乐场的火灾事故，也主要发生在私营和个体经营场所。

安全生产事故多发的主要原因有以下几方面：一是地区和单位的领导，对安全生产工作不重视，安全生产工作仅停留在文件、会议上，形式主义严重，工作落实不到基层；一些县乡领导要钱不要命，只抓经济收入，不顾群众死活，我行我素，造成同类事故的频繁发生；二是非公有制企业量大而广而安全监督管理不力，这是社会主义市场经济情况下出现的新情况、新问题，同时，也确实存在着少数负责安全生产监督管理的政府工作人员失职、渎职，甚至一些腐败分子与违法分子串通一气，致使一些违法违规经营的个体私营业主有恃无恐；三是政府安全生产管理部门职责不清，缺乏行政责任追究机制，一些地方特别是地、县，安全生产监督管理机构不健全，监管力量薄弱，发生了事故，政府主管部门有关责任得不到应有的惩戒；四是一些企业安全生产管理混乱，违章指挥、违章作业、违反劳动纪律的现象比较普遍，安全生产投入严重不足，安全设备老化，生产作业条件恶化。

党中央、国务院历来非常重视安全生产工作。近年来，江泽民总书记对安全生产工作作出一系列重要指示，强调一定要树立安全第一的思想，即使在社会主义市场经济条件下，也不允许只要有钱赚就可以危及人民的生命安全。朱镕基总理也多次作出重要批示，要求各地区、各部门采取切实有效的措施，加强管理，尽快改变安全生产形势严峻的局面。最近一个时期，国务院针对安全生产工作面临的严峻形势，多次召开会议，听取安全生产工作汇报，研究、部署防范措施。4 月 19 日，刚成立的国务院安全生产委员会召开第一次全体会议，研究和分析了全国安全生产形势，并决定在全国范围内开展安全生产专项整治工作。我们要充分认识搞好安全生产工作的重要性、紧迫性，以对党对人民高度负责的态度，切实做好安全生产专项整治工作，为建立规范的社会主义市场经济秩序，保证改革开放和现代化建设顺利进行，创造良好的条件。

二、认真开展安全生产专项整治，坚决遏制重特大事故多发的势头

针对当前全国安全生产形势和存在的突出问题，按照全国整顿和规范市场经济秩序工作会议的总体部署，下一步要集中力量进行五个方面的安全生产专项整治：

（一）对民用爆破器材和烟花爆竹进行专项整治。对非法和不符合安全生产条件的民用爆破器材和烟花爆竹的生产厂（点），要坚决依法予以取缔。对已核发民用爆破物品、易燃易爆物品和烟花爆竹生产、储存、销售、运输许可证的单位，要逐一进行检查，并按照规定重新核发有关许可证。凡不符合安全生产条件的，要限期整改，逾期不改或整改不合格的，吊销其许可证并坚决予以关闭，从事爆炸物品生产、储存的单位，必须与居民区、风景名胜区、输油管道等重要设施保持安全距离；达不到要求的，一律予以关闭。对已废弃或闲置不用的爆炸物品仓库，要认真检查，在确认安全后，予以拆除。要大力压缩过剩的民爆器材生产能力，并结合结构的调整，坚决淘汰一批不符合安全生产条件或工艺设备落后、容易发生安全事故的民爆器材生产企业；同时，各级公安部门要按规定认真搞好民用爆炸物品。

（二）对道路和水上交通运输安全进行专项整治。道路运输安全整治除干道整治外，还要加强对县级以下公路运输安全的整治，要严格查处“三超”、客货混装、农用车载客和无证驾驶等违章行为；水上运输安全整治的重点，是要对各类客渡船、客滚船、高整客轮、旅游船、油船、液化气船进行整治，特别是乡镇和个体船舶，凡不符合安全运输条件的，要坚决予以淘汰。水上运输安全整治的重点区域是渤海湾、舟山水域、琼州海峡、长江干线和西南山区河流。要严格交通运输单位及经营管理者的安全资质审查，不符合安全运营条件的要坚决停业整顿。要严肃查处农用船舶、渔业船舶和其他未经交通部门许可的船舶从事客货运输；严厉查处已经达到报废年限的船舶车辆和无证照船舶车辆参与营运。

（三）对煤矿安全进行专项整治。国有大矿要以瓦斯严重的矿井为重点，认真完善通风和防火、防煤尘、防瓦斯的各项安全保障设施。凡安全生产设施不完善的，要限期整改；对整改后仍达不到要求的，要责令停产整顿。各类小煤矿是这次煤矿安全专项整治的重点。对各类非法生产或不具备基本安全生产条件的小煤矿，要依法吊销执照，并予以关闭。对关闭后擅自恢复生产的，不仅要依法严惩。而且要严厉追究地方政府及有关部门领导的责任。

（四）对化学危险品的储运进行专项整治。要以氰化钠、放射源等有毒、易燃易爆化学危险品运输和储存安全为重点，严格按照国家有关规定进行整治。严禁不符合安全要求的车辆、船舶运输各类化学危险品。从严控制化学危险品运输准运证的发放，严禁不按指定路线、地点运输和停放，要认真落实装卸、储运等环节的责任和监督措施。

（五）对公众聚集场所的消防安全进行专项整治。对于公共娱乐场所和宾馆、商厦等，未经消防安全审查或审查不合格的，严禁开业；已经开业的，要责令停业，限期整顿；整顿后仍达不到消防标准的，依法吊销其营业执照。要切实加强对学校、医院、机场、车站、码头等人群密集场所消防安全的监督检查和监控；存在消防隐患的，要及时采取措施进行整改，预防火灾事故的发生。

以上五个方面是当前事故的多发领域，事故造成的伤亡人数多，社会影响大，是当前安全生产中的重中之重，也是人民群众关注的问题。各地区、各部门必须采取坚决有力的措施，确保安全生产专项整治的各项措施落到实处。

第一，要切实加强对专项整治工作的指导。安全生产专项整治工作，由国务院统一部署，公安、交通、煤矿安全监察等有关部门制定专项整治的具体实施方案，省级人民政府负责组织实施，国家经贸委负责监督协调。在开展专项整治的过程中，要逐步健全和完善省级行政省长责任制。为了切实加强对专项整治工作的领导，各地区要由政府主要领导亲自挂帅，公安、交通、经贸、教育、监察和安全生产监督管理等部门参加，根据这次会议的精神，结合本地实际情况，制定专项整治的具体工作计划，明确本地区整治的重点，精心组织实施，从严整治本地区的实出问题，务必取得实效。专项整治工作从现在开始，9月底结束，10月份由国家经贸委组织专项整治督察组进行检查。

第二，明确职责分工，搞好配合协调，确保各项措施的贯彻落实。按照全国整顿和规范市场经济秩序工作会议的要求，这次专项整治以主管部门为主、有关部门配合，各省、自治区、直辖市场具体组织实施。国务院安全生产委员会已经明确：民用爆破器材和烟花爆竹的专项整治、道路交通专项整治、公众聚集场所的消防专项整治，由公安部牵头；煤矿专项整治，由国家煤矿安全监察局牵头；水上运输安全整治和化学危险品运输的专项整治，由交通部牵头。负责专项整治工作的牵头部门要抓紧制定和部署实施方案；各有关部门要按照各自的职能，围绕五项专项整治工作，主动配合，积极参与。要通过共同努力，推动各项整治措施的落实。

第三，要依法严惩违法违纪行为，切实提高安全生产执法的严肃性和权威性。在专项整治过程中，各级主管部门一定要严格执法，加大安全生产监督执法的力度，严厉查处各种违法的行为，做到有法必依、执法必严、违法必究。对于在专项整治中领导不力、失职渎职，营私舞弊的领导干部和国家机关工作人员，监察部门要严肃查处，触犯刑律的要依法追究刑事责任。今后发生重特大事故，都要按照事故原因没查清不放过、责任者没处理不放过、领导和职工没受到教育不放过、防范措施没落实不放过的原则，从严查处，不仅要对事故直接责任人依法追究责任，而且要按有关规定追究主管部门有关人的行政责任。要切实改变一些管理部门只争权而不负责任的状况。对于已经发生的安全生产责任事故，要抓紧调查处理，使责任者得到应有的惩处。

第四，加强安全生产宣传教育，为搞好专项整治创造良好的舆论环境。各地区、各部门要结合学习贯彻全国社会治安工作会议、全国整顿和规范市场经济秩序工作会议精神，采取多种形式，开展安全生产专项整治的宣传教育。要以“落实安全规章制度”活动，普及安全生产知识，提高全民安全防范意识，鼓励群众对发现的事故隐患或苗头及时向有关部门举报。新闻媒体要积极配合专项整治，搞好舆论宣传工作，选择典型案件予以曝光，以充分发挥舆论监督作用，推动专项整治工作的顺利进行。

三、进一步加强对安全生产工作的领导，促进安全生产形势的明显好转

为了加强对安全生产工作的领导，今年初成立了国务院安全生产委员会。这个委员会作为国务院议事协调机构，研究协调安全生产监督管理中的重大问题，但不代替各部门的具体职责。国家安全生产监督管理局是综合管理全国安全生产工作、履行国家安全生产监督管理的行政机构，同时也是国务院安全生产委员会办事机构。国家安全生产监督管理局是国家经贸委管理的国家局，安全生产工作仍由国家经贸委归口管理。同时，为了加强对煤矿安全生产工作的监察，在政府机构改革时，将原国家煤炭工业局改组为国家煤矿安全监察局，原有的煤炭行业管理职能交由国家经贸委。国家煤矿安全监察局专门从事煤矿安全生产执法监察工作，属国家经贸委管理的国家局。这是党中央、国务院健全和完善安全生产监督管理体系的重大举措。为切实做好安全生产工作，再强调几点：

*一是要切实加强对安全生产工作的领导。*实践证明，加强领导是搞好安全生产工作的重要前提。这里必须明确，各地政府一把手是本地区安全生产工作的第一责任人，必须对本地区安全生产工作负兑现，做到守土有责，确保一方平安。各级政府的主要负责同志，一定要以对党、对人民高度负责的态度，真正重视安全生产，要把安全生产工作当作是当前整顿和规范市场经济秩序的一项重要内容，切实加强领导。各地区安全生产监督执法部门要在本地区政府的统一领导下，按照各自职责分工。尽职尽责，认真监督安全生产各项措施的落实。同时，要结合地方政府机构改革，进一步完善各级安全生产监督管理机构，尤其是要加强对薄弱地区和薄弱环节的监督管理，堵塞漏洞，消除“盲区”，使安全生产隐患真正大幅度减少。

*二是要落实特大安全事故行政责任追究制。*近年来，爆炸、火灾、交通和建筑工程等特大安全事故时有发生，一个重要原因，是有关地方政府及主管部门疏于管理、监督不力，特别是缺乏对领导干部行政责任的追究。为切实解决这个问题，国务院在听取各方面意见的基础上，制定了《关于特大安全事故行政责任追究的规定》（该规定已经公布施行）。依照这个规定，今后发生特大安全事故，不仅要追究直接责任人的责任，而且要追究有关领导干部的行政责任；构成犯罪的，还要依法追究刑事责任。同时，要执行“谁审批、谁负责”的原则，对承担涉及安全生产经营审批和许可事项的主管部门和有关责任人员，也要对后果承担相应责任。

*三是坚持标本兼治，综合治理，把安全生产工作纳入法制化、规范化轨道。*开展专项安全整治，是为了集中时间、集中精力解决当前最突出的问题。各地区、各有关部门要针对专项整治中发现的带有普遍性、倾向性的问题，认真总结经验教训，根据市场经济的新形势、新特点，研究制定治本的政策措施和管理办法，特别是要善于综合运用法律手段、经济手段和必要的行政手段，促进各类企业建立安全生产的自我约束机制。要对过去的有关安全生产的法律法规和部门规章进行清理，做好修改和配套工作。同时，要加强经常性的安全生产监督管理工作，特别是对非公有制企业要进行有效的监管，督促其切实落实安全生产责任制和各项安全防范措施。要督促引导企业加大对安全生产的投入，搞好安全生产技术改造，加强对重大危险源的监控，完善各项保障措施，提高企业综合防御安全生产事故的能力。

盛华仁同志在全国煤矿安全监察会议上的讲话（摘要）

2000 年 11 月 2 日

水城矿务局木冲沟煤矿 9 月 27 日特大瓦斯煤尘爆炸事故发生以后，国务院安排石秀诗副秘书长、张宝明同志和我一起去现场，协助贵州省委、省政府指挥事故的抢救和处理工作。我在矿上前后 5 天，心情一直十分沉重。我们不是在贯彻江总书记“三个代表”的思想吗？讲代表人民群众的根本利益吗？什么是人民群众的根本利益？一次事故死亡 162 人，国家财产遭受几千万的损失，这样的煤矿如此地置人民的生命与国家的财产与不顾，能说代表人民群众的根本利益吗？作为一个共产党员，作为一个党员领导干部，难道我们还不应该从木冲沟矿这样一个重大事故中吸取沉痛的教训，举一反三，切实地改进和加强我们的安全生产工作吗？

我们应该从木冲沟煤矿事故吸取教训，唤起我们的觉悟。党中央、国务院对安全生产是十分重视的。总书记、总理作过许多次的批示、指示。为了搞好煤矿的安全生产，党中央、国务院决定成立国家煤矿安全监察局，从组织上加强煤矿的安全工作，并且国家局对省局、对办事处实行垂直领导管理体制。目的就是监察要得力，指挥要顺畅。我们现在组建了一个将近 2900 人的监察队伍，都是优中选优，素质是比较高的。为什么组建这支队伍呢？就是要加强煤矿的安全工作，减少煤矿的死亡人数。

我在水城木冲沟煤矿 5 天，一边协助处理事故，一边思考问题，想的比较多。工业战线每年安全事故死亡人数，煤矿占绝大多数。煤矿事故减少了，全国工业战线的事故就减少了。如果煤矿安全状况有了根本好转，那么全国工业战线安全状况也就有了根本好转。

首先要讲的是煤矿安全监察的指导方针是什么。《煤矿安全监察条例》已经回答了这个问题。我认为是“一个为主”，即预防为主。这个指导方针必须明确。我们煤矿安全监察局不仅是要事后调查事故，处理事故，我们要把监察的重点放在预防上，放在加强安全制度的建设上，放在加强安全保障设施的建设上，放在人员素质的培训上。要加强这几个方面的监察，发现和消除事故隐患，坚决地纠正违法行为，不让事故发生，这是我们第一位的责任。

在预防为主的大前提下，《条例》讲到几个结合：一是安全监察与加强管理相结合。监察的目的是减少事故，加强管理，加强管理才能经受住监察。二是惩处与教育相结合。惩处不是目的，只是一种手段。要靠平时的教育。

讲到上面这两个结合，还要强调一点，坚持把制度建设和设施建设结合起来。一方面要强调制度的建设，没有制度不行，我们的安全工作要落实在制度上；另一方面，还要加强设施的建设，保障设施的建设。一个煤矿，通风设施不行，瓦斯排放设备不行，监测手段没有，抽放瓦斯的条件不具备，怎么能够保障安全生产呢？这两方面必须结合起来。

第二，从木冲沟矿事故想到，我们的监察对象究竟是什么？在监察工作中必须把握哪几个环节？我的体会是，安全监察的主体应该是矿井。煤矿事故几乎都是发生在井下，瓦斯爆炸、煤尘爆炸、透水，事故都在井下，监察的主体应当是矿井。我们安全监察的对象应当是在井下。我们安全监察的重点应当是“一通三防”，即通风、防火、防瓦斯、防煤尘。我觉得从多年来煤矿发生的事故来分析，在成立了监察机构以后，我们要把监察的主体放在矿井，监察的对象放在井下，监察的重点是“一通三防”。把这个工作加强了，把这方面的问题解决了，我们的安全事故会大幅度降下来。

如果我这个想法是切合实际的，井下监察就必须紧紧把握这样几个环节：

一是对制度的监察。矿井有了科学、健全的安全管理制度，还有一个执行不执行的问题。有些过去有制度，但是没有很好地执行。如下井制度，瓦斯管理制度，有没有制度，有制度，执行了没有。

二是对安全设施的监察。是不是有完善的安全保障措施和设施，比如说“一通三防”措施和设施，如果没有，该停产的要停产。这次《条例》给了我们安全监察机构和安全监察人员尚方宝剑。你们有这个权，当前首先是防瓦斯，最近瓦斯事故特别多。矿井的通风系统、瓦斯的抽放系统、安全检测监控系统符合不符合要求，甚至于矿山救护系统是不是符合要求，这应该都在我们的安全监察范围之内。不符合要求，按《条例》规定，该怎么办就怎么办。煤矿这几年很困难，这方面的设施很不健全，主要是没有钱来搞。从现在起，分步骤、有计划来解决这方面的问题。首先是中央下放的 94 个国有重点煤矿，590 多个井，今、明两年要关掉的大约 100 个左右，大体上还剩 500 对矿井。这 500 对矿井明年，最迟后年，一定要把“一通三防”保障设施健全起来。首先是矿上自己有这个责任来搞，确实有困难的，国家要给予支持。资金上该给予支持，限期搞上去，不搞要追究责任。矿务局局长要负责，矿长要负责。这个事情不能拖，第一步解决国有重点矿，然后再解决国有地方矿。一步一步来。全面铺开，财力上受不了。全部由国家财政负担，国家也负担不了这么多，分步骤地解决，我想应该是办得到的。这次在大同，我们请示了吴邦国副总理，他也赞成。这个钱，要舍得花。美国生产 10 亿吨煤死 28 个人，我们生产 10 亿吨煤，死 6500 人，怎么说得过去。我们是共产党领导的社会主义国家，我们要代表人民群众的根本利益，不搞好安全生产，政治上也交代不过去。所以，请你们加强安全设施的监督监察，要督促煤矿把设施搞上去。

三是对人员的监察。人员的素质是否符合下井作业的要求，有没有经过培训，懂不懂安全知识，安全生产的责任制是否明确，特别是第一责任人的责任是否明确。这次在木冲沟矿我发现，技术责任制不明确，总工程师并没有真正对技术负起责任，还是矿长说了算。出了事故，总工程师有责任。以后再出现这样的情况，发生这样的事故，如果是总工程师不制止，总工程师有责任，制止不了，向上面报告，上面处理。

第三，对监察机关、监察人员必须严格要求。党中央、国务院下了这么大的决心，建立煤矿安全监察局，实行垂直领导，集中了 2900 多人的精干队伍，要在安全生产上发挥强大的作用。要发挥作用，就必须对这支队伍有严格的要求。首先要有高度的政治责任感，安全事故不是一般的经济问题，而是政治问题，人命关天。总书记讲了多次，要我们慎之又慎，要我们始终代表人民群众的根本利益，以对人民生命财产高度负责的责任感，做好我们的工作。加强安全监察，预防事故发生。是我们的一项政治责任。二是要公正执法。在这个问题上，我们要作到铁面无私，六亲不认，不符合安全生产要求的就是不允许生产。你们要严之又严，在安全生产问题上，人命关天，就是严到吹毛求疵也不为过分。当然，我们也不是无理要求，我们按国家定的制度来要求，预防事故的发生。一旦出了事故，就要严肃处理，不姑息、不手软。在这个问题上，如果监察不严，就是我们的失职。三是要作风正派，廉洁从政。不吃请、不收礼、不以权谋私。四是要不怕苦，不怕累。监察对象在井下，监察人员必须下井。到井下检查，首先是 68 个办事处，一定要责任到人。到井下检查，就不能分得太细，是综合的检查，要落实责任制，“一通三防”都是你的责任。要经常下井。五是要熟悉业务。要对负责监察的矿井井下的情况了如指掌，能够在井上把井下的情况说得清清楚楚。没有这一条，就没法监察。我们一定要把这支队伍建设成为政治思想过得硬，作风过得硬，业务技术过得硬的队伍。有了这样一支队伍，安全生产才能有保障。

张宝明同志在全国煤矿安全监察会议上的讲话（摘要）

2000 年 11 月 2 日

一、认真吸取“9.27”特大恶性事故的沉痛教训，强化安全第一的思想认识

今年以来，全国煤矿安全生产总体上好于往年，重大事故起数和死亡人数都有所下降。1～10 月份全国煤炭生产死亡 4883 人，比去年同期减少 377 人，下降 7.17%。8 月份以前，煤矿安全生产形势一直比较稳定。但是进入 9 月份以后，国有重点煤矿连续发生 3 起重特大瓦斯爆炸事故，使安全形势变得非常严峻。9 月 1 日、5 日双鸭山和大同两次特大瓦斯爆炸事故之后，9 月 27 日，贵州水城矿务局木冲沟矿又发生特大恶性瓦斯爆炸事故，死亡 162 人，直接经济损失 1227.22 万元。事故死亡人数之多，损失之惨重，是建国以来罕见的，也是近 40 年来没有的。事故发生后，按照国务院领导的指示，国务院石秀诗副秘书长、国家经贸委盛华仁主任和我们迅速赶赴事故现场，组织抢救和事故处理。在省委、省政府和有关部门的大力支持与配合下，事故的抢救和善后工作尽管难度很大，总算比较顺利完成。

“9.27”事故是一起严重的责任事故。主要是安全责任制不落实，安全技术管理混乱，安全投入不足，事故隐患严重。特别是矿井“一通三防”工作薄弱，风量不足，瓦斯超限，事故防范措施不力，现场管理存在着严重的“三违”现象。国务院安全生产紧急电视电话会议之后，国家煤矿安全监察局曾两次对贵州煤矿事故情况进行通报，但没能引起足够重视，最终发生了这起特大恶性事故，给国家财产和职工群众生命安全造成重大损失，社会影响和政治影响十分恶劣。

党中央、国务院对煤矿安全生产始终都非常重视。“9.27”事故之后，朱镕基总理专门作出批示：“最近统配大矿连续发生恶性事故，中央、国务院三令五申，有关负责人置若罔闻，必须以这次事故为教训，从严查处各级负责人，直至撤职，以扭转此种有令不行、有禁不止的因循苟且局面”。总理的指示，一针见血，明确了问题的要害，我们要认真贯彻落实。

一个时期来国有大矿连续发生重特大事故，特别是“9.27”事故，集中暴露出煤矿安全工作上存在的四个突出问题：一是一些地区和煤炭企业的领导同志在学习贯彻江总书记“三个代表”的重要思想方面存在差距，对江总书记和中央领导同志关于安全生产的一系列重要指示贯彻执行不力，反映出政治意识的淡化；二是在执行“安全第一”方针上，一些煤炭企业摆不正安全与效益、安全与生产的关系，在经济运行比较困难的情况下，忽视安全工作，不进行安全投入，致使安全监测设施失效，矿井抗灾防范能力下降，安全隐患极为严重。木冲沟煤矿发生的事故就是不顾安全，突击生产造成的典型案例；三是在落实煤矿安全生产责任制上，检查不严，执行不力。不仅企业法人代表安全生产第一责任人的责任不落实，而且总工程师在“一通三防”方面的责任、企业职能部门的业务保安责任、区队长和班组长的现场管理责任、职工安全生产岗位责任等，大多数流于形式，形同虚设；四是在安全管理上，措施不力，纪律松弛。缺乏安全技术措施，对违章指挥、违章作业、违犯劳动纪律的“三违”现象，熟视无睹，处理不严。同时，也反映出了安全监察不力，工作还存在问题。国家局、省局和办事处，连续组织进行了几次安全大检查，都没能够及时发现解决木冲沟煤矿的隐患和问题，以至酿成大祸，教训非常深刻。

上述问题说到底，仍然是安全第一的思想没有真正树立起来，安全生产意识淡漠。因此，我们总结和吸取事故教训，首先要找出思想认识上的差距。必须清醒地看到，事故虽然发生在水城、大同和双鸭山矿务局，但造成事故的主要原因，特别是安全管理滑坡、安全第一的意识淡漠这一条，却是带有普遍性。如果我们不及时纠正，而是听之任之，今天发生在这个煤矿的事故，明天就有可能在另一个煤矿重演。因此，各级煤矿安全监察部门和各个煤炭企业，都要以这些事故特别是“9.27”事故为戒，要把 9 月 27 日定为全国煤矿安全警示日，要痛定思痛，举一反三，认真查思想，查隐患，切实强化安全第一的思想认识。

要组织各级班子成员，深入学习江泽民总书记“三个代表”的重要思想以及关于安全生产的重要指示，从讲政治、保稳定、促发展的高度，真正把安全生产摆到第一的位置上，作为首要的和全局性的工作来抓；从党性原则和党纪国法的高度，增强贯彻执行上级指示的自觉性，把党中央、国务院关于安全工作一系列指示，以及国家煤矿安全监察局的部署和要求，真正落到实处。坚决纠正少数干部在安全生产方面存在的迟钝麻木现象。要以事故案例为教材，对干部职工普遍进行一次党和国家安全生产方针以及法律法规的教育，强化安全第一的观念，为彻底扭转煤矿事故多发的现状提供思想保证。

二、以高度的政治责任感，履行好国家赋予的煤矿安全监察职责，强化省级安全监察局和办事处的工作

国有大矿连续发生的几起事故，特别是"9.27"特大恶性事故，向我们敲响了警钟。惨痛的事故表明，目前煤矿安全生产形势，确实到了相当严峻的程度。在国家煤矿安全监察管理体制实行重大改革，全国统一垂直管理的安全监察体系已经基本建立的情况下，如果我们不能很好地履行国家赋予的煤矿安全监察职责，迅速扭转事故多发的现状，逐步实现煤矿安全生产状况的稳定好转，那就是严重的失职，就辜负了党中央、国务院和广大煤炭职工对我们的期望。

面对全国煤炭安全生产的严峻形势，各级煤矿安全监察部门及其工作人员，必须增强责任感和使命感，以对党和国家负责，对职工群众负责的态度，全身心地投入到煤矿安全监察事业中来；必须在依法监察、坚决控制重大事故上真抓实干，用强化安全监察的实际行动来维护职工群众的根本利益，实践江总书记"三个代表"的重要思想；必须树立全局观念，增强组织纪律性，按照国务院104号文件确立的垂直管理的原则，摆正关系，找准位置，一切行动听指挥，按照国家煤矿安全监察局的统一部署，雷厉风行，协调一致，卓有成效地抓好煤矿安全监察工作。

省级煤矿安全监察局作为国家煤矿安全监察局的直属机构，对搞好本地区煤矿安全监察，遏制重大事故的发生，负有不可推卸的责任。你所辖地区发生的事故多，就说明安全监察不力。同志们重任在肩，必须恪尽职守。当前，需要强调以下几点：

*一是要加快观念更新和职能转变，把工作重心迅速转到煤矿安全监察上来。*省级煤矿安全监察局是行政执法机构，不同于过去的煤矿安全管理部门，更不是省煤管局的翻牌，不再负有行业管理的职能，不能套用原来的那种工作模式，必须在思想观念和工作职能上，进行彻底的转变。目前暂时加挂煤炭工业局牌子的省区煤矿安全监察局，一定要分清主次，以履行安全监察职能为主。行业管理日常性工作，指定一位副局长负责，由相关处室去做，不能一个处室，既管行业管理，又管安全监察。监察局的主要领导、主要人员和主要精力，要始终放在安全监察工作上。

*二是要按照垂直管理的原则，进一步明确责任。*根据国办104号文件精神，省级监察局在国家局的直接领导下，按照分级负责的原则，确保党和国家关于煤矿安全生产的方针政策和相关的法律法规，在本辖区范围内得到贯彻落实。因此，省级监察局必须直接对国家煤矿安全监察局负责；对国家局发出的各项指示和指令，必须不折不扣地贯彻执行。这要作为一条纪律加以强调。凡是违背的，要严肃批评教育；由此导致本省区范围内发生重大责任事故，或者安全工作长期处于被动局面的，要追究领导责任。

*三是要积极协调，尽快与地方政府搞好煤矿安全监察职权的移交。*目前，有些省区的监察工作迟迟不能全面铺开，办事处开展工作阻力较大，一个重要原因就是个别市、地政府原来管煤矿安全的部门没有把安全监察的职权移交，有的甚至对我们新组建的办事处采取了不理睬、不认可、不配合的态度。煤矿安全形势严峻，安全监察任务繁重，这样下去是要误事的。依照国办104号文件的规定，《矿山安全法》中有关安全监察执法主体的规定，实际上已经不再适用。为此，省级煤矿安全监察局的主要领导必须出面做好工作，通过省区政府进行协调，依照国办104号文件的规定和《煤矿安全监察条例》(以下简称《条例》)，尽快实现煤矿安全监察工作职能的顺利移交。

煤矿安全监察办事处肩负着直接从事煤矿安全监察执法的职责，处在煤矿安全监察的第一线，是煤矿安全监察的一级执法机构。煤矿安全监察各项执法任务，最终都要通过办事处落到实处。国家煤矿安全监察局和省级监察局的一切工作，都要以办事处为基础。为此，必须按照垂直管理的要求，切实加强对办事处工作的领导，把办事处建设好。今后国家局召开会议，可能情况下，尽量让办事处负责人参加；国家局关于安全监察工作的安排部署等文件，也要发给各办事处，以加强机关与一线的联系，提高办事处工作效率，更好地发挥办事处在煤矿安全监察执法中的作用。

各办事处的主要负责同志都参加了这次会议。这里向大家提出三点要求：

*一是要充分认识监察办事处工作的重要性，发扬开拓创新精神，迅速打开安全监察工作局面。*大家都经过了层层选拔和考核，才走到这样一个重要的工作岗位上。一定要认清自己肩负的重要责任，踏实努力，把办事处工作抓上去，为煤矿安全状况的稳定好转做贡献，不辜负党和人民的信任和重托。煤矿安全监察事业正处在开创阶段，万事开头难，现阶段办事处工作面临的困难和问题很多。我们都在想办法抓紧解决，有的问题需要进一步协调。但不可能等到所有的问题全部解决了，再去进行安全监察工作。而只能本着"边组建、边运行、边完善"的原则，先把工作抓起来再说。这就需要同志们发扬开拓创新精神，主动负责，克服困难，靠开创性的工作，打开局面，赢得各方面的支持。

*二是抓好办事处的基础工作。*首先，要按照工作需要，搞好内部分工。办事处内部设置要避免纯机关化的倾向，不要比照省局，不宜按业务划分科或组，而要根据监察的范围，划分若干监察组，实行分片包干，把责任落实到组、落实到人头，并在具体工作中有分有合。其次，要从开展工作的实际需要出发，建立健全办事处各项规章制度，尽快把办事处工作纳入依法、按制度运作的轨道。包括日常监察制度、安全形势分析制度、汇报制度以

及党组织活动和廉政建设制度等。再有，要摸清底数，明确监察工作的重点。要把所辖区域内各类煤矿的基本情况，主要是安全状况进行全面的调查分析，特别是对近年来发生重特大事故和安全隐患严重的煤矿，要认真进行排查，从中确定安全监察工作的重点对象，建立安全监察档案，做到心中有数。

三是要加强思想作风和业务建设，树立良好的监察执法形象。要认真学习实践江总书记"三个代表"的重要思想，牢记全心全意为人民服务的根本宗旨，过好权力关、金钱关和人情关，防止假公济私、以权谋私、渎职弄权等现象发生。要认真学习国家关于煤矿安全生产的方针政策，掌握相关法律法规，熟悉煤矿安全生产基础知识，不断提高煤矿安全监察工作的能力和水平。

三、以《煤矿安全监察条例》为武器，切实加大安全监察执法力度

大家企盼的《煤矿安全监察条例》，经过上下艰苦的工作，已于11月1日下午，经国务院31次常务会议审议，已原则通过，近日将由总理签发，颁布实施。这是煤矿安全监察法制建设上的一件大事，不仅填补了煤矿安全监察法律法规上的一个空白，而且为各级煤矿安全监察机构提供了执法依据和法律武器。

《煤炭安全监察条例》这部行政法规，是党和国家关于煤矿安全监察一系列方针政策的法律化和制度化，是国家煤矿安全监察机构行政执法的主体法规和基本法律依据。《条例》对煤矿安全监察机构的职能权限划分，安全监察员的条件和作用管理，煤矿安全监察的主要内容，煤矿事故的调查处理，以及安全监察的法律责任等，都作出了明确的规定，具有较强的针对性和可操作性。《条例》颁布之后，要进行认真的学习和宣传教育。各级煤矿安全监察部门和工作人员，要全面掌握《条例》的基本精神、主要内容和各项法律制度及法律规定，强化依法行政和依法监察的观念。同时，要依据《条例》，行使国家赋予的监察职权，切实加大煤矿安全监察执法和实施行政处罚力度。下一步的重点工作：

第一，抓好对国有重点煤矿的安全监察，坚决遏制重大事故多发的势头。这是安全监察工作的重点。国有重点煤矿一旦发生瓦斯爆炸事故，就会造成重大损失。"9.27"特大恶性事故造成的经济损失和恶劣影响，远远超过了以往历次事故。为此，结合秋季安全大检查，依据《煤矿安全监察条例》所规定的"煤矿安全监察内容"，组织力量，对国有重点煤矿的安全状况，集中进行全面的、彻底的执法检查。检查的重点：

一是监督检查学习贯彻江总书记和中央领导同志关于安全生产重要指示的情况。着重检查是不是认认真真地传达学习、贯彻落实了，各级干部和职工群众安全第一的意识是不是得到了增强，是不是层层制订了确保安全的措施。

二是监督检查煤矿安全生产责任制的落实情况。着重检查煤矿企业安全生产责任制是否健全，安全管理是否到位。煤炭企业法人代表在安全生产上的第一责任和总工程师在"一通三防"上的技术管理责任是否落实，各项安全法律法规和规程是否认真执行。

三是对国有重点煤矿的"一通三防"工作进行专项监察。安全监察司初步提出了关于专项监察的要求，会上已经发给大家征求意见。"一通三防"是防治瓦斯事故的关键环节，必须从严从细监察，凡是在矿井通风、防火、防水、防瓦斯、防毒、防尘等安全措施和条件不符合安全标准和安全规程的，都要责令改正，停产整顿。同时要加强跟踪监察，搞清楚有问题的矿井是不是真停、真改。对高瓦斯煤层、煤与瓦斯突出矿井，必须坚持先抽后采。凡没有进行瓦斯抽放或没有开采保护层的矿井，一律停产。高突矿井采掘工作面未按标准设置瓦斯监测断电装置，未实现瓦斯超限自动报警、自动断电的矿井，一律停产。对有令不行、有禁不止的，要严肃查处。

四是监督检查煤矿的安全投入情况。是否按规定提取了安全技措专项费用，有无挪做他用的问题。急需的安全投入是否予以保证。安全设施不完善，安全生产没有保证的要停产整改，什么时候达到了标准要求，什么时候再恢复生产。

第二，继续关闭不具备基本安全生产条件的小煤矿，从源头上消除事故隐患。必须清醒地看到，小煤矿浪费资源，质量低劣，技术落后，污染环境，仍是煤矿安全生产的主要矛盾。必须在强化对国有大矿安全监察的同时，继续抓好不具备安全生产条件小煤矿的关闭整顿，从源头上消除隐患，也推动关井压产。

一是对国有井田范围内的小煤矿以及不具备基本安全生产条件的小煤矿，一律纳入关闭范围。这次会上，乡镇煤矿整顿与安全监察办公室提出了《乡镇煤矿安全生产基本条件（讨论稿）》，凡是不具备基本条件之一的，都要下达关闭矿井的《通知单》，有证的先依法吊销证照，然后予以关闭，坚决消除后患。

二是要把事故多发地区的小煤矿作为安全监察和关闭整顿的重点。今年前三个季度，乡镇煤矿累计死亡100人以上的有贵州、山西、湖南、四川、重庆、辽宁、江西、云南、河南、吉林、黑龙江等11个省市。这些小煤矿事故频发省市，要对所有小煤矿进行全面清理整顿，对不具备基本安全生产条件的予以关闭。另外，甘肃白银、河北唐山、北京市门头沟等地，国有井田范围内至今仍有独眼井、无证井在生产。要加大监察力度，坚决关闭所有的独眼井和无证井。

第三，严肃查处各类事故，认真吸取事故教训。依据《煤矿安全监察条例》关于"事故调查处理"的有关规定，各级煤矿安全监察机构，必须依法强化对事故的查处工作。

一是要明确执法责任。依法组织查处煤矿事故，是煤矿安全监察部门必须认真履行的重要职责。今年凡是煤矿发生的死亡事故的调查、处理、结案和批复，都要由煤矿安全监察部门负责。我们要认真履行好这一职责。对一个时期来发生的重大、特大事故，一定要按照“四个放过”的原则，查明原因，分清责任，依法严肃处理。对发生事故故意隐瞒不报的，一旦查出，要严肃惩处。

二是坚持原则，依法办事。煤矿安全监察部门是事故调查处理的主体，要妥善处理事故查处过程中与地方政府各有关部门的关系。要注意防止执法不严、失之过宽的错误倾向。监察人员要坚持以煤矿安全法律法规为准绳，以事故责任及其所造成的损失等事实为依据，对造成事故的直接责任人和有关领导，该怎么处理就怎么处理，决不迁就姑息。

三是要注意发挥舆论监督作用。对事故原因和监察处理情况，以及应从中吸取的教训等，《中国煤炭报》等煤炭系统的新闻媒体，要及时公开报道。要注意运用典型案例，搞好安全警示教育，强化广大干部和职工的安全意识。

四、转变作风，狠抓落实，确保今年安全生产奋斗目标的实现

国家煤矿安全监察局党组在认真学习中央领导同志指示精神、客观分析当前煤矿安全形势的基础上，提出2000年全国煤矿安全生产的奋斗目标：国有重点煤矿事故死亡人数比去年减少10%，地方和乡镇煤矿事故死亡人数减少20%，全国煤矿事故死亡总数比去年减少500人以上，切实扭转安全形势严峻的局面。

要实现上述目标，必须在抓落实上狠下功夫。有些煤矿发生事故，不是因为没有措施，而是措施没有认真落实。从现在起到春节前后这段时间，是煤矿生产的旺季，也是事故多发期。我们必须盯住不放，坚决遏制重特大事故的再次发生。会后，要立即结合宣传贯彻《条例》，开展秋季安全大检查，从国家局到省级监察局，到地区监察办事处，都要紧急行动起来，全力以赴投入到秋季安全大检查。各级监察人员要转变作风，真正沉下去，深入到安全监察第一线和煤矿安全生产现场，及时发现问题，监察督促煤炭企业切实解决问题，把事故消灭在萌芽状态。对存在重大事故隐患的煤矿，当场下达《停产整顿通知单》，限期整改，经验收合格后方可恢复生产。对不具备基本安全生产条件的小煤矿，要依法吊销其“两证一照”，予以关闭。

要建立工作绩效考核制度和重大事故安全监察责任追究制度。省级安全监察局的局长、副局长，每月现场监察不得少于10次；办事处主任、副主任和党支部书记，每月现场监察不得少于20次。对监察人员现场监察的次数，逐级进行考核，并与奖惩挂钩。各级监察机关和监察人员，凡不认真履行职责，对分管范围内的煤矿企业，监察工作不到位，该现场监察的不到现场，该提出整改意见的不提出意见，该下发停产整顿通知的没有下发通知，而又发生三人以上重大事故的，要以国家工作人员失职渎职论处，严肃追究责任。对作风浮漂，工作一般化，打不开局面，工作不胜任的监察员，要严肃批评教育，经教育不改的，要撤销其安全监察员资格，调离监察岗位。

要突出安全监察重点，加强事前防范。各省级监察局和办事处，都要以安全生产状况和基础管理条件等为依据，对辖区范围内的煤矿进行分类，区分不同情况，按类别实施监察。要紧紧盯住那些事故多发、存在重大隐患、基础条件和基础管理差、安全没有保证的煤矿。采取定期抽检、蹲点调查、现场检查、跟踪监察等措施，督促煤矿消除隐患，有效控制事故。

要加快煤矿安全监察法制建设步伐。《煤矿安全监察条例》颁布实施以后，下一步要尽快制定《煤矿安全监察行政处罚办法》、《煤矿安全监察员管理办法》、《煤矿事故调查处理规定》等配套规章，抓紧修订《煤矿安全规程》，抓紧印制统一、规范的安全执法文本，使日常安全监察工作规范化。要依法建立健全安全监察员对煤矿安全依法监察和处罚的制度，对违反有关煤矿安全生产法律法规和安全规程的煤矿，责令其进行整改，并依照有关规定进行处罚，对造成事故的要依法加重处罚。通过抓好法制建设，为实施煤矿安全监察提供有力的法律手段。

要继续抓好安全监察人员的培训工作。承担煤矿安全监察业务培训的部门和单位，要不断总结经验，改进教材和教学活动，确保培训质量。各省级安全监察局和办事处要按照计划，及时选派学员参加培训。在国家局分批组织培训、人员规模有限的情况下，各单位要本着“边开展工作、边学习培训”的原则，充分发挥已培训人员和业务骨干的作用，主动组织安全监察人员学习法律法规，学习煤矿安全监察业务，提高政治素质、业务能力和行政执法水平，以适应开展监察工作的需要。

要落实好办事处的开办资金。经过前一阶段的努力协调，办事处开办资金最近已经划拨了下去。一个时期来，由于资金没到位，基层的同志想了不少办法。由于国家财力有限，这次划拨的开办资金并不是很多。希望大家本着“少花钱、多办事”的原则，量入为出，节约使用。资金到位之后，先购置必要的办公设备和监察执法工具，然后根据需要和资金能力，逐步解决其他问题。

最后强调的是，要重视做好煤矿安全监察信息工作，加强沟通联络。从办事处、省级监察局到国家局，自下而上建立起高效快捷的煤矿安全信息网络。煤矿发生事故后，所在地区的办事处要在第一时间赶到现场，把事故损害程度、波及范围、伤亡情况和救援意见等，迅速上报到省级监察局和国家煤矿安全监察局。各省级监察局和办事处在开展工作中遇到的困难和问题，也要及时反映，以利于我们掌握全国煤矿安全生产动态和基层工作进展情况，更好地实施统一、垂直管理，不断加强和改进煤矿安全监察工作。

张宝明同志在国家安全生产监督管理局成立大会上的讲话（摘要）

2001 年 2 月 26 日

党中央，国务院作出组建国家安全生产监督管理局的决定以后，我们在国务院领导同志的关心指导下，在国家经贸委党组的领导和中组部、中编办及有关部门的支持下，经过一个时期来的紧张工作，顺利完成了机构重组、人员配置和内部职能调整等一系列筹建任务。在这刚刚迈入新世纪的时候，国家安全生产监督管理局今天正式宣布成立了。

组建国家安全生产监督管理局，统一行使国家安全生产监督管理职能，这是继组建国家煤矿安全监察局之后，我国安全生产管理体制的又一重大改革；是在安全生产领域，学习贯彻江总书记“三个代表”重要思想的具体体现；是进一步转变政府职能，适应社会主义市场经济新形势的客观要求；是强化安全监督管理，迎接经济全球化和国际竞争的战略性举措。这一重大改革，充分体现了党中央、国务院对安全生产工作的高度重视；代表了最广大人民群众的切身利益；强化了政府在安全生产上的监督管理职能；充分体现了国务院机构改革“精简、统一、效能”的原则；为全国安全生产状况的稳定好转，提供了体制保障。

近年来，通过认真学习贯彻江总书记和中央领导同志关于安全生产的一系列重要指示，突出了安全生产的管理，强化了领导责任，各方面都做了大量艰苦细致的工作。但是，全国安全生产形势仍很严峻，特别是重特大事故仍时有发生。在这种形势下，国家安全生产监督管理局成立，我们担此任务，代表国家履行安全生产监督管理和煤矿安全监察职责，我们深感肩负责任的重大。上承党的重托，下承人民群众的厚望。党和国家关于安全生产的一系列方针政策和法律法规，人民群众的生命安全和切身利益，需要我们和各部委、地方政府及企业职工经过持续不懈的努力来贯彻落实，通过扎实有效的工作来维护保障。责任在肩，任重道远，我们要发扬艰苦创业的精神，恪尽职守，不辱使命，竭尽全力做好工作，以不辜负党和人民的期望。

新组建的国家安全生产监督管理局，与原有的国家煤矿安全监察局实行一个机构、两块牌子，是国家经贸委管理的、负责综合管理全国安全生产工作、履行国家安全生产监督管理和煤矿安全监察职能的行政机构，并承担即将成立的国务院安全生产委员会办公室的职能。根据国务院下发的“三定”方案，国家安全监督管理局和国家煤矿安全监察局的工作职责，主要是负责起草安全生产综合性法律草案和行政法规，拟定有关政策和安全生产规程；发布全国安全生产信息，管理全国伤亡事故统计；综合管理全国安全生产工作、依法行使国家安全生产监督管理职权和国家煤矿安全监察职权；组织协调重特大事故的调查处理，受国务院委托对特大事故调查报告进行批复；组织实施对安全生产方面的社会中介组织的资格认证工作；指导协调其他有关部门目前承担的专项监察监督工作。

国家组建全国统一的安全生产监督管理机构，是体制上的创新，也是政府职能的重大调整。为了履行好国家赋予我们的职责，促进全国安全生产状况的稳定好转，针对当前全国安全生产的形势，下一步工作总体要求是：认真贯彻落实党的十五届五中全会和中央工作会议精神，以“三个代表”的重要思想为指导，以安全生产的法律法规为依据，坚持“安全第一，预防为主”的方针，转变观念，转换职能；强化监督，落实责任；依法整顿，加强管理；标本兼治，综合治理，坚决遏制重特大事故，大幅度减少伤亡人数，促进全国安全生产状况的稳定好转。

今年的总体工作目标：一是基本建立起安全生产监督管理的工作运行机制；二是基本形成煤矿安全监察的行政执法体系；三是依法取缔不具备安全生产基本条件的生产经营厂（矿）点和娱乐场所；四是遏制重特大事故，大幅度减少伤亡人数，安全生产状况趋于稳定好转。

按照以上要求，下一步我们要重点抓好七项工作：

第一，深入学习贯彻江总书记和中央领导同志关于安全生产的一系列重要指示，强化“安全第一”和“责任重于泰山”的思想，促进各级安全生产责任制的落实。安全生产是人命关天的大事，重视不重视安全工作，是检验各级领导干部讲不讲政治、实践不实践“三个代表”思想的重要标志。一个时期以来江总书记和中央领导同志关于安全生产的一系列重要批示，切中要害，具有很强的针对性和指导性，必须以此来统一思想，指导工作。要在各级领导班子中，深入学习领会江总书记和中央领导同志关于安全生产的一系列重要指示精神，加深理解，认真贯彻落实。同时，采取多种形式，在全国开展安全生产法律法规、方针政策的宣传教育活动，营造安全生产的舆论氛围，为安全生产提供思想保障。要强化安全第一的思想认识，落实各级政府、各行业主管部门、各企事业单位安全生产责任制，并依法建立权责追究制度。

第二，加强安全生产的法制建设，把安全监督管理纳入法制化轨道。实现安全生产的稳定好转，必须依靠法治。企业要依法抓好安全，政府主管部门要依法监督管理安全，执法审批部门要坚持依法行政。今年，我们要以起草制定国家《安全生产法》和《行政审批部门安全生产权责追究暂行办法》为重点，推进安全生产的立法工作；加快修订不适应新形势要求的安全监督管理专项法规、规章和各行各业的《安全规程》及其主要安全技术标准。同时，加大安全监察执法的力度，依法治理安全，依法监督安全。

第三，突出重点，依法整顿，标本兼治，综合治理，消除事故隐患，落实防范措施。近几年全国事故多发行业，主要是交通、煤矿、化工、娱乐业。为此，今年要进行专项安全整顿。整顿重点：一是国有重点煤矿的“一通三防”，二是各类小煤矿，三是烟花爆竹厂，四是公路、水上私营个体运输户，五是人群聚集的商厦和场所，特别是公共娱乐场所。凡证照不全或不具备安全生产基本条件的，要依法取缔；证照虽全，但存在重大事故隐患的，要停产停业限期整改，整改后仍达不到要求的，吊销各种证照，予以关闭。这些工作，在国务院安全生产委员会统一领导下，由各地政府和有关行业主管部门组织实施。要严肃查处事故，认真吸取教训，落实防范措施。对不负责任、玩忽职守而酿成的重大事故，要按照“四不放过”的原则依法查处，对责任者严加惩处。

第四，加强对企业安全生产的监督监察，建立企业安全生产自我约束机制。建立企业安全生产自我约束机制是实现企业安全生产长治久安的关键环节。要把依法监督、监察与促进企业加强安全管理结合起来，重在事前防范，落实各项安全技术措施和责任制，做到防患于未然。为此，要切实加强企业安全生产的现场管理、技术管理和各项基础性建设，完善安全生产的各项保障措施。要通过法律的、经济的和必要的行政手段，促进企业建立安全生产自我约束机制。

第五，贯彻落实《煤矿安全监察条例》，依法强化对煤矿安全生产的监察。煤矿安全生产是全国安全生产监督管理的重点，要按照全国煤矿安全监察工作会议的总体部署，以《煤矿安全监察条例》为武器，突出“一通三防”，标本兼治，综合治理，坚决遏制重特大瓦斯煤尘事故。严格执行国家煤矿安全监察局下发的治理瓦斯事故的“八条”规定，凡达不到要求的矿井，都要进行停产整顿，什么时候达到安全要求，什么时候才能恢复生产。同时，结合煤炭行业关井压产，继续关闭不具备安全生产基本条件小煤矿，对死灰复燃的，要严加惩处，并追究有关部门的责任。

第六，加强安全生产监督管理工作的基础性建设，建立正常的工作运行机制。要围绕安全生产监督管理工作的基础性建设，抓紧组织研究具体的措施，推动建立安全生产信息反馈系统；建立安全资格认证管理体系，制定有关认证方面的规章制度；建立全国职业危害防治体系，提出职业危害防治的规划；健全安全教育培训体系；建立安全科研开发体系；健全和完善矿区救护体系。围绕安全生产方面的技术难点，开展科技攻关，推广应用新技术成果，促进企业安全技术改造，提高安全综合防御能力。

第七，抓紧组建理顺安全生产监督管理体系，搞好安全监督管理机构和队伍的建设。按照国务院领导同志的指示和中编办的文件精神，省级煤矿安全监察局加挂煤炭工业局牌子的，要尽快分开，其煤炭行业管理职能划归省（区）经贸委。全国安全生产的监督管理，按照分级管理的原则，各省、自治区、直辖市要抓紧组建、充实安全生产监督管理机构，配备相应人员，履行省安全生产监督管理职能。在机构改革过程中，要确保队伍不散，工作不断。

建立和理顺安全生产监督管理体系，是强化安全生产监督管理工作的组织保障，是当前的一项重点工作。

作为新机构，我们面对党和人民的重托，深感责任的重大，要按照江总书记“三个代表”的要求，认清形势，把握大局，齐心协力，开拓进取。要切实加强机关和队伍的思想作风建设，强化事业心和责任感。深入开展揭批“法轮功”的政治斗争，增强政治鉴别力和敏感性，保持坚定正确的方向。要刻苦学习，大兴调查研究之风。切实加强党风廉政建设，坚持全心全意为人民服务的根本宗旨，要摸实情、说实话，办实事、求实效。要解放思想，大胆创新，适应新形势新任务的要求，探索在市场经济条件下加强安全生产监督管理的新路子，新体制要有新格局，新职能要有新思路，新机构要有新气象，新的一年要有新建树。

张宝明同志在全国安全生产电视电话会议上的发言（摘要）

2001 年 4 月 19 日

煤矿是全国安全生产工作的重点行业，也是这次专项整顿的一个重要方面。党中央、国务院对煤矿安全生产非常重视，去年对煤矿安全监察管理体制进行了改革，建立了全国统一、垂直管理的安全监察体系。这就为煤矿安全整顿提供了组织保障。我局对煤矿安全的治理整顿一定要认真履行职责，紧紧依靠地方政府和有关部门，把国务院交给我们的任务落到实处，坚决遏制煤矿重特大事故多发的势头，实现安全生产的稳定好转。

一个时期来，煤炭行业认真贯彻落实江总书记等中央领导关于安全生产的一系列重要指示，切实加强安全生产监督管理和煤矿安全监察工作，取得了一定成效。今年前4个月全国煤矿没有发生50人以上的特大伤亡事故。但是，煤矿安全生产形势仍比较严峻。重特大伤亡事故时有发生。截止4月25日，全国煤矿共发生事故729起，死亡1498人，比去年同期少死亡210人。其中10人以上事故20起，死亡416人，比去年同期减少7起，少死亡29人。但是进入4月份，陕西省铜川矿务局陈家山煤矿和韩城矿务局下峪口煤矿多经公司个体承包井于4月6日和4月21日连续发生特大瓦斯爆炸事故，死亡38人和48人，损失严重，影响恶劣；乡镇集体和个体煤矿事故频繁，伤亡和损失严重；个别省区煤矿安全状况滑坡，重特大事故比较频繁。

煤矿安全生产形势严峻，主要是一些煤矿的领导安全第一思想没有真正树立起来。不能正确处理安全与生产、效益的关系，市场稍有缓和，就出现了盲目追求产量和突击生产现象。一些煤矿安全责任制不落实，投入严重不足，现场管理松弛，事故隐患增多。特别是小煤矿的安全问题相当严重。一些不具备安全生产基本条件的小煤矿仍在继续生产。国有大矿井田范围内还有1270多处小井没有关闭，直接威胁大矿安全。已关闭的小煤矿死灰复燃，各省区都程度不同地存在。有的干部参股分利，有的接受窑主的红包，明里暗里支持包庇。一些私营、个体窑主要钱不要命，忽视安全生产，导致重大事故发生。

煤矿安全生产存在的问题，充分说明国务院作出的整顿决策是非常及时、非常必要的。各地煤炭主管部门、煤矿安全监察机构和广大煤矿企业，一定要认清形势，统一认识，集中精力搞好安全整顿，尽快改善煤矿安全状况。

按照国务院安全生产委员会的统一部署，煤矿安全整顿的总体要求是：以遏制重特大事故、减少伤亡人数为目标，以安全生产的法律法规为依据，坚持"安全第一，预防为主"的方针，强化监督，落实责任；依法整顿，加强管理；标本兼治，综合治理，消除重大隐患，完善防范措施，扭转事故多发局面，实现煤矿安全生产状况稳定好转。

整顿的重点是：国有大矿的整顿，主要是瓦斯灾害严重的矿井，要按照"一通三防"的八条规定完善通风系统，落实瓦斯、煤尘和火灾防范措施，加强瓦斯灾害治理，建立和完善安全设施。凡安全设施存在隐患的要限期整改，整改后仍达不到要求的要停产整顿。小煤矿的整顿，重点是依法关闭非法生产或不具备基本安全生产条件的小矿，包括国有大矿井田范围内的各类小井。已关闭小井私自恢复生产的要依法严惩并追究责任。煤矿整顿的重点省（市）是：贵州、陕西、黑龙江、湖南、四川、重庆、山西、河南和江西等省（市）。重点地区是：贵州省毕节、六盘水，山西省临汾、吕梁、大同，湖南省娄底、郴州，四川省宜宾，云南省曲靖，重庆市万州，辽宁省阜新，河南省平顶山、洛阳，黑龙江省鸡西、七台河等地市。整顿的重点煤炭企业是：水城、韩城、铜川、盘江、大同、包头、抚顺、阜新、辽源、通化、鸡西、鹤岗、平顶山、淮南、丰城、乐平和涟邵等单位。

整顿从5月份开始，大体用4个多月的时间。整顿的措施：

*一是搞好宣传发动。*结合贯彻全国社会治安工作会议、全国整顿和规范市场经济秩序工作会议精神，采取多种形式，大张旗鼓地宣传煤矿整顿的意义目的、重点对象、基本要求及相关措施。广泛深入搞好第11个全国安全生产周活动，形成强大的宣传声势。

*二是认真进行分析排查。*各地区行业主管部门、煤炭企业都要制定煤矿安全生产专项整顿的方案，对国有大矿"一通三防"上存在的重大隐患，不具备安全生产条件的小煤矿，已关闭小煤矿死灰复燃情况等，要全国排查分析，摸清底数。在此基础上，确定重点对象。

*三是依法进行整治。*对存在安全隐患的煤矿要限期整改，落实防范措施。对"一通三防"方面存在重大隐患的煤矿，要停产整顿，下达整顿通知单，不消除隐患不得恢复生产。对大矿井田范围内的各类小煤矿（包括矿办小井），都要坚决予以关闭。对不具备基本安全生产条件的小煤矿，依法吊销证照，予以关闭。所有的整顿措施，都要明确责任人，严格督促落实。停产整顿和限期整改的煤矿，逾期达不到规定要求的，要依法追究责任。从10月份开始，将组织整顿督察组，对煤矿安全治理整顿工作进行检查验收。验收不合格的要补课。

*四是加强领导，搞好协调，相互配合。*遵照国务院的统一部署，煤矿安全整顿工作由各地政府组织实施。我局将与国土资源部、国家工商总局等部门协调配合，按职能分工，搞好监督检查，共同做好煤矿安全整顿工作，努力实现煤矿安全状况的稳定好转。

王显政同志在煤矿安全监察会议上的总结讲话（摘要）

2000年4月20日

一、统一认识，转变观念，坚定抓好煤矿安全监察工作的信心

贯彻落实煤矿安全监察会议精神，最重要的就是要把思想统一起来，把精神振奋起来。要通过认真学习领会江泽民总书记的重要批示、吴邦国副总理对会议的指示和国务院电视电话会议精神，以及张宝明同志的报告，做到四个统一和四个强化。

一是统一对安全生产重要性、紧迫性的认识，强化安全第一、“责任重于泰山”的意识。二是统一煤矿安全监察管理体制改革重大意义的认识，强化责任感和使命感。三是统一对煤矿安全监察总体思路和当前工作重点的认识，强化依法行政、从严监察的观念。四是统一对队伍建设重要性和基本要求的认识，强化从严治政观念，抓好思想作风建设。

二、以全面铺开安全监察工作为契机，加大对非法和不具备安全条件矿井的执法力度，把关井压产推向深入

各级煤矿安全监察机构从一开始，就要抓住小煤矿盲目生产这一影响煤矿安全状况稳定好转的关键性问题，紧紧盯住非法和不具备安全条件的小煤矿，特别是那些非法矿井、单证矿井和死灰复燃矿井，加大监察执法力度。一是要结合煤炭生产许可证的年检换证，严格按照《煤炭生产许可证管理办法》规定的13条颁证标准办事。目前，约有三分之一的持证小煤矿没能达到这些标准，应当通过年检换证，促使这些矿井改善安全生产条件。凡自行降低标准，向不该发证的矿井发了证的，要严肃追究当事人的责任。二是要严格监督监察，防止已关闭小煤矿死灰复燃。凡出现死灰复燃的，不仅要对小矿矿主依法制裁，同时要追究主管部门的领导责任。三是要通过制定和实施产业政策，淘汰落后的生产能力。通过加大执法监察力度，巩固发展煤炭行业关井压产成果。

三、以防止瓦斯煤尘事故为重点，切实加强对煤矿“一通三防”工作的监察

一是要监察督促煤矿企业搞好安全技术培训，让职工了解瓦斯煤尘事故特点和规律，掌握“一通三防”基础知识，增强对瓦斯煤尘事故的防范和自救能力。矿井“一通三防”特殊岗位和特殊工种，必须由相当文化程度、经培训合格的人员来担任。违背有关培训的规定，造成事故的，要严肃追究企业法人代表的责任。二是要监察督促煤矿企业建立健全“一通三防”责任制度。煤矿的采、掘、机、运、通各个方面，井下井上各个生产岗位，都应当围绕做好“一通三防”工作，建立明确的责任制度，杜绝违章指挥和违章作业。同时，要检查督促煤矿企业健全“一通三防”工作机构，按规定配齐瓦斯检查人员，制定瓦斯、煤尘灾害的防治计划，加强对瓦斯煤尘的监测，做好日常性工作。三是要监察督促煤矿企业保证“一通三防”方面的投入。凡丧失投入能力、没把握控制瓦斯煤尘事故的，要立即停止生产，必要时予以关闭。要改善井下作业条件，加强粉尘管理，减少尘肺病的发生。四是要严格实行安全资格认证制度，煤矿设备、材料、安全仪器仪表、装备等，未取得安全资格认证的，不得入井使用。五是要加强检查。煤炭行业这次大检查的内容，要以“一通三防”为重点。坚持边检查、边整改、边落实责任、边提高，对发现的隐患和问题，立即拿出措施，限期进行整改。

四、切实加强管理，从严治政，积极创新，把安全监察任务落到实处

要使安全监察工作纳入正常进行的轨道，很重要的一条，必须重视和加强管理。一要从严治政，二要善于创新。

在从严治政上，一是要严把进人关口。贯彻干部“四化”方针和择优录用原则，选配好煤矿安全监察人员。二是要做好建章立制工作。尽快建立各级安全监察机构以及各岗位的工作责任制，严格考核奖惩，逐步形成科学完善的煤矿安全监督管理机制。三是要严格进行培训，提高监察人员的业务素质和执法能力。四是要严格监察，确保执法到位。要尽快完善执法程序，疏通执法渠道，制定和采用规范的煤矿安全监察执法法律文书，监督监察执法手段的实施，保证执法效果。五是要大力培养严细作风。做到制止违章不讲情面，履行职责不徇私情；日常安全监察不漏过一处隐患，查处事故坚持“四不放过”。要严格煤矿安全监察工作纪律。坚决防止煤矿安全监察工作中的以权谋私、弄虚作假、欺上瞒下等行为。

在管理创新上，要积极探索市场经济条件下煤矿安全监察的新途径、新机制、新方法和新手段。一是对现行的法律法规，包括地方性法规，要吃透用足。二是要重视安全监察相关政策的研究，特别是经济处罚政策。三是要发挥职代会、工会对安全生产的民主监督作用，切实保障职工在安全生产上的十项民主权利。

五、整顿煤炭经营秩序，进一步搞好煤炭销售，促进扭亏脱困

针对当前煤炭市场的基本态势和出现的变化，加大销售工作的力度，以保价、回款、提质、增收为目标，努力开拓煤炭市场。不仅要启动国内市场需求，而且要巩固和开拓国际市场，减轻国内市场压力。要特别注意抓好货款回收工作，力争做到新账不欠，陈欠逐步收回。要实行回款责任制，把责任落实到人头，一抓到底。

按照《煤炭法》、《煤炭经营管理办法》的规定，加大整顿煤炭经营秩序的力度。通过实行煤炭经营资格审批制度和严格执法监督检查，做到"一取缔、两禁止"，即依法取缔非法经营煤炭的单位，禁止没有经营资格的单位和个人经销煤炭产品，禁止非法和布局不合理煤矿的产品进入流通领域，为煤炭企业公平竞争创造良好的环境。各级煤炭管理部门要结合煤炭经营秩序的整顿，积极探索对本地区煤炭市场进行有效调控的方法和途径，掌握主动权。

濮洪九同志在全国煤炭系统反腐败抓源头工作经验交流会上的讲话（摘要）

2000 年 10 月 26 日

党的十五大在要求加大遏制腐败现象力度的同时，提出了标本兼治、综合治理的方针，要求各级党政组织和纪检监察部门进一步加大反腐败工作力度，着力从源头上预防和治理腐败。尉健行同志在中央纪委四次全会上强调，要以改革创新的精神，坚持标本兼治，着重在加强监督检查、狠抓任务落实，从源头预防和治理腐败上下功夫。最近一个时期，中央纪委反复强调反腐败抓源头的问题，并且召开了一些专门会议进行部署。我们要按照中央纪委的要求，进一步加深对从源头上预防和治理腐败的重要性、必要性和紧迫性的认识。

源头问题，主要是指滋生腐败的诱发性、根本性的原因。我们必须从改革和完善体制、机制、制度和管理入手，针对腐败问题易发、高发部位和环节，分析并找准源头问题，采取措施进行预防治理，使我们的工作更加主动、更有成效。中央纪委所以强调抓源头问题，正是因为抓源头是反腐败带实质性、基础性和根本性的措施，做好反腐败抓源头工作是贯彻党中央确定的党风廉政建设和反腐败工作指导方针的重要步骤，是加大反腐败工作力度的重要举措，是更好地服从服务于改革、发展、稳定大局的需要。具体到我们煤炭行业，当前带有煤炭特点的源头问题在以下三个方面显得比较突出：一是在用权上。有的单位对权力运作的监督制约不力，有的干部利用手中掌握的项目审批权、设备调拨权、资金拨付权、证件发放权等以权谋私、贪污受贿或玩忽职守；在物资供销领域，有的干部利用手中的权力，个人决策装备器材、原材料和其他用品的采购，从中收取好处，或其配偶、子女利用其影响从事物资推销和采购等活动，捞取个人经济利益；有的领导干部个人或配偶、子女在其管辖的业务范围内搞工程投招标或转承包；有的领导干部个人或配偶、子女在其管辖的业务范围内承包、转包或入股经营个体煤矿，从中牟利。二是在用钱上。有的单位执行财务制度和财经纪律不严，个别领导或财会人员不用跟任何人商量，一两个人就能把几十万、几百万甚至上千万元的公款拿出来、借出去，或挪作他用，造成国有资金流失。还有一些单位不顾中央三令五申，私设"小金库"，胡支乱花，甚至中饱私囊。三是在用人上。有的单位在干部的选拔任用中不能坚持党的任人唯贤的干部路线和德才兼备的标准，由少数人选人、在少数人中选人的问题比较突出，个别单位甚至存有跑官要官、买官卖官的问题，不仅影响了选人用人的质量，而且致使一些不正之风和消极腐败现象发生，群众这方面的意见很多。还有的单位对干部重选拔、轻教育，管理不严，疏于监督，没有形成一套严密科学的选人、用人、管人机制。用人方面的问题是导致腐败问题发生的重要原因。几年来，煤炭系统在反腐败抓源头方面虽然下了一定功夫，并取得了一定效果，但任务还相当艰巨。各级党政组织和纪检监察部门一定要把抓源头工作摆到更加重要的位置，抓出新的更大成效。

1. *从源头抓起，就要从本单位实际出发，找准"症结"所在，研究治理腐败的工作思路和办法。*各级纪检监察部门必须贴紧具体业务工作，尤其要深入到掌管人、财、物的部门和其他容易发生问题的部位开展调查研究，分析源头问题；必须从剖析具体问题入手，由浅入深，一个层面一个层面地推进，查找源头问题；必须对本单位几年来发生的违纪违法案件进行解剖，分析带有规律性的东西，挖掘源头问题。要本着实事求是的精神，把产生腐败问题的"症结"找准。另一方面，要研究制定切实可行的解决源头问题的措施和办法。抓源头是一项艰巨、复杂的任务，既要着眼于长远，对这项工作作出全面规划，又要立足于当前，集中力量抓几个突出问题，实实在在地解决几个难点和热点，一步一个脚印地巩固提高。各单位在制定抓源头规划时，要善于抓重点、抓要害，把着力点放在权力制约、资金监控、行为规范和堵塞管理漏洞等关键部位和环节上，着重在管好权、管好钱、管好人上用劲，逐步建立起真正管用的预防和治理腐败的机制。许多单位的情况表明，国有企业中的不廉洁行为和违纪违法问题的发生，与管理不严、监督不力有很大关系，从经营管理的薄弱环节入手开展效能监察，既能加强管理、降低成本、增加效益，又能为查处案件提供线索，发现企业管理方面的漏洞和腐败的源头问题。这项工作要继续坚持不懈地抓下去，争取更大的成效。

2. *从源头抓起，就要在提高对党员干部教育效果上下功夫。*加强党风廉政建设，必须坚持“教育为主，预防为主”的方针，始终把教育作为反腐倡廉的基础环节来抓。一是在教育内容上，要突出一个“细”字。各级纪检监察部门要在深入实际，加强调查研究，掌握党员干部的思想动向的基础上，细致地安排教育内容。要从解决世界观、人生观和价值观问题入手，结合不同岗位和不同层次人员、不同时期的实际，针对职工群众所关心的一些“热点”问题开展教育。二是在教育形式是，要体现一个“新”字。要采取多种多样的教育形式，突出电化教育手段，增强教育的吸引力和感染力；要选树群众拥护的典型进行宣传，用榜样的力量鼓舞人，增强影响力和感召力；要善于运用典型案例对党员干部进行教育，不仅要有对案情的具体剖析，而且还要抓住违纪违法行为的特点，有深度、有说服力地去总结原因和教训，以案论理，以案说法，以人为鉴，警钟长鸣，增强警示力和震撼力。三是在教育效果上，要达到一个“实”字。开展教育必须紧密联系党员干部的思想和工作实际，真正解决一些深层次问题。通过教育，提高党员干部廉洁自律的意识和遵纪守法的自觉性，时时刻刻做到自重、自省、自警、自励，政治上防渗透、思想上防蜕变、经济上防贪占、纪律上防松弛、工作上防失职，为人民掌好权、用好权。

3. *从源头抓起，就要在建立和完善基本制度和措施上做文章。*为了认真贯彻中央纪委关于“省（部）、地（厅）级领导干部的配偶、子女，不准在该领导干部管辖的业务范围内个人从事可能与公共利益发生冲突的经商办企业活动”的要求，国家局党组按照中央纪委的统一部署，并结合煤炭行业的实际，研究制定了《关于司（局）级以上领导干部配偶、子女个人经商办企业的具体规定》，主要包括：(1) 不准在该领导干部任职单位管辖的地区个人从事煤炭营销活动。(2) 不准在该领导干部任职单位管辖的地区从事矿用装备、器材、原材料和劳保等用品的供销活动。(3) 不准在该领导干部任职单位管辖地区从事煤炭基本建设和其他工程的投招标和转承包活动。(4) 不准在该领导干部任职单位管辖的地区个人承包、转包或入股经营个体煤矿。(5) 违反本规定的，要限期纠正，或者配偶、子女停止可能与公共利益发生冲突的经商办企业活动，或者领导干部本人辞去现任职务。拒不纠正的，以及本规定发布以后领导干部的配偶、子女从事可能与公共利益发生冲突的经商办企业活动的，对领导干部本人要给予组织处理，并酌情追究党纪、政纪责任。根据中央纪委《关于中央国家机关各部门制定的司（局）级以上领导干部配偶、子女个人经商办企业的具体规定适用于地方厅（局）级以上领导干部的通知》精神，以上规定在全国煤炭行业都适用。不仅适用于各省（区、市）煤矿安全监察局和煤炭工业部门，而且适用于地方省、地（市）党委、政府分管煤炭部门的地（厅）级以上领导干部。

4. *从源头抓起，就要在强化监督约束机制上花力气。*一要强化对主要领导行使手中权力的监督制约。坚持对重大事项决策权的运作过程实施有效监控。各级领导班子、主要领导干部要认真执行民主集中制，坚持重大事项集体决定制度。凡属应由集体决策的，都必须由领导班子按照决策程序、议事规则集体决议，不得由“一把手”个人或少数人专断。二要强化对权力比较集中的部位的监督制约。要完善财务审批监督制度，加强对财务支配权运作过程的有效监控；要实行经营权与监督审核相分离的制度，加强对经营的有效监控；要严格执行干部管理工作的有关规定，加强对人事管理权运作过程的有效监控，对买官卖官之类的腐败行为要予以重点防范。三要对“一把手”及其副职的权力范围作出明确、严格的界定。在权力的运作中，必须把决策、执行、监督三权分离开来，形成相互制衡的关系，促进班子成员相互间的监督。四要充分发挥纪检监察部门的职能监督作用。纪检监察部门要拓宽视野，切实加强全过程监督。努力做到领导干部和掌管人、财、物的实权部门其权力行使到哪里，活动延伸到哪里，监督就跟到哪里。监督的关口要前移，重点强化事前监督和事中监督。目前，对领导干部的社交、生活领域的监督比较乏力，应当研究切实有效的措施予以加强。五要拓宽监督渠道，加强民主监督。群众监督具有直接性、广泛性和有效性的特点，应该通过推行政务公开、厂务公开，增加办事的透明度。凡属改革重大决策、涉及职工群众切身利益和企业领导人员廉洁自律方面的问题，都要实行公开，置于群众的监督之下。要把组织监督、群众监督、职能部门的监督和舆论监督等有机结合起来，逐步建立起有效的监督约束机制，形成监督合力，增强监督实效。

5. *从源头抓起，还要加大办案力度，严格责任追究，严肃执行纪律。*从严治党就要求加强纪律，严肃执纪。对领导干部的管理和监督，一定要有严格、果断的组织措施。许多单位的经验告诉我们，治标和治本不是截然分开的，标本兼治，才能增强效果。因此，治本抓源头工作必须与查办案件相结合，形成强大的威慑力量。各级纪检监察部门都要高度重视并下大力气做好查办案件工作。

赵铁锤同志在全国煤矿安全监察会议上的讲话（摘要）

2000年11月3日

一、认真学习、深刻领会党中央、国务院领导同志的重要指示精神，把思想统一到中央指示精神上来

安全生产事关职工群众的生命安全和根本利益，事关改革发展和稳定大局。江总书记多次作出指示，要求我们重视市场经济条件下安全生产的重要性，强调安全生产“责任重于泰山”。一个时期来全国煤矿特别是国有大矿连续发生特大事故，国务院领导同志对此非常关注。朱镕基总理、吴邦国副总理相继作出重要指示，要求我们以事故为教训，切实加强安全监察和安全管理，坚决煞住煤矿事故多发的势头。中央领导的一系列指示，为我们做好煤矿安全监察工作提出了更严格的要求，明确了努力方向。特别是在这次会议召开的前一天，朱镕基总理主持召开的国务院常务会议，审议并原则通过了《煤矿安全监察条例》，为搞好安全监察提供了法律依据。

党组召开这次会议，目的就是通过学习贯彻中央领导的指示精神，进一步解决对安全生产重要意义的认识问题，强化安全第一的观念。正如安徽等省级监察局负责同志在讨论中所讲，当前煤矿安全生产方面存在的最大问题是思想隐患。由于思想隐患严重，导致国有大矿投入不足，小矿要钱不要命，全国安全生产形势趋于恶化。因此，贯彻落实这次会议精神，必须紧紧抓住提高思想认识这一关键环节，在解决思想隐患上付出努力。

煤矿安全监察系统各级班子成员首先是主要负责同志，一定要按照党组的要求，自觉从“三个代表”的高度，充分认识煤矿安全生产的重要意义，增强做好煤矿安全工作的使命感和责任感。要对照党中央、国务院领导同志的重要指示精神，以“9.27”事故和大同、双鸭山事故为警戒，认真查找思想上的差距。查一查各级干部是否真正树立了安全第一的思想，真正把安全工作摆在了首要位置上；党和国家关于安全生产的方针政策和法律法规以及国家煤矿安全监察局的各项指示指令，在本地区、本单位是否得到了切实认真的贯彻和遵循；国务院领导同志批评的“有令不行、有禁不止、因循苟且”现象，在本单位是否存在，表现形式有哪些。

要在找到思想差距的同时，有针对性地采取措施。运用事故案例，以案施教，普遍开展一次煤矿安全生产警示教育活动。抓住《煤矿安全监察条例》颁布实施的有利时机，加大宣传教育力度。象《煤炭法》出台后那样，在煤炭行业和煤矿安全监察系统掀起一个学习条例、宣传条例、贯彻条例的热潮。促使煤炭企业端正安全生产指导思想，摆正安全与生产，安全与效益，安全与扭亏脱困和稳定等工作的关系，在错综复杂的矛盾中善于抓住主要矛盾，通过贯彻安全第一方针，为企业各项工作的顺利进展创造基础条件；帮助广大干部职工强化安全意识，认真贯彻执行煤矿安全生产法律法规和规章制度，切实搞好现场管理和事故防范；增强安全监察人员的事业心和责任感，提高抓好安全监察工作的积极性和主动性。

总之，通过贯彻这次会议精神，要把上上下下的思想，真正统一到党中央、国务院领导同志的重要批示精神上来，按照江总书记、朱镕基总理的指示要求，牢固树立安全第一的思想，把安全工作真正摆到全局性、首要性的位置上。为遏制重大事故多发的势头，进而实现煤矿安全状况的稳定好转，奠定一个比较坚实的思想基础。

二、强化组织纪律观念，把行动统一到国家煤矿安全监察局党组的安排部署上来

高度的组织纪律性，是搞好煤矿安全监察事业的重要保证。按照垂直管理的原则，进一步明确各级煤矿监察机构的职责，强化各级监察机构的组织纪律观念，是履行煤矿安全监察职能，提高监察工作效率，推动煤矿安全状况稳定好转的前提条件，也是这次会议特别强调和解决的一个重要议题。

一个时期来，由于体制化、机构改革等因素，加上一些同志组织纪律观念比较淡漠，工作作风不是很扎实，朱镕基总理批评的有令不行、有禁不止、因循苟且的情况，在煤矿安全监察管理工作中，确实程度不同地存在。一些地方煤矿事故多发，很重要的原因，就是一些领导干部缺乏严格的组织纪律观念，对上级的指示置若罔闻。有关安全生产的要求和规定，中央和国家煤矿安全监察局三令五申，一些地方和单位就是不认真落实；对几次安全大检查中查出的事故隐患，就是不认真整改，马虎凑乎，得过且过，以致造成局部工作和阶段性工作的被动。教训非常深刻。

为此，国家局党组领导同志在讲话中严肃指出：要“树立全局观念，增强组织纪律性，按照垂直管理原则，摆正关系，找准位置，一切行动听指挥，按照国家煤矿安全监察局的统一部署，雷厉风行，协调一致，卓有成效地抓好安全监察工作。”这些话，具有很强的针对性和现实指导作用，希望大家认真领会，很好地贯彻执行。

贯彻垂直管理原则，最重要的，就是要强调层层节制，逐级负责。即个人向组织负责，下级监察机构向上级监察机构负责，国家局向中央负责。各级、各岗位职责范围清晰、权限任务明确；整个监察系统政令畅通，步调一致。因此，对国家局关于煤矿安全监察工作的各项指示和指令，省级监察局和办事处，以及所有的煤矿监察人员，都必须严肃对待，认真负责地贯彻执行。不允许拖着不办，或者自行其是、另搞一套。不得以种种借口，损害煤矿安全监察体系的统一性和完整性，影响煤矿安全行政执法的相对独立性。

国家煤矿安全监察局成立以来，特别是国务院安全工作紧急会议之后，局党组围绕着控制重大事故，推动煤矿安全状况的稳定好转，相继召开几次会议，作出一系列安排部署。应该说，对国家局的指示，大部分省区监察局和办事处是重视的，贯彻执行也是认真负责的、有成效的。但是确有个别单位，采取了推诿拖延、不负责任的态度。这次会议之后，各单位要对一个时期来贯彻执行国家煤矿安全监察局指示的情况，进行一次全面的总结检查。查一查哪些工作落实了，哪些工作没有落实。对没有落实的工作，要采取得力措施，迅速赶上去。希望通过贯彻这次会议精神，使各级监察机构和各级干部的组织纪律观念有所增强。提高安全监察工作效率，保持国家煤矿安全监察机构政令畅通，更好地履行国家赋予我们的职责。

三、加强领导，落实措施，确保今年全国煤矿安全生产奋斗目标的实现

这次会上，局党组进一步明确今年全国煤矿安全生产奋斗目标：国有重点煤矿事故死亡人数比去年减少10%，地方和乡镇煤矿事故死亡人数减少20%，全国煤矿事故死亡总数比去年减少500人以上，使煤矿安全状况总体上好于去年。大家在讨论中认为，这个目标，既贯彻了中央领导关于加强煤矿安全生产、降低煤矿事故死亡率和死亡人数的要求，也反映了煤矿企业和广大煤炭职工的愿望；是积极的，同时也是切实可行、经过努力可以实现的。

目标确定之后，就要抓落实。参加这次会议的，既有省级监察局的领导，也有各个办事处的负责同志，可以说是一杆子插到了底。会议之后，各单位要围绕实现今年的安全生产目标，认真进行研究，拿出实实在在的办法措施来，并严格督促检查，逐级负责，层层抓好落实。要像内蒙古监察局负责同志在讨论中提出的那样，突出抓好重点区域、重点煤矿、重点设施、重点人群和重点隐患。要探索和实施分类监察，紧紧盯住那些高沼矿井，煤与瓦斯突出矿井，以及安全生产基础条件和基础工作较差的煤矿，加大监察力度。认真组织实施秋冬煤矿安全大检查，严查深挖事故隐患，确保安全生产。

今年全国煤矿安全生产目标能否实现，关键在领导，各级领导干部务必转变作风，深入现场，靠前监察，及时发现和解决事故隐患。张部长在讲话中，明确提出要建立煤矿重大事故安全监察责任追究制度，建立安全监察工作绩效考核制度。对该现场监察不到现场，该提出整改意见的不提出意见，该下达停产通知书的没有下达通知，而又发生三人以上重大事故的，要以国家工作人员失职渎职论处。对长期见不到绩效、不能胜任工作的，要予以解聘或者调整。这些规定，是适应煤矿安全生产严峻形势、推动煤矿安全监察系统各级干部转变作风，把安全监察工作抓实抓细的重要举措。希望各级监察机构和监察人员，要强化事业心和责任感，尽职尽责做好安全监察工作，确保从现在起到春节这段时间，全国煤矿安全生产形势保持稳定，不再发生重特大事故。

要认真落实党组的关于加强办事处工作的指示，采取得力措施，理顺关系，改善环境，促使办事处做到机构、人员、思想、经费、培训和工作制度“六个落实”，推动办事处工作尽快到位。建立健全激励机制，开展争创先进办事处的活动。国家局和各省级监察局都要及时发现、培养办事处工作的先进典型，总结推广先进经验。通过努力，建立巩固的煤矿安全监察前沿阵地。

各省级监察局要把这次会议的贯彻落实情况，包括好的做法、成功的经验，以及工作中遇到困难和问题等，及时上报到国家煤矿安全监察局，以便于我们把握全局，加强领导，掌握进度，搞好协调，更加扎实有效地推动工作。

煤矿安全生产的严峻形势，对于我们这支新组建的监察队伍来说，是挑战，也是考验。希望大家变压力为动力，把困难当机遇，把精神振奋起来，把监察工作抓上去。按照这次会议的部署，在学习贯彻中央领导指示精神，强化安全第一思想认识上狠下功夫；在吸取事故教训，加强和改进安全监察管理上狠下功夫；在转变作风，落实措施上狠下功夫。上下一致共同努力，迅速开创煤矿安全监察工作新局面，为煤炭工业的持续健康发展和维护稳定大局，做出我们应有的贡献！

煤矿安全监察条例

中华人民共和国国务院令

第296号

《煤矿安全监察条例》已经2000年11月1日国务院第32次常务会议通过，现予公布，自2000年12月1日施行。

总理 朱镕基

2000年11月7日

第一章 总 则

第一条 为了保障煤矿安全，规范煤矿安全监察工作，保护煤矿职工人身安全和身体健康，根据煤炭法、矿山安全法；第九届全国人民代表大会第一次会议通过的国务院机构改革方案和国务院关于煤矿安全监察体制的决定，制定本条例。

第二条 国家对煤矿安全实行监察制度。国务院决定设立的煤矿安全监察机构按照国务院规定的职责，依照本条例的规定对煤矿实施安全监察。

第三条 煤矿安全监察机构依法行使职权，不受任何组织和个人的非法干涉。煤矿及其有关人员必须接受并配合煤矿安全监察机构依法实施的安全监察，不得拒绝、阻挠。

第四条 地方各级人民政府应加强煤矿安全管理工作，支持和协助煤矿安全监察机构依法对煤矿实施安全监察。

煤矿安全监察机构应当及时向有关地方人民政府通报煤矿安全监察的有关情况，并可以提出加强和改善煤矿安全管理的建议。

第五条 煤矿安全监察应当以预防为主，及时发现和消除事故隐患，有效纠正影响煤矿安全的非法行为，实行安全监察与促进安全管理相结合、教育与惩处相结合。

第六条 煤矿安全监察应当依靠煤矿职工和工会组织。

煤矿职工对事故隐患或者影响煤矿安全的非法行为有权向煤矿安全监察机构报告或者举报。煤矿安全监察机构对报告或者举报有功人员给予奖励。

第七条 煤矿安全监察机构及其煤矿安全监察人员应当依法履行安全监察职责。任何单位和个人对煤矿安全监察机构及其煤矿安全监察人员的违法违纪行为，有权向上级煤矿安全监察机构或者有关机关检举和控告。

第二章　煤矿安全监察机构及其职责

第八条　本条例所称煤矿安全监察机构，是指国家煤矿安全监察机构和在省、自治区、直辖市设立的煤矿安全监察机构〈以下简称地区煤矿安全监察机构〉及其在大中型矿区设立的煤矿安全监察办事处。

第九条　地区煤矿安全监察机构及其煤矿安全监察办事处负责对划定区域内的煤矿实施安全监察；煤矿安全监察办事处在国家处在国家煤矿安全监察机构规定的权限范围内，可以对违法行为实施行政处罚。

第十条　煤矿安全监察机构设煤矿安全监察员。煤矿安全监察员应当公道、正派、熟悉煤矿安全法律、法规和规章，具有相应的专业知识和相关的工作经验，并经考试录用。

煤矿安全监察员的具体管理办法由国务院有关部门制定。

第十一条　地区煤矿安全监察机构、煤矿安全监察办事处应当对煤矿实施经常性安全检查；对事故多发地区的煤矿，应当实施重点安全检查。国家煤矿安全监察机构根据煤矿安全工作的实际情况，组织对全国煤矿的全面安全监察检查或者重点安全抽查。

第十二条　地区煤矿安全监察机构、煤矿安全监察办事处应当对每个煤矿建立煤矿安全监察档案。煤矿安全监察人员对每次安全检查的内容、发现的问题及其处理情况，应当作详细记录，并由参加检查煤矿安全监察人员签名后归档。

第十三条　地区煤矿安全监察机构、煤矿安全监察办事处应当每15日分别向国家煤矿安全监察机构、地区煤矿安全监察机构报告一次煤矿安全监察情况；有重大煤矿安全问题的，应当及时采取措施并随时报告。

国家煤矿安全监察机构应当定期公布煤矿安全监察情况。

第十四条　煤矿安全监察人员履行安全监察职责，有权随时进入煤矿作业场所进行检查，调阅有关资料，参加煤矿安全生产会议，向有关单位或者人员了解情况。

第十五条　煤矿安全监察人员在检查中发现影响煤矿安全的违法行为，有权当场予以纠正或者要求限期改正；对依法应当给行政处罚的行为，由煤矿安全监察机构依照行政处罚法和本条例规定的程序作出决定。

第十六条　煤矿安全监察人员进行现场检查时，发现存在事故隐患的，有权要求煤矿立即消除或者限期解决；发现威胁职工生命安全的紧急情况时，有权要求立即停止作业，下达立即从危险区内撤出作业人员的命令，并立即将紧急情况和处理措施报告煤矿安全监察机构。

第十七条　煤矿安全监察机构在实施安全监察过程中，发现煤矿存在的安全问题涉及有关地方人民政府或其有关部门的，应当向有关地方人民政府或其有关部门提出建议，并向上级人民政府或其有关部门报告。

第十八条　煤矿发生伤亡事故的，由煤矿安全监察机构负责组织调查处理。

煤矿安全监察机构组织调查处理事故，应当依照国家规定的事故调查程序和处理办法进行。

第十九条　煤矿安全监察机构及其煤矿安全监察人员不得接受煤矿的任何馈赠、报酬、福利待遇，不得在煤矿报销任何费用，不得参加煤矿安排、组织或者支付费用的宴请、娱乐、旅游、出访等活动，不得借煤矿安全监察工作在煤矿为自己、亲友或者他人谋取利益。

第三章　煤矿安全监察内容

第二十条　煤矿安全监察机构对煤矿执行煤炭法、矿山安全法和其他有关煤矿安全的法律、法规以及国家安全标准、行业安全标准、煤矿安全规程和行业技术规范的情况实施监察。

第二十一条　煤矿建设工程设计必须符合煤矿安全规程和行业技术规范的要求。煤矿建设工程安全设施设计必须经煤矿安全监察机构审查同意；未经审查同意的，不得施工。

煤矿安全监察机构审查煤矿建设工程安全，设施设计，应当自收到申请审查的设计资料之日起30日内验收完毕，签署合格或者不合格的意见，并书面答复。

第二十二条　煤矿建设工程后或者投产前，应当经煤矿安全监察机构对其安全设施和条件进行验收；未经验收或者验收不合格的，不得投人生产，

煤矿安全监察机构对煤矿建设工程安全设施和条件进行验收，应当自收到申请验收，文件之日起30日内验收完毕，签署合格或者不合格的意见，并书面答复。

第二十三条　煤矿安全监察机构应当监督煤矿制定事故预防和应急计划，并检查煤矿制定的发现和消除事故隐患的措施及其落实情况。

第二十四条　煤矿安全监察机构发现煤矿井通风、防火、防水、防瓦斯、防毒、防尘等安全设施和条件不符合国家安全标准、行业安全标准、煤矿安全规程和行业技术规范要求的，应当责令立即停止作业或者责令限期达到要求。

第二十五条　煤矿安全监察机构发现煤矿进行独眼井开采的，应当责令关闭。

第二十六条　煤矿安全监察机构发现煤矿作业场所有下列情形之一的，应当立即令停止作业，限期改正；有关煤矿或其作业场所复查合格的，方可恢复作业：

（一）未使用专用防爆电器设备的；

（二）未使用专用放炮器的；

（三）未使用人员专用升降容器的；

（四）使用明火明电照明的。

第二十七条 煤矿安全监察机构对煤矿安全技术措施专项费用的提取和使用情况进行监督，对未依法提取或者使用的，应当责令限期改正。

第二十八条 煤矿安全监察机构发现煤矿矿井使用的设备、器材、仪器、仪表、防护用品不符合国家安全标准或者行业安全标准的，应当责令立即停止使用。

第二十九条 煤矿安全监察机构发现煤矿有下列情形之一的，应当责令限期改正：

（一）未依法建立安全生产责任制的；

（二）未设置安全生产机构或者配备安全生产人员的；

（三）矿长不具备安全专业知识的；

（四）特种作业人员未取得资格证书上岗作业的；

（五）分配职工上岗作业前，未进行安全教育、培训的；

（六）未向职工发放保障安全生产所需的劳动防护用品的。

第三十条 煤矿安全监察人员发现煤矿作业场所的瓦斯、粉尘或者其他有毒有害气体的浓度超过国家安全标准或者行业安全标准的，煤矿擅自开采保安煤柱的，或者采用危及相邻煤矿生产安全的决水、爆破、贯通巷道等危险方法进行采矿作业的，应当责令立即停止作业，并将有关情况报告煤矿安全监察机构。

第三十一条 煤矿安全监察人员发现煤矿矿长或者其他主管人员违章指挥工人或者强令工人违章、冒险作业，或者发现工人违章作业的，应当立即纠正或者责令立即停止作业。

第三十二条 煤矿安全监察机构及其煤矿安全监察人员履行安全监察职责，向煤矿有关人员了解情况时，有关人员应当如实反映情况，不得提供虚假情况，不得隐瞒本煤矿存在的事故隐患以及其他安全问题。

第三十三条 煤矿安全监察机构依照本条例的规定责令煤矿限期解决事故隐患、限期改正影响煤矿安全的违法行为或者限期使安全设施和条件达到要求的，应当在限制期届满时及时对煤矿的执行情况进行签署复查意见；经有关煤矿申请，也可以在限期内进行复查并签署复查意见。

煤矿安全监察机构及其煤矿监察人员依照本条例的规定责令煤矿立即停止作业，责令立即停止使用不符合国家安全标准或者行业安全标准的设备、器材、仪器、仪表、防护用品，或者责令关闭矿井的，应当对煤矿的执行情况随时进行检查。

第三十四条 煤矿安全监察机构及其煤矿安全监察人员履行安全监察职责，应当出示安全监察证件。发出安全监察指令，应当采用书面通知；紧急情况下需要采取紧急处置措施，来不及书面通知的，应当随后补充书面通知。

第四章　罚　　则

第三十五条 煤矿建设工程安全设施设计未经煤矿安全监察机构审查同意，擅自施工的，由煤矿安全监察机构责令停止施工；拒不执行的，由煤矿安全监察机构移送地质矿产主管部门依法吊销采矿许可证。

第三十六条 煤矿建设工作安全设施和条件未经验收或者验收不合格，擅自投入生产的，由煤矿安全监察机构责令停止生产，处5万元以上10万元以下的罚款；拒不停止生产的，由煤矿安全监察机构移送地质矿产主管部门依法吊销采矿许可证。

第三十七条 煤矿井通风、防水、防瓦斯、防毒、防尘等安全设施和条件不符合国家安全标准、行业安全标准、煤矿安全规程和行业技术规范的要求，经煤矿安全监察机构责令限期达到要求，逾期仍达不到要求的，由煤矿安全监察机构责令停产整顿；经停产整顿仍不具备安全生产条件的，由煤矿安全监察机构决定吊销煤炭生产许可证，并移送地质矿产生产主管部门依法吊销采矿许可证。

第三十八条 煤矿作业场所未使用专用防爆电器设备、专用放炮器、人员专用升降容器或者使用明火明电照明，经煤矿安全监察机构责令限期改正，逾期不改正的，由煤矿安全监察机构责令停产整顿，可以处3万元以下的罚款。

第三十九条 未依法提取或者使用煤矿安全技术措施专项费用，或者使用不符合国家安全标准或者行业安全标准的设备、器材、仪器、仪表、防护用品，经煤矿安全监察机构责令限期改正或者责令立即停止使用，逾期不改正或者不立即停止使用的，由煤矿安全监察机构责令限期改正或者责令立即停止的，由煤矿安全监察机构处5万元以下的罚款；对直接负责的主管人员和其他直接责任人员，依法给予纪律处分。

第四十条 煤矿矿长不具备安全专业知识，或者特种作业人员未取得操作资格证书上岗作业，经煤矿安全监察机构责令限期改正，逾期不改正的，责令停产整顿；调整配备合作人员并经复查合格后，方可恢复生产。

第四十一条 分配职工上岗作业前未进行安全教育、培训，经煤矿安全监察机构责令限期改正，逾期不改正的，由煤矿安全监察机构处4万元以下的罚款；情节严重的，由煤矿安全监察机构责令停产整顿；对直接负责的主管人员和其他直接责任人员依法给予纪律处分。

第四十二条 煤矿作业场所的瓦斯、粉尘或者其他有毒气体的浓度超过国家安全标准或者行业安全标准，经煤矿安全监察人员责令立即停止作业，拒不停止作业的，由煤矿安全监察机构责令停产整顿，可以处10万元以下的罚款。

第四十三条 擅自开采保安煤柱，或者采用危及相邻煤矿生产安全的决水、爆破、贯通巷道等危险方法进行采矿作业，经煤矿安全监察人员责令立即停止作业，拒不停止作业的，由煤矿安全监察机构决定吊销煤炭生产许可证，并移送地质矿产主管部门依法吊销采矿许可证；构成犯罪的，依法追究刑事责任；造成损失的，依法承担赔偿责任。

第四十四条 煤矿矿长或者其他主管人员有下列行为之一的，由煤矿安全监察机构给予警告；造成严重后果，构成犯罪的，依法追究刑事责任：

（一）违章指挥工人或者强令工人违章、冒险作业的；

（二）对工人屡次违章作业熟视无睹，不加制止的；

（三）对重大事故预兆或者已发现的事故隐患不及时采取措施的；

（四）拒不执行煤矿安全监察机构及其煤矿安全监察人员的安全监察指令的。

第四十五条 煤矿有关人员拒绝、阻碍煤矿安全监察机构及其煤矿安全监察人员现场检查，或者提供虚假情况，或者隐瞒存在的事故隐患以及其他安全问题的，由煤矿安全监察机构给予警告，可以并处5万元以上10万元以下的罚款；情节严重的，由煤矿安全监察机构责令停产整顿；对直接负责的主管人员和其他直接责任人员，依法给予撤职直至开除的纪律处分。

第四十六条 煤矿发生事故，有下列情形之一的，由煤矿安全监察机构给予警告，可以并处3万元以上15万元以下的罚款；情节严重的，由煤矿安全监察机构责令停产整顿；对直接的主管人员和其他直接责任人员，依法给予降级直至开除的纪律处分；构成犯罪的，依法追究刑事责任；

（一）不按照规定及时、如实报告煤矿事故的；

（二）伪造、故意破坏煤矿事故现场的；

（三）阻碍、干涉煤矿事故调查工作，拒绝接受调查取证、提供有关情况和资料的。

第四十七条 依照本条例规定被吊销采矿许可证、煤炭生产许可证的，由工商行政管理部门依法相应吊销营业执照。

第四十八条 煤矿安全监察人员滥用职权、玩忽职守、徇私舞弊，应当发现而没有发现煤矿事故隐患或者影响煤矿安全的违法行为，或者发现事故隐患或者影响煤矿安全的违法行为不及时处理或者报告，或者有违反本条例规定行为之一，构成犯罪的，依法追究刑事责任；尚不构成犯罪的，依法给予行政处分。

第五章 附 则

第四十九条 未设立地区煤矿安全监察机构的省、自治区、直辖市，省、自治区、直辖市人民政府可以指定有关部门依照本条例的规定对本行政区域内的煤矿实施安全监察。

第五十条 本条例自2000年12月1日起施行。

项目	合计				顶板				瓦斯				机电			
	次数		人数		次数		人数		次数		人数		次数		人数	
	计	死	死	重	计	死	死	重	计	死	死	重	计	死	死	重
合计	639	326	747	357	263	151	174	129	43	43	389	28	31	20	22	11
北京	35	8	10	29	28	5	5	25	1	1	3		1			1
河北省	14	14	15		5	5	5		3	3	4		3	3	3	
开滦	7	7	7		3	3	3						3	3	3	
峰峰	3	3	4						1	1	2					
井陉	1	1	1		1	1	1									
兴隆																
邢台																
邯郸	3	3	3		1	1	1		2	2	2					
下花园																
八宝山																
山西省	15	15	46		5	5	5		1	1	31		1	1	1	
大同	8	8	38		4	4	4		1	1	31					
阳泉	2	2	3													
西山	1	1	1													
汾西	1	1	1										1	1	1	
潞安																
轩岗																
晋城	2	2	2													
王坪	1	1	1		1	1	1									
霍州																
东山																
荫营																
固庄																
小峪																
南庄																
寨沟																
内蒙古自治区	29	16	67	24	15	9	9	6	3	3	53	12				
平庄	4	4	4		3	3	3									
扎赉诺尔	6	4	5	2	4	2	2	2	1	1	1					
大雁	15	4	54	22	6	2	2	4	1	1	51	12				
霍林河	1	1	1													
宝日希勒	3	3	3		2	2	2		1	1	1					
辽宁省	35	33	49	2	14	14	18		5	5	15		5	4	5	1
抚顺	6	4	4	2	2	2	2						2	1	1	1
阜新	14	14	25		8	8	12		3	3	10		1	1	1	
北票	5	5	5		2	2	2		1	1	1		1	1	1	
铁法	4	4	5										1	1	2	
南票	4	4	8		1	1	1		1	1	4					
沈阳	2	2	2		1	1	1									
本溪																

生产伤亡事故累计表

运输				放炮				水害				火灾				其他			
次数		人数		次数		人数		次数		人数		次数		人数		次数		人数	
计	死	死	重	计	死	死	重	计	死	死	重	计	死	死	重	计	死	死	重
155	55	62	100	20	9	9	11	6	5	29	1	2	2	16		119	41	46	77
2	1	1	1	1	1	1										2			2
1	1	1		1	1	1										1	1	1	
				1	1	1													
1	1	1														1	1	1	
7	7	8														1	1	1	
3	3	3																	
2	2	3														1	1	1	
2	2	2																	
7	3	4	3													4	1	1	3
1	1	1																	
1	1	2																	
5	1	1	3													3			3
																1	1	1	
5	5	5		1	1	1						1	1	2		4	3	3	1
																2	1	1	1
1	1	1		1	1	1													
																1	1	1	
2	2	2														1	1	1	
1	1	1										1	1	2					
1	1	1																	

项　　目	合计				顶板				瓦斯				机电			
	次数		人数		次数		人数		次数		人数		次数		人数	
	计	死	死	重	计	死	死	重	计	死	死	重	计	死	死	重
吉林省	16	16	21		8	8	9		1	1	5		1	1	1	
辽　源	6	6	10		3	3	3		1	1	5					
通　化	4	4	4		2	2	2						1	1	1	
舒　兰																
珲　春	2	2	2		1	1	1									
营　城	4	4	5		2	2	3									
蛟　河																
黑龙江省	165	10	24	155	56	6	7	50	1	1	14		4	1	1	3
鸡　西	2	2	2		1	1	1						1	1	1	
鹤　岗	19	4	4	15	3	2	2	1								
双鸭山	144	4	18	140	52	3	4	49	1	1	14		3			3
七台河																
江苏省	11	9	31	7	6	4	5	7	1	1	1					
浙江省	3	3	3		1	1	1									
安徽省	20	20	26		12	12	13		1	1	5		1	1	1	
淮　南	10	10	15		4	4	4		1	1	5		1	1	1	
淮　北	10	10	11		8	8	9									
江西省	16	16	38		7	7	9		5	5	12					
萍　乡	2	2	4		1	1	3		1	1	1					
丰　城	8	8	23		4	4	4		2	2	4					
英岗岭	2	2	4		1	1	1		1	1	3					
乐　平	4	4	7		1	1	1		1	1	4					
洛　市																
山东省	44	20	24	27	19	9	13	13					4	2	2	2
淄　博																
新　汶	12	5	5	7	6	1	1	5					2	1	1	1
枣　庄	2	2	4		1	1	3									
肥　城	6	3	3	3	2	1	1	1								
兖　州	19	6	8	16	7	3	5	7					1			1
龙　口	2	1	1	1									1	1	1	
坊　子	2	2	2		2	2	2									
临　沂	1	1	1		1	1	1									
河南省	58	24	40	35	10	10	16	1	2	2	10		3	2	2	1
平顶山	5	5	8		2	2	5						1	1	1	
焦　作	9	1	1	8	1	1	1									
鹤　壁	26	4	6	22	2	2	2									
义　马	11	9	9	3	2	2	2	1	1	1	1		2	1	1	1
郑　州	4	3	14	1	2	2	5		1	1	9					
永　城	3	2	2	1	1	1	1									

续表

运输				放炮				水害				火灾				其他			
次数		人数		次数		人数		次数		人数		次数		人数		次数		人数	
计	死	死	重	计	死	死	重	计	死	死	重	计	死	死	重	计	死	死	重
2	2	2		2	2	2										2	2	2	
1	1	1														1	1	1	
				1	1	1													
				1	1	1													
1	1	1														1	1	1	
50	1	1	49	9			9	2	1	1	1					43			43
4	1	1	3	3			3	1	1	1						8			8
46			46	6			6	1			1					35			35
2	2	2						1	1	22						1	1	1	
																2	2	2	
2	2	2		1	1	1		1	1	2						2	2	2	
1	1	1		1	1	1		1	1	2						1	1	1	
1	1	1														1	1	1	
1	1	1		1	1	1						1	1	14		1	1	1	
1	1	1										1	1	14					
				1	1	1										1	1	1	
9	2	2	7	1	1	1		1	1	1						10	5	5	5
1			1	1	1	1		1	1	1						1	1	1	
1	1	1																	
2	1	1	1													2	1	1	1
5			5													6	3	3	3
																1			1
26	5	5	21					1	1	3						16	4	4	12
2	2	2																	
6			6													2			2
14			14					1	1	3						9	1	1	8
3	2	2	1													3	3	3	
																1			1
1	1	1														1			1

项目	合计				顶板				瓦斯				机电			
	次数		人数		次数		人数		次数		人数		次数		人数	
	计	死	死	重	计	死	死	重	计	死	死	重	计	死	死	重
湖南省	13	13	33		6	6	6		5	5	24					
涟　邵	6	6	25		2	2	2		4	4	23					
资　兴	5	5	5		3	3	3		1	1	1					
白　沙	2	2	3		1	1	1									
四川省	18	18	18		10	10	10									
广　旺	2	2	2		2	2	2									
芙　蓉	5	5	5		4	4	4									
攀枝花	3	3	3													
华蓥山	1	1	1													
达　竹	7	7	7		4	4	4									
义　大																
重庆市	19	19	31		8	8	8		7	7	17		1	1	1	
南　桐	5	5	8		1	1	1		3	3	6					
天　府	6	6	11		1	1	1		3	3	6					
松　藻	4	4	8		2	2	2		1	1	5		1	1	1	
中梁山	3	3	3		3	3	3									
永　荣	1	1	1		1	1	1									
贵州省	40	10	189	44	14	2	2	13	3	3	180	12	3			3
六　枝	7	5	21	3	2	1	1	2	1	1	17					
盘　江	26	3	5	24	12	1	1	11					2			2
水　城	7	2	163	17					2	2	163	12	1			1
云南省	14	11	24	7	6	3	4	3	2	2	13	4				
一平浪	2	1	1	1	1			1	1	1	1					
羊　场	3	2	3	1	1			1								
来　宾																
田　坝	9	8	20	5	4	3	4	1	1	1	12	4				
陕西省	13	13	14		6	6	6									
铜　川	2	2	2													
蒲　白	1	1	1		1	1	1									
澄　合	3	3	3		3	3	3									
韩　城	6	6	7		1	1	1									
崔家沟																
车　村																
苍　村	1	1	1		1	1	1									
甘肃省	19	12	17	10	7	5	7	6	1	1	1					
窑　街	10	5	5	4	1	1	1									
阿干镇																
靖　远	9	7	12	6	6	4	6	6	1	1	1					

续表

运输				放炮				水害				火灾				其他			
次数		人数		次数		人数		次数		人数		次数		人数		次数		人数	
计	死	死	重	计	死	死	重	计	死	死	重	计	死	死	重	计	死	死	重
2	2	3																	
1	1	1																	
1	1	2																	
6	6	6														2	2	2	
1	1	1																	
2	2	2														1	1	1	
1	1	1																	
2	2	2														1	1	1	
2	2	4														1	1	1	
																1	1	1	
2	2	4																	
13	3	5	11													7	2	2	5
2	1	1	1													2	2	2	
7	2	4	6													5			5
4			4																
4	4	4														2	2	3	
1	1	1														1	1	2	
3	3	3														1	1	1	
2	2	2		1	1	1										4	4	5	
1	1	1		1	1	1													
1	1	1														4	4	5	
2	2	2		2			2									7	4	7	2
1	1	1		2			2									6	3	3	2
1	1	1														1	1	4	

项目	合计				顶板				瓦斯				机电			
	次数		人数		次数		人数		次数		人数		次数		人数	
	计	死	死	重	计	死	死	重	计	死	死	重	计	死	死	重
宁夏回族自治区	6	6	6		4	4	4									
石嘴山	3	3	3		2	2	2									
石炭井	3	3	3		2	2	2									
灵　武																
新疆维吾尔自治区	5	5	5		2	2	2		1	1	1					
哈　密	1	1	1													
乌鲁木齐	2	2	2		1	1	1		1	1	1					
艾维尔沟	2	2	2		1	1	1									
中煤公司	20	4	5	17	5	1	1	5					3	3	4	
大　屯	8	1	1	8	3	1	1	3								
平　朔	2	2	3										2	2	3	
煤气公司	10	1	1	9	2			2					1	1	1	
神华集团	11	11	11		9	9	9						1	1	1	
神　东	3	3	3		3	3	3									
包　头	1	1	1		1	1	1									
乌　达	1	1	1		1	1	1									
海勃湾	6	6	6		4	4	4						1	1	1	
准格尔																
伊敏河																

2000年国有重点矿办

项目	合计				顶板				瓦斯				机电			
	次数		人数		次数		人数		次数		人数		次数		人数	
	计	死	死	重	计	死	死	重	计	死	死	重	计	死	死	重
合　计	102	97	271	5	49	46	60	3	23	22	170	1	2	2	2	
北京市																
河北省	4	4	5		4	4	5									
开　滦	2	2	3		2	2	3									
峰　峰																
井　陉																
兴　隆	2	2	2		2	2	2									
邢　台																
邯　郸																
下花园																
八宝山																

续表

运输				放炮				水害				火灾				其他			
次数		人数		次数		人数		次数		人数		次数		人数		次数		人数	
计	死	死	重	计	死	死	重	计	死	死	重	计	死	死	重	计	死	死	重
																2	2	2	
																1	1	1	
																1	1	1	
1	1	1														1	1	1	
1	1	1																	
																1	1	1	
8			8													4			4
3			3													2			2
5			5													2			2
1	1	1																	
1	1	1																	

小井伤亡事故累计表

运输				放炮				水害				火灾				其他			
次数		人数		次数		人数		次数		人数		次数		人数		次数		人数	
计	死	死	重	计	死	死	重	计	死	死	重	计	死	死	重	计	死	死	重
16	16	17		1	1	1		2	2	13						9	8	8	1

项目	合计				顶板				瓦斯				机电			
	次数		人数		次数		人数		次数		人数		次数		人数	
	计	死	死	重	计	死	死	重	计	死	死	重	计	死	死	重
山西省	2	2	2		1	1	1						1	1	1	
大同																
阳泉	2	2	2		1	1	1						1	1	1	
西山																
汾西																
潞安																
轩岗																
晋城																
王坪																
霍州																
东山																
荫营																
固庄																
小峪																
南庄																
寨沟																
内蒙古自治区	6	3	5	3	4	1	1	3	1	1	3					
平庄	2	2	4		1	1	1		1	1	3					
扎赉诺尔																
大雁	4	1	1	3	3			3								
霍林河																
宝日希勒																
辽宁省	17	17	40		8	8	12		4	4	23					
抚顺	1	1	20						1	1	20					
阜新	13	13	17		8	8	12		1	1	1					
北票	3	3	3						2	2	2					
铁法																
南票																
沈阳																
本溪																
吉林省	14	14	49		9	9	11		2	2	34					
辽源	2	2	33						1	1	31					
通化	2	2	2		2	2	2									
舒兰	2	2	4		1	1	3									
珲春	4	4	4		4	4	4									
营城																
蛟河	4	4	6		2	2	2		1	1	3					
黑龙江省	13	13	95		3	3	7		7	7	84					
鸡西	5	5	29		1	1	4		3	3	23					
鹤岗	4	4	36		1	1	2		3	3	34					
双鸭山	1	1	27						1	1	27					
七台河	3	3	3		1	1	1									
江苏省																
浙江省																

续表

运输				放炮				水害				火灾				其他			
次数		人数		次数		人数		次数		人数		次数		人数		次数		人数	
计	死	死	重	计	死	死	重	计	死	死	重	计	死	死	重	计	死	死	重
1	1	1																	
1	1	1																	
3	3	3														2	2	2	
2	2	2														2	2	2	
1	1	1																	
								1	1	2						2	2	2	
								1	1	2									
																1	1	1	
																1	1	1	
3	3	4																	
1	1	2																	
2	2	2																	

项目	合计				顶板				瓦斯				机电			
	次数		人数		次数		人数		次数		人数		次数		人数	
	计	死	死	重	计	死	死	重	计	死	死	重	计	死	死	重
安徽省	7	7	7		4	4	4		1	1	1					
淮南	7	7	7		4	4	4		1	1	1					
淮北																
江西省	4	4	17		1	1	2		3	3	15					
萍乡	1	1	2		1	1	2									
丰城	1	1	11						1	1	11					
英岗岭	2	2	4						2	2	4					
乐平																
洛市																
山东省	6	5	5	1	2	2	2						1	1	1	
淄博	2	2	2		1	1	1									
新汶																
枣庄	2	2	2										1	1	1	
肥城	1	1	1		1	1	1									
兖州	1			1												
龙口																
坊子																
临沂																
河南省	1	1	1													
平顶山	1	1	1													
焦作																
鹤壁																
义马																
郑州																
永城																
湖南省	2	2	2		1	1	1		1	1	1					
涟邵	1	1	1		1	1	1									
资兴																
白沙	1	1	1						1	1	1					
四川省	2	2	5		1	1	1		1	1	4					
广旺																
芙蓉																
攀枝花																
华蓥山	1	1	4						1	1	4					
达竹	1	1	1		1	1	1									
义大																
重庆市																
南桐																
天府																
松藻																
中梁山																
永荣																

续表

运输				放炮				水害				火灾				其他			
次数		人数		次数		人数		次数		人数		次数		人数		次数		人数	
计	死	死	重	计	死	死	重	计	死	死	重	计	死	死	重	计	死	死	重
1	1	1														1	1	1	
1	1	1														1	1	1	
1	1	1														2	1	1	
																1	1	1	1
1	1	1																	
																1			
																			1
1	1	1																	
1	1	1																	

项目	合计				顶板				瓦斯				机电			
	次数		人数		次数		人数		次数		人数		次数		人数	
	计	死	死	重	计	死	死	重	计	死	死	重	计	死	死	重
贵州省	2	1	1	1	1	1	1		1			1				
六　枝	2	1	1	1	1	1	1		1			1				
盘　江																
水　城																
云南省																
一平浪																
羊　场																
来　宾																
田　坝																
陕西省																
铜　川																
蒲　白																
澄　合																
韩　城																
崔家沟																
车　村																
苍　村																
甘肃省	2	2	3		2	2	3									
窑　街																
阿干镇																
靖　远	2	2	3		2	2	3									
宁夏回族自治区	4	4	17		1	1	1		2	2	5					
石嘴山																
石炭井	4	4	17		1	1	1		2	2	5					
灵　武																
新疆维吾尔自治区	1	1	1													
哈　密																
乌鲁木齐	1	1	1													
艾维尔沟																
中煤公司																
大　屯																
平　朔																
煤气公司																
神华集团	15	15	16		7	7	8									
神　东	2	2	2		1	1	1									
包　头	4	4	4		1	1	1									
乌　达	6	6	6		3	3	3									
海勃湾	3	3	4		2	2	3									
准格尔																
伊敏河																

续表

运输				放炮				水害				火灾				其他			
次数		人数		次数		人数		次数		人数		次数		人数		次数		人数	
计	死	死	重	计	死	死	重	计	死	死	重	计	死	死	重	计	死	死	重
									1	1	11								
									1	1	11								
					1	1	1												
					1	1	1												
6	6	6														2	2	2	
																1	1	1	
2	2	2														1	1	1	
3	3	3																	
1	1	1																	

2000年国有地方煤炭

项目	合计				顶板				瓦斯				机电			
	次数		人数		次数		人数		次数		人数		次数		人数	
	计	死	死	重	计	死	死	重	计	死	死	重	计	死	死	重
合计	562	521	814	52	260	250	309	13	97	97	292	3	21	15	15	6
北京																
河北	7	7	9		3	3	3		2	2	4					
山西	33	33	56		15	15	21		7	7	24					
内蒙古	20	20	22	3	8	8	8		1	1	3	3	1	1	1	
辽宁	20	20	29		11	11	11		4	4	12		1	1	1	
吉林	17	17	20		13	13	15		1	1	1		1	1	1	
黑龙江	18	18	58		7	7	8		8	8	47					
江苏	8	8	8		5	5	5									
浙江																
安徽	14	14	39		4	4	8		3	3	21					
福建	7	7	9		5	5	7									
江西	13	13	21		4	4	5		4	4	6		1	1	1	
山东	27	27	37		17	17	21						3	3	3	
河南	24	24	32		17	17	24		4	4	5					
湖北	12	12	20		5	5	7		3	3	8		1	1	1	
湖南	64	64	92		25	25	26		24	24	49		1	1	1	
广东	9	9	11	2	7	7	9	1	1	1	1					
广西	49	15	23	37	13	5	7	8	1	1	1		7	1	1	6
四川	45	45	71		24	24	31		7	7	24					
重庆	28	28	29		10	10	11		5	5	5		1	1	1	
贵州	7	7	8		2	2	2		2	2	2					
云南	23	22	26	3	7	6	6	3	1	1	4		1	1	1	
陕西	12	12	17		5	5	10		1	1	1					
甘肃	13	9	39	4	7	7	13		1	1	25					
青海	6	5	11	2	3	3	3		1	1	7		1	1	1	
宁夏	10	9	9	1	5	4	4	1	1	1	1					
新疆	76	76	118		38	38	44		15	15	41		2	2	2	
其他																

生产伤亡事故累计表

运输				放炮				水害				火灾				其他			
次数		人数		次数		人数		次数		人数		次数		人数		次数		人数	
计	死	死	重	计	死	死	重	计	死	死	重	计	死	死	重	计	死	死	重
97	77	86	21	14	13	15	1	11	11	26	2	2	1	3	2	60	57	68	4
1	1	1														1	1	1	
1	1	1														10	10	10	
5	5	5		3	3	3										2	2	2	
3	3	4		1	1	1													
2	2	3																	
1	1	1		2	2	2													
3	3	3																	
2	2	3		1	1	1										4	4	6	
1	1	1														1	1	1	
2	2	3						1	1	3		1	1	3					
6	6	6														1	1	7	
2	2	2														1	1	1	
1	1	1		2	2	3													
8	8	0		1	1	1		1	1	3						4	4	4	
1	1	1	1																
21	3	3	18					2	2	5	2					5	3	6	3
6	6	6		1	1	2		1	1	2						6	6	6	
6	6	6						1	1	1						5	5	5	
2	2	2						1	1	2									
12	12	13														2	2	2	
3	3	3		1	1	1										2	2	2	
2			2	1			1									2	1	1	1
												1			2				
1	1	1						1	1	1						2	2	2	
5	5	8		1	1	1		3	3	10						12	12	12	

2000年乡镇煤矿

项目	合计				顶板				瓦斯				机电			
	次数		人数		次数		人数		次数		人数		次数		人数	
	计	死	死	重	计	死	死	重	计	死	死	重	计	死	死	重
合计	1764	1753	3933	28	778	768	961	12	562	561	2279	10	36	36	38	
北京	9	9	13		3	3	3		3	3	6					
河北	19	19	59		9	9	11		9	9	47					
山西	70	70	389		25	25	65		32	32	299		1	1	1	
内蒙古	83	82	128	3	46	45	53	1	21	21	53		2	2	2	
辽宁	104	104	178		60	60	68		20	20	76		1	1	1	
吉林	48	48	124		26	26	30		11	11	72					
黑龙江	49	49	148	1	19	19	24	1	17	17	104					
江苏	3	3	5	1	3	3	5	1								
浙江	3	3	5		2	2	3		1	1	2					
安徽	37	37	43		19	19	19		3	3	9		3	3	3	
福建	28	28	45		13	13	16		8	8	15		2	2	2	
江西	51	51	148		16	16	19		19	19	94					
山东	19	19	37		10	10	10		2	2	14		1	1	1	
河南	52	52	154		18	18	25		17	17	67					
湖北	100	100	138		56	56	64		28	28	52		2	2	2	
湖南	218	218	418	7	95	95	124		63	63	204	4	3	3	3	
广东	23	23	54	2	11	11	12		5	5	24	2	1	1	1	
广西	19	19	72		5	5	8		9	9	51		1	1	1	
四川	152	142	324	11	67	58	82	9	54	53	193	1	3	3	3	
重庆	153	153	262		64	64	66		59	59	160		6	6	7	
贵州	181	181	579		58	58	68		97	97	457		5	5	6	
云南	74	74	189		35	35	42		33	33	139		2	2	2	
陕西	66	66	106		42	42	45		14	14	51					
甘肃	9	9	35		3	3	12		5	5	21					
青海	7	7	17	3	1	1	1		5	5	15	3				
宁夏	3	3	5		1	1	1									
新疆	134	134	180		71	71	85		27	27	54		3	3	3	
其他	50	50	78													

伤亡事故累计表

运输				放炮				水害				火灾				其他			
次数		人数		次数		人数		次数		人数		次数		人数		次数		人数	
计	死	死	重	计	死	死	重	计	死	死	重	计	死	死	重	计	死	死	重
139	139	161	5	25	25	27		85	85	279		10	10	21		129	129	167	1
2	2	2		1	1	2													
								1	1	1									
7	7	13		1	1	1		2	2	7						2	2	3	
8	8	8	2	2	2	2		3	3	9						1	1	1	
16	16	17		1	1	1		5	5	14						1	1	1	
5	5	6						3	3	9						3	3	7	
5	5	6		2	2	2		4	4	10		1	1	1		1	1	1	
5	5	5						3	3	3						4	4	4	
2	2	2		1	1	2		1	1	2		1	1	6					
4	4	4						4	4	23						8	8	8	
3	3	3		1	1	1		1	1	6		1	1	2					
4	4	8						8	8	44		1	1	4		4	4	6	
5	5	5		5	5	5		1	1	7						3	3	3	
26	26	26	3	3	3	3		18	18	46		1	1	6		6	6	6	
				1	1	1		5	5	16									
3	3	5						1	1	7									
8	8	9		1	1	1		3	3	18						16	16	18	1
14	14	15		1	1	1		4	4	8						5	5	5	
2	2	3		2	2	2		12	12	37						5	5	6	
2	2	2						2	2	4									
7	7	7		1	1	1										2	2	2	
1	1	2																	
																1	1	1	
1	1	3														1	1	1	
9	9	10		2	2	2		4	4	8		2	2	2		16	16	16	
																50	50	78	

2000年国有重点基本

项目	合计				顶板				瓦斯				机电			
	次数		人数		次数		人数		次数		人数		次数		人数	
	计	死	死	重	计	死	死	重	计	死	死	重	计	死	死	重
合计	17	14	18	3	9	8	9	1					2			2
北京																
河北	1	1	1		1	1	1									
山西	2	2	2		2	2	2									
内蒙古	1	1	4													
辽宁																
吉林																
黑龙江																
江苏	1	1	1		1	1	1									
浙江																
安徽	5	5	5		3	3	3									
福建																
江西																
山东	2			2									2			2
河南	3	3	4		1	1	2									
湖北																
湖南																
广东																
广西																
四川	1	1	1													
重庆																
贵州																
云南																
陕西																
甘肃	1			1	1			1								
青海																
宁夏																
新疆																
其他																

建设伤亡事故累计表

运输				放炮				水害				火灾				其他			
次数		人数		次数		人数		次数		人数		次数		人数		次数		人数	
计	死	死	重	计	死	死	重	计	死	死	重	计	死	死	重	计	死	死	重
3	3	3						1	1	4						2	2	2	
								1	1	4									
2	2	2																	
1	1	1														1	1	1	
																1	1	1	

2000年国有地方基本

项目	合计				顶板				瓦斯				机电			
	次数		人数		次数		人数		次数		人数		次数		人数	
	计	死	死	重	计	死	死	重	计	死	死	重	计	死	死	重
合计	9	9	13		5	5	8		1	1	2		1	1	1	
北京																
河北																
山西	2	2	2										1	1	1	
内蒙古																
辽宁	2	2	3						1	1	2					
吉林	1	1	1		1	1	1									
黑龙江																
江苏																
浙江																
安徽	1	1	1		1	1	1									
福建																
江西																
山东																
河南																
湖北																
湖南	1	1	1		1	1	1									
广东																
广西																
四川																
重庆																
贵州																
云南																
陕西	1	1	4		1	1	4									
甘肃	1	1	1		1	1	1									
青海																
宁夏																
新疆																
其他																

建设伤亡事故累计表

运输				放炮				水害				火灾				其他			
次数		人数		次数		人数		次数		人数		次数		人数		次数		人数	
计	死	死	重	计	死	死	重	计	死	死	重	计	死	死	重	计	死	死	重
1	1	1														1	1	1	
1	1	1																	
																1	1	1	

2000 年全国煤炭工业安全情况表

	死亡起数	死亡人数	产量（10^4t）	百万吨死亡率	事故分类																3人以上事故		其中：10人以上事故	
					顶板		瓦斯		机电		运输		放炮		水害		火灾		其他					
					起	人	起	人	起	人	起	人	起	人	起	人	起	人	起	人	起	人	起	人
全国煤炭工业合计	2722	5798			1228	1521	724	3132	75	79	291	330	48	52	104	351	13	40	239	293	466	3188	75	1405
一、煤炭生产	2697	5765	99916.98	5.770	1215	1504	723	3130	73	77	287	326	48	52	103	347	13	40	235	289	465	3184	75	1405
其中：原煤生产	2661	5703	99916.98	5.708	1209	1496	719	3109	69	73	285	324	48	52	102	344	13	40	216	265	465	3184	75	1405
1. 国有重点煤矿	326	747	48498.19	1.540	151	174	43	389	20	22	55	62	9	9	5	29	2	16	41	46	31	427	9	338
其中：原煤生产	299	700	48498.19	1.443	147	170	39	368	16	18	54	61	9	9	5	29	2	16	27	29	31	427	9	338
2. 矿办小井	97	271			46	60	22	170	2	2	16	17	1	1	2	13			8	8	20	187	8	143
3. 国有地方生产	521	814	19425. 93	4. 190	250	309	97	292	15	15	77	86	13	15	11	26	1	3	57	68	60	306	3	53
其中：原煤生产	512	799	19425. 93	4. 113	248	305	97	292	15	15	76	85	13	15	10	23	1	3	52	61	60	306	3	53
4. 乡镇煤矿	1753	3933	26917. 28	14. 611	768	961	561	2279	36	38	139	161	25	27	85	279	10	21	129	167	354	2264	55	871
其中：有证矿井	1416	3001			666	822	436	1682	33	35	124	143	25	27	65	204	10	21	57	67				
二、国有重点基本建设	23	31			13	17	1	2	1	1	4	4			1	4			3	3	1	4		
其中：1. 重点建设	14	18			8	9					3	3			1	4			2	2	1	4		
2. 地方建设	9	13			5	8	1	2	1	1	1	1							1	1				
三、地质勘探																								
四、机械制造	1	1																	1	1				
五、火工其他	1	1							1	1														
国有重点企业表外	13	18			1	4			2	2	3	3	1	3					6	6	2	7		

说明：全国煤炭工业合计不包含国有重点企业表外 18 人。

2000年累计10人以上重大伤亡事故情况表

序号	省(区)	矿务局	矿	年	月	日	地点	类别	死亡	重伤	轻伤	统计属别	直接原因	间接原因	简明情况	损失 (10^4元)
1	河北	峰峰矿区	辛寺庄矿	2000	09	08	采煤面	瓦斯	16		3	乡镇煤矿	瓦斯爆炸(放炮)	三违	采面放炮引爆老塘瓦斯	
2	山西	灵石英武	新长征矿	2000	01	02	采煤面	瓦斯	20			乡镇煤矿	窒息	三违	停风机自然通风天冷进出风口被堵住工人吸烟引起瓦斯爆炸	
3	山西	盂县下曹	郭村柳沟	2000	01	12	掘进头	瓦斯	13			乡镇煤矿	瓦斯爆炸(放炮)	三违	采面通风不好放炮引起瓦斯爆炸	
4	山西	临汾古县	永乐煤矿	2000	04	15	采煤面	瓦斯	47			乡镇煤矿	瓦斯爆炸(失爆)	三违	掘进式采煤停风机乱采滥挖电缆接头失爆引起瓦斯爆炸	
5	山西	大同	永定庄	2000	09	05	掘进头	瓦斯	31			国有重点	瓦斯爆炸(撞击)	三违	21408巷设备与金属撞击产生火花发生瓦爆	
6	山西	晋中左权	永福寺矿	2000	10	10	采煤面	瓦斯	12			乡镇煤矿	瓦斯爆炸(放炮)	三违	采面通风不好放炮引起瓦斯爆炸	
7	山西	大同电湾	西沟村一号	2000	11	13	采煤面	瓦斯	25			乡镇煤矿	瓦斯爆炸(放炮)	三违	采面通风不好放炮引起瓦斯爆炸	
8	山西	临汾北方	星西沟煤矿	2000	11	23	采煤面	瓦斯	26			乡镇煤矿	瓦斯爆炸(放炮)	三违	采面通风不好放炮引起瓦斯爆炸	
9	山西	运城地区	河津天龙矿	2000	12	03	采煤面	瓦斯	48			乡镇煤矿	瓦斯爆炸(放炮)	三违	采面通风不好发生瓦斯爆炸事故(乡镇矿有两证)	
10	内蒙古	大雁	二矿	2000	11	25	采煤面	瓦斯	51	12		国有重点	瓦斯爆炸(放炮)	三违	五盘区回撤工作面发生瓦斯爆炸(事故待查)	
11	辽宁	南票缸瓦	岭二矿	2000	01	09	采煤面	瓦斯	11			乡镇煤矿	瓦斯爆炸(吸烟)	三违	采面吸烟引起瓦斯爆炸	
12	辽宁	阜新东梁	兴国一井	2000	01	16	采煤面	瓦斯	23			乡镇煤矿	瓦斯爆炸(放炮)	三违	采面风量不足放炮引起瓦斯爆炸(无证)	
13	辽宁	本溪明山	牛心台	2000	05	04	掘进头	水害	10			乡镇煤矿	老空水	安全措施不力	凤祥矿掘进头放炮后崩透采空区老塘水涌人(事故待查)	
14	辽宁	抚顺多经	局3公司	2000	10	27	掘进头	瓦斯	20			国有重点	瓦斯爆炸(放炮)	安全教育不够	采面通风不好放炮引起瓦斯爆炸(矿办小井)	
15	吉林	长春九台	桐安煤矿	2000	02	09	采煤面	瓦斯	16			乡镇煤矿	瓦斯爆炸(撞击)	三违	矿井停电停风工人断溜子链引起瓦斯爆炸	

续表

序号	省(区)	矿务局	矿	年	月	日	地点	类别	死亡	重伤	轻伤	统计属别	直接原因	间接原因	简明情况	损失(10⁴元)
16	吉林	江源松树	红利二井	2000	03	04	掘进头	瓦斯	21			乡镇煤矿	瓦斯爆炸(失爆)	三违	通风系统不完善瓦斯积聚矿灯失爆引起瓦斯爆炸	170.00
17	吉林	辽源	西安	2000	11	05	采煤面	瓦斯	31			国有重点	瓦斯爆炸(放炮)	三违	采面通风不好放炮员放炮引燃采空区瓦斯造成瓦斯爆炸(矿办小井)	
18	黑龙江	七台河	红旗镇红升	2000	02	20	掘进头	瓦斯	22			乡镇煤矿	瓦斯爆炸(吸烟)	三违	局扇循环风工人吸烟引起瓦斯爆炸	
19	黑龙江	鹤岗	新一小井	2000	02	22	采煤面	瓦斯	18			国有重点	瓦斯爆炸(放炮)	三违	红旗镇红升井与新一矿小井贯通发生瓦爆后又引起爆炸(矿办小井)	
20	黑龙江	双鸭山	正兴实验井	2000	03	18	掘进头	瓦斯	27			国有重点	瓦斯爆炸(放炮)	三违	无防尘系统停风造成瓦斯积聚放炮引起瓦斯爆炸(矿办小井)	
21	黑龙江	鸡西多经	滴道三井	2000	03	23	采煤面	瓦斯	13			国有重点	瓦斯爆炸(吸烟)	三违	采面无风作业瓦斯积聚工人吸烟引起瓦斯爆炸(矿办小井)	70.00
22	黑龙江	鸡西恒华	立新煤矿	2000	04	24	掘进头	瓦斯	15			乡镇煤矿	瓦斯爆炸(失爆)	三违	停风机打眼电钻线明接头相间短路引起瓦爆波击另一小井共死亡15人	
23	黑龙江	鸡东县	先锋七矿	2000	05	30	掘进头	瓦斯	10			乡镇煤矿	瓦斯爆炸(失爆)	三违	掘进头循环风绞车开关失爆引起瓦爆	
24	黑龙江	鹤岗	鑫顶煤矿	2000	08	08	掘进头	瓦斯	16			国有地方	瓦斯爆炸(放炮)	三违	掘进头接近断层瓦斯涌出放炮引起瓦斯爆炸	
25	黑龙江	双鸭山	东保卫	2000	09	01	掘进头	瓦斯	14			国有重点	瓦斯爆炸(放炮)	三违	一采区准备工作面贯通时试验放炮器打火引起瓦斯爆炸	
26	黑龙江	鹤岗	弘鹤八达	2000	10	21	掘进头	瓦斯	12			国有重点	瓦斯爆炸(放炮)	三违	掘进头发生瓦斯爆炸(矿办小井)	
27	黑龙江	七台河	富源公司鹿山	2000	11	13	采煤面	瓦斯	14			乡镇煤矿	瓦斯爆炸(放炮)	三违	主扇停风瓦斯积聚用动力线明电放炮引起瓦斯爆炸	

续表

序号	省(区)	矿务局	矿	年	月	日	地点	类别	死亡	重伤	轻伤	统计属别	直接原因	间接原因	简明情况	损失(10^{4}元)
28	江苏	徐州	大黄山	2000	01	11	掘进头	水害	22			国有重点	老空水	三违	－320水平西一采区掘进3201材料道时透老空水	
29	安徽	宣城	港口二矿	2000	11	08	掘进头	瓦斯	12			国有地方	瓦斯爆炸(放炮)	三违	在准备贯通掘进头时违章放炮引起瓦斯爆炸	
30	江西	景德镇	大坞口矿	2000	03	13	采煤面	瓦斯	13			乡镇煤矿	煤岩突出	安全措施不力	5号井发生煤与瓦斯突出	
31	江西	丰城尚二	留守处井	2000	03	26	掘进头	瓦斯	11			国有重点	窒息	三违	在261迎头掘煤巷时与老空区打通瓦斯涌出窒息(矿办小井	
32	江西	宜春市	新塘新建	2000	05	17	采煤面	瓦斯	14			乡镇煤矿	瓦斯爆炸(放炮)	三违	已停产矿井非法开采造成瓦斯爆炸	
33	江西	萍乡湘东	巨源开发	2000	10	09	采煤面	瓦斯	12			乡镇煤矿	瓦斯爆炸(放炮)	安全措施不力	采面发生透水事故	
34	江西	丰城	坪湖	2000	11	02	上下山	火灾	14			国有重点	外因火灾	安全措施不力	－600暗斜井第二部皮带起火	
35	山东	莱芜钢城	区里辛矿	2000	01	08	采煤面	瓦斯	10			乡镇煤矿	瓦斯爆炸(放炮)	三违	11908切眼放炮时发生瓦斯爆炸	
36	河南	平顶山	汝州临汝镇	2000	09	05	采煤面	瓦斯	14			乡镇煤矿	煤岩突出	安全措施不全	暴雨山矿发生煤与瓦斯突出	60.00
37	河南	新安石寺	石寺新井	2000	11	20	采煤面	瓦斯	13			乡镇煤矿	瓦斯爆炸(放炮)	三违		
38	河南	郑州荥阳	新兴煤矿	2000	12	04	采煤面	水害	10			乡镇煤矿	老空水	三违	邻矿发生灌人新兴矿导致人员伤亡(乡镇无证)	
39	湖南	临武金江	木冲双凤	2000	03	31	采煤面	瓦斯	16	1		乡镇煤矿	瓦斯爆炸(吸烟)	三违	矿井自然通风吸烟引起瓦斯爆炸	41.00
40	湖南	郴州苏仙	寥王坪矿	2000	04	12	采煤面	瓦斯	12			乡镇煤矿	煤岩突出	安全措施不力	采面发生煤与瓦斯突出(无证)	
41	湖南	涟邵	利民	2000	09	18	采煤面	瓦斯	15			国有重点	煤岩突出	安全措施不力	1231采面切眼替换支架时发生瓦斯突出	60.00
42	湖南	邵阳黄亭	双清矿	2000	11	23	采煤面	瓦斯	10	4		乡镇煤矿	瓦斯爆炸(放炮)	三违	局扇开关失爆引起瓦斯爆炸(无证)	27.00
43	广西	来宾平阳	罗克成井	2000	03	27	掘进头	瓦斯	10			乡镇煤矿	瓦斯爆炸(明电)	三违	自然通风明电照明违章带电作业引起瓦斯爆炸(无证)	

续表

序号	省(区)	矿务局	矿	年	月	日	地点	类别	死亡	重伤	轻伤	统计属别	直接原因	间接原因	简明情况	损失(10^4元)
44	广西	百色田东	林蓬龙翔矿	2000	11	12	采煤面	瓦斯	16			乡镇煤矿	瓦斯爆炸(放炮)	三违	该矿越界开采偷打开已封闭的越界巷道放炮引起瓦斯爆炸	
45	四川	峨眉山龙	池硝沟矿	2000	03	08	掘进头	瓦斯	12	1		乡镇煤矿	瓦斯爆炸(失爆)	三违	停风 27 小时不排瓦斯电缆失爆引起瓦斯爆炸	
46	四川	宜宾金平	金窝煤矿	2000	03	08	掘进头	瓦斯	11	2		乡镇煤矿	瓦斯爆炸(明电)	三违	停风大串联不查瓦斯电工带电作业	
47	四川	雅安铜厂	3 号井	2000	03	28	采煤面	瓦斯	10			乡镇煤矿	瓦斯爆炸(放炮)	三违	采面自然通风不好放炮引起瓦斯爆炸	
48	四川	宜宾宴阳	劳武煤矿	2000	06	14	采煤面	瓦斯	11			乡镇煤矿	煤岩突出	安全措施不力	采面发生煤与瓦斯突出事故	40.00
49	四川	德阳尊道	太平矿	2000	06	16	采煤面	瓦斯	11			乡镇煤矿	瓦斯爆炸(放炮)	三违	采面发生瓦斯爆炸死亡 7 人在抢救过程中又死亡 4 人	
50	四川	达州灵岩	花草沟矿	2000	07	18	采煤面	瓦斯	10	1		乡镇煤矿	瓦斯爆炸(吸烟)	三违	采面局扇停开工人吸烟引起瓦斯爆炸	
51	四川	邻水凉山	大发煤矿	2000	10	29	掘进头	水害	12			乡镇煤矿	老空水	三违	采面透老空水	
52	重庆	奉节大树	镇田村矿	2000	06	19	采煤面	瓦斯	16			乡镇煤矿	瓦斯爆炸(失爆)	三违	局扇拉循环风电器失爆引起瓦斯爆炸	
53	重庆	奉节白帝	镇前进乡	2000	06	26	采煤面	瓦斯	14			乡镇煤矿	瓦斯爆炸(失爆)	三违	石膏坪矿通讯电缆失爆电工带电作业产生火花引起瓦斯爆炸	
54	贵州	盘县松河	皂角树矿	2000	01	08	采煤面	瓦斯	18			乡镇煤矿	瓦斯爆炸(放炮)	三违	采面无风放炮引起瓦斯爆炸	
55	贵州	六枝	地宗公司	2000	02	03	采煤面	瓦斯	17		2	国有重点	窒息	安全措施不力	2276 急倾斜煤层冒顶采空区瓦斯涌出窒息	
56	贵州	荔波利华	双龙煤矿	2000	04	11	掘进头	瓦斯	15			乡镇煤矿	瓦斯爆炸(磨擦)	三违	掘进头瓦斯积聚机械磨擦起火引起瓦斯爆炸(停产整顿矿井)	
57	贵州	六盘水	新民凯强	2000	05	24	采煤面	瓦斯	11			乡镇煤矿	瓦斯爆炸(放炮)	三违	采面无风违章放炮引起瓦斯爆炸	
58	贵州	六盘水	钟山区大河	2000	05	31	采煤面	瓦斯	21			乡镇煤矿	瓦斯爆炸(放炮)	三违	兴华矿发生瓦斯爆炸(事故待查)	

续表

序号	省(区)	矿务局	矿	年	月	日	地点	类别	死亡	重伤	轻伤	统计属别	直接原因	间接原因	简明情况	损失(10^4元)
59	贵州	普安楼下	吴云贵矿	2000	07	21	采煤面	瓦斯	10			乡镇煤矿	瓦斯爆炸(失爆)	三违	采面电器失爆瓦斯积聚引起瓦斯爆炸	
60	贵州	贵阳清镇	麻林湾矿	2000	09	13	采煤面	瓦斯	21			乡镇煤矿	瓦斯爆炸(放炮)	三违	采面无风放炮引起瓦斯爆炸	
61	贵州	织金三塘	渡口村矿	2000	09	14	采煤面	瓦斯	15			乡镇煤矿	瓦斯爆炸(明电)	三违	采面明刀闸引起瓦斯爆炸(无证)	
62	贵州	威宁新化	曹清广矿	2000	09	15	采煤面	瓦斯	15	2	3	乡镇煤矿	瓦斯爆炸(放炮)	三违	采面吸烟引起瓦斯爆炸(无证)	
63	贵州	水城	木冲沟	2000	09	27	大巷	瓦斯	162			国有重点	瓦斯爆炸(放炮)	三违	4 采区 4116 回风巷排放瓦斯时发生特大瓦爆(事故原因待查)	
64	贵州	安顺平坝	吗场洪岗矿	2000	11	07	掘进头	瓦斯	15			乡镇煤矿	瓦斯爆炸(失爆)	三违	独眼井局扇风力不够瓦斯积聚矿灯引起瓦斯爆炸	
65	贵州	黔南福泉	高石天鹅矿	2000	11	16	掘进头	瓦斯	10			乡镇煤矿	瓦斯爆炸(明电)	三违	独眼井明接头引起瓦斯爆炸	
66	贵州	盘县	汪家庄矿	2000	12	26	采煤面	瓦斯	26			乡镇煤矿	瓦斯爆炸(放炮)	三违	采面通风不好放炮引起瓦斯爆炸(无证)	
67	云南	田坝	二井	2000	07	02	掘进头	瓦斯	12	13		国有重点	瓦斯爆炸(放炮)	三违	遇断层瓦斯大量涌出违章放炮引起瓦斯爆炸	
68	云南	富源竹园	金来武矿	2000	07	12	采煤面	瓦斯	18			乡镇煤矿	煤岩突出	安全措施不力	采面发生煤与瓦斯突出	
69	云南	师宗雄壁	雨柱常忠兴	2000	11	16	采煤面	瓦斯	16			乡镇煤矿	瓦斯爆炸(失爆)	三违	局扇代主扇风量不足工人拆卸矿灯引起瓦斯爆炸	
70	云南	曲靖麒麟	东山老冲沟	2000	11	30	采煤面	瓦斯	17			乡镇煤矿	瓦斯爆炸(放炮)	三违		
71	陕西	澄城尧头	马家河井	2000	04	02	采煤面	瓦斯	10			乡镇煤矿	瓦斯爆炸(吸烟)	三违	矿井自然通风不好吸烟引起瓦斯爆炸	
72	陕西	铜川	瑶曲片盘矿	2000	11	08	采煤面	瓦斯	15			乡镇煤矿	瓦斯爆炸(撞击)	三违	采风通风不好瓦斯积聚作业扦子撞击轨道产生引起瓦爆	30.00
73	甘肃	武威古城	莱籽湾矿	2000	02	28	采煤面	瓦斯	12			乡镇煤矿	瓦斯爆炸(放炮)	三违	采面瓦斯涌出窒息	
74	甘肃	兰州	獐儿沟	2000	10	11	掘进头	瓦斯	25			国有地方	煤岩突出	安全措施不力	南翼掘进头发生煤与瓦斯突出	
75	宁夏	石炭井	白芨沟井	2000	08	20	掘进头	水害	11			国有重点	老空水	安全措施不力	综合加工厂井发生透水事故(矿办小井)	

全国煤矿安全监察系统名录

单位名称	地址	邮政编码
北京京煤集团有限责任公司	北京市门头沟区新桥南大街2号	102300
河北煤矿安全监察局	河北省石家庄市华安街80号	050051
开滦(集团)有限责任公司	河北省唐山市新华东道70号	063018
峰峰矿务局	河北省邯郸市峰峰矿区峰峰镇太中路2号	056201
井陉矿务局	河北省石家庄市井陉矿区	050100
邯郸矿务局	河北省邯郸市中华大街56号	056002
邢台矿业(集团)有限责任公司	河北省邢台市中兴大街191号	054021
邢台煤矿安全监察办事处	河北省邢台市八一大街86号	054000
邯郸煤矿安全监察办事处	河北省邯郸市贸易街9号	056001
唐山煤矿安全监察办事处	河北省唐山市新华西道21号	063100
张家口煤矿安全监察办事处	河北省张家口市建设东街金桥宾馆	075000
兴隆矿务局	河北省承德市鹰手营子矿区	067200
山西煤矿安全监察局	山西省太原市并州北路219号	030012
大同煤矿安全监察办事处	山西省大同市新平旺和平街12号	037003
阳泉煤矿安全监察办事处	山西省阳泉市桃南中路112号	045008
西山煤矿安全监察办事处	山西省太原市西矿街388号	030053
临汾煤矿安全监察办事处	山西省临汾市五一西路52号	041000
长治煤矿安全监察办事处	山西省长治市襄阳县侯堡镇	046204
吕梁煤矿安全监察办事处	山西省离石市永宁西路133号	033000
大同煤矿集团有限责任公司	山西省大同市新平旺	037003
平朔煤炭工业公司	山西省朔州市平朔生活区	038506
阳泉煤业(集团)有限责任公司	山西省阳泉市北大西街5号	045000
西山煤电(集团)有限责任公司	山西省太原市河西区西矿街109号	030053
汾西矿业(集团)有限责任公司	山西省介休市西关	031200
潞安矿业(集团)有限责任公司	山西省襄垣县候堡	046204
轩岗矿务局	山西省原平市轩岗镇	034114
晋城无烟煤矿业集团有限责任公司	山西省晋城市北石店乡	048006
霍州煤电集团有限责任公司	山西省霍州市	031400
内蒙古煤矿安全监察局	内蒙古自治区呼和浩特市新城西街43号	010010
海拉尔煤矿安全监察办事处	内蒙古自治区海拉尔市河东胜利路胜利村390号	021008
赤峰煤矿安全监察办事处	内蒙古自治区赤峰市松山区木兰街中段松山区	024005

续表

单位名称	地址	邮政编码
包头煤矿安全监察办事处	内蒙古自治区包头市昆都仑区阿尔丁大街8号	014014
乌海煤矿安全监察办事处	内蒙古自治区乌海市海勃湾区海北大街	016000
准格尔煤炭工业公司	内蒙古自治区呼和浩特市薛家湾镇	010300
包头矿务局	内蒙古自治区包头市石拐区	014070
乌达矿务局	内蒙古自治区乌海市乌达区	016040
海勃湾矿务局	内蒙古自治区乌海市	016000
平庄煤业(集团)有限责任公司	内蒙古自治区赤峰市元宝山区平庄镇	024001
呼伦贝尔煤业集团有限责任公司	内蒙古自治区呼盟海拉尔市	021003
呼煤集团大雁煤业公司	内蒙古自治区呼盟大雁矿区	021122
呼煤集团扎赉诺尔煤业公司	内蒙古自治区呼盟满州里市扎赉诺尔矿区	021412
呼煤集团宝日希勒煤业公司	内蒙古自治区呼盟海拉尔市	021025
霍林河煤业(集团)有限责任公司	内蒙古自治区通辽霍林郭勒市	029200
辽宁煤矿安全监察局	辽宁省沈阳市大东区天后宫路59号	110042
沈阳煤矿安全监察办事处	辽宁省沈阳市大东区天后宫路59号	110042
铁法煤矿安全监察办事处	辽宁省铁法市水利局五层	112700
阜新煤矿安全监察办事处	辽宁省阜新市西山大街15号	123000
锦州煤矿安全监察办事处	辽宁省锦州市市府路64号	121003
抚顺矿务局	辽宁省抚顺市新抚区中央大街25号	113008
阜新矿务局	辽宁省阜新市海州区中华路89号	123000
北票矿务局	辽宁省北票市南山街东段九号	122100
铁法煤业(集团)有限责任公司	辽宁省铁法市人民路	112700
南票矿务局	辽宁省葫芦岛南票区	125027
沈阳煤业(集团)有限责任公司	辽宁省沈阳市新城区虎石台镇	110122
吉林煤矿安全监察局	吉林省长春市朝阳区延安大路11号	130021
辽源煤矿安全监察办事处	吉林省辽源市壮康路1号	136200
延吉煤矿安全监察办事处	吉林省延吉市长白路75号	133001
白山煤矿安全监察办事处	吉林省白山市八道江区浑江大街152号	134300
辽源矿务局	吉林省辽源市西安区东梅街8号	136201
通化矿务局	吉林省浑江市新建街60号	134300
舒兰矿务局	吉林省舒兰市吉舒镇	132602
珲春矿务局	吉林省珲春市河南街	133300

续表

单 位 名 称	地 址	邮政编码
黑龙江煤矿安全监察局	黑龙江省哈尔滨市南岗区龙江街 99 号	150001
鸡西煤矿安全监察办事处	黑龙江省鸡西市冠区南山路 41 号	158100
鸡西矿务局	黑龙江省鸡西市红旗路 10 号	158100
鹤岗矿务局	黑龙江省鹤岗市向阳区红军路二道街	154100
双鸭山矿业(集团)有限责任公司	黑龙江省双鸭山市尖山区新兴大街 84 号	155100
七台河矿业精煤(集团)有限责任公司	黑龙江省七台河市桃山区东进路 43 号	154600
鹤岗煤矿安全监察办事处	黑龙江省鹤岗市向阳区矿区文化宫二楼	154100
双鸭山煤矿安全监察办事处	黑龙江省双鸭山市一马路中段	155103
七台河煤矿安全监察办事处	黑龙江省七台河高桃山区山湖路 15 号	154600
江苏煤矿安全监察局	江苏省南京市北京西路 15—1 号	210024
徐州矿务集团有限责任公司	江苏省徐州市淮海西路 235 号	221006
大屯煤电公司	江苏省沛县	221611
浙江煤炭集团有限责任公司	浙江省杭州市莫干山路 583 号	310005
长广(集团)有限责任公司	浙江省长兴县城金陵南路 2 号	313100
安徽煤矿安全监察局	安徽省合肥市长江中路 2 号	230008
淮南煤矿安全监察办事处	安徽省淮南市洞山	232001
淮北煤矿安全监察办事处	安徽省淮北市孟山路 140 路	235006
皖北煤电集团有限责任公司	安徽省宿州市西昌路 157 号	23400
淮南矿业(集团)有限责任公司	安徽省淮南市洞山	232001
淮北矿业(集团)有限责任公司	安徽省淮北市孟山路 1 号	235006
福建省煤炭工业(集团)有限责任公司	福建省福州市省府路 1 号	350001
永安煤矿安全监察局	福建省永安市安砂镇水东	366021
上京煤矿安全监察局	福建省大田县上京镇	366102
龙岩煤矿安全监察局	福建省龙岩市	364014
永定煤矿安全监察局	福建省永定县坎市镇	364102
江西煤矿安全监察局	江西省南昌市省府大院	330046
萍乡煤矿安全监察办事处	江西省萍乡市东门外伞埠里	337003
宜春煤矿安全监察办事处	江西省丰城市上塘镇	331141
萍乡矿业(集团)有限责任公司	江西省萍乡市交通路 3 号	337003
丰城矿务局	江西省丰城市上塘镇	331141
英岗岭矿务局	江西省高安市建山镇	330808

续表

单位名称	地址	邮政编码
乐平矿务局	江西省乐平市	333300
山东煤矿安全监察局	山东省济南市天桥区堤口路141号	250031
淄博煤矿安全监察办事处	山东省淄博市开发区石府路东首	255086
泰安煤矿安全监察办事处	山东省泰安市青年路16号	271000
济宁煤矿安全监察办事处	山东省济宁市光河东路2号建行城区支行9楼	272000
枣庄煤矿安全监察办事处	山东省枣庄市辽河路中段公安分局四楼	277000
淄博矿务局	山东省淄博市淄川区洪山镇	255120
新汶矿业集团有限责任公司	山东省新泰市新汶	271233
枣庄矿业集团有限责任公司	山东省枣庄市薛城区泰山南路118号	277000
肥城矿业集团有限责任公司	山东省肥城市王瓜店镇	271608
兖矿集团有限责任公司	山东省邹城市凫山路40号	273500
龙口矿务局	山东省龙口市振兴路249号	265700
临沂矿务局	山东省临沂市罗庄镇	276017
河南煤矿安全监察局	河南省郑州市金水大道20号	450003
郑州煤矿安全监察办事处	河南省郑州市大学路14号	450052
洛阳煤矿安全监察办事处	河南省洛阳市中州路8号豫煤宾馆6楼	471002
鹤壁煤矿安全监察办事处	河南省鹤壁市九州路检察院院内	458030
平顶山煤矿安全监察办事处	河南省平顶山市建设路中段安培中心	467000
平顶山煤业(集团)有限责任公司	河南省平顶山市新华区矿工路	467000
焦作煤业(集团)有限责任公司	河南省焦作市山阳区解放中路239号	454002
鹤壁煤业(集团)有限责任公司	河南省鹤壁市红旗街98号	458000
义马煤业(集团)有限责任公司	河南省义马市千秋路6号	472300
郑州煤炭工业(集团)有限责任公司	河南省郑州矿区	452371
永城煤电(集团)有限责任公司	河南省永城市光明路中段	476600
河南神火集团有限公司	河南省永城县新城光明路	476600
新峰煤矿安全监察局	河南省禹州市三峰山	452594
湖南煤矿安全监察局	湖南省长沙市新军路3号	410011
娄底煤矿安全监察办事处	河南省娄底市星路7号	417000
常德煤矿安全监察办事处	湖南省常德市武陵区人民东路505号	415003
衡阳煤矿安全监察办事处	湖南省衡阳市望江大厦	421001
郴州煤矿安全监察办事处	湖南省郴州市五岭广场	423000

续表

单 位 名 称	地 址	邮政编码
涟邵矿务局	湖南省娄底市底星路7号	417000
资兴矿务局	湖南省资兴市三都镇	423404
白沙矿务局	湖南省来阳市珠矶滩	421827
广东省煤炭工业总公司	广东省广州市越华路116号	510034
坪石矿务局	广东省乐昌县坪石镇	512229
梅县矿务局	广东省梅州市梅正路196号	514034
茂名矿务局	广东省高州市石鼓镇	525252
梅田矿务局	湖南省宜章县梅田镇	424211
曲仁矿务局	广东省韶关市花坪	512149
四望章矿务局	广东省兴宁市黄槐镇	514558
合山矿务局	广西壮族自治区柳州地区合山市里兰	546508
右江矿务局	广西壮族自治区田东县新州	531501
红茂矿务局	广西壮族自治区环江县洛阳镇	547105
四川煤矿安全监察局	四川省成都市人民东路1号	610013
宜宾煤矿安全监察办事处	四川省宜宾市匡时街9号	644000
攀枝花煤矿安全监察办事处	四川省攀枝花市望江街口顺遥大厦三楼1－239信箱	617000
广元煤矿安全监察办事处	四川省广元市东坝利州东路553号	628017
广旺能源发展(集团)有限责任公司	四川省广元市旺苍县新华街68号	628200
芙蓉矿务局	四川省珙县巡场镇	644501
攀枝花煤业(集团)有限责任公司	四川省攀枝花市陶家渡	617066
达竹煤电(集团)有限责任公司	四川省达县市通川北路5号	635000
华蓥山广能(集团)有限责任公司	四川省华蓥市滨河东路1号	638650
重庆煤矿安全监察局	重庆市渝中区五一路71号	400010
重庆煤矿安全监察办事处	重庆市南岸西路台湾花园A座8楼	400060
天府矿务局	重庆市北碚区天府镇后丰岩	400704
南桐矿务局	重庆市万盛区清溪桥	400802
松藻矿务局	重庆市綦江县打通镇	401445
永荣矿务局	四川省荣昌县广顺镇	402465
中梁山矿务局	重庆市九龙坡区中梁山田坝	400052
贵州煤矿安全监察局	贵州省贵阳市北京路204号	550004
林东煤矿安全监察办事处	贵州省贵阳市北京路202号	550004

续表

单位名称	地址	邮政编码
遵义煤矿安全监察办事处	贵州省遵义市玉屏路2号附9号	563000
水城煤矿安全监察办事处	贵州省六盘水市钟山区水西北路8号	553000
盘江煤矿安全监察办事处	贵州省盘县甘沟桥盘江大道	561609
六枝矿务局	贵州省六枝特区人民路22号	553400
盘江煤电(集团)有限责任公司	贵州省盘县干沟桥	561609
水城矿务局	贵州省六盘水市钟山区开拓路16号	550056
林东矿务局	贵州省贵阳市蒿芝塘	550023
云南煤矿安全监察局	云南省昆明市白塔路329号	650011
曲靖煤矿安全监察办事处	云南省曲靖市麒麟区环东路金盾宾馆六楼	655000
陕西煤矿安全监察局	陕西省西安市和平路东十一道巷2号	710001
榆林煤矿安全监察办事处	陕西省榆林市北大街榆阳招待所	719000
铜川煤矿安全监察办事处	陕西省铜川市红旗街142号	727000
咸阳煤矿安全监察办事处	陕西省咸阳市渭阳西路80号	712000
渭南煤矿安全监察办事处	陕西省渭南市东风街中段161号	714000
铜川矿务局	陕西省铜川市城区红旗街11号	727000
蒲白矿务局	陕西省蒲城县罕井镇	715517
澄合矿务局	陕西省澄城县南大街102号	715200
韩城矿务局	陕西省韩城市	715400
甘肃煤矿安全监察局	甘肃省兰州市天水路	730000
兰州煤矿安全监察办事处	甘肃省兰州市天水路279号	730000
平凉煤矿安全监察办事处	甘肃省平凉市西大街19号	744000
窑街煤电有限责任公司	甘肃省兰州市红古区海石湾镇平安路	730084
靖远矿务局	甘肃省白银市平川区	720913
华亭矿务局	甘肃省华亭县	744100
大通矿务局	青海省大通县矿山东路170号	810801
宁夏煤矿安全监察局	宁夏回族自治区银川市文化西街24号	750001
大武口煤矿安全监察办事处	宁夏回族自治区石嘴山市大武口区	753000
灵武煤矿安全监察办事处	宁夏回族自治区灵武市磁窑堡镇	751411
石嘴山矿务局	宁夏回族自治区石嘴山市石嘴山区南街45号	753200
石炭井矿务局	宁夏回族自治区石嘴山市大武口区	753000
灵州集团有限责任公司	宁夏回族自治区灵武市磁窑堡镇黎家新庄	751411

续表

单 位 名 称	地 址	邮政编码
新疆煤矿安全监察局	新疆维吾尔自治区乌鲁木齐市友好南路 68 号	830000
奎屯煤矿安全监察办事处	新疆维吾尔自治区奎屯市团结南街 43 号	833200
库尔勒煤矿安全监察办事处	新疆维吾尔自治区库尔勒市石化大道海关大楼	841000
哈密煤业(集团)有限责任公司	新疆维吾尔自治区哈密市三道岭	839003
乌鲁木齐矿业(集团)有限责任公司	新疆维吾尔自治区乌鲁木齐市东山区 50 号	830027

2000年煤炭工业基本建设投资完成额按用向分

单位：10^4 元

项目	本年实际完成投资	项目	本年实际完成投资	项目	本年实际完成投资	项目	本年实际完成投资
合计	794199	3.电　厂	8084	2.矿区技工学校		2.技工学校	80
一、矿区建设	719618	4.水泥厂		3.矿区中小学校		3.职工子弟小学	
(一)矿井(露天)建设	609342	5.木材加工厂		4.矿区俱乐部	23	4.俱乐部	
1.新建矿井(露天)	564717	6.预制构件厂		5.托儿所、幼儿园		5.托儿所、幼儿园	
(1)施工准备	8995	7.料石(采砂)厂		6.商业网点		6.商业网点	
(2)新开工	29995	8.砖瓦厂		7.其　他	2377	7.其　他	1657
(3)续　建	475077	9.焦化厂		(六)矿区其他建设	16878	(三)其他建设	445
(4)复　工	7498	10.其他工厂	6380	1.矿务局本部	2398	1.总仓库	
(5)投　产	23984	(四)矿区公用工程建设	20293	2.自营基建	5	2.消防队	
(6)收　尾	19168	1.铁　路	12468	3.施工设备	111	3.救护队	
(7)停　工		2.公　路		4.支　农		4.汽车队	
2.扩建矿井(露天)	41740	3.供　电	381	5.其　他	14364	5.公　路	
3.小煤矿建设	1663	4.供　水	937	二、基地建设	2182	6.施工企业和施工单位本部	
4.石煤开发	15	5.通　讯		(一)附属工厂			
5.生产矿井综合机械化		6.消防队		1.机修厂		7.其　他	445
6.其　他	1207	7.救护队		2.木材加工厂		(四)施工设备	
(二)洗煤厂建设	55672	8.汽车队	288	3.预制构件厂		三、煤矿机械制造厂	148
1.矿井洗煤厂	55653	9.矿区仓库	1156	4.砖瓦厂		四、煤田地质勘探	4550
2.中央洗煤厂	19	10.火药库		5.矸石厂		五、勘察设计	
(三)矿区附属工厂建设	14673	11.其　他	5063	6.其他工厂		六、科学研究	9258
1.机修厂	96	(五)生活福利及文教卫生建设	2760	(二)生活福利及文教卫生建设	1737	七、煤矿院校	823
2.火药厂	113	1.矿区中心医院	360	1.总医院		八、其他(含管理局本部及省局仓库)	57620

2000 年煤炭工业矿井（露天）建设规模

单位：处—10^4t/a

建设项目	合计					
	上年末续建	本年投产	本年新开工	本年复工	其他	本年末续建
总计	194—11021	12—1044	8—153	8—628	−32—−1039	166—9719
河北省	10—690				−4—−90	6—600
山西省	45—3222			5—474	−14—−617	36—3079
内蒙古自治区	4—950				−2—−150	2—800
辽宁省	1—150	1—150				
吉林省	10—228					10—228
黑龙江省						
江苏省	4—150					4—150
安徽省	9—1128	1—180				8—948
福建省	2—24	1—9				1—15
江西省	9—150				−8—−60	1—90
山东省	19—1730	2—560	2—105		−1—−30	18—1245
河南省	15—973					15—973
湖北省	6—27		2—3		−5	8—25
湖南省	10—77		1—6		−1—−6	10—77
广西壮族自治区	5—42					5—42
四川省	3—39	1—9			−1—−21	1—9
贵州省	2—195					2—195
云南省	20—497	1—60	3—39	2—4		24—480
陕西省	3—105	2—45		1—150	−1—−60	1—150
甘肃省	9—574					9—574
新疆维吾尔自治区	8—70	3—31				5—39

2000年煤炭工业新建矿井（露天）建设规模

单位：处—10^4t/a

建设项目	合计：上年末续建	合计：本年投产	合计：本年新开工	合计：本年复工	合计：其他	合计：本年末续建	其中:设计能力九万吨及以上：上年末续建	其中:设计能力九万吨及以上：本年投产	其中:设计能力九万吨及以上：本年新开工	其中:设计能力九万吨及以上：本年复工	其中:设计能力九万吨及以上：其他	其中:设计能力九万吨及以上：本年末续建
总　计	144—9706	12—1044	4—120	3—204	−32—−993	107—7993	119—9583	11—1038	3—114	3—204	−25—−954	89—7909
河北省	9—666				−3—−66	6—600	9—666				−3—−66	6—600
山西省	25—2785			2—54	−12—−531	15—2308	25—2785			2—54	−12—−531	15—2308
内蒙古自治区	4—950				−2—−150	2—800	4—950				−2—−150	2—800
辽宁省	1—150	1—150					1—150	1—150				
吉林省	10—228					10—228	9—222					9—222
黑龙江省												
江苏省	2—75					2—75	2—75					2—75
安徽省	6—898	1—180				5—718	5—895	1—180				4—715
福建省	2—24	1—9				1—15	2—24	1—9				1—15
江西省	9—150				−8—−60	1—90	5—126				−4—−36	1—90
山东省	18—1700	2—560	2—105		−2—−90	16—1155	18—1700	2—560	2—105		−2—−90	16—1155
河南省	11—832					11—832	11—832					11—832
湖北省	4—18				−3—−15	1—3						
湖南省	7—60		1—6		−1—−6	7—60	3—39					3—39
广西壮族自治区	4—36				1—6	5—42	2—24					2—24
四川省	2—30	1—9			−1—−21		2—30	1—9			−1—−21	
贵州省	2—195					2—195	2—195					2—195
云南省	12—194	1—60	1—9			12—143	7—176	1—60	1—9			7—125
陕西省	3—105	2—45		1—150	−1—−60	1—150	3—105	2—45		1—150	−1—−60	1—150
甘肃省	7—549					7—549	5—540					5—540
新疆维吾尔自治区	6—61	3—31				3—30	4—49	2—25				2—24

2000年煤炭工业扩建矿井（露天）建设规模

单位：处—10^4t/a

建设项目	合计					
	上年末续建	本年投产	本年新开工	本年复工	其他	本年末续建
总计	50—1315		4—33	5—424	—46	59—1726
山西省	20—437			3—420	—2——86	21—771
江苏省	2—75					2—75
安徽省	3—230					3—230
福建省						
山东省	1—30				1—60	2—90
河南省	4—141					4—141
湖北省	2—9		2—3		3—10	7—22
湖南省	3—17					3—17
四川省	1—9					1—9
云南省	8—303		2—30	2—4		12—337
甘肃省	2—25					2—25
新疆维吾尔自治区	2—9					2—9

2000年煤炭工业洗煤厂建设规模

单位：处—10^4t/a

建设项目	合计					
	上年末续建	本年投产	本年新开工	本年复工	其他	本年末续建
总计	11—3278	1—60	7—731		2—217	19—4166
河北省						
山西省	4—2200		6—701		4—255	14—3156
安徽省						
山东省	3—800					3—800
湖南省			1—30			1—30
贵州省	1—180					1—180
云南省	1—60	1—60				

2000年煤炭工业投产矿井（露天）项目一览表

建设项目及单项工程名称	建设性质	开拓方式	煤种牌号	设计能力（处—10^4t）	开工年月	投产年月	建设工期（月）	投资额（万元） 总概算	累计完成	完成概算（%）	本年计划	本年实际	主要工程量（m、10^4m^3） 设计	累计完成	完成设计（%）	累计新增固定资产（10^4元）
总　计				12—1044				742686	674466	90.81	67809	60491	157449	167204	106.20	624224
新建				12—1044				742686	674466	90.81	67809	60491	157449	167204	106.20	624224
辽宁省				1—150				142842	142842	100.00	3070	13866	29426	29426	100.00	141625
沈阳矿务局红阳三井				1—150				142842	142842	100.00	3070	13866	29426	29426	100.00	141625
沈阳矿务局红阳三井	新建	立井	瘦煤	150	1991.12	2000.12	108	142842	142842	100.00	3070	13866	29426	29426	100.00	141625
安徽省				1—180				171495	156029	90.98	15030	8806	36280	41200	113.56	137725
淮北矿务局				1—180				171495	156029	90.98	15030	8806	36280	41200	113.56	137725
祁南矿井	新建	立井	气煤	180	1992.12	2000.12	96	171495	156029	90.98	15030	8806	36280	41200	113.56	137725
福建省				1—9				3495	3425	98.00	600	604	5562	6603	118.72	306
龙岩管委会				1—9				3495	3425	98.00	600	604	5562	6603	118.72	306
顶峰山矿井	新建	斜井	无烟煤	9	1996.01	2000.01	48	3495	3425	98.00	600	604	5562	6603	118.72	306
山东省				2—560				366031	314212	85.84	40072	34063	52930	52157	98.54	307456
兖州矿区				1—500				336998	278296	85.58	35072	33206	43200	43201	100.00	271540
济宁三号矿井	新建	立井	气煤	500	1993.12	2000.12	84	336998	278296	82.58	35072	33206	43200	43201	100.00	271540
鱼台鹿洼煤矿				1—60				29033	35916	123.71	5000	857	9730	8956	92.05	35916
鱼台鹿洼煤矿	新建	立井	气煤	60	1995.01	2000.04	63	29033	35916	123.71	5000	857	9730	8956	92.05	35916
四川省				1—9				2280	2825	123.90	200	242	5500	7751	140.93	2825

续表

建设项目及单项工程名称	建设性质	开拓方式	煤种牌号	设计能力（处—10^4t）	开工年月	投产年月	建设工期（月）	投资额（万元）					主要工程量（m、10^4m^3）			累计新增固定资产（10^4元）
								总概算	累计完成	完成概算（%）	本年计划	本年实际	设计	累计完成	完成设计（%）	
威远煤矿				1—9				2280	2825	123.90	200	242	5500	7751	140.93	2825
落叶坝矿井	新建	平硐	无烟煤	9	1995.09	2000.12	63	2280	2825	123.90	200	242	5500	7751	140.93	2825
云南省				1—60				31073	34458	110.89	8000	2073	14226	15024	105.61	32911
兴云煤矿（庆云煤矿）				1—60				31073	34458	110.89	8000	2073	14226	15024	105.61	32911
兴云矿井	新建	斜井	气煤	60	1993.06	2000.12	90	31073	34458	110.89	8000	2073	14226	15024	105.61	32911
陕西省				2—45				14865	13909	93.57			5240	11549	220.40	
陕西煤炭基建公司				1—30				7203	8300	115.23			5240	5761	109.94	
陕西苍村矿双龙斜井	新建	立井		30	1993.12	2000.12	84	7203	8300	115.23			5240	5761	109.94	
陕西柴家沟煤矿				1—15				7662	5609	73.21				5788		
陕西柴家沟煤矿	新建	立井		15	1993.10	2000.08	82	7662	5609	73.21				5788		
新疆维吾尔自治区				3—31				10605	6766	63.80	837	837	8285	3494	42.17	1376
塔城铁厂沟四号井				1—12				4505	4516	100.24	324	324				1376
铁厂沟四号井	新建	斜井	长焰煤	12	1989.10	2000.12	134	4505	4516	100.24	324	324				1376
南疆煤电公司康苏井				1—13				5325	1475	27.70	231	231	6013	1534	25.51	
康苏井	新建	立井	气煤	13	1992.09	2000.12	99	5325	1475	27.70	231	231	6013	1534	25.51	
尼勒克县煤矿				1—6				775	775	100.00	282	282	2272	1960	86.27	
尼勒克县煤矿	新建	斜井	不粘煤	6	1993.11	2000.12	85	775	775	100.00	282	282	2272	1960	86.27	

2000年煤炭工业新开工矿井（露天）项目一览表

建设项目及单项工程名称	建设性质	开拓方式	煤种牌号	设计能力（处—10^4t）	开工年月	投资额（10^4元）			主要工程量（m）		本年实际施工房屋建筑面积（m^2）
						总概算	本年计划	本年实际	本年计划	本年实际	
总　计				8—153		75493	22583	20647	7848	8428	14403
一、新建				4—120		69383	20573	19918	6248	6372	14403
山东省				2—105		67261	20103	19641	5698	5672	13733
济北矿区				1—60		41218	13103	12641	4993	4967	6536
葛亭矿井	新建	立井	气煤	60	2000.02	41218	13103	12641	4993	4967	6536
山东鲁西煤矿				1—45		26043	7000	7000	705	705	7197
山东鲁西煤矿	新建	立井	气煤	45	2000.07	26043	7000	7000	705	705	7197
湖南省				1—6		1280	250	60		150	
湘西向阳矿				1—6		1280	250	60		150	
林家湾井	新建	立井	无烟煤	6	2000.06	1280	250	60		150	
云南省				1—9		842	220	217	550	550	670
思茅地区				1—9		842	220	217	550	550	670
景东大街煤矿	新建	斜井	褐煤	9	2000.06	842	220	217	550	550	670
二、扩建				4—33		6110	2010	729	1600	2056	
湖北省				2—3		260	110	52		725	
十堰市				1—2		175	85	30		350	
洞宾煤矿	扩建	平硐	无烟煤	1/3	2000.06	175	85	30		350	
宜昌市				1—1		85	25	22		375	
宜昌县大石沟煤矿	扩建	平硐	焦煤	2/3	2000.01	85	25	22		375	
云南省				2—30		5850	1900	677	1600	1331	
来宾煤矿				1—15		2100	1200	470	800	910	
二号井扩建	扩建	斜井	焦煤	15/30	2000.06	2100	1200	470	800	910	
恩洪煤矿				1—15		3750	700	207	800	421	
二号井扩建	扩建	斜井	焦煤	15/30	2000.06	3750	700	207	800	421	

2000年煤炭工业洗煤厂项目一览表

建设项目及单项工程名称	建设性质	设计能力（处—10^4t）	开工年月	投产年月	建设工期（月）	投资额（10^4元）			累计新增固定资产（10^4元）
						总概算	累计完成	其中本年	
总计		20—4226				229783	222683	43932	32413
一、新开工洗煤厂		7—731				11140	586	586	
山西省		6—701				10060	202	202	
大同矿务局		1—400				4860			
云岗选煤厂末煤洗选	新建	400	2000.03			4860			
长治市煤管局		1—60				2500	63	63	
沁新煤焦公司	新建	60	2000.03			2500	63	63	
吕梁地区煤管局		1—100				518			
金桃园煤炭公司洗煤	新建	100	2000.05			518			
临汾地区煤管局		2—81				682	139	139	
古县城关煤化厂洗煤	新建	60	2000.02			520			
甲南凹煤矿洗煤厂	新建	21	2000.05			162	139	139	
运城地区煤管局		1—60				1500			
船窝煤矿洗煤厂	新建	60	2000.05			1500			
湖南省		1—30				1080	384	384	
资兴矿务局		1—30				1080	384	384	
周源山煤矿洗煤厂	新建	30	2000.12		24	1080	384	384	
二、续建洗煤厂		12—3435				208323	214346	43235	24662
山西省		8—2455				67251	104338	24765	24662
晋城矿务局		1—400				39382	41891	8734	1993
寺河洗煤厂	新建	400	1996.12			39382	41891	8734	1993
阳泉荫营煤矿		1—240				11007	10121		8
洗煤厂	新建	240	1986.09			11007	10121		8

续表

建设项目及单项工程名称	建设性质	设计能力（处—10^4t）	开工年月	投产年月	建设工期（月）	投资额（10^4元）			累计新增固定资产（10^4元）
						总概算	累计完成	其中本年	
晋城市煤管局		2—120				8643	900		
王坡煤矿洗煤厂	新建	60	1999.08			5643	200		
候村煤矿洗煤厂	新建	60	1999.05			3000	700		
朔州市煤管局		2—135				7926	3880		
刘家口选煤厂	新建	90	1999.10			3916	450		
芦西洗煤厂	新建	45	1998.10			4010	3430		
忻州地区煤管局		1—60				293	233	222	
宁武县露天煤矿选煤	新建	60	1999.11			293	233	222	
平朔煤炭工业公司		1—1500					47313	15809	22661
洗煤厂工程	新建	1500	1998.04				47313	15809	22661
山东省		3—800				95455	73980	18451	
兖州矿区		1—500				43595	38980	11514	
济宁三号井洗煤厂	新建	500	1998.11			43595	38980	11514	
济北矿区		2—300				51860	35000	6937	
许厂矿井选煤车间	新建	150	1999.01			24051	16969	104	
岱庄矿井选煤车间	新建	150	1999.01			27809	18031	6833	
贵州省		1—180				45617	36028	19	
水城矿务局		1—180				45617	36028	19	
二塘选煤厂	新建	180	1994.12			45617	36028	19	
三、投产洗煤厂		1—60				10320	7751	111	7751
云南省		1—60				10320	7751	111	7751
兴云煤矿（庆云煤矿）		1—60				10320	7751	111	7751
兴云洗煤厂	新建	60	1997.06	2000.12	42	10320	7751	111	7751

省（市、区）煤炭工业概况

北京市煤炭工业概况

2000年，是北京煤炭行业经济管理体制发生重大变化的一年。上半年，北京市政府机构改革，把煤炭管理职能划归市经济委员会。7月份，成立了北京市煤炭管理办公室，作为北京市煤炭行业的主管部门和煤炭执法主体。9月28日，经北京市人民政府批准，撤销北京矿务局和北京市煤炭总公司，合并组建为北京京煤集团有限责任公司，是集资产经营与生产经营于一体的国有资产授权经营的企业集团公司。两单位组建为北京京煤集团有限责任公司，实现政企分开和所有权与经营权分离，使原属于政府的企业成为市场主体和法人实体。北京京煤集团有限责任公司开始以国有独资形式承担国有资产的保值增值责任，实施生产经营与资本运营双重职能的新的企业运行机制。

2000年，北京煤炭行业依据《国务院关于关闭非法和布局不合理煤矿有关问题的通知》，加大了关井压产工作的力度。市调整和加强了关井压产的领导机构，由市经委一名副主任担任了关井压产办公室主任，由两个产煤区——房山区和门头沟区各一名副区长及北京矿务局一名副局长担任了关井压产办公室副主任，将关井压产办公室从市地方煤炭工业公司改设在市经委。在调查研究基础上，制定了关井压产方案。将关井压产名单逐一落实，定时间，定具体措施，定责任单位和人员，使关井压产工作进展迅速有序。2000年，北京市关井任务301处，实际关井301处，完成下达关井任务的100%。2000年，北京市原煤生产总量控制指标679万t，比1999年原煤产量833万t压减154万t，实际全年产煤677.7万t，为控制指标产量的99.8%，圆满完成了北京市关井压产任务。至2000年底，北京市还有煤矿342个，其中，北京矿务局在册矿井7个，经过调整，重组合并为4个经济核算煤矿。两个产煤区有乡镇煤矿335个，比1999年底的631个减少296个，其中，房山区有煤矿203个，比1999年的451个减少248个；门头沟区有煤矿132个，比1999年的180个减少48个。2000年，北京市煤矿共发生死亡事故17起，死亡23人，其中，北京矿务局发生死亡事故8起，死亡10人；乡镇煤矿发生死亡事故9起，死亡13人。全市百万吨死亡率为3.39，低于全国平均水平。其中，北京矿务局百万吨死亡率为1.87%。

2000年，北京煤炭行业的主体企业北京矿务局，在煤炭产量总体控制、煤炭市场严峻困难的情况下，不断深化改革，完善经营机制，企业的经济增长质量不断提高，整体经营平稳攀升。其中，企业经济效益综合指数比1999年提高8.04%；产品销售率比1999年提高11.99%；总资产贡献率比1999年提高24.05%；实现工业总产值（现价）8.44亿元；全年产煤量426.7万t，与北京市控制压产指标持平，比1999年产煤量419.26万t提高1.79%；完成煤炭销售量527.34万t，比1999年增加销量82.48万t，提高8.72%。全员效率1.675t，比1999年提高16.56%；全员劳动生产率24729元/人，比1999年提高46.60%；商品煤灰分14.51%，比1999年减少1.44%，降低9.6%；商品煤含矸0.07%，比1999年减少0.01%，降低12.50%。在煤炭生产主要物质消耗中，企业坑木每万吨消耗35.90m^3，比1999年减少2.40m^3，降低6.27%；火药每万吨煤消耗2283kg，比1999年减少201kg，降低8.09%；企业电力每吨煤消耗40.95kW·h，比1999年减少4.15kW·h，降低9.26%。全年利润完成2194.20万元，比1999年提高8.11%。职工人均年工资10568元，比1999年增加1005元，提高10.55%。

2000年，北京矿务局积极探索，实施以产权制度为中心，以资本运营为重点的多项改革，取得突破性进展。企业整体改制工作基本就绪，构建公司制大型企业的框架初步形成。企业内部资产重组、产权多元化速度加快。局利用国家实行债转股政策，与中国华融资产管理公司、中国信达资产管理公司组建成立了昊煜工贸有限责任公司，总注册资本4.00亿元人民币。其中，北京矿务局以资产和土地使用权出资1.83亿元，出资包括北京矿务局所属的九龙山矿泉饮料公司、煤矸石热电厂、达兴工贸公司、燕京汽车改装厂的全部资产和九龙华源实业公司及京强水泥有限责任公司等单位的部分资产。局对煤炭资源枯竭的门头沟煤矿实施关闭破产，得到了国家经贸委的批准。局对二级单位的小企业进行清理整顿，确定了9种改制形式和相关政策，完成了24个小企业的产权制度改革。全局狠抓减人提效和实施再就业工程，全年纯减职工2364人，完成计划指标的145.21%。进入再就业中心4496人，分流安置率85.06%，超额完成了北京市下达的安置率指标。

在煤炭生产上，局根据各煤矿煤层赋存情况的不同，研究、探索、试验、应用新技术，进行采煤方法、煤巷光爆、支护形式与巷道布置的四项改革，取得了一批具有自主知识产权的采煤科学技术成果，各煤矿均形成了适合自身特点的主导采煤方法。全局岩石掘进一次成巷光面爆破全面铺开，新法采煤产量占回采煤产量的比例达到83.5%，全局新法采煤工作面达到38个，占回采工作面总数的75%，新法采煤与传统采煤方法比较，煤炭资源回收率提高10个百分点。其中柔掩采煤工作面单产水平每个月达到1.5万t以上，耙装法采煤工作面每个月达到1.2万t以上。全局全年月平均回采工作面33.65个，采区回采率76.70%，平均每单个回采工作面月产8906t。全局回采煤总量300.81万t，占全年总产量的70.5%。全年月平均掘进工作面55.46个，平均每单个掘进工作面月进192.37m，平均每产万吨煤掘进289.54m，其中岩石开拓进尺50.80m。全局回采效率每工5.746t，比1999年增加0.169t，提高3.03%。掘进效率每工0.228t，比1999年增加0.005t，提高2.24%。年末，全局生产地质储量中，开拓煤量可采期4.44年，准备煤量可采期25.96个月，回采煤量可采期11.79个月。

在煤炭销售上，北京矿务局在国内市场民用煤传统用煤大户北京和天津两市未收购煤的情况下，局驻外埠销售公司新开发用户48个，外埠销售量比1999年增加18.28万t，增幅9.88%。特供煤销量第一次突破200万t，地销煤第一次突破75万t，全年工业煤销售占总销量的85%。在国际市场销售中，积极与外商和出口代理商、铁路运输部门、港口部门合作，邀请用户考察煤炭生产基地，扩大了销售，巩固了亚洲市场，打开了南美市场。全年出口煤炭装船发运114.2万t，比1999年增加17.5万t，增幅18.18%，是出口煤装船最多的一年。出口煤港存费用比1999年减少1296万元，吨煤销售成本降低25.31元，降幅为78.65%。到年底，局正在生产的3座煤矿均创年销煤量的历史最高纪录。全局全年国内市场煤炭销售收入5.20亿元，比1999年增加6884万元。全年销煤国内回款5.43亿元，比1999年回款增加6900万元，增幅为20.88%。

在多种经营和发展第三产业上，全局加大技术改造和新产品开发的力度，提高了工厂的生产水平和科技含量，加强了企业的发展后劲，新建、扩建了一批多种经营项目。化工厂开发GTG起爆药系列工业雷管产品已进行规模生产，乳化炸药生产线完成调试。水煤浆厂开发出燕化公司浆代油市场，在全国率先使用弱粘结煤作为制浆原料，取得了比较好的燃烧效果，被确认为免检产品。煤矸石热电厂改造4#炉飞灰离合器和3#炉送风机，完善了生产系统疏水回收和煤破碎系统。局九龙华源公司开发的水泥聚苯保温板形成生产能力。局矿泉饮料公司开发的新型软包装康力宝汽水投放市场。局水泥厂开发生产了425#新型水泥。局液压支架总厂开发的曲拐式等系列矿井支架形成批量生产能力。局建筑安装总公司改制为北京矿建建筑安装有限公司，通过ISO9002质量体系认证，全年有8项工程获区县级以上优质工程，年产值超过亿元。局在北戴河疗养院、梅苑饭店、晨光饭店、斋堂军训基地、灵山宾馆组成的旅游服务业基础上，又开发了樱桃沟、北港沟两个旅游点。全年旅游服务业对外接待住宿38098人次。全局全年多种经营收入不包括矿建公司在内实现4.69亿元，比1999年提高28%。对工厂技术改造和新产品开发投入资金1000余万元，实施技术改造项目10余个。

年内，北京矿务局实施科技创新战略，成立了技术中心。设立了煤矿生产技术、洁净煤研究、医疗技术、煤炭深加工、新型材料、火工品生产及设备共6个研究所，合计研究人员168名。审查技术创新项目40个，确定重点项目7个。全局评出科技进步奖51项。其中，新法采煤技术研究取得突破性进展，锚固控制无人工作面耙装采煤项目研究成果获北京市科技进步三等奖。

年内，全局有17个单位环保工作通过市验收。局内有4所中小学移交地方教育系统。局内6所煤矿医院整体划归局总医院。局筹措资金53万元，慰问困难职工和伤病职工。全市煤炭行业培训矿长750人次，培训特种行业人员2500人次。

到2000年底，北京矿务局有职工25008人。其中，在煤炭生产线13002人，在多种经营线4318人，在后勤服务线7598人。全局专业技术人员3615人，其中，高级职称227人，中级职称1932人，初级职称2214人。

（潘惠楼）

表1 煤 矿 生 产 规 模

项　目	矿井数（处）	实际年产量（10^4t）	占全区年产量的比例（%）
全省（区）合计	342	677.7	100.00
统配煤矿	7	426.7	62.86
省（区）属煤矿			
地市营煤矿			
乡镇煤矿	335	251.0	37.14

表2 重点煤矿基本情况

局矿名称	地址及邮政编码	实际年产量（10^4t）	年末职工人数（人）
北京矿务局	北京市门头沟区新桥南大街2号 102300	426.77	25008
长沟峪煤矿	北京市房山区周口店镇　102405	75.69	2774
木城涧煤矿	北京市门头沟区木城涧　102304	196.00	8059
大安山煤矿	北京市房山区大安山乡　102419	134.86	4119
门头沟煤矿	北京市门头沟区门头沟路　102300	20.22	2166

表3 重点煤矿主要技术经济指标

局矿名称	原煤产量（10^4t）	商品煤		洗精煤		掘进总进尺（m）	回采工作面平均月产量（t）
		灰分（%）	含矸率（%）	产量（10^4t）	灰分（%）		
北京矿务局	426.7680	14.51	0.07			128025	7810
长沟峪煤矿	75.6908	13.83	0.16			25078	7082
木城涧煤矿	195.9971	16.17	0.04			83744	6880
大安山煤矿	134.8588	14.34	0.06			19203	
门头沟煤矿	20.2213	16.41	0.08				

局矿名称	掘进工作面平均月进度（m）	采煤机械化程度（%）		掘进装载机械化程度（%）		原煤坑木消耗（$m^3/10^4t$）	原煤全员效率（t/工）
		合计	其中：综采	合计	其中：综掘		
北京矿务局	192.37					35.66	1.675
长沟峪煤矿	166.05					21.52	1.481
木城涧煤矿	207.99					46.84	1.451
大安山煤矿	149.51						
门头沟煤矿							2.366

河北省煤炭工业概况

2000年是实施“九五”计划的最后一年，是实现国有企业改革脱困三年目标的决战之年，同时也是煤炭工业管理体制发生重大变革的一年。全省煤炭战线广大干部职工认真落实党的各项方针政策，紧紧围绕年初确定的各项目标任务，开拓进取，奋力攻坚，各项工作均取得重大成绩。

1. 主要指标完成情况

(1) 原煤产量。全省完成5438.48万t，同比下降1.06%。其中：国有重点煤矿3761.11万t，同比增长3.52%；国有地方煤矿840.96万t，同比增长2.72%；乡镇煤矿836.41万t，同比下降19.95%。

(2) 精煤产量。全省完成923.12万t，同比增长3.26%。

(3) 原煤全员效率。全省国有重点煤矿完成3.034t/工，同比增长18.98%。

(4) 采煤机械化程度。国有重点煤矿完成89.02%，同比提高3.53个百分点。

(5) 掘进装载机械化程度。国有重点煤矿完成76.91%，同比提高7.03个百分点。

2. 关井压产

按照国家的统一部署，2000年煤炭行业继续开展关井压产工作。2000年的关井对象大都是证照齐全的矿井，关井难度很大。为了保证关井压产工作顺利进行，各级政府和煤炭管理部门加强管理，按政策规定积极主动地开展工作，层层落实责任制，狠抓落实。国家下达给我省2000年关井指标250处，经过落实，全省列入关闭矿井名单252处，到年底，已完成了国家下达的关井指标。除秦皇岛市外，保定、石家庄、张家口、承德、邢台、唐山、邯郸等7个市完成或超额完成了全年关井指标。

3. 扭亏脱困

进入2000年以来，全省国有煤炭企业以经济效益为中心，以扭亏脱困为目标，落实生产经营责任制，积极调整产品结构，努力扩大销售，推进技术进步，千方百计增收节支，促进了经营状况的逐步好转。全年全省国有重点煤矿补贴前亏损24800万元，补贴后盈利1300万元，同比减亏200万元。邢台矿业集团、开滦集团公司、邯郸局、兴隆局、八宝山煤矿可完成盈亏指标。

4. 安全生产

全省煤炭系统认真贯彻落实江泽民总书记关于安全生产工作的重要指示，从“讲政治”和“三个代表”的高度来认识搞好煤矿安全生产的重要性，坚持“安全第一，预防为主”的方针，坚持管理、装备、培训并重的原则，狠抓各项安全生产责任制的落实，以“一通三防”为重点，强化安全基础工作。全年全省煤矿原煤死亡77人，同比减少95人，降幅55.2%。其中国有重点煤矿死亡12人，同比减少1人，降幅7.7%，百万吨死亡率0.34，降幅2.9%；国有地方煤矿死亡10人，同比减少7人，降幅41.2%，百万吨死亡率1.27，降幅39.8%；乡镇煤矿死亡55人，同比减少87人，降幅61.3%，百万吨死亡率6.88，降幅49.4%。总的来讲，全省煤矿安全生产好于去年，国有重点和国有地方煤矿实现了年初制定的百万吨死亡率1和3的控制目标。

5. 重点项目建设

全省国有重点煤矿在建矿井6对，设计生产能力600万t/年，总投资47.19亿元。2000年项目资本金和银行贷款全部得到解决，各项目建设进展顺利。梧桐庄矿井主要生产系统已形成；大淑村矿井主体工程已基本完工；崔家寨矿井和元氏矿井已建成试生产；宣东二号矿井主要生产系统、辅助生产系统基本完工；邢东矿井井下主要巷道基本完工，已进入采区施工和设备安装。此外，沙蔚铁路复工以来工程进展顺利，已完成合同工程量的80%。

6. 关闭破产

下花园煤矿是我省最早列入国家关闭破产名单的国有重点煤炭企业，经过以省局为主的破产清算组近一年的艰苦工作，下花园煤矿破产清算工作基本完成，经资产重组，以宣东矿业公司为主体的盛源集团公司已经成立，原下花园煤矿所属社会公益事业单位正在与当地政府协商办理移交。峰峰局四矿已进入破产法律程序，开始进行破产清算工作。开滦唐家庄矿、邯郸郭二庄矿已完成了破产前的各项准备工作，待审批后实施。

7. 机构改革

按照国务院关于建立垂直管理的煤矿安全监察机构的决定，国家煤矿安全监察局将河北煤炭工业管理局改组为河北煤矿安全监察局。并于5月12日挂牌成立。之后，根据国家煤矿安全监察局的要求，又相继组建了邯郸、邢台、唐山、张家口4个煤矿安全监察办事处及所属的12个安全监察站。目前，各办事处及监察站已相继挂牌，部分安全监察人员已到位，工作条件已基本具备，并已开始履行安全监察职责。同时，按照省政府的统一部署和国家煤矿安全监察局的要求，河北省煤炭工业局、河北煤矿安全监察局进行了机关机构改革。机构改革后，河北煤矿安全监察局依法行使煤矿安全监察和执法职责，河北省煤炭工业局主要履行全省煤炭工业行业管理职能。原省煤炭工业局管理企事业单位的职能将移交河北煤业集团，国有重点煤矿职工离退休和养老保险统筹职能交由省劳动和社会保障部门承担。

8. 企业改革

在建立现代企业制度方面，开滦集团公司、邢台矿业集团公司、张家口煤机公司、蔚州矿业公司和沙蔚铁路公司等5家已经改制的企业，完善法人治理结构、调整内部经济结构和组织结构，进一步实现了规范化运作，其中邢台矿业集团公司发起设立的金牛能源股份有限公司上市的“金牛能源”股票，市场表现良好；开滦集体公司积极论证组建开滦精煤股份有限公司，为股票上市创造条件。峰峰矿务局、邯郸矿务局结合债转股，研究拟定了企业改制方案，并已上报省体改办待批；河北煤炭建设四处大胆探索，拟吸纳职工入股，将企业改制为多元持股的有限责任公司。同时，各企业根据自身实际，对所属二级单位及多种经营厂点实行股份合作制、租赁、承包、出售等各种形式的改革，见到明显效果。

在全省煤炭企业加快建立现代企业制度的同时，为实现大集团、大公司战略，探索国有资产有效的管理和经营模式，确保公司制企业国有出资人到位，提高全省煤炭行业整体规模和市场竞争力，经省政府批准，全省国有重点煤炭企事业单位联合组建河北煤业集团有限责任公司的工作正在积极运作。

（何振琪）

表1 煤 矿 生 产 规 模

项　　目	矿井数（处）	实际年产量（10^4t）	占全区年产量的比例（%）
全省合计	1492	5438.48	100.00
统配煤矿	31	3761.11	69.16
省属煤矿	3	105.63	1.94
地市营煤矿	27	397.52	7.31
县营煤矿	37	337.81	6.21
集体及个体煤矿	1394	836.41	15.38

表2 重点煤矿基本情况

局矿名称	地址及邮政编码	实际年产量（10^4t）	年末职工人数（人）
开滦集团	河北省唐山市新华东道　063018	1918.46	104402
峰峰矿务局	河北省邯郸市峰峰矿区　056201	1026.33	55667
井陉矿务局	河北省石家庄市井陉矿区　050100	64.11	5967
兴隆矿务局	河北省承德市鹰守营子矿区　067201	55.05	6168
邢台矿业（集团）公司	河北省邢台市中兴路104号　054021	449.08	16388
邯郸矿务局	河北省邯郸市中华大街56号　056002	224.92	23126
八宝山煤矿	河北省张家口市怀来县新宝安村　075431	23.16	1688

表3 重点煤矿主要技术经济指标

局矿名称	原煤产量 (10^4t)	商品煤		洗精煤		掘进总进尺 (m)	回采工作面平均月产量 (t)	掘进工作面平均月进度 (m)	采煤机械化程度 (%)		掘进装载机械化程度 (%)		原煤坑木消耗 ($m^3/10^4t$)	原煤全员效率 (t/工)
		灰分 (%)	含矸率 (%)	产量 (10^4t)	灰分 (%)				合计	其中：综采	合计	其中：综掘		
开滦集团	1918.46	25.50	0.03	431.55	9.96	185548	47412	175.47	86.36	69.85	75.00	32.79	17.89	4.022
峰峰矿务局	1026.33	20.16	0.04	250.35	9.52	94453	36018	136.13	98.10	65.83	99.51	4.89	15.46	2.076
井陉矿务局	64.11	20.64	0	19.50	9.45	6826	9553	110.85	18.77	0	0	0	22.90	1.002
兴隆矿务局	55.05	40.65	0			10599	4530	103.24	0	0	58.51	0	106.54	1.094
邢台矿业（集团）公司	449.08	14.38	0	221.50	8.38	27540	84902	235.08	100.00	100.00	93.77	56.58	14.38	6.808
邯郸矿务局	224.92	22.72	0.07			22203	28479	114.04	82.28	75.94	58.42	0.07	18.12	1.936
八宝山煤矿	23.16	33.68	4.44			14515	3954	113.58	0	0	0	0	0	0.962

山东省煤炭工业概况

山东是产煤大省，煤炭资源丰富，品种齐全。全省含煤面积约 16500km^2，占全省国土面积的 11.5%。－2000m 以浅煤炭总储量约 640 亿 t，居华东地区第二位。到 2000 年底，累计探明储量 235 亿 t，其中保有储量 193 亿 t。煤炭资源分布为西多东少，主要集中在鲁西南地区。煤炭品种以气肥煤为主，并有焦煤、瘦煤、贫煤、褐煤和无烟煤等品种。

2000 年，全省共有煤矿 437 处，生产能力达 9000 万 t。其中，有 7 个矿务局（矿业公司）、57 对省属重点煤矿，核定能力 5428 万 t；原省属煤矿有生产矿井 3 对，核定能力 18 万 t；监狱煤矿 4 对，核定能力 220 万 t；市县属煤矿有生产矿井 73 处，核定能力 1322 万 t；乡镇及以下矿井 300 处，生产能力 1000 万 t 左右。本年度县营以上煤矿新建成矿井 3 对。新增能力 602 万 t；报废矿井 5 对，减少能力 57 万 t。国有重点煤矿有洗煤厂 16 座，核定能力 3260 万 t；在建新建矿井 7 对，年设计能力 720 万 t（付村矿井 120 万 t，高庄矿井 90 万 t，滕北五号南井 60 万 t，许厂矿井 150 万 t，岱庄矿井 150 万 t。葛亭矿井 60 万 t，古城矿井 90 万 t）；新井准备 2 对，年设计能力 480 万 t（梁宝寺矿井 180 万 t，唐口矿井 300 万 t）；改扩建矿井 1 对，净增生产能力 30 万 t（潘西矿由 30 万 t 扩大为 60 万 t）；有在建洗煤厂 7 座，年设计入洗能力 1500 万 t。地方煤矿有在建矿井 9 对，年设计能力 390 万 t。

全省共有 9 个产煤市和 30 个产煤县，省属淄博、新汶、枣庄、肥城、兖州、龙口、临沂 7 个矿务局（公司），坊子矿、马坊矿、田庄矿、邱集矿 4 个直属矿，山东煤田地质局，泰安、莱芜、济南 3 个煤矿机械厂，济南煤矿设计研究院，泰安和临沂煤矿工人疗养院，嘉祥、梁山、聊城矿柱林场，山东煤矿青岛办事处，山东煤矿总医院，山东煤矿多种经营总公司，山东省煤炭销售运输总公司，山东省煤炭物资经营总公司，山东煤矿信息中心，机关后勤服务中心等单位，全系统年平均人数 50 万人，其中省属煤炭系统职工年平均人数为 32 万人，市县属煤炭系统年平均人数为 7.6 万人。

2000 年，全系统完成工业总产值 211.66 亿元，比上年增长 8.8%；完成销售收入 133.51 亿元，比 1999 年上升 13.3%；实现利税 16.89 亿元，比 1999 年下降 2.5%；完成省部级以上技术改造项目 30 项，投入技改资金 15.5 万元。截止 2000 年底，全系统固定资产总值达到 339.93 亿元，净值为 233.4 亿元。2000 年新增固定资产 42.7 亿元，比上年增长 22.36%。全年共完成原煤产量 8038 万 t，比 1999 年下降 5.59%。安全生产继续保持好的水平，国有重点煤矿原煤生产百万吨死亡率为 0.34，比国家下达的指标降低了 0.56，已连续 9 年百万吨死亡率在 0.6 以下。非煤产业稳定发展，全年共完成产值 87.8 亿元，实现利润 3.53 亿元，分别比 1999 年提高了 12.7%和 11.7%。

2000 年度主要抓了以下几项工作：

一、加强工作指导，深化企业改革。在 4 个改制企业完善法人治理结构的基础上，淄博、龙口两局的改制方案已经省经贸委批准，产权制度改革迈出了较大步伐。全省已有 50 个矿处级单位和 110 个非煤产业项目进行了股份合作制或有限责任公司改造。企业内部“三项制度”改革不断深化，推行了干部择优竞聘、工人竞争上岗、分配与效益挂钩等措施，精减机构、减员增效取得了成效。关闭破产工作取得新进展，完成了坊子、汤庄、枣庄、龙泉、朱子埠 5 对矿井的破产准备工作，并进入法律程序。债转股工作进展顺利，肥城公司和龙口矿务局签订债转股协议 13.57 亿元，枣庄公司签订债转股协议 16.8 亿元。职工养老保险统筹移交地方管理，企业缴费比例下降 15.72 个百分点。年减支 4.1 亿元。

二、强化企业管理，狠抓扭亏脱困。省煤炭工业局制定了《扭亏脱困目标考核办法》，对企业盈亏、工资和养老金发放、消化潜亏等纳入考核目标，层层落实扭亏增盈责任制，促进了企业的精细化管理。煤炭企业围绕降耗提效，普遍推行了物资比价采购、目标成本管理、项目招投标、公车租赁和拍卖、非生产性支出定额承包等一系列切实可行的管理办法，有效地加强了管理，堵塞了漏洞。尤其是减人提效取得突破性进展，省属重点煤矿精减分流人员 40258 人，其中下岗 25177 人（纳入“三三制”保障范围的 21052 人）；全员效率达到每工 3.5t，同比提高了 11.1%。同时，积极探索实行教育、卫生等后勤服务产业化管理的有效形式，减轻了企业负担，为分离企业办社会职能奠定了基础。

三、完善运行机制，强化市场营销。召开了全省煤炭运销工作会议，学习和引入海尔、青岛啤酒等企业的先进营销经验，变局矿二级销售为企业一级销售，加强了市场营销“三大工程”建设，逐步完善了企业内部营销体制。成立了全省煤炭运销协会，发挥煤炭企业的整体优势，联手开拓煤炭市场，初步改变了竞相压价、过度竞争的被动局面。积极实施“保省内、扩省外、增出口”的营销战略，针对铁路运力比较紧张的矛盾，坚持铁运与汽运两条腿走路，采取了更加灵活的销售策略，有效地提高了省内外煤炭市场占有份额，煤炭出口创出历史最好水平。

四、调控煤炭总量，发展非煤产业。总量控制纳入了企业领导班子年终业绩考核，有效地实施了关井压产工作。煤炭库存大幅下降、外欠煤款减少、煤价提高、效益上升，总量控制初见成效。省关井压产领导小组及省直五部门先后下发了两批关井名单，全省共关闭矿井 118 处，压减产量 210 万 t。非煤产业发展步伐加快。全年新上、技改、扩建非煤项目 118 个，已投入运营综合利用电厂14座，总装机容量达到21.8万kW。省属重点煤矿非煤产业完成产值经营额87.8亿元，实现销售收入81亿元，同比分别增长了12.7%和11.4%。

五、狠抓安全管理和安全监察，推动安全生产。以贯彻落实江总书记关于安全生产的重要批示为契机，层层落实安全生产责任制，不断强化第一责任者的安全责任，健全安全管理机制，大力推行质量标准化、安全风险抵押、安全职级管理、安全联带责任制和试行事故损失赔负制，重点推广了鄂庄矿“八个一”的安全生产先进经验，提高了安全管理的总体水平。持续不断地开展了全省煤矿安全大检查。共查处事故隐患3000多条，停产整顿12个矿。加强了煤矿安全整顿，狠抓了重大事故隐患的排查和治理，对瓦斯、煤尘、水、火等重大事故隐患实行了跟踪调度管理，有效地减少了重大事故。完成了省局机构改革和4个煤矿安全监察办事处的组建工作，理顺了监察管理体制，狠抓了《煤矿安全监察条例》的学习宣传贯彻，煤矿安全监察工作开始走向法制化、规范化的轨道。

同时，在思想政治工作和精神文明建设、科技、教育、环保、节能、信访、老干部等工作方面也都取得了新的发展和进步。

（王东明）

表1　煤　矿　生　产　规　模

项　　目	矿井数（处）	实际年产量（10^4t）	占全区年产量的比例（%）
全省（区）合计	437	8038.57	100.00
统配煤矿	57	5812.18	72.30
省属煤矿	7	310.36	3.86
地市营煤矿	14	368.19	4.58
县营煤矿	59	1205.35	15.00
集体及个体煤矿	300	342.49	4.26

表2　重点煤矿基本情况

局矿名称	地址及邮政编码	实际年产量（10^4t）	年末职工人数（人）
淄博矿务局	山东省淄博市淄川区洪山镇　255120	494.41	36181
新汶矿业集团公司	山东省新泰市新汶　271233	999.68	66806
枣庄矿业集团公司	山东省枣庄市薛城区泰山南路118号　277000	685.36	63257
肥城矿业集团公司	山东省肥城市王瓜店镇　271608	451.36	35134
兖矿集团有限公司	山东省邹城市凫山路40号　273500	2800.63	78384
龙口矿务局	山东省龙口市振兴路249号　265700	304.65	12594
临沂矿务局	山东省临沂市罗庄镇　276017	54.98	11576
坊子煤矿	山东省潍坊市坊子区工矿路　261200	21.13	4461

表3 重点煤矿主要技术经济指标

局矿名称	原煤产量 (10^4t)	商品煤		洗精煤		掘进总进尺 (m)	回采工作面平均月产量 (t)	掘进工作面平均月进度 (m)	采煤机械化程度（%）		掘进装载机械化程度（%）		原煤坑木消耗 ($m^3/10^4t$)	原煤全员效率 (t/人)
		灰分 (%)	含矸率 (%)	产量 (10^4t)	灰分 (%)				合计	其中：综采	合计	其中：综掘		
淄博矿务局	494.41	22.59	0.05	8.68	9.67	98098	7457	122.61	66.99		86.90		37.55	0.644
新汶矿业集团公司	999.68	18.13	0.00	388.38	9.66	185133	28112	148.85	81.24		96.37		29.76	2.223
枣庄矿业集团公司	685.36	14.23	0.00	250.80		69653	51245	199.32	94.12	55.49	99.90		23.60	3.048
肥城矿业集团公司	451.36	20.01	0.03	5.64	9.62	104134	19680	159.00	94.53		99.38		25.38	1.825
兖矿集团有限公司	2800.63	15.17	0.00	1234.31	10.25	96987	249366	262.96	100.00	100	100.0		4.54	15.29
龙口矿务局	304.65	19.90	0.19			26141	41183	97.85	90.23	88.19	97.33		23.75	2.821
临沂矿务局	54.98	22.56	0.00			26416	4203	118.78			68.58		134.4	0.856
坊子煤矿	21.13	33.43	0.49			6718	3126	103.59			65.70		111.7	15.40
合　计	5812.19	17.09	0.02	1887.81	9.84	613280	39725	154.42	92.16	61.28	94.85		17.97	3.465

辽宁省煤炭工业概况

表1　煤　矿　生　产　规　模

项　　目	矿井数 (处)	实际年产量 (10^4t)	占全区年产量的比例 (%)
全省（区）合计	77	4405.26	100.00
统配煤矿	36	3687.86	83.72
省（区）属煤矿	—	—	—
地市营煤矿	18	80.86	1.84
县营煤矿	23	109.94	2.49
集体及个体煤矿	1658	526.60	11.95

表2　重点煤矿基本情况

局矿名称	地址及邮政编码	实际年产量 (10^4t)	年末职工人数 (人)
抚顺矿务局	辽宁省抚顺市　113008	552.91	51830
阜新矿务局	辽宁省阜新市　123000	987.03	64331
北票矿务局	辽宁省北票市　112100	111.62	21029
铁煤集团	辽宁省铁法市　112700	1465.41	43932
南票矿务局	辽宁省葫芦岛市　125027	176.08	18465
沈阳矿务局	辽宁省沈阳市　110122	394.81	26327

表3 重点煤矿主要技术经济指标

局矿名称	原煤产量(10^4t)	商品煤		洗精煤		掘进总进尺(m)	回采工作面平均月产量(t)	掘进工作面平均月进度(m)	采煤机械化程度(%)		掘进装载机械化程度(%)		原煤坑木消耗($m^3/10^4t$)	原煤全员效率(t/工)
		灰分(%)	含矸率(%)	产量(10^4t)	灰分(%)				合计	其中：综采	合计	其中：综掘		
抚顺矿务局	552.91	17.26	0.60	140.19	6.51	10035	77075	85.40	100.00	100.00	85.16	3.37	24.30	2.868
阜新矿务局	987.03	22.10	0.04	—	—	60198	37698	153.71	81.42	62.04	84.80	13.11	26.58	2.275
北票矿务局	111.62	25.69	—	10.99	10.07	11987	8781	70.95	89.63	—	49.33	—	81.68	0.873
铁煤集团	1465.41	30.04	1.76	—	—	80498	121356	201.94	97.42	97.42	99.64	28.71	16.20	7.241
南票矿务局	176.08	34.66	3.42	—	—	50463	20789	155.83	79.57	—	93.26	—	65.81	1.776
沈阳矿务局	394.81	25.53	0.22	75.26	9.19	49700	13809	9145	3.96	—	72.64	—	108.91	1.438

黑龙江省煤炭工业概况

【概况】2000年是全省煤炭行业面临严峻形势，煤炭企业克服重重困难奋力拼搏的一年。经过共同努力，煤炭行业的改革和发展呈现了良好的势头。特别是国有重点煤矿按照省委、省政府的总体安排和部署，认真贯彻落实"全省国有重点煤炭企业改革脱困实施方案"精神，紧紧围绕"一年改革整顿，两年规范运作，三年效益经营"的改革脱困目标，锐意改革，勇于实践，各项工作都取得了明显成效。煤矿改革脱困和矿区稳定工作出现了新的转机，为进一步推进改革脱困打下了良好的基础。煤炭企业经济运行质量明显提高。全省完成原煤总产量5438万t，其中国有重点煤矿完成3706万t，地方煤矿完成1732万t。国有重点煤矿正在实现效益规模，经济效益开始上升。4个矿务局（公司）补贴后亏损完成36542万元，比1999年减亏15660万元，减幅为30%，基本实现了改革脱困目标，煤矿发展后劲有所增强。国有重点煤矿在资金极度困难的情况下，千方百计保证投入，加快生产准备步伐，努力保证可持续发展。全年开拓进尺完成62883m，同比增加229m；掘进总进尺完成53.7万m，同比增加2.14万m。煤炭销售保持稳定增长，在煤炭市场供应总量过剩，煤炭价格持续下滑的情况下，4个矿务局（公司）商品煤销量实现2982万t，同比增加172万t。商品煤销售收入40.7亿元，同比减少0.5亿元，实收煤款67.1亿元，同比增加8.2亿元，上升13.97%。其中货币回款34.3亿元，同比增加3.3亿元，上升10.82%。矿区形势基本稳定，各煤炭企业把稳定工作作为压倒一切的政治任务来抓，通过各种形式营造稳定的矿区环境，群体上访事件明显下降，矿区总体上保持了安定团结的政治局面。虽然全省煤炭行业的形势总体上趋于好转，但煤炭市场仍然供大于求，没有发生质的变化；煤矿经济结构不合理，适应市场经济的能力较弱；国有煤矿企业机制转换不到位，经济运行质量还不高等，煤炭行业面临的形势仍然十分严峻。

【企业管理】国有重点煤矿从各自实际出发，普遍加大力度，强化企业管理，向管理要效益。鹤岗矿务局把企业管理和扭亏增盈紧密结合，明确经济责任，实行经营风险抵押金政策。推行目标成本管理，健全成本费用管理制度，科学合理确定消耗定额，深化井区核算，促进节支降成。双鸭山矿务局严格资金管理，实行现金流量日报制度，有效地堵塞了管理上的漏洞。七台河精煤（集团）公司对供应、供电、工资等环节实施了规范化管理。鸡西矿务局坚持以定额为中心，以岗位定员为依据，以考核为手段，以产以效定人，加强了分配管理。国有重点煤矿的企业管理水平总体上得到了很大加强。

【产业结构调整】4个矿务局（公司）非煤产业全年完成销售收入24.9亿元，实现利润0.7亿元，非煤产业正在成为拉动矿区经济发展新的经济增长点。非煤产业的迅速发展，促进了煤矿产业结构的调整和优化升级，煤炭产业和非煤产业产值之比，已由1999年的1∶0.65提高到1∶0.86。围绕煤炭深加工、焦化、气化、煤代油领域，发展一批科技含量高、市场发展前景好、经济效益高的非煤产业重点项目，正在创造条件上一批投资少、见效快、效益好，并可以安置分流人员和下岗职工再就业的项目。

【企业改革】国有重点煤矿企业按照省委、省政府年初制定的"国有重点煤炭企业改革脱困实施方案"要求，围绕建立现代企业制度，进行公司制改造。七煤公司在原有改制的基础上，不断完善法人治理结构，规范公司制运作。鸡西、鹤岗、双鸭山矿务局组建煤炭集团有限责任公司的筹备工作正在加快进行，已经通过了省国资委的清产核资，进入企业改制和国有资产授权经营阶段。企业办社会剥离工作取得进展。矿务局自办学校移交地方政府管理的改革，正在双鸭山矿务局试点，鹤岗矿务局已将师范专科、财经学校移交地方政府。

【关闭破产】对应该退出市场的扭亏无望和资源枯竭的煤矿，实施关闭破产，消灭亏损源。按照国家实施该项措施的"14.40"计划，已列入该项计划的具有独立法人资格的鸡西矿务局恒山矿、穆棱矿、小恒山矿、大通沟矿的关闭破产的法律程序已经终结，破产资金已经基本到位。即将进入实质性操作阶段。列入国家"16.60"工程计划的双鸭山矿务局宝山矿、鹤岗矿务局新一矿破产方案已经国家批准。进入法律程序。双鸭山局岭东、岭西、四方台矿和鹤岗矿务局的岭北、兴山矿破产申报准备工作已开始，为劣势企业退出市场建立了通道。

【关井压产】2000年，全省基本完成了国家下达给我省的关井910处、压减小煤矿产量1052万t的任务。省政府与各产煤市（地）政府（行署）签订了关井压产责任状，把指标落实到具体矿井，责任落实到人。把关井压产与安全整顿、安全监察和生产许可证年检紧密结合，有效地促进了关井压产目标任务的完成。鸡西市全年关井压产指标占全省1/3以上，全部验收合格。

【煤炭市场整顿】按照国家和省政府的要求，整顿煤炭市场经营秩序取得了阶段性成果。全省煤炭经营企业已由1999年的9323户减少到3880户，取缔5443户。经省煤炭局会同省工商局等部门联合审查，为533户企业颁发了煤炭经营资格证书，为218户企业颁发了煤炭准运证。

【安全生产】各类煤炭企业认真贯彻江泽民总书记关于安全生产的重要批示，落实安全生产责任制，加强煤矿安全基础工作，把煤矿安全管理与安全监察紧密结合，在加大煤矿安全整顿的同时，实施煤矿安全综合治理，对3万t以下的煤矿全部停产整顿。黑龙江煤矿安全监察局与省总工会联合组织煤矿安康杯竞赛活动，涌现了12个安全生产明星矿。煤矿安全生产形势总体趋于稳定，全省煤矿2000年发生伤亡事故90起，死亡325人，与1999年相比，减少事故61次，减少死亡53人，分别比1999年下降40%和14%。其中国有重点煤矿百万吨死亡率为0.68，创历史最好水平。

【十佳明星矿】为促进全省煤矿加强矿井基础建设，提高质量标准化水平，保证安全生产，黑龙江煤矿安全监察局国有重点煤矿开展了争创"十佳明星矿"活动。经过验收评比，鸡西矿务局新发矿、杏花矿，鹤岗矿务局富力矿、南山矿，双鸭山矿务局新安矿、东荣二矿，七煤（集团）公司新立矿、新兴矿、新建矿、桃山矿，被授予"十佳明星矿"荣誉称号。授予双鸭山矿务局东荣三矿、七煤集团龙湖矿"在建矿井明星矿"荣誉称号。被授予明星矿的单位，全年未发生人身死亡事故。

（李文忠）

表1 煤矿生产规模

项目	矿井数（处）	实际年产量（10^4t）	占全区年产量的比例（%）
全省（区）合计	1916	5438.4	100
统配煤矿			
省（区）属煤矿	42	3706.2	68.15
地市营煤矿	1874	1732.2	31.85
县营煤矿			
集体及个体煤矿			

表2 重点煤矿基本情况

局矿名称	地址及邮政编码	实际年产量（10^4t）	年末职工人数（人）
鸡西矿务局	黑龙江省鸡西市鸡冠区 158100	700	
鹤岗矿务局	黑龙江省鹤岗市向阳区 154100	1175	
双鸭山矿务局	黑龙江省双鸭山市尖山区 155100	781	
七台河精煤公司	黑龙江省七台河市 154600	1050	

表3 重点煤矿主要技术经济指标

局矿名称	原煤产量 (10^4t)	商品煤		洗精煤		掘进总进尺 (m)	回采工作面平均月产量 (t)	掘进工作面平均月进度 (m)	采煤机械化程度 (%)		掘进装载机械化程度 (%)		原煤坑木消耗 ($m^3/10^4t$)	原煤全员效率 (t/工)
		灰分 (%)	含矸率 (%)	产量 (10^4t)	灰分 (%)				合计	其中：综采	合计	其中：综掘		
鸡西矿务局	700	27.06	0.01	78	9.66	120742	17268	121.74	95.15	23.23	89.27		36.79	1.244
鹤岗矿务局	1175	22.43	0.01	101	9.32	147171	21770	104.94	66.23	20.40	71.48		41.45	1.408
双鸭山矿务局	781	20.69	0.02	86	8.52	108096	20987	112.49	92.22	36.54	94.73		47.99	1.682
七台河精煤公司	1050	24.43	0.01	285	9.64	161229	12078	112.12	65.63		96.18		50.51	1.205

吉林省煤炭工业概况

【基本情况】吉林省煤炭工业分为国有重点煤矿、国有地方煤矿、乡镇煤矿 3 种类型，还有煤机制造、煤田地质勘探、科研教育等企事业单位。2000 年，国有重点煤矿有辽源、通化、舒兰、珲春 4 个矿务局，营城、蛟河 2 个直属矿，辽源、蛟河、营城 3 个煤机厂、蛟河化工厂和煤田地质局以及所属的 10 个煤田地质勘探单位。吉林省省属煤矿有杉松岗、万宝煤矿和煤矿建设公司。市、县国有地方煤矿 35 个，乡镇集体和个体矿井 790 处。全省共有 8 个市、州，21 个县（市、区）产煤。重点产煤地区有辽源、白山、通化、吉林市和延边州。2000 年末，吉林省煤炭工业储量 16 亿 t，其中可采量 11 亿 t。吉林省国有煤矿共有正规生产矿井 61 处，设计生产能力 1389 万 t，核定生产能力 1240 万 t。其中国有重点煤矿现有正规矿井 21 处，核定生产能力 874 万 t。市（州）属煤矿正规矿井 18 处，核定生产 198 万 t。县（市、区）属煤矿正规矿井 16 处，核定生产能力 111 万 t。国有煤矿有在建矿井 7 处，设计能力 204 万 t。

2000 年末，吉林省国有重点煤炭企业固定资产原值 52 亿元，净值 37 亿元。煤炭职工和离退休人员共 30 万人，包括职工家属共 100 万人，占全省总人口的 1/26。国有煤炭企事业单位年末职工人数为 16.05 万人，其中省属企事业单位 12.64 万人。在省属煤矿在职职工中，有下岗职工 42274 人。省属局矿和事业单位有离退休人员 6.3 万人。市、县国有煤矿 3.4 万人。乡镇煤矿从业人员约 3 万人。

2000 年末，吉林省省属煤炭企业有中小学校 99 所，其中小学 56 所、中学 34 所、高中 7 所、职业高中 2 所、技术学校 6 所、教师进修学校 2 所、培训中心 4 所。有教职工 5710 人，其中专任教师 4900 人，在校中小学生 6.8 万人。吉林省煤炭系统还有长春煤炭科学研究所、东北煤炭工业环境保护研究所、长春煤炭设计研究院等 3 个煤炭科研、设计单位。

【进行机关机构改革，完成了煤矿安全监察办事处（站）的组建工作】1999 年末，国务院决定建立专门从事煤矿安全监察工作的、自上而下垂直管理的煤矿安全监察机构。国家设立煤矿安全监察局，作为煤矿安全监察的行政执法机构。设立省级煤矿安全监察局，作为国家煤矿安全监察局的直属机构。国务院下发了《关于印发煤矿安全监察管理体制改革实施方案的通知》（国办发〔1999〕104 号），明确将吉林省煤炭工业管理局改组为吉林煤矿安全监察局，由国家煤矿安全监察局垂直管理。2000 年 4 月，中央编委办公室在 34 号文件中明确，在吉林煤矿安全监察局暂时加挂吉林省煤炭工业局的牌子，继续履行煤炭行业管理职能。吉林煤矿安全监察局（吉林省煤炭工业局）既是国家煤矿安全监察局的直属机构，又是吉林省政府主管全省煤炭工业的工作机构，实行国家煤矿安全监察局与吉林省政府双重领导，其煤矿安全监察业务以国家煤矿安全监察局为主，煤炭行业管理业务以吉林省政府管理为主。吉林煤矿安全监察局（吉林省煤炭工业局）的机构和职能明确后，国家煤矿安全监察局党组任命了吉林煤矿安全监察局党组和局领导班子。4 月 11 日，吉林煤矿安全监察局正式挂牌运行。6 月 20 日，国家煤矿安全监察局下发了《关于印发吉林煤矿安全监察局职能配置、内设机构和人员编制方案的通知》（煤安司办字〔2000〕第 15 号），批准了吉林煤矿安全监察局的“三定”方案。8 月 5 日，吉林省人民政府下发了《关于印发吉林省煤炭工业局职能配置、内设机构和人员编制规定的通知》（吉政办发〔2000〕80 号）。按照国家煤矿安全监察局、吉林省政府批准的吉林煤矿安全监察局和吉林省煤炭工业局的“三定”方案，进行了机关机构改革。通过定职责、定编制、定岗位和处长竞争上岗，工作人员双向选择，到 8 月中旬，9 个内设处室职能和人员全部到位。在机构改革中，做到了改革的步骤明确，方案具体，实施中做到公开、公平、公正。针对机关人员多、分流难度较大的实际，把思想政治工作贯穿机构改革的全过程，人员分流积极稳妥，使机关机构改革平稳顺利完成。

国务院办公厅《关于印发煤矿安全监察管理体制改革实施方案的通知》中明确规定，在大中型矿区设立煤矿安全监察办事处，作为省级煤矿安全监察局的派出机构，吉林省组建了辽源、白山、延吉 3 个煤矿安全监察办事处和长春、吉林两个煤矿安全监察站。各煤矿安全监察办事处（站）在吉林煤矿安全监察局的领导下，负责划定区域内煤矿的安全监察和执法工作。工作人员经组织人事部门推荐、考核，由吉林煤矿安全监察局党组集体审定。其中从各市（州）劳动、煤炭部门选调 24 人，占 1/3。各安全监察办事处（站）领导班子已经国家煤矿安全监察局批准，完成了煤矿安全监察办事处的组建工作。各煤矿安全监察办事处（站）坚持边组建、边按照职责开展了正常的煤矿安全监察工作，在煤矿安全生产、小煤矿整顿和事故调查处理中发挥了重要作用。

【直属煤炭企业内部改革取得较大进展】2000 年，吉林省直属煤炭企业按照“原煤生产不亏损，多种经营盈利，后勤服务逐步减少补贴，社会化管理”的原则，进一步完善了三条线管理体制，对部分矿井和多种经营企业分离为法人实体。以租赁、承包和股份制改造为主要形式，对一批企业进行产权制度或经营方式的改革，增强了活力。杉松岗煤矿由生产公司代表矿进行资本运营，将资产以参股形式投入卓越实业公司、还原铁有限责任公司和型煤有限责任公司，并派股权代表参与经营，进行了产权制度改革。

下岗分流、减员增效工作有较大进展。吉林省直属煤炭企业大力精简局矿管理机构，推行干部竞争上岗，末位淘汰，减少了管理人员和费用开支。全年共下岗分流17891人，其中进入再就业中心16056人。累计下岗人数42274人，进入再就业中心40252人。辽源矿务局局机关机构、管理人员和处级干部分别精简了30%。珲春矿务局二级单位领导干部一次性精简41人。

辽源矿务局泰信矿和通化矿务局八道江、五道江、大湖等4个煤矿破产前期准备工作已经完成，国家批准后进入法律程序。

【控亏工作取得明显成效】2000年，吉林省属煤矿增支因素达5000万元，舒兰矿务局因采掘失调，成本产量同比大幅度下降，增加了完成控亏目标难度。为此，吉林省省属煤矿把控亏作为重点工作来抓。分解了控亏目标，落实了责任制和奖罚措施。积极协调解决生产、销售和资金等关键问题。努力加强管理，增产增收，节支降耗，遏制了过去补贴后大幅度超亏的势头，改变了普遍超亏的局面。2000年，吉林省国有重点煤矿补贴前亏损41165万元，同比减亏4858万元，补贴后亏损2339万元。省属两矿补贴前亏损2896万元，同比减亏866万元，补贴后亏损1161万元。辽源、通化矿务局，营城、蛟河、杉松岗煤矿实现了补后不亏损。吉林省国有4局4矿除舒兰矿务局和万宝煤矿外，亏损同比均有不同幅度的减少。其中：辽源矿务局同比减亏1411万元；通化矿务局同比减亏1500万元；营城煤矿和蛟河煤矿同比分别减亏510万元和478万元。如果把消化增支因素加上减亏数额，2000年等于减亏1亿元。

辽源、营城、蛟河三个煤机厂全年完成产值1.24亿元，同比增加792万元；亏损934万元，同比减亏1712万元。其中辽源煤机厂产值5220万元，同比增加近1倍，亏损698万元，同比减少1469万元，减幅为68%。营城煤机厂努力调整产品结构，社会产品规模已近50%。新开发的灌桩机产品供不应求，当年产值3000多万元。

【原煤生产完成总量控制目标】2000年，吉林省原煤总产量完成1654万t，比国家下达的1735万t的总量控制指标减少81万t，同比减少171万t，减幅9.4%。

吉林省国有重点煤矿为稳定煤炭产量，合理调整生产布局，加强重点矿井生产组织。省里投入生产专项资金2730万元，省属各局矿自筹资金近6000万元，用于矿井生产环节改造和采煤方法改革。开展采区接续和重点工程会战，一批技改工程相继投产，为稳定增加煤炭产量发挥了重要作用。吉林省国有重点煤矿全年原煤总产量完成885.7万t，同比减少58.8万t。除舒兰矿务局减少57万t外，其他局矿煤炭产量都略有增长或持平。

吉林省国有地方煤矿煤炭产量424万t，同比减少17.1万t。其中省属杉松岗、万宝煤矿产煤64.5万t，同比持平。乡镇煤矿产煤345万t，同比减少95万t。

【多种经营实现了总体扭亏为盈】2000年，吉林省省属煤矿多种经营生产经营总额7.37亿元，实现利润23.5万元；同比减亏增盈2118万元。其中通化矿务局、营城、蛟河、杉松岗、万宝煤矿均实现了盈利。

通化矿务局对多种经营厂点分类指导，完善骨干厂点的内部运行机制，规范小型厂点的经营秩序，对扭亏无望的中小厂点实施关停，清理注销53个各类公司，提高了运行质量和效益。多种经营全年实现利润800万元，同比减亏增盈1205万元，占全局减亏额的80%。

营城煤矿多方筹集资金启动骨干厂点生产SP大板，并购置了运输吊装设备，实行一条龙服务，产品供不应求，盈利77万元。药用胶囊厂、膨润土厂均实现了扭亏为盈。

【安全生产完成国家下达的控制指标】2000年，吉林省煤炭企业以控制重大事故为重点，坚持安全管理和安全监察两手抓，加大了安全工作的力度。多次召开安全生产工作会议，对安全生产进行专项部署。开展了“查隐患、防事故”安全月活动，组织了五次安全生产大检查。吉林煤矿安全监察局组建以后，加强了安全生产检查监督，依法从严查处了重大安全事故。2000年发生的16起重大事故全部结案。积极筹措资金，加大安全投入，在安全技措上投入860万元，促进了各局矿安全条件的改善。

以“一通三防”为重点，开展通风质量达标活动，有15对国有矿井达标。坚持非正规采煤的通风瓦斯管理，通过瓦斯抽放和推行移动式瓦斯抽放技术，解决了部分高沼气矿井瓦斯超限的问题。2000年瓦斯抽放量近1700万m^3。

强化安全培训，完成了培训计划。培训了853名小煤矿矿长，对37名国有煤矿矿长和816名小煤矿矿长进行了任职资格专项监察培训和考试。《煤矿安全监察条例》颁布后，在全省煤炭系统全面开展了学习、宣传、贯彻活动。

2000年，吉林省各类煤矿共发生死亡事故96起，死亡215人，同比减少48人，完成了国家经贸委下达的死亡人数减少20%的目标。国有重点煤矿百万吨死亡率为2.4，同比下降22.6%；国有地方煤矿百万吨死亡率为4.7，同比下降20.3%，均完成了国家经贸委下达的考核指标。乡镇煤矿百万吨死亡率为36。国有重点煤矿矿办井死亡人数同比减少5人，百万吨死亡率同比下降17.9%。

【小煤矿停产整顿工作取得初步成效】2000年，吉林省针对乡镇小煤矿和矿办小井重大、特大事故频发的问题，从3月8日开始，对各类小煤矿进行了集中停产整顿，重新核发“三证”，按照小煤矿安全生产8条标准，进行全面的检查和验收。为认真吸取辽源矿务局西安矿四区小井“11·5”事故教训，防止特重大事故的发生，对矿办井全部进行了停产整顿。全年对小煤矿进行了4次集中检查、督查和复查验收。通过停产整顿，小煤矿安全装备水平、抗灾能力有所提高。验收合格的矿井全部购置了主扇，部分矿井的提升运输设备安装了保护装置，配备了瓦斯检测仪和煤矿专用放炮器。据不完全统计，在停产整顿过程中，吉林省小煤矿总投资 4600 万元，装备主扇、水泵、绞车、罐笼、瓦斯检测仪、防爆开关等 3800 多台（套），铺设排水管路 3.3 万 m，开拓井巷工程 5 万 m。

为了使小煤矿安全生产有法可依，制订了《吉林省小煤矿安全生产管理若干规定》，经吉林省政府第 33 次常务会议讨论通过，洪虎省长签发了省政府第 116 号令，并颁布实施。将小煤矿安全生产标准、安全管理以及安全责任作为省政府规章确立下来。会同省高法等六部门发布了《关于办理破坏矿产资源，扰乱矿业秩序违法犯罪案件有关问题暂行规定》，为小煤矿的管理提供了法律依据。

2000 年共关闭小煤矿 360 处，压产 80 万 t，完成了关井压产指标，小煤矿减少到 790 处，国有矿区范围内小煤矿乱采滥挖现象得到遏制，热点难点地区的采矿秩序好转，小煤矿安全生产水平有较大提高。关井压产通过了国家关井办验收。

【保持了矿区基本稳定】与省属各局矿签订了信访责任目标，定期排查不稳定因素。在发生群体事件后，各级干部认真接待上访代表，或到现场做工作，化解矛盾，平息事态。辽源矿务局对职工和离退休人员定期进行形势政策教育，收到了较好效果。蛟河煤矿矿领导班子和广大干部在内外部环境非常困难的形势下，做了大量艰苦细致的工作，保持了矿区的基本稳定。积极筹措资金，保证了重要节日职工工资的发放。“两节”前，筹措资金 500 万元，开展送温暖活动，慰问困难职工 42600 户。全年做到了离退休人员养老金的按时发放，解决了舒兰局、设计院等单位拖欠的养老金问题，共为下岗职工发放生活费 1.02 亿元，为保持煤炭企业形势的基本稳定起到重要作用。

表 1 煤矿生产规模

项目	矿井数（处）	实际年产量（10^4t）	占全区年产量的比例（%）
全省（区）合计		1654.47	100.0
统配煤矿	20	885.71	53.5
省（区）属煤矿	6	67.70	4.1
地市营煤矿	18	261.77	15.8
县营煤矿	16	94.65	5.7
集体及个体煤矿		344.64	20.9

表 2 重点煤矿基本情况

局矿名称	地址及邮政编码	实际年产量（10^4t）	年末职工人数（人）
辽源矿务局	吉林省辽源市西安区 136201	312	36621
通化矿务局	吉林省白山市八道江镇 134300	237	34348
舒兰矿务局	吉林省舒兰市吉舒镇 132602	148	20165
珲春矿务局	吉林省珲春市 133300	137	11377
营城煤矿	吉林省九台市营城镇 130502	30	9517
蛟河煤矿	吉林省蛟河市矿区 132507	22	5585

表3 重点煤矿主要技术经济指标

局矿名称	原煤产量 (10^4t)	商品煤		洗精煤		掘进总进尺 (m)	回采工作面平均月产量 (t)	掘进工作面平均月进度 (m)	采煤机械化程度（%）		掘进装载机械化程度（%）		原煤坑木消耗 ($m^3/10^4t$)	原煤全员效率 (t/工)
		灰分（%）	含矸率（%）	产量 (10^4t)	灰分（%）				合计	其中：综采	合计	其中：综掘		
吉林国有重点计	885.71	35.18	0.29	21	10.88	13664	15221	123.25	42.31	20.52	69.83		79.25	1.303
辽源矿务局	312.07	27.41	0.16			5160	14910	101.49	51.46	51.46	76.15		57.44	1.389
通化矿务局	236.80	34.10	0.66	21	10.88	5561	16636	145.78	59.84		73.80		100.39	1.289
舒兰矿务局	148.47	51.11	0.20			640	17436	89.87	11.27		0.93		132.05	1.367
珲春矿务局	136.76	41.05	0.20			2303	16142	173.30	42.26		85.74		43.79	1.453
营城煤矿	29.68	35.69	0.05				6515	95.04			69.39		48.25	0.637
蛟河煤矿	21.93													

江苏省煤炭工业概况

【煤炭经济运行】一是煤炭产量保持了相对稳定。“九五”期间，在部分矿井衰老报废、关井压产力度加大的情况下，全省共生产原煤 9771.3 万 t，比“八五”期间少生产 783 万 t。2000 年，全省共生产原煤 1839.5 万 t，比 1999 年增产 31 万 t，其中，徐州矿务集团公司 1362.3 万 t，比 1999 年增产 74.1 万 t，地方国有煤矿 279.2 万 t，比 1999 年增产 8.7 万 t；乡镇煤矿 197.9 万 t，比 1999 年减产 51.8 万 t。二是原煤成本逐年下降。2000 年，全省原煤制造成本为 93.01 元/t，比 1999 年下降 3.9 元/t。三是全员劳动生产效率大幅提高。2000 年末，全省国有煤矿全员劳动生产效率为 2.047t/工，比“八五”提高了 0.784t/工，上升了 62.07%；工作面平均单产达 21026t/月/个，比“八五”提高了 59.24%；国有重点煤矿徐矿集团公司采煤机械化程度达 73.18%，比“八五”提高了 3.5 个百分点，并先后建成了三河尖、庞庄、夹河、旗山、权台、张双楼 6 对高产高效矿井。张双楼、旗山、三河尖、庞庄等矿综采队年产还多次突破了百万吨。四是煤炭销售工作经受住了市场考验，逐步走出低谷。在煤炭市场持续疲软、制约加剧的形势下，1999 年、2000 年，全省自产煤炭销售连续两年超过了 100%，尤其是徐矿集团公司的省内电煤销售呈增长趋势，1999 年为 400 万 t，2000 年为 407 万 t，分别比 1998 年增加了 175 万 t、182 万 t。五是扭亏脱困取得阶段性成果。2000 年，全省煤炭行业遏制住了持续增亏的势头，全行业亏损为 5501 万元，比 1999 年减亏 10443 万元，减亏幅度为 65.5%。

【结构调整】“九五”期间，在生产经营异常困难的情况下，全省煤炭行业投入矿井技改、新井建设资金共 7.98 亿元，比“八五”增长了 28.78%。徐州矿务集团公司完成了张集矿改扩建工程、张小楼矿新副井建设、垞城矿新副井、张双楼矿西翼防水闸门工程、旗山矿洗煤厂等工程项目。江苏天能集团公司完成了新矿井龙固矿投资 1.8 亿元，第一期工程已于 2000 年 7 月投入试生产。新光集团建成年设计能力 21 万 t 的刘东矿，1999 年生产原煤 24.8 万 t。正在建设的年设计能力 30 万 t 的昭阳矿，副井改造全部结束，井巷开拓正在加快施工，可望于 2000 年底达到 30 万 t 的生产能力。关闭破产工作已开始启动，一批资源枯竭、扭亏无望的国有煤矿退出市场。徐州矿务集团公司已编制出 9 对衰老矿井关闭破产规划，其中大黄山、董庄、夏桥 3 对矿井破产方案已获全国企业兼并破产和职工再就业工作领导小组批准，即将进入实施阶段。“九五”期间，全省国有煤矿共有 22 对矿井结束开采历史，苏南最后一对生产矿井无锡白泥场煤矿于 1999 年关闭。关井压产工作取得阶段性成果。1998 年 11 月，国务院关闭非法和布局不合理小煤矿工作实施，到 1999 年底，全省共关井 114 处，压产 200 万 t。

【多种经营】“九五”期间，全省煤炭系统共开发建设了 235 个项目，投资总额 7.49 亿元，完成生产经营总额 125.2 亿元，销售收入 172.9 亿元，上交税金 6.25 亿元，安置人员 7077 人，建成了一批技术含量较高、市场前景看好、具备一定规模的骨干企业。2000 年，全省煤炭多种经营完成生产经营总额 24.8 亿元，比 1999 年增加 1.45%，实现利润 5193 万元，比 1999 年减亏增盈 6066 万元。

【企业改革】徐州矿务集团公司作为全省现代企业制度首批试点单位之一，已于 1998 年改制为有限公司并逐步规范运作。1999 年，该公司还完成了 3.4 亿元的债转股工作。1999 年，省煤矿研究所由事业单位转制为科工贸一体化的科技型企业，对产权制度改革进行了有益的探索，下岗分流、减员增效力度加大。“九五”期间，全省煤炭系统通过下岗分流、内退和其他渠道，比“八五”期间净减少职工 39768 人。劳动、工资、人事三项制度改革更趋完善，系统内普遍实行了干部聘任制，全面推行了公开招聘、竞争上岗等制度，企业的内部机制进一步搞活，住房、医疗、保险制度改革与社会同步推进。省属煤炭企业全部纳人了地方养老保险。省级煤炭管理机构改革进展顺利。2000 年 11 月 28 日，江苏煤矿安全监察局、江苏省煤炭工业局正式挂牌运作，分别代表国家煤矿安全监察局、江苏省人民政府行使煤矿安全监察和行业管理职能。

【科教兴煤】在矿井高产高效与安全技术方面，徐州矿务集团公司“旗山矿‘三软’4.5m 厚煤层综采放顶煤综合技术研究”、“张双楼矿大倾角 4～5m 厚煤层一次采全高技术研究与应用”及“韩桥矿三软煤层轻型综采放顶煤支架与工艺应用研究”等一批重点项目取得成功，经济效益显著。在资源综合利用及洁净煤技术方面，徐矿集团公司新河矿矿井水作为徐州市的自来水水源，最高日供水量达到 5 万 t。全省煤炭系统煤矸石利用率达 70%，粉煤灰全部综合利用。在新产品开发和创名牌产品方面，徐州矿务集团公司承担的国家级“产学研”项目“镍纤维和镉镍电池”是国家级高新技术产品，被列人国家级火炬计划。江苏天能集团“高水速凝材料暨特种水泥产业化项目”已被列人国家级科学技术产业化项目。新光集团的飞亚牌厨具、常州矿务局同大牌气雾剂产品获得了江苏省名牌产品称号。在新技术推广方面，三小岩巷锚喷作业线、煤巷锚杆支护、节能技术等一大批新技术和技术革新成果得到大面积推广。“九五”期间，全省煤炭系统共有 37 项科技成果分别获得部、省科技进步奖。

【安全生产】“九五”期间，全省煤炭系统共发生死亡事故 136 起，死亡 198 人，与“八五”期间相比少死亡 210 人。其中原煤生产死亡 168 人，百万吨死亡率为

1.76，比“八五”期间下降46%。“九五”期间共发生一次死亡3人及3人以上重大事故10起，死亡54人，与“八五”期间相比，减少8起，少死亡112人。2000年，全省煤矿共发生各类死亡事故22起，死亡49人；全省原煤生产发生死亡事故20起，死亡44人，百万吨死亡率为2.43，较考核指标减少26.69%。

表1 煤矿生产规模

项目	矿井数（处）	实际年产量（10^4t）	占全省年产量的比例（%）
全省合计		1839.50	100.00
统配煤矿	15	1362.31	74.06
省属煤矿	0	0.00	0.00
地市营煤矿	11	232.09	12.62
县营煤矿	5	47.15	2.56
集体及个体煤矿		197.95	10.76

表2 重点煤矿基本情况

局矿名称	地址及邮政编码	实际年产量（10^4t）	年末职工人数（人）
1. 徐州矿务集团有限公司	江苏省徐州市淮海西路 221006	1362.31	88481
韩桥煤矿	江苏省徐州市贾汪区	97.51	
权台煤矿	江苏省徐州市铜山县	160.74	
旗山煤矿	江苏省徐州市铜山县	159.34	
庞庄煤矿	江苏省徐州市铜山县	254.71	
夹河煤矿	江苏省徐州市铜山县	136.98	
义安煤矿	江苏省徐州市铜山县	41.82	
垞城煤矿	江苏省徐州市铜山县	85.75	
张集煤矿	江苏省徐州市铜山县	82.58	
三河尖煤矿	江苏省徐州市沛县	156.16	
张双楼煤矿	江苏省徐州市沛县	139	
2. 江苏天能集团公司	江苏省徐州市淮海西路 221006	131.65	14275
3. 江苏新光集团公司	江苏省徐州市贾汪区大泉 221131	48.1	4424
4. 连云港市煤炭公司	江苏省徐州市青山泉白集 221137	42.97	6301
5. 扬州市矿务局	江苏省扬州市盐埠路 225001	50.72	2445

表3 重点煤矿主要技术经济指标

局矿名称	原煤产量(10⁴t)	商品煤		洗精煤		掘进总进尺(m)	回采工作面平均月产量(t)	掘进工作面平均月进度(m)	采煤机械化程度(%)		掘进装载机械化程度(%)		原煤坑木消耗($m^3/10^4t$)	原煤全员效率(t/工)
		灰分(%)	含矸率(%)	产量(10^4t)	灰分(%)				合计	其中：综采	合计	其中：综掘		
1.徐州矿务集团公司	1362.31	22.21	0.01	77.15	8.14	136926	32622	177.9	73.69	56.54	99.06	2.19	4.89	3.098
其中：														
韩桥煤矿	97.51	25.91	0.00	0.42	8.06	13692	16085	167.96	57.98	43.56	94.16		7.52	1.139
权台煤矿	160.74	23.96	0.00	0.78	12.31	12879	47581	186.33	96.53	61.43	100.00		3.29	7.056
旗山煤矿	159.34	22.18	0.00	4.80	12.08	12316	51011	130.15	80.78	80.78	99.94		2.55	6.611
庞庄煤矿	254.71	22.28	0.00	25.75	7.80	29029	31766	200.30	64.65	64.65	100.00	0.75	10.19	4.078
夹河煤矿	136.98	17.54	0.00	42.28	8.68	13610	38042	205.81	72.96	30.20	100.00		4.22	6.556
义安煤矿	41.82	23.58		2.26	10.76	8068	16064	179.37			100.00		2.58	0.968
垞城煤矿	85.75	36.20				10307	14567	184.42			100.00		1.00	1.216
张集煤矿	82.58	24.19				11869	35533	187.92	72.03	72.03	100.00		4.67	1.651
三河尖煤矿	156.16	17.53		14.70	7.38	10131	49106	192.13	100.00	66.35	100.00	19.34	3.28	7.697
张双楼煤矿	139.00	15.52	0.08			11486	78179	223.94	100.00	100.00	100.00	7.10	2.91	7.154
建井处						3244		70.57			100.00			
2.江苏天能集团公司	131.65	24.35	0.22			45393	7955	161.13					88.50	0.739
3.江苏新光集团公司	48.10	19.91	0.70			19828	6478	94.46					119.42	0.988
4.连云港市煤炭公司	42.97	18.67	1.20			18570	5683	151.12					286.53	0.630
5.扬州市矿务局	50.72	18.84	0.00			13474	7411	153.39					9.52	1.230

安徽省煤炭工业概况

2000年，全省煤炭工业在省委、省政府和国家煤炭工业局、国家煤矿安全监察局的正确领导下，认真贯彻落实十五届四中、五中全会精神和国家关于煤炭工业改革、发展的一系列工作部署，紧紧抓住结构调整、扭亏脱困这个重点，突出抓好综合整治方案落实、小煤矿整顿和安全监察等重点工作，通过全省煤炭战线上广大干部、职工的共同努力，各项工作都在积极向前推进，全省煤炭工业经济运行质量提高，效益增长，安全形势稳定。

【实施关井压产、控制总量，使煤炭总量结构发生了很大变化，煤炭产销形势呈现新的转机】各地市（县）政府及主管部门认真落实省政府8月31日会议精神，采取有效措施，加大了整顿治理工作力度。铜陵市政府对关井工作态度坚决，对非法开采的小煤矿，市领导亲自组织公安、煤炭、地矿等部门进行炸封，共炸封小煤矿140多处；繁昌县政府高度重视安全生产和关井工作，经过对全县53处小煤矿的检查，关闭了30处不具备基本安全生产条件的小煤矿，同时投入了400多万元用于余下23处小煤矿的安全装备和通风系统改造，并对小煤矿矿长全部进行培训。2000年，全省共关闭小煤矿276处。在治理整顿小煤矿的基础上，按照总量控制、结构调整、市场配置的原则，积极落实总量控制目标，并根据市场变化，调整营销策略，加大销售力度，实现了销大于产。全年共生产煤炭4640万t，比省预期目标4700万t减少60万t。销售煤炭4700万t，比1999年增长6.2%，产销率为106%。由于销量的增加，全省煤炭库存大幅度下降，账面库存已由年初的370万t降至为120万t。

【以建立现代企业制度为核心，促进企业改革】在国家实行“三年两大目标”的宏观背景下，各煤炭企业都在沿着“建立现代企业制度”这一总体方向，从不同的层面上把企业内部改革推向前进。淮南矿业集团加大了对企业内部资产整合重组力度，对张集等新建成的优势项目按项目法人新机制组建新的独立子公司，使其优势尽快得到发挥；对原有资产按其属性和与主业的关联状况组建若干子公司；对“淮钢”及资源枯竭矿井实施破产，为企业的下一步快速发展奠定了基础。淮北矿业集团加大了子公司组建力度，现已组建12个子公司，并以产权联结为纽带在全公司范围内推广“海孜模式”，把非煤产业与煤炭主业彻底分离，形成独立于煤炭主业的法人子公司。企业内部经营机制被进一步激活，煤与非煤同步发展、相得益彰，2000年煤炭主业的销售收入24亿元，非煤产业的销售收入15亿元，二者比例达到1.6：1。中煤三建公司按照投资主体多元化的要求，对企业进行了股份制改造，按照职工购买、量化配送和按比例赊售3种方式进行产权重组，使职工持股比例达到了20.94%，在产权制度改革上迈出了关键性步伐。皖北煤电集团、国投新集公司以及铜陵等许多地方煤矿在改革方面都做了大量卓有成效的工作。

【积极改革生产工艺，推进科技创新】各企业根据本单位的实际情况，在发展高档普采、综采的基础上，积极推广应用综采放顶煤等新的回采工艺，不仅高产高效，而且安全可靠。新集一矿单面年产达300万t以上。由于回采工艺的改进，推动了减头减面、减人提效工作的开展。支护工艺不断创新，特别是淮北矿业集团在软岩治理方面进行了大量的实践和探索，先后采用了锚注、锚网、锚索、锚梁等复合支护技术，不仅有效地保持了围岩的稳定，而且节约了支护和维修费用。矿井运输自动化技术、建井技术、勘探技术、矿压与监测技术、信息工程技术、洁净煤技术、煤及煤伴生资源的综合利用技术，以及新材料的使用等，都取得了很大进步。

【以债转股、关闭破产等为主要内容的结构调整工作取得了新的进展】我省国有大型煤炭企业积极运用国家政策进行内部资产结构的调整。以两淮为代表的债转股政策，拟一次性转股72.9亿元，年减少支付利息近4亿元；在关闭破产政策中，两淮7个项目可争取中央财政补贴21亿元，有望核销银行呆坏账14.2亿元，可年减少亏损1.2亿元。随着这些政策的落实，一大批医院、学校、后勤服务等社会职能实现了与煤炭主业的分离，为企业的轻装上阵、加快发展提供了条件。除此以外，各单位在产业结构、产品结构、组织结构、劳动力结构以及所有制结构调整方面也做了大量工作，经济运行质量有了新的提高。

【综合治理，整体推进，以国有重点煤矿为重点的全省煤炭行业扭亏脱困工作取得很大成效】原8家煤炭部直属或直管的煤炭企事业单位下放后，面临的一个重要问题就是扭亏脱困。对此，中央和省领导非常重视，朱镕基总理、吴邦国副总理专门到安徽进行调研，并对扭亏脱困工作作出重要指示。按中央要求，省政府专门制定了中央下放企业扭亏脱困的整治方案。通过对方案的落实，收到了显著成效，成本进一步降低，1～11月，全省原煤生产平均成本为123.09元/t，同比下降了2.11元/t。其中，降幅较大的皖北煤电集团同比下降9.31元/t，国投新集公司的原煤绝对成本已降至90.6元/t；外欠款进一步减少，至11月底全省外欠煤款21.2亿元，比年初下降2亿元，使企业的资金环境进一步改善，工资拖欠逐步得到回补；产品质量不断改进，许多企业通过技术改造，提高了洗选加工能力，创出了自己的品牌，增强了市场竞争能力；效率进一步提高，原煤生产人员在1999年的基础上又减少了1.2万人，原煤生产效率比1999年提高了0.23t/工；经济效益明显提高，淮南矿业集团补贴后盈利1783万元，比 1999 年减亏增盈 8358 万元。淮北矿业集团实现盈利 2000 万元，比 1999 年减亏增盈 6956 万元。中煤三建、四建公司实现减亏。皖北煤电集团、国投新集公司也都比 1999 年同期增盈。全省亏损 3000 万元，同比减亏 2 亿元。

【加大安全管理力度，安全形势基本稳定】各单位认真贯彻落实江总书记等中央领导同志关于安全生产的重要批示，以及省政府、国家局召开的一系列安全会议精神，切实把安全生产放在了特别重要的地位。层层落实了安全生产责任制，突出了"一通三防"在安全管理中的重要地位，采取了有效措施，并狠抓落实。淮南矿业集团狠抓了瓦斯的抽放工作，全公司 11 对矿井有 10 对进行了瓦斯抽放，预计可抽放瓦斯 4500 万 m^3；淮北矿业集团不断提高矿井装备水平，现已装备了 11 套瓦斯监测系统，并开展了防治瓦斯和煤自燃发火等专项治理；皖北煤电集团先后对 4 个矿井的通风系统进行了改造；国投新集公司投入了 1300 多万元用于"一通三防"的治理和装备。根据国家关于煤矿安全监察管理体制改革的决定，1999 年 4 月份安徽煤矿安全监察局成立以后，按照国家规定的职能认真开展工作，加大了安全监察力度，严格查处事故隐患，认真做好事故的调查、处理和结案工作，收到了好的效果。全省共发生死亡事故 85 起，死亡 119 人，分别比 1999 年减少 37 起，少死亡 40 人。其中国有重点煤矿发生死亡事故 37 起，死亡 46 人，同比减少 28 起，少死亡 30 人；地方国有煤矿发生死亡事故 11 起，死亡 30 人，同比减少 1 起，多死亡 12 人；乡镇煤矿发生死亡事故 37 起，死亡 43 人，同比减少 8 起，少死亡 22 人。全省安全形势基本稳定。

另外，基建、煤田地质勘探、设计、科研等各方面的工作都取得了新的成绩。

在改革力度加大、经济又比较困难的情况下，各级领导注重了对职工的思想教育和引导，帮助困难职工解决实际问题。省委、省政府的领导也多次深入煤炭企业进行调研，了解情况，对困难和问题较多的单位专门组织了帮扶小组，现场解决问题，较好地理顺了情绪，化解了矛盾。局机关和各有关单位认真学习"三个代表"的重要思想，集中开展了"三讲"教育和"三讲回头看"以及警示教育活动，推动了党风廉政建设。在发展经济的同时，各单位积极做好文明单位的创建工作，培养和选树了一批具有煤矿优良传统和改革开放时代精神的先进典型，重视和加强了企业文化建设。通过努力，全省煤炭战线上的 30 万职工队伍基本稳定。

【安徽煤矿安全监察局挂牌成立】根据国务院批准的煤矿安全监察管理体制改革方案，安徽煤炭工业管理局已改组为安徽煤矿安全监察局，由国家煤矿安全监察局垂直管理。2000 年 4 月 30 日在合肥举行揭牌仪式，安徽省人大副主任张春生、安徽省政府副省长田维谦、安徽省政协副主席季家宏、国家煤矿安全监察局副局长赵铁锤等领导出席了揭牌仪式并为安徽煤矿安全监察局揭牌。安徽煤矿安全监察局设办公室、安全监察一处、安全监察二处、安全技术保障处、人事培训处等 5 个职能处室，行政编制 50 人。

【国务院批准加挂安徽省煤炭工业局牌子】2001 年 4 月，中央机构编制委员会办公室通知，经国务院批准同意在安徽煤矿安全监察局加挂安徽省煤炭工业局牌子，履行行业管理职能。据此，2000 年 5 月，安徽省机构编制委员会办公室发出"关于安徽煤矿安全监察局加挂安徽省煤炭工业局牌子的通知"，明确安徽煤矿安全监察局既是国家煤矿安全监察局的直属机构，又是安徽省政府的工作机构。省煤炭工业局内设规划发展、行业管理、企事业改革 3 个处，编制 20 名。

【淮南、淮北、铜陵煤矿安全监察办事处成立】根据中央机构编制委员会办公室、国家煤矿安全监察局关于各地煤矿安全监察局行政编制分配和办事处设置方案的通知，安徽煤矿安全监察局设淮南、淮北、铜陵 3 个煤矿安全监察办事处。煤矿安全监察办事处为安徽煤矿安全监察局派出机构，其主要职责是：在安徽煤矿安全监察局领导下，负责划定区域内煤矿的安全监察和执法工作。

淮南煤矿安全监察办事处主要负责淮南矿业集团、国投新集公司及淮南市、阜阳市所辖行政区域内各类煤矿的安全监察和执法工作；淮北煤矿安全监察办事处主要负责淮北矿业集团、皖北煤电集团及淮北、宿州、亳州市所辖行政区域内各类煤矿的安全监察和执法工作；铜陵煤矿安全监察办事处主要负责铜陵、芜湖、安庆、黄山、巢湖、宣城、池州市所辖行政区域内各类煤矿的安全监察和执法工作。

【国有重点煤矿全部扭亏为盈】以国有重点煤矿为重点的全省煤炭行业扭亏脱困工作取得很大成效，经济效益明显提高，截止 2000 年底，全省国有重点煤矿全部扭亏实现盈利。其中：淮南矿业集团实现利润 161 万元（同期亏损 8175 万元）；淮北矿业集团实现利润 2065 万元（同期亏损 6036 万元）；皖北煤电集团实现利润 106 万元（同期利润 69 万元）；国投新集公司实现利润 1868 万元（同期利润 118 万元）。

【全省煤矿安全生产形势稳定】全省加大安全管理力度，充分发挥各级安全监察机构的重要作用，死亡事故大幅度下降，安全生产形势稳定。全省共发生死亡事故 85 起，死亡 119 人，分别比 1999 年减少 37 起，少死亡 40 人。全省安全生产目标管理考核中，安徽省煤炭工业局被授予全省安全生产目标管理先进单位。

【国有重点煤矿 6 对资源枯竭矿井列入国家破产关闭计划】为推进煤炭工业结构调整，进一步深化企业改革，实现扭亏脱困目标，党中央、国务院决定对一批资源枯竭矿山实施关闭破产。经省政府研究确定，国家已批准将我省国有重点煤矿中的淮南矿业集团潘二、孔集、李一矿和淮北矿业集团相城、张庄、沈庄矿列入国家关闭破产计划。

（杨乃发　张本清）

表1 煤 矿 生 产 规 模

项 目	矿井数（处）	实际年产量（10^4t）	占全省年产量的比例（%）
全省合计	332	4783.45	100.00
统配煤矿	2	3121.38	65.25
省属煤矿	1	678.70	14.19
地市营煤矿	8	657.72	13.75
县营煤矿	17	53.04	1.11
集体及个体煤矿	304	272.61	5.70

注：矿井数不包括基建矿井。

表2 重点煤矿基本情况

局矿名称	地址及邮政编码	实际年产量（10^4t）	年末职工人数（人）
全省合计		4416.71	236244
淮南矿业集团	安徽省淮南市洞山 232001	1428.33	111355
淮北矿业集团	安徽省淮北市孟山路1号 235006	1693.05	86245
皖北煤电公司	安徽省宿州市浍水路 234011	678.70	26700
国投新集集团	安徽省淮南市凤台县新集 232171	616.63	11944

表3 重点煤矿主要技术经济指标

局矿名称	原煤产量（10^4t）	商品煤 灰分（%）	商品煤 含矸率（%）	洗精煤 产量（10^4t）	洗精煤 灰分（%）	掘进总进尺（m）	回采工作面平均月进度（t）
全省合计	4416.71	23.9		1392.54	19.53	483425	30493
1. 淮南矿业集团	1428.33	25.4	0.01	647.89	22.72	151538	30018
2. 淮北矿业集团	1693.05	23.7		401.22	10.11	214163	25777
3. 皖北煤电公司	678.70	19.1		81.43	12.71	63352	32475
4. 国投新集公司	616.63	26.8	1.05	262.00	28.19	54372	59142

局矿名称	掘进工作面平均月进度（m）	采煤机械化程度（%）合计	采煤机械化程度（%）其中：综采	掘进装载机械化程度（%）合计	掘进装载机械化程度（%）其中：综掘	原煤坑木消耗（$m^3/10^4t$）	原煤全员效率（t/工）
全省合计	130.29	42.11	37.91	67.08	7.14	19.86	3.020
1. 淮南矿业集团	99.88	31.24	28.55	43.24	9.96	24.64	2.441
2. 淮北矿业集团	150.20	34.83	26.25	87.27	2.98	18.84	3.774
3. 皖北煤电公司	169.26	40.19	40.19	56.33	9.02	39.99	2.043
4. 国投新集公司	138.31	89.92	89.92	94.60	13.46	26.44	6.677

注：淮南洗精煤中炼焦煤为63.71万t，动力煤584.18万t；淮北、皖北为炼焦煤；新集为动力煤。

江西省煤炭工业概况

2000年末，江西省属重点煤矿有萍乡矿业集团公司（含新洛煤电公司）、丰城矿务局、英岗岭矿务局、乐平矿务局和天河煤矿、花鼓山煤矿、八景煤矿、棠浦煤矿、大光山煤矿9家和隶属司法系统的新华煤矿，共有33处矿井，生产能力772万t/年，市县煤矿69家，3万t以上矿井37处，生产能力219万t/年，乡镇煤矿1383处。全省累计探明储量17.2亿t，保有储量13.5亿t，矿井剩余可采储量2.57亿t。在上级部门的正确领导下，原省煤炭工业厅党组紧紧围绕安全生产和扭亏增盈，突出结构调整，一手抓机关机构改革与人员分流，一手抓煤炭经济，做到了"两不误"。经过全省煤炭行业广大职工的共同努力，各项工作都取得了进展，煤炭经济形势初步呈现新的转机。

【关井压产取得阶段性成果，煤炭供求关系有所调整】从1998年11月国务院部署煤炭行业关闭非法和布局不合理的煤矿开始，全省累计关闭各类煤矿3522处，压减产量900余万吨。2000年，全省煤炭产量1464万t，比1999年压减产量256万t。特别是一批国有大矿范围内的小井关闭后，煤矿大小井关系得到缓和，省内煤炭市场向供求平衡方向转化，煤价大幅度下滑的势头得到了遏制。2000年4月开始，煤价止跌回升，年末商品煤平均售价155.39元/t，但仍比1999年末低5.76元/t。

【关闭破产取得实效】继续实施1999年10月启动的洛市矿务局破产工作，近7000名职工全部得到妥善安置，有效资产重组企业新洛煤电公司5月份开始正式运营，经济效益逐月好转，全年实现利润9.7万元。8月下旬，高坑、八一、桥头丘三个煤矿的破产项目已经全国企业兼并破产领导小组批准可以启动法律程序操作。年末，资产评估、审计工作结束，有关职工安置的预案完成。这3个煤矿核定生产能力84万t/年，1999年实际产煤42.23万t，职工1.17万人，离退休职工5601人，下岗职工8873人，申请核呆规模9500万元，中央财政补贴破产费用4.5亿元。

【重点煤炭企业改革不断深化】丰城、乐平两个矿务局改制方案获省有关部门批准，英岗岭矿务局、矿建公司改制工作也取得进展；实施企业债转股工作，萍矿、丰矿分别与工商银行华融资产经营公司签订转股协议，确认转股额为3.39亿元，4月份停息，当年减少利息支出1922万元；企业养老保险改革迈出步伐，统缴比例一步过渡到位，并实行了社会化发放；继续实施减员增效、下岗分流和再就业工程，下岗分流4815人，年末进再就业中心职工2.52万人，全员工效为1.14t/工，较1999年提高7.85%。

【扭亏增盈工作向前发展】坚持每季一次的定期经济活动分析，围绕成本、质量、资金管理重点，挖掘内部潜力，广泛开源节流，降低消耗。年末，原煤单位完全成本131.68元/t，仍较1999年上升4.94元/t。全年，重点企业亏损总额14929万元，实现补贴后盈利537万元，其中：萍矿集团公司继续实现盈利，花鼓山、天河、八景、棠浦等矿较1999年减亏。

【多种经营继续发展】省属重点煤矿多种经营实现生产经营总额13.88亿元，销售收入12.86亿元，比1999年增加0.34亿元，其中22家重点多种经营企业实现生产经营8.34亿元，销售收入8.19亿元，实现利润3397万元，利润比1999年增加1850万元。产品涉及电力、水泥、汽车、玻璃、汽车空调等领域，从业人员3.29万人。

【安全管理和安全监察工作力度加大】始终坚持把安全生产当作煤矿的头等大事来抓，完善各级安全生产责任制和目标管理、重奖重罚制度，坚持了不间断的安全监督检查。特别是"3·11"以后，全省煤矿认真学习贯彻江泽民总书记和其他中央领导同志对安全生产的一系列重要指示，开展了群众性的安全教育和安全生产活动。全年共下发安全文件48件，召开安全生产专题会议8次，组织全省安全生产检查12次。全省煤矿共计死亡228人，比国家经贸委下达的300人少死亡72人，比国家煤炭局下达的250人指标少死亡22人。一批矿井消灭了死亡事故。

【省级煤炭管理机构改革顺利完成】年初着手江西煤矿安全监察局及3个办事处的组建工作，5月江西煤矿安全监察局挂牌成立。6月下旬，着手省级煤炭机构改革，在经过较长时间充分准备的基础上，12月11日江西省煤炭集团公司正式挂牌。年末，江西煤矿安全监察局和省煤炭行业管理办公室、省煤炭集团公司人员均已到位，职能顺利交接，工作平稳衔接；3个煤矿安全监察办事处已挂牌成立，正式开展工作，做到了思想不散、秩序不乱、工作不间断。

【精神文明建设工作同步发展，矿区比较稳定】注重开展正面教育，积极做好职工群众的思想政治工作，从加强班子建设入手，先后对萍矿、丰矿、乐矿、花矿、棠浦矿、煤校等重点企事业单位班子作了调整与充实，一批年轻干部进入班子，专业结构也更趋合理。事业单位"三讲"教育圆满完成，党风廉政建设得到加强，职工队伍和矿区基本稳定。

【存在的突出问题】一是结构不合理的矛盾比较突出，资源枯竭，历史包袱重，布局不合理，行业集中度低，井型小，缺乏整体竞争的优势；二是企业经济总量不平衡，特别是不少企业矿井资源接近枯竭，非煤产业骨干项目少，收支难以平衡，相当数量的重点企业靠亏损补贴过日子；三是一些企业经营机制没有根本好转，对市场经济体制的适应能力不高，企业管理有待进一步加强；四是煤款拖欠比较严重，年末应收款35207万元，主要是冶金企业拖欠较多，年末净欠7139万元，煤款拖欠影响到重点煤矿经济正常运行；五是在经济总量不足的情况下，矿井投入不足，矿井防灾抗灾能力不强，有的还下降，1999 年重点煤矿发生了一次死亡 3 人以上事故 32 起，重大事故还没有根本控制住，安全形势不容乐观；六是职工生活水平与工资收入还比较低，有的职工生活还非常困难。

表 1 煤 矿 生 产 规 模

项 目	矿井数（处）	实际年产量（10^4t）	占全区年产量的比例（%）
全省合计	1485	1464	100
省属重点煤矿	33	629	43
市县营煤矿	69	155	11
乡镇煤矿	1383	680	46

表 2 省属重点煤矿基本情况

局矿名称	地址及邮政编码	实际年产量（10^4t）	年末职工人数（人）
萍矿集团公司	江西省萍乡市 337003	250	34654
丰城矿务局	江西省丰城市 331141	141	19578
英岗岭矿务局	江西省高安市 330808	50	6381
乐平矿务局	江西省乐平市 333300	96	14679
天河煤矿	江西省吉安县 343115	28	3538
花鼓山煤矿	江西省新余市 338019	19	3882
八景煤矿	江西省高安市 330812	21	3316
棠浦煤矿	江西省宜丰县 336304	9	1907
大光山煤矿	江西省安福县 343229	24	2025

表3 重点煤矿主要技术经济指标

局矿名称	原煤产量 (10^4t)	商品煤		洗精煤		掘进总进尺 (m)	回采工作面平均月产量 (t)	掘进工作面平均月进度 (m)	采煤机械化程度(%)		掘进装载机械化程度(%)		原煤坑木消耗 ($m^3/10^4t$)	原煤全员效率 (t/工)
		灰分 (%)	含矸率 (%)	产量 (10^4t)	灰分 (%)				合计	其中：综采	合计	其中：综掘		
萍矿集团公司	250	26.74				75344	6593	97.82			47.02		63.93	0.960
丰城矿务局	141	26.54		23.5	11.25	15540	15554	67.17			27.37		73.34	1.473
英岗岭矿务局	50					11250	9520	69.82					46.27	1.455
乐平矿务局	96	36.80				28946	8193	111.12			15.52		108.03	1.125
天河煤矿	28	35.14				7853	5727	75.50					104.54	0.873
花鼓山煤矿	19	19.27		3.3	9.76	10508	4035	78.34			9.75		164.63	
八景煤矿	21	34.55				6891	3938	93					146	0.565
棠浦煤矿	9	21.54		1.8	14.68	6977	2599	116.73					311.08	0.699
大光山煤矿	14	28.87				4334	3932	72.72			16.00		147.80	0.730

福建省煤炭工业概况

【继续关井压产，控制煤炭产量和库存量】2000年，在煤炭行业管理职能转换时期，省属煤炭生产企业继续按照国务院关井压产精神，抓好关井压产工作，巩固关井压产成果。全省关闭非法和布局不合理、开采技术落后、质量低劣、污染严重和安全状况不好的各类小煤矿30处、井口114个，压减产量119.5万t，完成了国家下达的关井压产任务。同时注意巩固关井压产成果，采取有效措施，防止非法和布局不合理煤矿的回潮。

省属煤炭企业在抓关井压产的同时，着力抓好限产压库工作。省属局、矿生产原煤与1999年相比下降14%，煤炭实际库存量年末比年初下降23.4%，降到近年来最低水平，各局矿全部实现了销大于产的目标。

【减人提效，改善企业经济运行质量】2000年，省属煤炭企业狠抓减人提效工作，通过精简机构、定员定编、集中生产、压缩二三线人员、实行末位淘汰制、职工置换身份等措施，职工总数由年初的26115人减到年末的23344人，净减2771人。永安矿务局的斑竹坑煤矿和丰海煤矿实行联合，减员224人，吨煤成本下降6元；上京矿务局开展整顿劳动纪律、精简机构后，吨煤用人减至27人；邵武煤矿对117名职工进行身份置换，增强了企业活力。

经过深化改革，省属煤炭企业全年共实现经营收入20.43亿元，同比增长29%。其中，省属煤炭生产企业实现经营收入7.58亿元，比增1.4亿元，同比增长23%。多种经营企业实现经营收入12.85亿元，同比增长33%。省属煤炭企业消化部分历史遗留问题后，实现利润3946万元，同比利润增加541万元。其中，省属原煤生产企业实现利润2007万元，同比增加289万元；多种经营企业实现利润1939万元，同比增盈252万元。省属煤炭企业经济运行质量和效益都有较大改善和提高。

【深化改革，调整产业结构，培育新的经济增长点】集团公司按照党的十五届四中全会精神，加大改革力度，大力推进煤炭企业改组、改革，优化资源配置。1999年，在龙岩地区省属煤矿国有资产运营管理委员会的基础上，将龙岩矿务局、永安矿务局、漳平煤矿进行重组，组建龙岩矿业有限责任公司；在永发省属煤矿国有资产运营管委会的基础上，将永安矿务局和上京矿务局合并重组，组建永安煤业有限责任公司；将天湖山矿务局和荣华能源实业公司合并重组，组建天湖山能源实业有限公司；分别将闽美工程公司和煤建公司、厦门振华公司和煤炭进出口公司进行整顿合并，实行两块牌子一套人马运作方式；对旅游企业进行合并重组，组建美海旅游实业有限公司。通过组合，实现了强强联合，扩大了经营规模。

集团公司坚持以国家产业政策为导向，积极抓好产业结构调整，不铺新摊子，防止低水平重复建设，在稳定年产350万t原煤的基础上，积极对矿井开展技术改造，加强生产地质和地质找煤工作，投入探巷量2万m，有效地保证了煤炭生产后劲。

在产业结构调整上，主要抓好市场前景看好的多种经营项目，如抓紧煤炭大厦和泉州肖厝煤码头的建设速度，石狮热电厂二期技改扩建工程也于1999年10月开工建设；厦门东渡房地产也开始动工兴建，联美、煤建公司首次承揽了高速公路工程；华夏世纪园建设也有了新的突破。

【开展劳动竞赛，加强管理，提高效益】集团公司1999年紧紧围绕工作中心，继续广泛开展降成本、增效益的“全员创效争一流”社会主义劳动竞赛，使竞赛的指标落实到每个人肩上，有效加强了企业管理，降低了成本，提高了经济效益。省属煤矿全员工效大幅度提高，达到1.362t/工·日，同比提高10.4%；坑木、雷管、炸药、钢材、电力等主要物耗都比1999年有明显下降，吨煤成本降到历史最低水平，为90.71元，同比降低4.6%；单产平均达4633t/月，比1999年提高6.1%，企业应收账款期末数比期初数下降1.5%，职工平均年收入比1999年提高了7.3%。

劳动竞赛还有效地促进了安全生产。省属煤矿认真贯彻“安全第一，预防为主”的生产方针，加强安全教育，落实安全生产责任制，完善完全规章制度，加强监督检查，广泛开展群众安全工作，使安全生产状况有了较大好转。

【坚持“两手抓，两手都要硬”的方针，促进企业两个文明建设同步发展】省属企业各级党组织都能围绕经济工作中心，切实加强企业党的建设和精神文明建设，加强和改进思想政治工作，充分发挥党组织的政治核心作用和党员的先锋模范作用，带领职工群众共同完成两个文明建设的各项任务。

各单位党组织积极参与重大问题决策，密切配合行政领导做好宣传鼓动、解惑释疑、化解矛盾、团结鼓劲等工作，把细致的思想政治工作做到生产的每个环节，做到班组、家庭、工作现场，特别是做好离退休、下岗、伤亡家庭、特困家庭职工的思想工作。坚持不断地开展送温暖、解忧难工作。注意发挥各级职代会和工会作用，强化职工民主参与的意识，实行厂务、矿务公开。

各级领导自觉加强党风廉政建设，严于律己，遵守党纪国法和企业规章制度，密切联系群众。对外包协议队进行资质评定，对计划发包的采掘工程实行招投标，增强透明度；对大宗物资采购实行公开比价招标，节省采购成本599万元；深化区队工资二次分配的民主管理，稳定职工队伍，维护职工合法权益。各企业都能坚持开展小型、活泼、健康的文娱活动，寓教于乐，丰富职工文化精神生活，陶冶职工情操，增强了企业的凝聚力，稳定了职工队伍。

（林永森）

表1 煤 矿 生 产 规 模

项 目	矿井数（处）	实际年产量（10^4t）	占全区年产量的比例（%）
全省（区）合计	62	460	100
统配煤矿	0	0	0
省（区）属煤矿	30	265	58
地市营煤矿	0	0	0
县营煤矿	32	57	12
集体及个体煤矿	0	138	30

表2 重点煤矿基本情况

局矿名称	地址及邮政编码	实际年产量（10^4t）	年末职工人数（人）
龙岩矿务局	福建省龙岩红炭山 364014	44	3208
永定矿务局	福建省永定坎市镇 364102	48	3229
永安矿务局	福建省永安市安砂水东 366021	61	2598
上京矿务局	福建省大田县上京镇 366102	39	1567
天湖山矿务局	福建省永春县下洋 362617	30	1929
邵武煤矿	福建省邵武市晒口 354001	5	999
漳平煤矿	福建省漳平市麦元 364403	12	916
苏邦煤矿	福建省龙岩市雁石大吉 364003	26	1494

表3 重点煤矿主要技术经济指标

局矿名称	原煤产量 (10^4t)	商品煤		洗精煤		掘进总进尺 (m)	回采工作面平均月产量 (t)	掘进工作面平均月进度 (m)	采煤机械化程度(%)		掘进装载机械化程度(%)		原煤坑木消耗 ($m^3/10^4t$)	原煤全员效率 (t/工)
		灰分 (%)	含矸率 (%)	产量 (10^4t)	灰分 (%)				合计	其中：综采	合计	其中：综掘		
龙岩矿务局	44	18.10	1.70			29216	3853	143.98			51.00		55.00	1.251
永定矿务局	48	18.95	1.20			27108	4450	154.93			37.11		49.30	1.189
永安矿务局	61	23.67	0.91			34168	5943	178.36			77.03		27.90	1.518
上京矿务局	39	17.47	0.42			18574	4628	166.50			68.04		27.50	1.504
天湖山矿务局	30	17.40	1.18			16816	4641	176.94			33.40		43.50	1.664
邵武煤矿	5	25.96	1.91			4573	6143	83.75			47.21		119.06	1.283
漳平煤矿	12	27.74	1.26			5558	2457	100.25			7.05		107.80	1.453
苏邦煤矿	26	18.10	1.70			19650	3845	148.59			50.00		53.40	1.259

湖南省煤炭工业概况

2000年是湖南煤炭工业全面推进改革、改组、改造并取得突破性进展的一年。

【转变职能，竞争上岗，省局机关完成了新机构的组建】湖南煤矿安全监察局和湖南省煤炭工业局的职能配置、内设机构和人员编制确定后，仅用1个月时间，就按照公开、公正、公平竞争和择优的原则完成了新机构的组建。9月底，省局机关75名公务员全部到岗，原省局机关12个内设机构的工作人员大都落实了岗位和去向，新组建的湖南煤矿安全监察局和湖南省煤炭工业局基本转入正常的办公秩序。同时，围绕巩固机构改革的成果，切实按照新机构、新职能、新形势的要求，进一步完善了机关各项管理制度。累计制定处室职责11个、岗位职责75个、建立健全各种管理制度20多个。

【突出重点，大胆探索，企业改革取得了突破性进展】在省委、省政府的高度重视和正确领导下，经过1年多的前期准备工作，涟邵、资兴两局所属7个煤矿的关闭破产工作正式进入法律程序。7个矿关闭破产后，可解除债务14亿多元，裁减职工2万多人。在集中精力抓关闭破产的同时，其他方面的改革也取得了新的突破，涟邵、白沙两局以及株洲洗煤厂建立现代企业制度的基本方案，通过了省经贸委组织的专家论证和评审。白沙局通过积极争取和努力工作，先后与华融、信达两个资产金融公司签订了债转股意向协议，债转股后将使该企业资产负债率由64%下降到31%。省煤炭公司立足“机关改革，基层改制”，已明确了公司的改革目标，并向省局报送了公司改革改制的初步方案。省属辰溪煤矿立足矿区，大刀阔斧精干原煤主体，依托城区大力发展个体经济，使企业全民职工人数由上年的2061人减少到1959人。原煤生产人员首次降到1000人以内。据不完全统计，全省95%以上的国有煤炭企业都进行了各种形式的改革改制，是近几年来企业改革力度最大的一年，也是成效最显著的一年。

【落实责任，依法监察，安全生产实现了持续好转】全年共发生死亡事故257起，死亡478人，分别比1999年下降15.23%和22.28%。省属辰溪煤矿及自治州、湘潭、长沙市和益阳所属国有煤矿实现了安全生产无死亡；白沙矿务局、资兴矿务局煤炭生产死亡率控制在安全目标以内；宁乡、慈利、辰溪、资兴、常宁、湘潭、邵东、武冈、石门、桑植、龙山等11个县（市）的乡镇煤矿杜绝了3人以上重大事故。

【调整结构，强化管理，经济状况出现转机】全年召开了两次全省煤矿关井压产工作会议，并组织了7个督查组到各市、州巡回督促检查，共取缔关闭非法矿井1277处，超额完成了国家下达给我省的关井任务。通过关井压产，煤炭总量得到了有效控制。全年各类煤矿累计生产原煤2106.28万t，比1999年减少512.53万t，基本控制在国家下达的总量控制目标以内。全省煤炭库存由年初的221万t下降到年末的98万t，煤炭产销率达到了103.8%，比1999年增加7.8个百分点。煤炭铁路运输完成1143万t，比1999年增加24万t。煤炭市场呈现出库存下降、运量增加、欠款减少、煤价稳中有升的可喜局面。全年省直煤炭企业补贴前累计亏损16782万元，比1999年减亏4184万元。

【齐抓共管，确保稳定，勤政廉政建设和思想政治工作等得到加强】通过集中开展“三讲”和“三讲”回头看以及警示教育活动，极大地促进了各级领导干部的思想作风建设和党风廉政建设，党群干群关系不断改善，勤政廉政的意识不断增强。全年各级领导干部累计拒收红包礼金、有价证券28万余元，各种招待费用比1999年下降23%。面对改革中出现的各种矛盾和问题，各单位坚持思想政治教育与解决实际困难相结合，进一步落实了工作责任制，形成了党、政、工、团齐抓共管的格局，基本保持了矿区和队伍的稳定，为全省煤炭行业的改革脱困作出了重要贡献。

【存在的主要问题】一是结构不合理的矛盾仍然比较突出，行业集中度低，缺乏整体竞争优势；二是为数不少的国有煤炭企业经营机制没有根本转换，缺乏自我发展的活力和实力，全行业至今尚未摆脱亏损局面，职工生活水平比较低；三是部分单位管理滑坡，投入不足，矿井总体防灾能力下降，重特大事故时有发生；四是一些领导班子软、弱、散的现象比较突出，政令不畅通，工作不深入，民主作风差。

表1 煤矿生产规模

项目	矿井数 (处)	实际年产量 (10^4t)	占全区年产量的比例 (%)
全省(区)合计	2523	2106.28	100.00
统配煤矿	31	500.26	23.75
省(区)属煤矿	13	176.99	8.4
地市营煤矿	39	246.78	11.72
县营煤矿	55	197.62	9.38
集体及个体煤矿	2385	984.63	46.75

表2 重点煤矿基本情况

局矿名称	地址及邮政编码	实际年产量 (10^4t)	年末职工人数 (人)
涟邵矿务局	湖南省娄底市　41700	193.11	25285
资兴矿务局	湖南省资兴市　423404	149.49	11042
白沙矿务局	湖南省耒阳市　421800	157.66	22210
辰溪煤矿	湖南省辰溪县　419500	13.05	2237
煤炭坝能源有限公司	湖南省宁乡县　410609	76.68	7597
谭家山煤矿	湖南省湘潭县　411231	37.50	4023

表3 重点煤矿主要技术经济指标

局矿名称	原煤产量 (10^4t)	商品煤		洗精煤		掘进总进尺 (m)	回采工作面平均月产量 (t)	掘进工作面平均月进度 (m)	采煤机械化程度 (%)		掘进装载机械化程度 (%)		原煤坑木消耗 ($m^3/10^4t$)	原煤全员效率 (t/工)
		灰分 (%)	含矸率 (%)	产量 (10^4t)	灰分 (%)				合计	其中：综采	合计	其中：综掘		
涟邵矿务局	193.11	25.08	0.09	12.42									104.64	0.674
资兴矿务局	149.49	32.93	0.02	9.53									61.43	0.851
白沙矿务局	157.66	19.86	0.31										79.60	0.648
辰溪煤矿	13.05	19.92	0.42										79.77	0.488
煤炭坝能源有限公司	76.68	23.39	0.31										87.91	0.583
谭家山煤矿	37.50	30.49	0.82	3.23									142.64	0.534

河南省煤炭工业概况

2000年是我国"九五"计划的最后一年。一年来，河南省煤炭行业认真贯彻落实党的十五届四中、五中全会精神，努力学习与实践江泽民总书记"三个代表"的重要思想，以提高企业经济效益、扭亏脱困为中心，坚持深化改革，积极扩大煤炭销售，狠抓关井压产和煤炭生产与经营秩序的整顿，切实做好安全生产工作，不断加强党的建设和精神文明建设，各项工作都呈现出了好的势头。全年全省共产煤7692.48万t，其中，国有重点煤矿4376.98万t，地方国有煤矿1346.82万t，乡村、个体煤矿1968.68万t。

【煤炭行业管理体制改革和企业改革进一步深化】2000年上半年，按照国务院批准的煤炭管理体制和机构改革方案，原河南省煤炭工业厅改为省政府部门管理机构河南省煤炭工业局；原河南煤炭工业管理局改为河南煤矿安全监察局，直接受国家煤矿安全监察局领导。通过这次改革，省煤炭工业局内设机构较原省煤炭工业厅减少了53%，人员编制减少了65%。河南省煤炭工业局的主要职责为：统筹规划、合理开发和使用煤炭资源，管理省属煤炭企事业单位的国有资产，优化煤炭行业结构和产业结构，组织全省煤炭行业对外协作，研究制定全省煤炭工业体制改革的政策和措施，指导国有煤炭企业改革、改组，建立现代企业制度，推动国有煤炭企业兼并破产、扭亏增盈、转产分流，发展多种经营和第三产业，实现再就业工程，依法整顿煤炭生产和经营秩序，培育和发展煤炭市场，依靠科技进步，改善经营管理，提高经济效益，实现安全生产，从而使省煤炭工业局"规划、协调、监督、服务"职能得到更好地发挥。与此同时，各煤炭企业改制步伐进一步加快，继郑州、平顶山、义马、永城大型煤炭企业改制之后，由焦作矿务局改制而成的焦作煤业（集团）公司和由鹤壁矿务局改制而成的鹤壁煤业集团公司于年内先后挂牌运行，并以鹤煤集团公司为主发起人，成立了鹤壁煤电股份有限公司。至此，全省6家省管国有重点煤炭企业都已进行了公司化改造，并在实行股份制改造与投资主体多元化方面迈出了可喜步伐。煤炭销售体制改革进一步深化，年内，由省内六家国有重点煤炭企业及郑州、平顶山等5大产煤市组成的河南省煤炭销售联合体，就统一订货、统一调运、统一价格、统一结算达成了共识。各煤矿企业所属二级单位也积极实施了不同形式的改制，企业三项制度改革进一步深化。

【关井压产、整顿煤炭生产和经营秩序取得成效】1998～1999年，河南省共关闭非法和布局不合理煤矿2175处，压减煤炭产量2026万t，超额完成了国家下达的关井压产任务。2000年，国家分配河南省关井指标870处，原煤总产量控制指标为6761万t，经过努力，全省全年实际关闭非法和布局不合理矿井877处，超额完成了本年关井任务。全年共生产原煤7692万t，超过控制指标831万t。按照国家及省政府的规定和要求，年内，省煤炭工业局成立了整顿煤炭经营秩序领导小组，建立了省、市、县三级整顿机构和煤炭经营资格审查机构，制定了煤炭经营资格审批制度，并层层建立了工作责任制。至年底，已完成了对批发类煤炭经营企业的资格审批，全省共批准具备条件的煤炭批发类企业422家，并颁发了经营资格证书。

【煤矿生产技术面貌有所改善，安全生产形势进一步稳定好转】全省煤炭行业进一步深入开展了"质量标准化，安全创水平"活动，进一步推进了采掘新技术、新工艺应用，开展了放顶煤开采技术的研究与推广，扩大了应用范围，大力推广了煤巷锚喷支护技术，一批矿井基本实现了煤巷支护锚喷化。煤矿环境保护工作成效明显，完成了省政府下达的"一控双达标"及工业污染源达标排放的治理任务，鹤壁、郑州、义马煤业集团公司等已通过环保部门的验收。一年来，全省各类煤矿认真贯彻落实江泽民总书记和中央领导同志关于搞好安全生产工作的重要指示，强化安全管理职能，省煤炭工业局先后出台了《河南省煤矿安全技术培训及考核管理实施办法》和《关于加强矿山救护工作的暂行规定》等文件，加大了安全管理检查力度，仅8～12月份，省局共组织了5次全省性安全大检查，检查面达到100%，共查出各种安全隐患856处，认真督促进行了整改。经过努力，全年全省各类煤矿平均百万吨死亡率为2.31，其中国有重点煤矿为0.78，地方国有煤矿为1.75，乡镇煤矿为5.99，均好于全国水平。全年累计事故死亡212人，同比减少65人。其中3人以上事故死亡122人，同比减少34.8%，共发生10人以上事故2起，死亡27人，同比减少78%。

【国有重点煤炭企业经济运行呈现好转态势】一年来，全省6家国有重点煤矿经济状况虽仍处在低谷中运行，但在国家宏观经济环境不断改善的有利条件下，经过努力，已较1999年有所好转，呈现出上升势头。国有重点矿全年共产煤4376.98万t，共实现销售4351.9万t，同比增长7.3%，产销率达99.42%，同比增加4.11个百分点；年末外欠货款29亿元，较年初减少4亿元；原煤单位成本99.84元/t，同比下降9.21元/t；当年实现补贴前亏损4.79亿元，补贴后亏损2.8亿元，补贴后同比减亏4.76亿元，减亏幅度达63%。年内，鹤壁、义马、郑州、焦作、平顶山集团公司5家国有重点煤炭企业先后已同中国信达、中国华融资产管理公司签订了共计金额36.2亿元的债转股框架协议，并已分别从4月和10月开始停止付息，为企业减亏创造了有利条件。自2000年6月以来，根据中央关于进一步加快资源枯竭矿山关闭破产工作的要求，加大了矿井破产工作力度。至年末，河南省内列人国家"14.40"计划的4对矿井，均已完成破产准备工作，并已经全国兼并破产和职工再就业工作领导小组批准，准备启动破产法律程序，进入实际操作阶段。这4对矿井破产后，将可减少企业亏损源约1.5亿元。对列入国家“16.60”计划的矿井，也已经开始进行前期准备工作。

【职工队伍建设和精神文明建设进一步加强】一年来，全省煤炭行业各单位继续认真开展学习邓小平理论，学习党的十五届四中、五中全会精神，学习和实践江泽民总书记“三个代表”重要思想的活动，加强各级领导班子建设和党风廉政建设。围绕煤炭行业和本单位的热点、难点问题，加强了对广大职工的爱岗敬业和形势教育，认真开展了创建文明矿（厂、处、科室）活动。在全省煤炭行业组织开展了“安源杯”安全文化系列活动，并获得了全国煤炭系统组织大奖第一名。召开了全省煤炭系统思想政治工作年会，进行了省煤炭职工思想政治工作研究会换届选举，职工思想政治工作和精神文明建设进一步加强。

表1　煤矿生产规模

项　　目	矿井数（处）	实际年产量（10^4t）	占全区年产量的比例（%）
全省(区)合计	1693	7692.48	100.00
国有重点煤矿	49	4376.98	56.90
省(区)属煤矿	0	0	
地市营煤矿	23	698.67	9.08
县营煤矿	40	648.15	8.43
集体及个体煤矿	1581	1968.68	25.59

表2　重点煤矿基本情况

局矿名称	地址及邮政编码		实际年产量（10^4t）	年末职工人数（人）
平顶山煤业（集团）有限责任公司	河南省平顶山市矿工路	467000	1834.34	93786
义马煤业（集团）有限责任公司	河南省义马市千秋东路	472300	671.82	51269
郑州煤炭工业（集团）有限责任公司	河南省郑州市郑州矿区	452371	702.03	43937
焦作煤业（集团）有限责任公司	河南省焦作市解放中路	454159	318.00	51832
鹤壁煤业（集团）有限责任公司	河南省鹤壁市红旗街	458000	602.51	42711
永城煤电（集团）有限责任公司	河南省永城市光明路	476600	248.26	9237

表3 重点煤矿主要技术经济指标

局矿名称	原煤产量 (10^4t)	商品煤		洗精煤		掘进总进尺 (m)	回采工作面平均月产量 (t)	掘进工作面平均月进度 (m)	采煤机械化程度 (%)		掘进装载机械化程度 (%)		原煤坑木消耗 ($m^3/10^4t$)	原煤全员效率 (t/工)
		灰分 (%)	含矸率 (%)	产量 (10^4t)	灰分 (%)				合计	其中：综采	合计	其中：综掘		
平煤集团公司	1834.34			310.01		138425		198.42	78.22		94.44			3.500
义煤集团公司	671.82			1.49		42154		178.72	85.03		84.89			3.116
郑煤集团公司	702.03					52112		160.47	38.28		88.81			3.667
焦煤集团公司	318.00					35542		114.94	5.55		9.39			1.072
鹤煤集团公司	602.51			5.43		50817		218.33	55.88		82.94			2.713
永煤集团公司	248.26					28512		90.23	65.94		63.72			2.841

四川省煤炭工业概况

2000年，四川省煤炭工业共有煤矿2733个，其中国有重点煤矿24个，省属、市（州）属、县（市区）属煤矿138个，集体及个体煤矿2595个。全省煤矿共生产原煤3981.77万t，国有重点煤矿职工70247人。全省煤矿资产总额363616万元，其中流动资产172278万元；负债总额302221万元，其中流动负债168238万元。全年完成工业生产总值583958.2万元，比1999年同期增长7.92%。工业销售产值266289.1万元。流动资产年平均余额282121.3万元，固定资产原值586083.1万元，固定资产净值364733.0万元。产品销售收入247381.3万元。

【“九五”期间得到长足发展】1996～2000年，四川省煤炭工业以改革脱困为目标，以深化改革为重点，狠抓结构调整，强化企业管理，保持了全行业的稳定，推动了全省煤炭工业的长足发展。一是针对煤炭产量结构严重失衡的问题，努力抓好关井压产工作，全省煤炭产量从1996年的6442.15万t，减到2000年的3981.77万t，压减产量2460.38万t，压产幅度达38.19%。二是狠抓产业结构调整，以跨越式的速度大力发展非煤产业，省属以上重点煤炭企业自筹和利用国家三产贴息贷款资金，投资8.5亿元，形成固定资产净值达8.7亿元，分流原煤生产人员1.5万人，非煤产业从业人员3.73万人，接近原煤生产人员的50%。“九五”期间全省国有重点煤矿累计实现工业总产值306.9亿元，比“八五”期间增长34.2%。其中非煤产值54.23亿元，比“八五”期间增长75%。三是努力抓好减亏增盈工作，国有重点煤矿累计亏损54800万元，比“八五”期间减亏38458万元。四是安全生产方面，“九五”期间全省国有重点煤矿累计死亡490人，比“八五”期间少死亡183人，下降幅度27.1%。

【关井压产取得阶段性成果】2000年，全省关井1828处，压减产量355万t。同时，认真调查处理了关闭后又死灰复燃擅自恢复生产的矿井。通过关井压产，乡镇煤矿无序发展的现象得到有效遏制，逐步进入法制化、规范化发展轨道。全省共给1400个乡镇煤矿颁发了生产许可证。经过3月和6月两次对全省乡镇煤矿进行停产安全整顿，使乡镇煤矿整体水平上了一个台阶，综合抗灾能力有所增强。

【努力建设现代企业制度，国有重点煤矿局部关闭破产工作有进展】2000年，在深化企业改革方面，紧紧抓住建立现代企业制度这个重点，省属以上重点5局2矿，全部改制挂牌运作，已改建的企业建立法人治理结构。在国有重点煤矿局部关闭破产工作中，成立了以省长为组长的“四川省煤炭企业关闭破产工作领导小组”，并召开了2次领导小组会议，对局部关闭破产工作进行了研究部署，进一步明确了各级党委、政府、省级有关部门的责任。完成关闭破产项目申报工作的国有重点煤炭企业有7家，地方国有重点煤炭企业有4家。有3家国有重点煤炭企业的局部关闭破产项目已经进入“14.40”工程。

【非煤产业有新进展，融入地方经济有新气象】2000年，全省煤炭工业以“跳出煤炭求发展”的思路，坚持走经济多元化发展路子，国有重点煤矿从补贴中挤出8000多万元发展非煤产业。广旺集团公司挤出自有资金，不仅形成了40万t水泥生产能力，还加大了旅游业的投入，三点一线的旅游业开始形成。威远煤矿彭山元明粉工程，经过6年的建设，已于11月18日竣工投产。四川煤田地质局从山沟跳进城市，打进二郎山隧道工程、酿酒业和包装印刷业。全省煤炭工业多种经营发电110718万kW·h，生产钢1931t、轧钢材6358t、焦炭399883t、炸药4096t、雷管21万发、水泥115.44万t、煤焦油8994t、砖51576万块，其中矸石砖46711万块、炼焦用洗精煤424.52万t。全省煤炭工业完成非煤产值104908.7万元，其中国有重点煤矿完成产值27657.3万元，省营煤矿3228.5万元，市（州）营煤矿31243.6万元，县（市、区）营煤矿26166.9万元，集体经营煤矿13973.7万元。

【发挥销售龙头作用，促进扭亏脱困】四川煤矿企业根据市场变化，实行灵活的促销政策，改善了经营状况。攀枝花煤业集团公司推行市场、现场的“两场效应”管理法，对内实行运销公司向精煤公司买断精煤，精煤公司向4个煤矿买断原煤的两个买断，买断的价格和外部市场接轨，随行就市，使企业产销环节形成市场链。全年全省国有重点煤矿共销售商品煤590万t，与1999年同比增加29万t。商品煤平均售价156.89元/t，与1999年同比下降8.42元/t。货款回收做到了新款基本不欠，老款拖欠有一定减少。各煤炭企业以销售为龙头，加强经营管理，实施扭亏脱困措施，促进了企业经营状况的好转。

【集中精力狠抓安全，把握重点强化管理】四川省委、省政府高度重视煤矿安全生产，出台了一系列安全生产文件、规定，落实了各级党委、政府领导煤矿安全生产的责任。四川煤矿安全监察局6次组织拉网式安全大检查，对乡镇煤矿进行了强制性停产整顿。开展了瓦斯治理年活动，对乡镇煤矿进行了瓦斯等级鉴定。各级煤炭部门把“一通三防”作为重点，加强领导和管理，积极采取措施，努力做好防治重特大事故工作。召开了防止重大瓦斯事故和15个乡镇煤矿事故多发县安全生产紧急会议，改变作风，狠抓落实，防止重特大事故的发生。全省煤矿原煤生产死亡418人，比1999年同期减少47人，百万吨死亡率10.57，比1999年同期下降0.12。其中国有重点煤矿死亡23人，比1999年同期上升0.6；国有地方煤矿死亡71人，比1999年同期增加15人，百万吨死亡率为7.86，比1999年同期上升1.47；乡镇煤矿死亡324人，比1999年同期减少69人，百万吨死亡率为15.79，比1999年同期上升0.28。

（杨 强）

表1 煤矿生产规模

项目	矿井数（处）	实际年产量（10^4t）	占全区年产量的比例（%）
全省（区）合计	2733	3981.77	100
统配煤矿	24	883.23	22.18
省（区）属煤矿	3	114.78	2.88
地市营煤矿	50	535.71	13.45
县营煤矿	61	360.39	9.05
集体及个体煤矿	2595	2087.66	52.43

表2 重点煤矿基本情况

局矿名称	地址及邮政编码	实际年产量（10^4t）	年末职工人数（人）
广旺能源发展公司	四川省旺苍县新城 628200	98.65	14384
芙蓉集团有限公司	四川省珙县巡场 644501	172.58	12713
攀枝花煤业集团公司	四川省攀枝花市西区陶家渡 617066	363.72	26935
达竹煤电集团公司	四川省达州市通川东路5号 635000	148.10	8057
华蓥山广能集团公司	四川省华蓥市双河镇 638650	91.97	8158

表3 重点煤矿主要技术经济指标

局矿名称	原煤产量 (10^4t)	商品煤		洗精煤		掘进总进尺 (m)	回采工作面平均月产量 (t)	掘进工作面平均月进度 (m)	采煤机械化程度 (%)		掘进装载机械化程度 (%)		原煤坑木消耗 ($m^3/10^4t$)	原煤全员效率 (t/工)
		灰分 (%)	含矸率 (%)	产量 (10^4t)	灰分 (%)				合计	其中：综采	合计	其中：综掘		
全省合计	998.08			469.33	9.03	145285	8896	118.69	20.24		68.91		36.98	1.318
广旺能源发展公司	98.65					19415	6024	133.27			61.72		2.28	1.077
芙蓉(集团)实业公司	172.58	31.48				18334	11943	74.90	27.50		100.00			1.021
攀枝花煤业集团公司	363.72	37.62	4.44	302.11	8.83	55054	9558	123.35	6.88		61.42		38.11	1.858
达竹煤电集团公司	148.10	26.96		119.37	9.24	25098	8803	144.00	4.80		72.14			0.748
华蓥山广能集团公司	91.97	27.04	0.07	47.85	12.84	12485	18961	143.46	100.00		52.79			1.684
威远煤矿	11.95	25.26	3.52	10.58	10.58	66		64.82						0.407
嘉阳煤矿	68.39	55.09	1.15			5930	18388	117.57	84.77		94.84		6.53	1.487
荣山煤矿	34.44	28.00				5611	4306						53.02	0.415
隆昌义大公司	8.21					3292	1328	122.49			100.00			0.451

贵州省煤炭工业概况

2000年，在省委、省政府和国家煤炭工业局的领导和支持下，贵州煤炭系统广大干部和职工以江泽民总书记“三个代表”的重要思想为指导，贯彻党的十五届五中全会精神，以改革统揽全局，扎实工作，顽强拼搏，在克服煤炭市场疲软等种种困难的过程中，使扭亏脱困工作取得新的进展，省属国有煤炭企业经济效益出现回升；煤炭管理体制改革不断深化；煤炭结构调整开始起步，完成了关井压产和总量控制的目标；职工收入比1999年有所增加，维护了矿区和职工队伍的稳定，各项工作取得了一定成绩。

【生产经营】 全省全年生产原煤3676.75万t，洗精煤316.15万t，省属企业完成工业总产值92690.92（不含监管局）万元，实现利润500万元。

省属国有煤矿：全年共生产原煤1279.66万t，洗精煤316.15万t，其中：六枝工矿（集团）公司生产原煤110.19万t，精煤0.03万t；盘江煤电（集团）公司生产原煤523.57万t，精煤205.16万t；水城矿务局生产原煤425.28万t，精煤110.96万t；林东矿务局生产原煤105.08万t，省监管局生产原煤115.54万t。

全省商品煤销量比1999年增加21.2%，原煤成本比1999年下降5.01元/t，商品煤售价比1999年上升8.88元/t。全年通过铁路运往省外煤炭836.1万t，比1999年增加5.96%。为省内电厂供煤451.1万t，比1999年减少4.8%。煤炭出口完成58万t。六枝工矿（集团）公司盘江煤电（集团）公司、水城矿务局、林东矿务局、盘江化工厂等都完成了扭亏增盈目标。在扭亏脱困攻坚战中，盘江煤电（集团）公司“转变观念、转换机制、严格考核、加强管理、增收节支”成效显著，安全状况稳步好转，成为先进典型。

省属煤炭企业大力发展非煤产业，全年多种经营产值完成5.19亿元，比1999年增长8.94%，实现利润3006.18万元。六枝工矿（集团）公司大华制药厂完成了GMP改造并通过国家有关部门认证。中日环境合作示范城市项目——林东洁净煤工程已正式立项并通过日方评估和签订备忘录，正组织初步设计和施工前期准备。

省煤田地质局、省煤矿设计研究院逐步推行企业化管理，发挥自身优势，大力开拓市场，闯出了新的路子，增加了创收渠道，增强了发展后劲。

地县和乡镇煤矿：全省地县国有煤矿56个，全年共生产原煤103万t；乡镇煤矿2412处，生产原煤2293.7万t，占全省煤炭总量的62.36%。其中，年煤炭产量在200万t以上的有毕节市、六盘水市、遵义市和贵阳市。

全省各地县、乡（镇）着力抓好骨干矿井建设，鼓励乡镇煤矿兼并、联合，吸引外地投资，对原有乡镇煤矿进行技术改造，扩大生产能力，一批骨干矿井初见成效，年产3万t以上的乡镇煤矿1080处，占乡镇煤矿井数的45%，比1999年提高了24个百分点。乡镇煤矿安全生产条件有所好转，抗灾能力有所提高。

【关井压产和煤矿安全】 按照省委、省政府的统一部署，各级煤炭管理部门在同级政府的领导下，在有关部门的支持配合下，在1999年关井压产工作的基础上，继续深入开展关井压产工作，态度坚决，行动迅速，重点突出，措施有力。地、州、市、县政府领导经常带领督察组到关井压产热点、难点地区进行督促检查，重点查关井质量、查回潮反弹、查单证井整改、查安全隐患，并把关井压产、整顿煤炭经营秩序、安全监察等有机地结合起来，做到“三位一体”、“整体推进”。运用法律手段、经济手段、行政手段千方百计巩固和扩大关井压产成果。1999年6月底，通过了国家关井压产领导小组的阶段性验收。全省共取缔、关闭各类非法和布局不合理小煤矿2378处，压产440万t，完成了全年关井压产目标。2000年9月28日，省政府在全省安全生产电视电话会上作出决定，对年产能力3万t以下的乡镇煤矿，根据国家有关法律、法规和产业政策予以关闭。同时，全省各级政府和煤炭管理部门进一步强化煤炭行业产、供、销、运、安全“五统一”管理，有效地制止了税费流失，促进了地方财政收入的增长和煤矿自身的发展。

2000年，贵州省煤矿安全状况不好。各类煤矿共发生死亡事故199起，死亡777人。其中，瓦斯事故102起，死亡639人，占死亡总人数的82.24%；一次死亡10人以上事故12起，其中10起发生在乡镇煤矿，均为瓦斯爆炸事故。全年199起事故中，省属国有煤矿占18起，死亡192人，其中，一次死亡10人以上事故2起，死亡179人。特别是水城矿务局木冲沟煤矿9月27日发生的特大瓦斯煤尘爆炸事故，死亡162人，直接经济损失1227.22万元。这是建国以来贵州省最大的一起国有煤矿瓦斯煤尘爆炸事故。

地县国有煤矿发生死亡事故5起，死亡6人。乡镇煤矿发生死亡事故181起，死亡579人，其中一次死亡3～9人的事故48起，死亡249人；一次死亡10人以上的事故10起，死亡167人。

【改革工作不断深入，管理体制逐步完善】 2000年，贵州省煤炭行业改革工作取得重大突破：盘江精煤股份公司的改制工作通过了证监会验收，发行股票的申报材料通过了证监会发行部的审核；水城矿务局和盘江化工厂建立现代企业制度方案已经省政府批准；原六枝矿务局破产遗留问题的善后处理工作基本结束，新组建的六枝工矿（集团）公司正健康稳定地向前发展；水城矿务局、盘江煤电（集团）公司的债转股工作进展顺利。

根据国家煤矿安全监察局煤安司办字［2000］21

号文决定，贵州煤炭工业局改组为贵州煤矿安全监察局，由国家煤矿安全监察局垂直管理。2000年4月22日，贵州煤矿安全监察局正式揭牌，贵州省人民政府副省长刘长贵、国家煤矿安全监察局副局长王显政及各有关领导出席了挂牌仪式。根据省办发［2000］120号文决定，不再保留贵州省煤炭工业厅，在贵州煤矿安全监察局加挂贵州省煤炭工业局牌子，实行一个机构、两块牌子。盘江、水城、林东、遵义四个煤矿安全监察办事处已全部挂牌成立并开展工作。省属煤炭企业职工的养老保险、医疗保险、失业保险等已平稳过渡到省级统筹。

【结构调整开始起步】为抢抓国家实施西部大开发的机遇，加快贵州省煤炭工业结构调整步伐，实现持续、稳定、健康发展，贵州省人民政府、国家煤炭工业局于2000年7月27～29日联合在贵阳召开“西部大开发·贵州煤炭工业结构调整与发展研讨会”，会议邀请了中科院和工程院院士参加，国务院发展研究中心、国家经贸委、铁道部、国家冶金工业局、国家电力公司等部门领导应邀出席了会议；中国煤炭工业发展研究中心、煤科总院、北京煤炭设计集团、中联煤层气公司、中国矿业大学等单位的30多名专家参加了会议。《贵州煤炭工业结构调整与发展总体构想》等7个结构调整专题报告一致通过专家组的评议。“发展水煤浆产业”、“大河边煤矿直接液化”、“煤层气开发应用”、“中小城镇城市煤气工程”、“六枝矿区煤炭井下气化”、“洁净配煤”等已列入我省煤炭工业结构调整的主要项目，将分期分批组织实施。

【精神文明建设进一步发展】各级领导班子认真学习江泽民总书记“三个代表”的重要思想，加强思想、组织和作风建设，提高了干部队伍的整体素质；大力加强“四有”职工队伍建设和企业文化建设，广泛开展创建文明单位、文明小区活动，全面推行厂（矿）务公开，建立了组织领导机制、公开机制、工作指导机制、监督考核机制，增强了企业的凝聚力，维护了矿区的稳定；认真落实党风廉政建设责任制及责任追究制，抓紧案件的查处，党风廉政建设有了进一步加强。

（韦会武）

表1　煤矿生产规模

项　　目	矿井数（处）	实际年产量（10^4t）	占全区年产量的比例（%）
全省（区）合计	1172	3677	100
统配煤矿	18	1077	29.29
省（区）属煤矿	18	204	5.55
地市营煤矿	1	5	0.14
县营煤矿	55	98	2.67
集体及个体煤矿	1080	2293	62.36

（黄玉玺）

表2　重点煤矿基本情况

局矿名称	地址及邮政编码	实际年产量（10^4t）	年末职工人数（人）
1. 六枝工矿集团有限责任公司	贵州省六枝特区　553400	110.19	5793
六枝煤矿	贵州省六枝特区　553401		
地宗煤矿	贵州省六枝特区　553400	24.70	

续表

局矿名称	地址及邮政编码	实际年产量 (10^4t)	年末职工人数 (人)
凉水井煤矿	贵州省六枝特区　553401	13.61	
四角田煤矿	贵州省六枝特区　553401	18.89	
化处煤矿	贵州省普定县化处镇　552102	27.42	
木岗煤矿	贵州省六枝特区黄桶　553400		
苦竹林煤矿	贵州省六枝特区　553421	20.04	
小　井			5.54
2. 盘江煤电集团有限责任公司	贵州省盘县红果镇　561613	523.57	25313
火铺煤矿	贵州省盘县火铺镇　561613	122.47	
山脚树煤矿	贵州省盘县山脚树　561623	73.04	
月亮田煤矿	贵州省盘县月亮田　561623	72.03	
老屋基煤矿	贵州省盘县老屋基　561617	95.49	
土城煤矿	贵州省盘县洒基镇　561619	140.17	
金佳煤矿	贵州省盘县干沟桥　561613	20.36	
3. 水城矿务局	贵州省六盘水市钟山区　553000	425.28	29957
汪家寨煤矿	贵州省六盘水市汪家寨镇　553000	125.62	
老鹰山煤矿	贵州省六盘水市老鹰山镇　553023	60.12	
大河边煤矿	贵州省六盘水市大河边镇　553007	54.62	
红旗煤矿	贵州省六盘水市大河边镇　553007	18.79	
大湾煤矿	贵州省六盘水市大湾镇　553103	40.80	
木冲沟煤矿	贵州省六盘水市大湾镇　553103	57.43	
那罗寨煤矿	贵州省六盘水市大河镇　553009	58.00	
小　井			9.90
4. 林东矿务局	贵阳市金华镇蒿芝塘　550023	105.08	7924
郭家冲煤矿	贵阳市金华镇郭家冲　550023	3.39	
冒沙煤矿	贵阳市金华镇冒沙　550023	2.26	

续表

局矿名称	地址及邮政编码	实际年产量 (10^4t)	年末职工人数 (人)
敖凡冲煤矿	贵阳市金华镇敖凡冲 550023	11.07	
黄家庄煤矿	贵州省平坝县		
长冲煤矿	贵阳市金华镇 550023	9.28	
蔡冲煤矿	贵阳市花溪区蔡冲 550029	5.00	
桐梓煤矿	贵州省遵义桐梓县 563204	7.30	
石硐煤矿	贵阳市朱昌镇石硐 550024	10.10	
贵阳煤矿	贵州省修文县小河沟 550200	15.99	
南山煤矿	贵州省息烽县南山 551109	17.02	
小 井			1.40
5. 省监管局煤矿	贵州省贵阳市 550002	115.54	

（韦会武）

表 3 重点煤矿主要技术经济指标

局矿名称	原煤产量 (10^4t)	商品煤		洗精煤		掘进总进尺 (m)	回采工作面平均月产量 (t)
		灰分 (%)	含矸率 (%)	产量 (10^4t)	灰分 (%)		
总 计	1059.04	20.20		316.15	9.82	127843	19674
六枝工矿集团有限责任公司	110.19	24.84		0.03		11485	6817
盘江煤电集团有限责任公司	523.57	17.22		205.16	9.89	48500	30012
水城矿务局	425.28	20.19		110.96	9.66	49823	24568

局矿名称	掘进工作面平均月进度 (m)	采煤机械化程度 (%)		掘进装载机械化程度 (%)		原煤坑木消耗 (m/10^4t)	原煤全员效率 (t/工)
		合 计	其中：综采	合 计	其中：综掘		
总 计	114.28	53.42	19.36	47.98		25.28	1.591
六枝工矿集团有限责任公司	72.99			12.25		33.38	1.127
盘江煤电集团有限责任公司	146.04	63.32	15.61	25.34		19.97	1.962
水城矿务局	116.62	56.83	23.86	78.97		26.77	1.535

（黄玉玺）

陕西省煤炭工业概况

2000年，陕西煤炭战线广大干部职工在市场制约加剧、经济运行困难的情况下，坚定不移地贯彻落实国家局和省委、省政府的重大决策，以结构调整为突破口，集中力量抓好关井压产、控制总量、关闭破产、扭亏脱困、安全监察等重点工作，负重爬坡，顽强拼搏，各项工作都取得了新的进展，煤炭工业改革脱困和经济形势初步呈现新的转机。

【继续实施关井压产，积极调整产业结构】近年来，按照国家关于控制煤炭总量，关闭非法和布局不合理煤矿的部署，在省委、省政府领导的大力支持下，在有关厅局的积极配合下，我省的关井压产工作取得了阶段性成果。为了巩固关井压产的成果，省政府以《2000年煤炭行业关井压产工作安排意见》和《关于巩固全省煤炭行业关井压产成果的通知》，下达了关井压产任务，对工作提出了具体要求。省关井办认真履行职责，狠抓工作的重点和难点，推动全局工作的开展，并把防止关闭矿井死灰复燃当作重点，加强监督检查，对造成影响的死灰复燃的矿井盯住不放，及时采取了组织处理措施。各地市克服局部利益受损的困难，以大局为重，确保了全省关井压产任务的全面完成。全省共关闭和取缔各类小煤矿430处，完成国家下达的关井425处的101%，其中，榆林市关闭121处，延安市关闭82处，铜川市关闭78处，渭南市关闭86处，汉中、商洛、安康、咸阳、宝鸡等地市也都完成任务。通过实施关井压产，全省生产煤炭2764.61万t（其中，国有重点煤矿1326.99万t，地方国有煤矿580.27万t，乡镇煤矿857.35万t），完成国家2584万t总量控制计划的106.99%，比1999年压产375.48万t。榆林、铜川、咸阳等地市和四个矿务局实现了省政府下达的产量控制目标。全省库存煤炭212万t，比1999年下降49%。榆林、延安、铜川、渭南、宝鸡等地市和铜川、韩城局的煤炭库存量实现了控制目标。全省347处矿井经过整顿整改，领取了煤炭生产许可证，乡镇煤矿中持证合法生产矿井由关井压产前的18%上升到94%；随意开矿、超层越界、胡挖乱采现象得到有效遏制；国有井田范围内无证开采、破坏大矿资源、威胁大矿安全的小矿基本取缔；一批证照不全或布局不合理煤矿被关闭。

实施煤炭工业战略北移，是调整产品结构的根本途径。榆神矿区是我省煤炭工业战略北移的重点，按照省政府对开发榆神矿区提出的“高起点、大规模、新机制、抓转化”的要求，狠抓了榆神矿区的前期工作，今年国家计委批准了榆神矿区一期总体规划，批准建设规模5460万t/年。这项工作的完成为矿区的前期工作奠定了基础，也为大保当矿区在近期开工建设，启动榆林重化工基地建设项目具有重要意义。同时，积极克服困难，为象山矿井恢复建设争取到国家投资7696万元。

【以建立现代企业制度为方向，不断深化国有煤炭企业改革】按照国家局党组《关于加快国有煤炭企业改革发展的指导意见》的要求，加快了我省国有重点煤矿的深化改革，转换机制的步伐。一是以建立现代企业制度为目标，对大企业进行公司制改造。由韩城局发起设立“陕西创能煤电股份有限公司”，于4月16日正式挂牌运行，这是我省煤炭行业第一家实现了投资主体多元化的股份公司。韩城矿务局组建的“陕西韩城矿业集团公司”，正在抓紧资产评估前期的准备工作。铜川矿务局已经陕经贸企［2000］578号文件批准成立“铜川煤业集团公司”，正在抓紧工商注册和税务登记。澄合矿务局改制方案已经省经贸委批准立项。二是积极实施债转股工作。根据中央［1999］12号文件精神和省政府有关规定，将铜川、韩城、澄合矿务局列为债转股单位，债转股金额为15.81亿元（其中，铜川矿务局7.43亿元、澄合矿务局1.5亿元、韩城矿务局6.88亿元）。债转股后三户企业可减少财务费用8531万元，资产负债率由71.7%下降为38.11%，大幅度减轻了企业的债务负担。三是对资源枯竭、扭亏无望的煤矿稳妥地实施关闭破产。在完成企业关闭破产方案的基础上，经过共同努力，铜川矿务局三里洞、澄合矿务局权家河、韩城矿务局马沟渠、蒲白矿务局南桥等4个矿先后进入破产程序，合计破产费用110121万元，均由中央财政补助。4个矿实施关闭破产后，预计减少煤炭生产能力150万t，减少产量101万t，核销银行呆坏账3.5亿元，一次性分流安置职工24986人，离退休人员8427人，年减少亏损5980万元。目前，三里洞煤矿破产费用已经到位，开始进入破产实施程序。随着这部分煤矿的关闭，将从源头上消灭一部分亏损，为企业扭亏脱困、提高整体素质创造了条件。四是积极实施了蒲白矿务局水泥厂等中型企业股份制改造试点，既使职工的思想观念、企业经营机制发生了根本性变化，也为其他矿、厂实现投资主体多元化的产权制度改革提供了经验。与此同时，煤炭企业不断深化三项制度改革，推进以销定产、以产定人、减人提效和实施再就业工作。全省共精简分流人员3738人，其中净减职工1874人，完成计划的94%。通过实施精简分流，原煤生产效率由1.617t/工提高到1.836t/工。

【以市场为导向，强化企业管理，扭亏脱困工作取得新的进展】年初，制订了《2000年国有重点煤矿改革脱困工作实施方案》，要求国有重点煤炭企业总体上大幅度减亏，实现扭亏为盈和减亏增盈。各煤炭企业在向市场经济转变进程中，坚持把市场机制引入企业管理，立足自身，以市场为导向调整营销策略，优化产品结构，做到优质优价，增加收入。围绕成本、质量、资金，强化内部管理，降低各种消耗，在井下开拓、回采布局和管理上，合理集中生产，推进高产高效矿井建设，依靠管理和科技进步，广泛开源节流，挖掘内部潜力。通过努力，煤炭企业大幅度超亏势头得到遏制，国有重点煤炭企业亏损18639万元，比1999年同期减亏8347万元，比计划退库指标减亏7197万元，其中，铜川、蒲白、澄合、韩城矿务局实现补贴后扭亏为盈；单位成本97.62元/t，比1999年同期降低12.37元/t；商品煤售价97.04元/t，比1999年同期降低5.9元/t，实现产品销售收入14.6亿元，比1999年同期增加13000万元（其中，煤炭产品销售收入10.7亿元，比1999年同期增加4000万元）。

【依法强化煤矿安全监察和管理，促进全省煤矿安全状况稳定好转】按照国家局的指示，结合省政府关于机构改革的要求，陕西煤炭工业管理局改组为陕西煤矿安全监察局，4月16日正式挂牌运作，下设榆林、铜川、咸阳、渭南4个办事处，编制80人，具体负责辖区内的煤矿安全监察工作。在认真考察的基础上，配备了各办事处的领导班子，选配了一批业务精、年龄轻的工作人员。目前，各办事处认真履行职能，开始对辖区内的煤矿依法进行煤矿安全监察。同时，经报请省政府批准，保留了“陕西省煤炭工业局”，与陕西煤矿安全监察局合署办公，履行省政府赋予的行业管理职能。机关处级领导通过公开竞争已全部到位，所有公务员通过双向选择已上岗工作。

在抓好煤矿安全监察机构组建的同时，重视煤矿安全的行业管理工作，始终坚持“安全第一，预防为主”的方针，对安全工作做到了常抓不懈。一是坚持安全目标管理，狠抓安全责任制的落实。认真贯彻落实江泽民总书记关于加强安全生产的重要批示，下发了1号文件，下达了年度安全指标，与各企业、各地（市）煤炭主管部门安全第一责任者签订了安全生产责任状，明确了指标、责任和奖罚。二是突出抓好矿井“一通三防”工作，防止重大瓦斯煤尘事故的发生。针对乡镇煤矿瓦斯事故频发的情况，制定了《陕西省地方小煤矿回风井井口通用布置标准》；针对国有重点煤矿零敲碎打事故多发的问题，召开事故案例分析会，研究针对性措施；针对耀县等煤矿事故多的重点区域，多次组织安全检查，12月在耀县召开全省煤矿安全生产现场会，总结经验，吸取教训，促进全省煤矿安全生产形势进一步好转。三是根据不同时期的工作重点，不间断地开展安全生产大检查。通过强化安全管理，我省煤矿安全工作取得了显著的成绩，全省各类煤矿共死亡141人，比1999年同期减少80人，是20年来安全状况最好的一年。国有重点煤矿原煤生产死亡11人，比1999年同期增加5人，百万吨死亡率0.829；地方国有煤矿死亡11人，比1999年同期减少2人，百万吨死亡率1.899；乡镇煤矿死亡106人，比1999年同期减少49人，百万吨死亡率9.549。

【坚持两个文明一起抓，党的建设和思想政治工作迈出新步伐】面对煤炭工业改革与发展的新形势，全系统各级党组织坚持从本单位实际出发，切实加强和改进思想政治工作，使广大干部职工理解改革、支持改革并主动投身改革，维护了矿区安定团结的政治局面。一是加强思想政治工作，重视对各级干部的学习教育，把学习邓小平理论、江泽民“三个代表”的思想、现代企业制度基本知识和安全条例等法律知识，作为干部讲政治的一项基础性工作，做到了常抓不懈。认真贯彻落实中央《关于加强和改进思想政治工作的若干意见》，制订了全行业的贯彻落实意见。及时组织开展了“西部在开发，煤炭系统怎么办？”、“陕西煤炭扭亏脱困，出路在哪里？”等议题的讨论，使广大职工进一步认清了形势。二是推进党风廉政建设，在机关和事业单位认真扎实地开展“三讲”教育、“三讲”教育回头看活动。通过剖析，广大干部对问题和不足提出了切合实际的整改方案，建立健全了相关制度。9、10月份，利用胡长清、成克杰典型事例开展了“警示教育”活动，加强了反腐倡廉工作，使广大党员干部廉洁自律意识明显增强。坚持教育与惩处相结合，加大各类违法违纪案件的查处，全系统共立案92件，查结案82件，受党政纪处分125人。完成审计项目165个，查出违纪资金1.23亿元，纠正处理1.11亿元。三是继续深入开展了创建文明单位和六好区队活动，以改变形象、改变面貌、改进作风，提高队伍素质为目标，涌现出1个部级文明矿井，4个省级文明矿井，8个文明单位，一大批文明楼院和六好区队。四是千方百计维护矿区稳定，以做好破产企业职工思想工作为重点，开展了多种形式的宣讲活动，较好地解决了不同层次分流人员的思想认识问题。积极做好“法轮功”参练者的转化工作，保证了矿区的稳定。积极推行厂务公开，推进基层民主政治建设，使职工认清了企业面临的困难。对困难职工和下岗职工，建立健全了困难职工和下岗职工管理台账，实现了分类规范化管理。通过加大宣传力度、转变就业观念，加强就业培训等手段，使一些下岗职工能够面对现实，打破传统观念的束缚，依靠自己的力量实现自我创业。各级领导干部转变工作作风，及时深入到群众之中，把矛盾消化在基层，基本维护了矿区稳定。

【存在的问题和矛盾】一是煤炭产、运、销虽然出现了恢复性增长的好势头，但由于煤炭市场依然供大于求，总量过剩，使得煤炭企业经济仍处于低位运行，经济状况仍然不理想。二是煤价下降，货款拖欠增加。国有重点煤矿商品煤综合售价为97.3元/t，比1999年同期降低5.9元/t；货款拖欠8.9亿元，比期初增加1.2亿元，其中，煤炭货款拖欠7.3亿元，比期初增加1.7亿元，使企业资金十分紧张。三是下岗职工增多，困难职工面有所增加。目前全省有下岗职工29564人，经劳动部门确认进入再就业中心的有24190人。全系统人均月收入不足80元的有24561户，涉及职工家属85958人，其中人均月收入不足50元的有9591户，涉及33623人。由于职工生活长期处于困难状态，职工情绪极不稳定，集体上访事件时有发生，矿区稳定的压力很大。四是国有重点煤矿管理滑坡，投入不足，矿井总体防灾能力下降，重特大事故时有发生，虽然从全国来看我省煤矿安全生产形势比较好，但安全中存在的隐患和问题仍是不容乐观的。五是关井不压产，不控制生产总量的问题严重存在，有些地市关井质量不高，关闭矿井死灰复燃时有发生。这些问题和矛盾，还需要我们在今年的工作中加以克服和纠正。

（李传新）

表1 煤 矿 生 产 规 模

项　　目	矿井数（处）	实际年产量（10^4t）	占全区年产量的比例（%）
全省（区）合计	107	2764.61	100.00
统配煤矿	27	1326.99	47.99
省（区）属煤矿	2	61.55	2.22
地市营煤矿	5	34.05	1.23
县营煤矿	73	484.67	17.53
集体及个体煤矿	—	357.35	12.92

表2 重点煤矿基本情况

局矿名称	地址及邮政编码	实际年产量（10^4t）	年末职工人数（人）
铜川矿务局	陕西省铜川市红旗街　727000	536.88	36505
蒲白矿务局	陕西省蒲城县罕井镇　715517	115.00	14230
澄合矿务局	陕西省澄城县南大街102号　715200	130.31	10021
韩城矿务局	陕西省韩城市金塔东路　715400	350.37	21186
崔家沟煤矿	陕西省耀县杏树坪　727101	93.10	—
车村煤矿	陕西省黄陵县店头镇　727307	19.10	—
苍村煤矿	陕西省黄陵县店头镇　727307	53.68	3413
黄陵矿业有限责任公司	陕西省黄陵县店头镇　727307	28.55	2312

表3 重点煤矿主要技术经济指标

局矿名称	原煤产量 (10^4t)	商品煤		洗精煤		掘进总进尺 (m)	回采工作面平均月产量 (t)	掘进工作面平均月进度 (m)	采煤机械化程度（%）		掘进装载机械化程度（%）		原煤坑木消耗 ($m^3/10^4t$)	原煤全员效率 (t/工)
		灰分 (%)	含矸率 (%)	产量 (10^4t)	灰分 (%)				合计	其中：综采	合计	其中：综掘		
铜川矿务局	536.88	26.73	6.16			58068	26998	135.94	70.74	67.41	57.92	26.58	28.53	1.639
蒲白矿务局	115.00	23.93	0.00			13534	18861	162.28	41.65	—	8.66	—	19.90	1.573
澄合矿务局	130.31	25.85	6.38			16727	17075	165.55	32.11	—	100.00	—	6.33	1.417
韩城矿务局	350.37	26.46	7.93	80.33	9.74	23474	34199	137.37	20.53	12.40	93.87	—	15.59	2.900
崔家沟煤矿	93.1	15.97	0.08			10021	34969	233.05	100	50.16	—	—	49.39	—
苍村煤矿	53.68	0.00	0.00			7563	21241	191.81	79.36	—	—	—	11.74	1.609
车村煤矿	19.10	13.50	0.00			—	13423	—	—	—	—	—	5.39	2.433

甘肃省煤炭工业概况

2000年是甘肃煤炭工业发展史上产生重要转折的一年，煤炭工业管理体制进行了重大改革。在国家煤炭工业局、国家煤矿安全监察局和省委、省政府的指导下，组建了甘肃煤矿安全监察局，正式挂牌运作，同时受省人民政府的委托，继续履行对全省煤炭工业实行行业管理的职能。在这种新形势和新任务面前，各级煤矿安全监察机构、煤炭管理部门以及煤炭企事业单位的广大干部职工，认真贯彻落实党的十五届四中全会、五中全会精神，学习贯彻“三个代表”的重要思想，贯彻执行国家和省制定的一系列方针政策，团结一致，奋力拼搏，开拓进取，真抓实干，各方面的工作都取得了较好成绩。

2000年6月2日，甘肃煤矿安全监察局挂牌运作后，按照国务院的改革要求，在国家煤矿安全监察局的直接领导下并受省政府委托，坚持一手抓安全监察机构的组建、一手抓煤炭行业管理，积极开展各项工作，做到了秩序不乱、工作不断和新的工作任务尽快落实到位、原有的业务及时有序接替。全省煤矿安全监察依法行政、依法监察的工作开始起步。

*首先，建立了覆盖省内各类煤矿的安全监察体系。*甘肃煤矿安全监察局成立后，按照国务院和国家局有关文件要求，及时完成了局机关内设机构、人员编制和职能配置工作，进行了行业管理有关处室机构的配置工作，基本做到了人员、职责、任务三个到位。安全监察人员的岗前培训已进行了5期，培训52人。抓紧进行了兰州、平凉两个煤矿安全监察办事处的组建工作，业已基本到位。这样，全省上下垂直管理的煤矿安全监察体制建立健全起来了，再加上多年来在各局、矿两级形成的企业内设安全监察机构，便构成了一个由省级煤矿安全监察局统一领导、两个煤矿安全监察办事处分片监察、企业内部安监机构跟踪检查的多层次、全方位覆盖省内各类煤矿的安全监察体系。

*其次，依法对煤矿实施安全监察工作。*在理顺体制的同时，各级安全监察机构依法履行安全监察职能，始终把安全监察检查作为工作中的一项重要内容来抓，先后组织了3次煤矿安全生产检查活动，特别是针对兰州市红古区獐儿沟煤矿煤与二氧化碳突出事故的发生，在全省各类煤矿中广泛开展了安全教育月和安全生产大检查活动，共出动102人次，检查了202个煤矿，查出安全问题和隐患1235条；省属八局矿组织自查55次，累计查出安全问题和隐患6500多条，有85%以上的问题已经整改，对一些因资金等困难一时还难以整改的问题，均制定了限期整改计划和具体的防范措施。

第三，组织发动全省掀起学习贯彻《煤矿安全监察条例》的热潮。《煤矿安全监察条例》一出台，我们就抓住有利时机，在认真学习座谈和宣传贯彻的同时，就全省煤炭系统如何学习宣传贯彻作出了全面而具体的部署。《甘肃日报》进行了全文转载，发表了省政府领导的专题文章；甘肃电视台播发了专题新闻和安监局领导同志的专题讲话；兰州、平凉、白银、张掖、武威等地、市煤炭管理部门和窑街、靖远、华亭等矿区，充分运用当地新闻媒体和多种宣传手段，认真深入地开展了宣传教育、学习贯彻活动。

*第四，全省煤矿安全生产状况总体好于上年。*在各级政府和有关部门的正确领导和大力支持下，经过煤矿安全监察机构、煤炭管理部门以及全省煤炭系统广大干部职工的共同努力，全省煤矿安全生产状况总体上好于1999年。到2000年底，全省发生死亡事故34起，死亡96人，其中原煤生产死亡81人，同比减少45人；省属八局矿原煤生产死亡9人，百万吨死亡率为0.87，同比下降45.5%，是全省煤炭行业安全生产发展史上少有的好水平；乡镇煤矿原煤生产死亡35人，同比减少34.5%；地县煤矿原煤生产死亡37人，同比上升幅度很大。

2000年是我省煤炭工业继续前进、发展的一年。面对煤炭市场混乱、供需矛盾突出、国有企业经营困难、扭亏脱困压力很大等严峻形势，全行业上下各企业、各单位、各部门和广大干部群众，坚定信心，克服困难，采取多种有力措施和办法，千方百计寻求出路，努力拼搏走出困境，使煤炭经济运行态势向好的方向发展，总量得到控制，销量、价格回升，成本下降，效益提高，各项工作都取得了新的进展。突出表现在以下几个方面：

*一是全省煤炭行业关井压产工作取得重大突破。*自1998年底全省煤炭行业关井压产工作开展以来，得到了国家、省及有关部门的重视关心和大力支持，主要产煤地区各级政府认真组织实施，突出重点扎实工作，相关煤矿企业统一认识、主动配合，较好地完成了关井压产和总量控制任务。1999年11月初，通过了国家煤炭关井压产领导小组验收组的检查验收，自此，全省煤炭行业关井压产工作取得了阶段性胜利。到目前为止，我省已关闭各类小煤矿956处，全省各类煤矿总数由关井前的1719处，减少到763处，在较大幅度地压减煤炭产量的同时，还有效地减少了煤矿事故源，降低了事故率。2000年，全省实际生产原煤1632.71万t，完成年计划的102.43%，同比减少13.70%；全省煤炭出口量有所增加，出口煤8万t，创汇收入190万美元；省属11户工业企业累计完成工业增加值55602万元，同比增加4298万元，增幅为8.38%。

同时，全省整顿煤炭市场和经营秩序工作也有了较大进展。经过3年多的努力，《甘肃省煤炭经营企业资格审查办法》以政府法规形式出台，使我省煤炭行业立法工作走上了新台阶；对庆阳、平凉、金昌、武威、陇南等5个地区的整顿煤炭市场工作进行了检查验收，解决了煤炭经营企业在资格审查中的问题，要求各地煤炭管理部门执法人员做到亮证执法，强化了行政执法监察管理。

*二是省属煤炭企业扭亏增盈、脱贫解困工作取得成效。*到年底，省属16户企业补贴后实现盈利1914万元，同比增盈减亏额1402万元；11户工业企业补贴后盈利2751万元，同比增盈927万元，超额完成了省政府下达的扭亏脱困任务。16户企业累计实现销售收入11.5亿元，同比增收2892万元，但货款拖欠严重，应收账款净额达9.2亿元，已占销售收入总额的80%。省属6局矿原煤完全单位成本为80.09元，同比下降1.41元，降低率为1.73%；累计商品煤销量959万t，同比增加131万t，增幅为13.66%，当年产销率为95.71%，同比提高9.91个百分点，但煤炭库存量仍然居高不下，已达347万t，比年初净增40万t，升幅为13.03%。

*三是国有煤炭企业改革改制和结构调整工作有重大进展。*在党的十五大精神指引下，在国家和省政府的指导支持下，我省国有煤炭企业改革改制和结构调整工作大大加快，窑街矿务局已改制为窑街煤电股份有限公司，靖远矿务局改制方案省政府已批准，华亭矿区建设管理委员会、华亭矿务局和华亭县煤矿3家联合改制组建陇东煤炭企业集团公司的建议方案也已上报省政府，可望批准实施。特别是经过历时两年多的前期准备，阿干煤矿（含原兰州煤矿机械厂）和山丹煤矿关闭破产，经国家批准和地方人民法院公告，已正式进人法律程序，正在依法按程序进行。此外，靖远矿务局宝积山矿和红会三矿关闭破产项目已列人国家"16.60"工程，正在编制预案；九条岭煤矿和华亭矿务局安口煤矿关闭破产问题正在向省政府汇报、与有关部门协商，省煤炭运销公司与省煤炭进出口公司合并，并按新机制运行。所有这些，都有效地促进了国有煤炭企业经营机制的转换和改革、改制的进程，为全省煤炭工业的结构调整和可持续发展奠定了基础。

*四是煤炭行业养老统筹和住房制度改革不断深入。*随着企业改革的不断深入和结构调整步伐的加快，职工基本养老保险工作已成为我省煤炭行业管理工作的重要内容。2000年，我们实现了行业统筹向省级统筹的平稳衔接，在省保险局的领导和有关部门的支持下，省局社保中心和各单位社保部门，在退休人员审批和待遇认定、费率调整与个人账户过渡、养老金发放与基金管理等方面做了大量深入细致的工作，使养老保险基金征缴工作明显加强，省属煤炭企业实际缴纳养老保险费近1亿元，缴费率达到80%以上；企业离退休人员基本养老金社会化发放率稳步提高，已占应发总人数1.9万余人的76.85%；基本做到了全系统离退休职工基本养老金的按时足额发放，省属煤炭企业实际支付基本养老金近2亿元，不但未发生新的拖欠还补发了以前年度的拖欠。这些工作的稳步实施，为保障企业改革和扭亏脱困工作顺利进行以及维护矿区、职工队伍稳定特别是困难企业职工队伍的稳定作出了积极贡献。全省煤炭系统房改工作不断深入，也取得了新的进展，职工人均居住面积由3.8m^2增加到7.8m^2，人均增加4m^2，增长率为105%，解决无房户6800多户；公有住房出售达到应出售的80%以上，累计收回售房款近2.7亿元；住房公积金制度普遍建立，归集余额达1亿多元；全系统清房工作通过了省清房办的检查验收，清查出超标、多占住房822户，合计11281m^2，收回超标款368.7万元，清退住房85套。

*五是全省煤炭系统科技环保工作取得新成绩。*2000年全系统共组织完成各类科研项目20项，其中有12项科技成果通过省经贸委、省科委的技术鉴定，有4项通过省局鉴定。组织完成了2000年度省煤炭科技进步奖的评审工作，有42个项目荣获科技进步奖，其中特等奖3项，一等奖10项，二等奖10项，三等奖19项；窑街煤电公司完成的"窑街矿区巷道综合支护技术"和靖远矿务局大水头煤矿完成的"高瓦斯松软破碎煤层大断面煤巷无钢带锚网支护技术研究"两项科研成果又被评为甘肃省科技进步三等奖。我们还抓住国家实施西部大开发战略的有利时机，从全省煤炭工业实际出发，为长远发展考虑，与中国煤炭科学研究总院、煤炭信息研究院共同邀请国内专家、学者和省政府有关单位、部门领导联合召开了"西部大开发·甘肃煤炭工业结构调整与发展研讨会"，提出了我省煤炭工业结构调整与长远发展要抓好"四个基地"建设和实施"十大起步工程"的总体思路和具体措施，省局和所属企业与煤科总院的有关院所还签订了10多项近期开发协作的高科技项目。到2002年底，全系统共完成7项环保治理项目，所属企业在工业废水、废气、固体废弃物等综合治理方面基本完成了环境保护责任书目标控制指标。

*六是全系统党风廉政建设、思想政治工作和精神文明建设等各项工作都有了新的进步。*年初，按照省委统一部署，完成了省局机关为期两个多月的"三讲"集中教育活动，达到了预期目标，取得了较好成效，使广大党员干部受到了一次深刻、全面的党性教育和锻炼。之后，甘肃煤矿安全监察局党组又在机关全体党员干部和工作人员中，以"三个代表"重要思想为指导，认真开展了"廉洁奉公、勤政为民"的廉洁自律教育活动和以重大典型案例为反面教材的"警示教育月"活动，使党风廉政建设工作进一步加强。各级党组织结合本单位、本部门改革、发展、稳定的实际，利用多种形式，采取多种办法，广泛开展了"创优争先"、"党员责任区"、"党员先锋岗"等活动，充分发挥了基层党组织的战斗堡垒作用和共产党员的先锋模范作用。各级工会、共青团和女工组织，从职工群众的思想实际出发，围绕煤炭经济建设和安全生产等中心工作，加强思想政治工作，维护矿区稳定和职工队伍稳定，广泛组织开展各具特色、突出自身特点的生产建设活动和文化娱乐活动，两个文明一起抓，两个成果一起要，取得了优异的成绩，为全省煤炭工业健康发展作出了积极

贡献。

此外，党的组织建设、班子建设、反腐倡廉、查处大案要案以及计划统计、调度信息、信访档案、后勤服务、多种经营、老干部和老职工管理等各项工作，都有不同程度的进步，取得了一定的成绩。

（荆大勤）

表1 煤矿生产规模

项目	矿井数（处）	实际年产量（10^4t）	占全区年产量的比例（%）
全省（区）合计	55	1632.71	100.00
统配煤矿	17	872.51	53.44
省（区）属煤矿	8	164.99	10.11
地市营煤矿	3	22.74	1.39
县营煤矿	27	311.41	19.07
集体及个体煤矿	—	261.06	15.99

表2 重点煤矿基本情况

局矿名称	地址及邮政编码	实际年产量（10^4t）	年末职工人数（人）
窑街矿务局	甘肃省兰州市红古区 730080	292.21	18586
靖远矿务局	甘肃省白银市平川区 730913	416.80	27027
华亭矿区管委会	甘肃省平凉地区华亭县 744100	135.07	1648
阿干煤矿	甘肃省兰州市七里河区 730097	28.43	6146

表3 重点煤矿主要技术经济指标

局矿名称	原煤产量（10^4t）	商品煤		洗精煤		掘进总进尺（m）	回采工作面平均月产量（t）
		灰分（%）	含矸率（%）	产量（10^4t）	灰分（%）		
窑街矿务局	292.21	11.55	0.08			36577	22267
靖远矿务局	416.80	12.64	0.06			40776	24144
华亭管委会	135.07	10.85	0.24			3349	26136
阿干煤矿	28.43	13.93	—			4662	7028

局矿名称	掘进工作面平均月进度（m）	采煤机械化程度（%）		掘进装载机械化程度（%）		原煤坑木消耗（$m^3/10^4t$）	原煤全员效率（t/工）
		合计	其中：综采	合计	其中：综掘		
窑街矿务局	204.48	56.77	37.05	89.29		24.11	2.290
靖远矿务局	132.27	73.80	73.80	27.75	13.66	28.00	2.375
华亭管委会	106.88	100.00	100.00	—	—	23.73	4.182
阿干煤矿	116.57	—	—	9.27		63.22	1.196

宁夏回族自治区煤炭工业概况

表1 煤 矿 生 产 规 模

项 目	矿井数（处）	实际年产量（10^4t）	占全区年产量的比例（%）
全省（区）合计	30	1581.00	100.00
直属煤矿企业	17	1287.22	81.42
地市营煤矿			
县营煤矿	13	125.64	7.95
集体及个体煤矿		168.14	10.64

注：1. 矿井处数为3万t以上矿井数。
2. 实际年产量包括3万t及以下矿井产量。

表2 重点煤矿基本情况

局矿名称	地址及邮政编码	实际年产量（10^4t）	年末职工人数（人）
石嘴山矿务局	宁夏回族自治区石嘴山市石嘴山区 753200	195.81	11955
一 矿	宁夏回族自治区石嘴山市石嘴山区 753200	80.51	3989
二 矿	宁夏回族自治区石嘴山市石嘴山区 753200	115.30	4436
石炭井矿务局	宁夏回族自治区石嘴山市大武口区 753000	609.28	23967
一 矿	宁夏回族自治区石嘴山市石炭井区 753300	74.94	1916
二 矿	宁夏回族自治区石嘴山市石炭井区 753300	112.18	3182
三 矿	宁夏回族自治区石嘴山市石炭井区 753300	66.27	2142
乌兰煤矿	宁夏回族自治区石炭井局乌兰煤矿 753300	100.13	2410
白芨沟煤矿	宁夏回族自治区石嘴山市白芨沟 753003	172.33	3641
大峰煤矿	宁夏回族自治区石嘴山市大峰沟 753004	78.59	1605
灵武矿务局	宁夏回族自治区灵武县古窑子 751409	359.08	9022
灵新煤矿	宁夏回族自治区灵武县磁窑堡镇 751409	128.15	1809
羊场湾煤矿	宁夏回族自治区灵武县磁窑堡镇 751409	47.93	553
石沟驿煤矿	宁夏回族自治区灵武县磁窑堡镇 751409	55.06	1210
磁窑堡煤矿	宁夏回族自治区灵武县磁窑堡镇 751409	68.43	1851
汝箕沟煤矿	宁夏回族自治区平罗县汝箕沟镇 753404	106.62	3264
王洼煤矿	宁夏回族自治区彭阳县 756500	16.43	552

表3 重点煤矿主要技术经济指标

局矿名称	原煤产量 (10⁴t)	商品煤		洗精煤		掘进总进尺 (m)	回采工作面平均月产量 (t)	掘进工作面平均月进度 (m)	采煤机械化程度 (%)		掘进装载机械化程度 (%)		原煤坑木消耗 ($m^3/10^4t$)	原煤生产人员效率 (t/工)
		灰分 (%)	含矸 (%)	产量 (10⁴t)	灰分 (%)				合计	其中：综采	合计	其中：综掘		
合　计	1287.22	14.04	0.20			106813	21386	130.91	34.03	31.28	52.77	3.31	27.04	2.528
石嘴山矿务局	195.81	19.17	0.00			21144	25764	129.80	41.74	41.74	88.60	3.82	27.57	2.053
一　矿	80.51	18.92	0.00			10240	18326	153.59			83.19		36.83	1.730
二　矿	115.30	19.33	0.00			10904	35840	113.31	70.64	70.64	93.67	7.40	17.78	2.391
石炭井矿务局	609.28	13.81	0.05			44505	22849	120.34	43.11	36.67	79.23	4.43	22.68	2.672
一　矿	74.94	29.38	0.00			5180	18430	107.69			63.63		21.05	2.149
二　矿	112.18	30.30	0.00			12476	20538	113.71			87.16		22.35	2.148
三　矿	66.27	22.06	0.00			7149	12464	181.08			80.72		33.38	1.955
乌兰煤矿	100.13	22.64	0.00			8779	23503	88.86	72.38	54.33	85.56		24.05	3.151
白芨沟煤矿	172.33	11.75	0.81			9540	42263	144.68	90.92	81.23	81.86	20.68	25.41	3.394
大峰煤矿	78.59	7.53	0.18			1381	19133	177.51					6.46	3.626
局属其他	4.84													
灵武矿务局	359.08	13.20	0.16			29564	18576	144.41	28.15	28.15	2.56	2.56	31.72	2.704
灵新煤矿	128.15	16.03	0.04			4043	39101	159.80	80.14	80.14	18.72	18.72	9.56	4.551
羊场湾煤矿	47.93	10.55	0.07			6082	20619	141.87					31.86	2.170
石沟驿煤矿	55.06	15.54	0.29			6555	14574	192.74					57.61	2.039
磁窑堡煤矿	68.43	10.38	0.22			6676	13225	111.32					52.42	2.428
其　他	59.51					6208								
汝箕沟煤矿	106.62	9.03	1.28			9583	19656	142.50			18.75		33.75	2.529
王洼煤矿	16.43	6.84	1.50			2017	17931	179.45			43.88		22.88	1.801
洗煤部分														
大武口洗煤厂				115.81	10.47									
太西洗煤厂				163.38	5.49									

云南省煤炭工业概况

2000年，全省煤炭工业广大干部和职工进一步解放思想，更新观念，努力推进煤炭企业的改革和发展，不断加快经济结构调整，以市场为导向，以经济效益为中心，强化内部管理，全面落实扭亏脱困责任目标，大力发展多种经营、第三产业和非公有制经济，实施科教兴煤，加强行业管理，继续抓好关井压产，整顿煤炭经营秩序工作，加大安全监察执法力度，完成了煤炭工业管理体制的改革，各项工作取得了一定成绩，基本保持了职工队伍和矿区的稳定。

【经济平稳运行，目标全面实现】2000年，全省共生产原煤2215.6万t，同比下降16.80%。其中，省煤炭局直属煤矿生产281.34万t，同比增长3.54%；省监狱管理局属煤矿生产471.91万t，同比下降11%；地县国有煤矿生产206.73万t，同比增长5.4%；乡镇煤矿生产1255.65万t，同比下降24.6%。"九五"期间原煤生产总量比"八五"期间净增1990.43万t，增长16.2%。

全省生产洗精煤208.25万t，比1999年增长4.36%。"九五"期间洗精煤总量比"八五"期间净增319.68万t，增长44.12%。

省煤炭局直属煤炭企业工业总产值(现行价)完成6.83亿元，同比增长10.91%。

商品煤销量，省煤炭局直属煤矿完成232.22万t，同比增长6.81%。其中，省内销量比1999年同期增长1.82%；省外销量比1999年同期增长4.99%。产品销售率达104.01%，同比增长6.01%。

省煤炭局与省政府签订的4项经济考核目标全面实现。工业总产值考核指标38500万元，实际完成38687.25万元，完成考核指标的100.75%；产销率考核指标为98%，实际为104.01%，超考核指标6.01%；利润考核指标为亏损740万元，实际亏损700万元，比考核指标减亏40万元；成本费用利润率考核指标为－1.3%，实际完成－1.29%，比考核指标下降0.01个百分点。

【关井压产取得成效，依法办矿意识增强】2000年国家下达给我省煤炭行业关井压产的任务是：关井1015处，总量控制指标为1936万t。年末，全省共关闭非法开采、布局不合理和不具备基本安全生产条件的小煤矿1106处，完成关井任务的108.79%；生产原煤2215.61万t，扣除曲靖电厂、阳宗海电厂专供煤外，完成了国家下达我省的总量控制指标。经过整顿煤炭经营秩序，全省共取缔非法煤焦经营企业132户，换发"煤炭经营资格证"153户，新办证12户。通过关井压产、总量控制和煤炭经营秩序的整顿，全省小煤矿随意布点、越层越界、私挖滥采和煤炭经营秩序混乱的现象得到一定程度的遏制；办矿秩序、生产秩序和经营秩序有了明显好转，依法办矿、依法治矿意识逐步增强。

【结构调整步伐加快，企业改革持续深入】2000年，全省煤炭工业对组织结构、产业结构、产品结构和所有制结构加快了调整步伐。按照减人提效、下岗分流的原则，大量精减了非生产人员和管理人员；大胆进行了跨地区、跨行业的企业联合，省、地、县部分国有煤炭企业分别组建了一批集团公司、有限责任公司，煤炭企业组织结构发生了重大变化。按照有进有退和退二进一、退二进三的原则进行了产业结构调整，加快了一、三产业的发展，完成综合利用多种经营项目19个，主要产品生产能力已初具规模。积极探索公有制的多种实现形式，大力发展矿区非公有制经济并取得了新的突破，局属单位从事非公有制经济人员达1436人，年经营额达6000多万元。

全省煤炭企业改革持续深入，建立现代企业制度工作取得初步成效。后所煤矿采取分离式改制方法已初步建立了现代企业制度，昆明煤机总厂和省煤炭供销总公司改制方案已完成，部分单位完成了股份制改制工作，部分地县国有煤炭企业的改革、改制力度加大，效果显著。组建职工持股会工作不断推进，省煤炭局直属企业已有11户建立了职工持股会，积极参与公司制改造。直属企业二级单位已有36个完成或正在进行股份制、股份合作制改造。煤炭事业单位改革步伐加快，关闭破产工作稳步推进。来宾煤矿破产工作已进入法律秩序，羊场、田坝、一平浪煤矿局部破产项目的前期工作已基本完成。

【多种经营和第三产业得到巩固，综合利用成效显著】2000年，省煤炭局直属煤炭企业多种经营、第三产业总产值达到4.36亿元，已形成了电力、化工、冶金、建筑、建材、商贸、宾馆、旅游及养殖、种植等多种产业，全省煤炭行业从事多种经营、第三产业人员达10 000余人。煤炭企业充分利用煤矸石、剥离废弃物及粉煤灰等生产矸石砖、陶粒砌块、水泥等建筑材料，既保护了资源又减少了环境污染。这些综合利用产品，通过了云南省资源综合利用认定委员会的认定，并享受到国家免税的优惠政策。

【强化企业管理，促进扭亏脱困】2000年，牛绍尧副省长对局属煤炭企业提出了"扭五、减三、破一"的扭亏脱困目标，并将羊场、田坝两矿列入全省64户重点脱困企业。省煤炭厅局党组积极向省政府和国家煤炭管理部门争取到了政策和资金上的支持和扶持，为企业的扭亏脱困创造了必要的外部条件；每个厅领导都明确了对口联系帮扶的企业，深入企业调研，现场办公，帮助企业研究解决困难的措施和办法；狠抓市场营销和货款回收。经过多方努力，牛绍尧副省长要求"扭五、减三、破一"的目标，除羊场、田坝煤矿未完成扭亏目标外，其余目标全部实现。

【地勘基建成效明显，重点项目进展顺利】2000

年，省煤田地质局共提交地质报告 8 件，合作科研报告 2 件，提交各级新增地质储量 9000 余万吨；完成一类地勘项目 1 个，二类地勘项目 1 个，三类及社会地质项目 13 个；组建了省煤田地质勘察院，将以独立法人身份承担全省煤田地质工作。

1996～2000 年，全省完成煤炭基本建设投资 134625 万元。由国家投资建设的兴云煤矿已经省级验收合格，正式移交生产。先锋褐煤液化、老厂白龙山矿井、恩洪矿区洗煤厂和滇东煤层气开发等重点项目前期准备工作进展顺利。全省煤炭工业“十五”发展计划和中长期发展规划已编制完成。

【安全工作力度加大，煤矿安全监察体制改革顺利完成】2000 年，全省煤炭企业及其主管部门认真贯彻落实“安全第一，预防为主”的安全生产方针，把安全工作列入了各级领导的重要议事日程，建立健全了安全生产责任制，实行了严格的安全目标管理和重奖重罚制度，严格执行安全生产法律法规，不间断地进行安全生产大检查和事故查处。开展了质量标准化和各种安全生产竞赛活动，加大了职工安全教育和安全技术培训力度。同时，按照国务院对煤矿安全管理体制改革的要求，对煤矿安全管理体制进行了改革。原云南煤炭工业管理局已改组为云南煤矿安全监察局，并组建了曲靖、红河、大理 3 个煤矿安全监察办事处，加大了安全监察执法力度。尽管做了大量工作，但总体效果不够理想。2000 年，全省煤炭企业原煤生产死亡 237 人，百万吨死亡率达 10.69，其中，局直属煤炭企业死亡 35 人，百万吨死亡率 12.5，已严重超标；千人死亡率和千人重伤率分别比考核指标下降 0.285 和 0.423；地县国有煤矿百万吨死亡率达 4.35；乡镇煤矿百万吨死亡率达 15.05，其中无证矿百万吨死亡率高达 37.03。虽然恩洪煤矿、一平浪煤矿和宣威煤炭局等一批单位实现了安全生产，但安全总体形势仍然十分严峻。

【职工生活有所改善，住房小康基本实现】2000 年，全省煤炭工业企事业单位努力发展生产，千方百计提高企业经济效益，努力增加职工收入，提高职工生活水平。积极稳妥地推进职工住房改革，全面治理矿区脏、乱、差的状况，广泛开展植树造林、绿化美化矿区生活环境，职工生活质量有了明显提高。到 2000 年末，在职职工人均年收入达 7607 元，比“八五”末净增了 2080 元；省煤炭局直属单位人均居住面积达 8.04m^2，成套率达 61%以上，职工物质文化生活、文化娱乐设施、居住环境均有明显改善。

【党的建设不断加强，精神文明建设成果显著】2000 年，全省煤炭行业各级党组织面对煤炭行业改革发展的新形势，坚持从实际出发，不断加强企业党的基层组织建设、思想建设、作风建设和党风廉政建设；省煤炭局党组加强了对直属企业领导班子的考核和建设；举办了 4 期矿处级领导干部和中青年干部脱产读书班，共有 170 多人参加了学习培训；局党组召开了直属单位“创先争优”表彰大会，表彰了一批先进党委、先进党总支(支部)、优秀共产党员和优秀党务工作者，进一步促进了党的基层组织建设。加强和改进了职工思想政治工作；开展了“三讲”教育回头看活动；广泛开展了精神文明创建活动、形势教育活动、职工文化体育娱乐活动和送温暖活动等，为全省煤炭工业“九五”计划的顺利完成提供了有力的精神动力和组织保障。“九五”期间，全省煤炭行业涌现出一平浪煤矿、小龙潭矿务局等一批省级文明单位；1 名职工获得全国劳动模范称号；2 名职工获得全国“五一”劳动奖章；3 名职工获得省级劳动模范称号。厅局党组表彰了全省煤炭工业六好区队 50 个；模范班组 100 个。羊场煤矿沙背冲矿井青年突击队和田坝煤矿选煤厂一班等 7 个集体分别获得国家级和省级“青年文明号”称号。

【存在的突出矛盾和主要问题】一是煤炭经济运行困难，成本高、价格低、效益差，发展后劲不足。国有重点煤炭企业总产量比重小，结构矛盾突出；小煤窑低水平重复建设禁而不止，生产技改投入不足，接续紧张；深加工程度低，煤炭产品单一。二是安全投入不足，生产隐患多，事故频发；三是煤炭企业社会负担重，承受能力差，非营业外支出高，生产经营举步维艰；四是企业养老保险缴费比例高，基金来源过窄，基金缺口较大；五是思想解放不够，观念转变滞后，创新意识不强，改革力度不大；六是思想政治工作难度大，稳定压力大，职工队伍素质普遍偏低，队伍难以稳定；七是职工收入水平低，贫困面逐年增大，2000 年末，局直属单位还有 5368 户职工生活水平低于城镇居民最低生活保障线。“十五”期间，云南煤炭工业将在政策扶持和财政支持下，依靠广大职工自力更生、艰苦奋斗的精神，立足企业自身，克服困难，不懈努力，坚定继续前进的信心，抓住机遇，迎接挑战，放眼“十五”目标，立足当前实际，促进全省煤炭工业在新世纪的持续发展。

（马全林）

表1　煤矿生产规模

项　　目	矿井数（处）	实际年产量（10^4t）	占全区年产量的比例（%）
全省(区)合计	67	2182.30	100.0
统配煤矿	7	203.99	9.3
省(区)属煤矿	14	558.67	25.6
地市营煤矿	18	88.94	4.1
县营煤矿	27	124.50	5.7
集体及个体煤矿	—	1206.20	55.3

表2　重点煤矿基本情况

局矿名称	地址及邮政编码	实际年产量（10^4t）	年末职工人数（人）
一平浪煤矿	云南省禄丰县一平浪干海资　651217	49.25	3379
来宾煤矿	云南省宣威市来宾镇　655402	19.63	2678
羊场煤矿	云南省宣威市大松树　655411	28.54	4277
田坝煤矿	云南省宣威市田坝镇　655407	31.57	3555
后所煤矿	云南省富源县刘家湾　655500	58.37	3087
恩洪煤矿	云南省麒麟区新村　655005	20.76	1705
圭山煤矿	云南省石林县圭山老厂　652206	16.12	1229
可保煤矿	云南省宜良县汤池　652105	20.97	904
兴云煤矿	云南省富源县庆云乡　655500	36.15	1324
小龙潭矿务局	云南省开远市小龙潭　661001	411.52	3479
凤鸣村煤矿	云南省宜良县凤鸣村　652102	25.07	843
陆东煤矿	云南省麒麟区东山镇　655004	14.30	1917

注：小龙潭矿务局、凤鸣村煤矿、陆东煤矿均为劳改系统矿，小龙潭矿务局产量中，有75万t为统配煤。

表3 重点煤矿主要技术经济指标

局矿名称	原煤产量 (10^4t)	商品煤		洗精煤		掘进总进尺 (m)	回采工作面平均月产量 (t)	掘进工作面平均月进度 (m)	采煤机械化程度 (%)		掘进装载机械化程度 (%)		原煤坑木消耗 ($m^3/10^4t$)	原煤全员效率 (t/工)
		灰分 (%)	含矸率 (%)	产量 (10^4t)	灰分 (%)				合计	其中：综采	合计	其中：综掘		
一平浪煤矿	49.25	10.86	0.01	43.80	10.44	25385	10947	176.80	—	—	100.00	—	86.60	1.311
来宾煤矿	19.63	39.42	—	—	—	4206	11890	106.97	—	—	—	—	10.70	1.109
羊场煤矿	28.54	14.40	—	20.92	11.61	8936	5982	120.58	—	—	71.70	—	117.55	1.173
田坝煤矿	31.57	19.02	—	18.68	11.31	13576	4149	99.54	—	—	37.22	—	79.28	0.899
后所煤矿	58.37	21.42	—	18.21	11.18	14775	11123	182.68	50.25	—	95.27	—	30.84	1.411
恩洪煤矿	20.76	10.61	—	19.03	10.54	2247	14901	142.58	—	—	—	—	51.78	1.182
圭山煤矿	16.12	14.78	0.92	10.95	10.50	12200	6799	116.57	—	—	12.33	—	155.89	1.150
可保煤矿	20.97	25.72	0.10	—	—	—	—	—	—	—	—	—	—	3.511
兴云煤矿	36.15	22.36	—	9.66	10.49	3773	14038	120.74	55.16	—	100.00	—	34.71	1.240

新疆维吾尔自治区煤炭工业概况

【概况】新疆煤炭资源丰富，据第三次全国煤田预测，新疆煤炭储量18182.3亿t，占全国煤炭预测储量的40.6%，居全国首位。目前，全区累计探明储量960亿t，保有储量950亿t，其中精查储量49亿t，详查储量45亿t，普查储量864亿t。新疆煤炭资源具有煤种齐全、煤质好、易开采等特点，但目前开发利用程度很低，在西部大开发中将有很大的开发利用潜力。

【煤炭生产、销售】2000年，新疆生产原煤2798.96万t，比1999年增长0.74%。全区国有重点煤矿全年煤炭销售合同量581.5万t，实际完成525.58万t，欠销55.92万t，主要为乌鲁木齐矿务局电煤欠销38.8万t。国有重点煤矿全年调运煤炭339.56万t，下降17.77%，其中调往区外165.07万t，下降12.30%。煤矿化工厂完成对哈萨克斯坦出口40t 4号铵梯岩石炸药的合同。

【扭亏增盈】煤炭厅直属企业补贴后实现盈利633万元，实现工业增加值5亿元，比1999年增长4.8%（现价计算）。国有重点煤矿净减员184人，全员效率2.457t/工，比1999年增长3%。

【企业改革】12月15日，自治区人民政府批准哈密矿务局、乌鲁木齐矿务局、艾维尔沟煤矿分别改制为国有独资的有限责任公司。新的企业名称为：新疆哈密煤业（集团）有限责任公司、新疆乌鲁木齐矿业（集团）有限责任公司、新疆焦煤（集团）有限责任公司。乌苏四棵树煤炭有限责任公司于9月18日挂牌成立。煤炭设计研究院在原煤炭建设监理中心的基础上，组建新疆天阳建筑工程监理有限责任公司。哈密矿务局和乌鲁木齐矿务局5.55亿元债权转股权协议，于3月24日由两家企业与国家开发银行签字。哈密矿务局北泉煤矿关闭破产得到实施，共核销债务1.68亿元。煤炭厅系统建立再就业中心4个，分流下岗职工1703人，再就业人数919人，占下岗职工总数的53.96%；下岗职工100%进入再就业服务中心，100%领到了基本生活保障金。全系统所有企业及事业单位中的煤炭设计研究院（实行企业化管理）、煤田地质局均实行了养老保险社会统筹，覆盖26000多人，领取养老金的离退休人员15600多人，养老金社会化发放率100%。

【科技兴煤】2000年，国有重点煤矿采煤机械化程度60.85%，比1999年下降5.06个百分点。其中综采35.22%，综掘15.32%，掘进装载机械化27.72%。煤矿化工厂导爆管雷管生产线7月13日～14日通过自治区国防工业委员会验收。这条生产线年生产导爆管雷管600万发、导爆管3000万m。导爆管雷管起爆可靠、安全，操作简单，填补了新疆生产该项产品的空白。煤层巷道锚杆支护推广项目通过自治区验收。经过乌鲁木齐矿务局、哈密矿务局、艾维尔沟煤矿、乌苏四棵树煤矿、乌鲁木齐县硫磺沟煤矿、生产建设兵团农四师“七一”焦化厂等7家煤炭企业在1997～1999年间的推广应用，共产生经济效益1188.37万元，并且降低了工人劳动强度，提高了支护效果。

【煤矿整顿】截至2000年底，全区有各类矿井815个，比1999年减少348个。其中，持采矿许可证和煤炭生产许可证的矿井有735个（其中，国有重点煤矿10个，地方国有煤矿152个，乡镇集体及其他煤矿573个），持证率90.2%，持单证矿井80个。年检矿井636个，占应年检矿井的86%。2000年，全区关闭非法和布局不合理矿井348个，为国家下达指标390个的89.23%。

【煤矿安全】2000年，新疆各类煤矿发生死亡事故215起，比1999年减少61起；死亡303人，比1999年减少74人。其中国有重点煤矿发生死亡事故5起，死亡5人，与1999年相等；百万吨死亡率0.92。国有地方煤矿发生死亡事故76起，比1999年减少29起；死亡118人，比1999年减少14人；百万吨死亡率为9.42。乡镇集体煤矿发生死亡事故134起，比1999年减少30起；死亡180人，比1999年减少58人；百万吨死亡率为17.93。实现安全生产稳定好转的地区有伊犁、吐鲁番、昌吉、阿克苏、塔城等。

【煤田灭火】截至2000年底，新疆五大重点火区中的铁厂沟、奇台北山、阜康白杨河三大火区已被完全扑灭，并通过国家验收；小黄山、小龙口火区完成了灭火施工任务，准备在2001年通过国家验收。2000年确定的第二批重点治理火区有昌吉市硫磺沟、拜城铁力克、托克逊布尔碱等8个火区。4月，昌吉市硫磺沟煤田火区灭火工程正式动工，项目设计总概算9872万元，计划2003年竣工。目前正在燃烧的火区有35处，总面积826万m^2，已燃损失储量31亿t，每年燃烧损失煤炭1000万t以上。

【煤田地质勘探】2000年，由中国地质调查局立项、新疆煤田地质局一五六队等单位承担的新疆和田——民丰地区煤炭资源调查评价项目，被批准列为新一轮国土资源大调查在新疆唯一的煤炭地质调查项目，为期3年，总投资350万元。第一期重点在皮山县杜瓦及和田布雅地区，综合运用遥感、物探等先进手段，完成了5000km^2 1：10万遥感地质调查，初步掌握了煤系地层的空间发布、煤层的层数、层位和厚度，找矿取得重大突破，在后备资源严重不足的皮山县杜瓦煤矿及和田县布雅煤矿外围，预获总计1.36亿t资源量的两大含煤区，并在布雅煤矿东北部发现侏罗纪煤系地层还发现多种伴生矿。该项目的一期工程已通过国家验收，被评为优等，为全国5个优等项目之一。

【合作与交流】2000年，国家煤炭工业局与德国鲁尔集团公司（RAG）经过协商，同意共同进行新疆煤田火区的治理工作，6月、8月，德方专家两次到新疆实地考察后，与中方取得一致意见：(1)国家煤炭工业局与RAG公司共同进行新疆煤田火区治理的可行性研究。在2000年，国家煤炭工业局投入一定资金，并配备必要的专家和工作人员，RAG公司提供100万马克，用于项目的可行性研究德方专家的费用。在2000年底前，完成项目的可行性研究，并提出项目实施的总体方案。(2)中国政府将为治理新疆煤田火区提供一定的资金支持。(3)德国政府承诺将为整个项目提供一定的资金。(4)双方商定选择新疆吉木萨尔水西沟和昌吉硫磺沟9号火区作为示范区，从火区详细勘查、灭火方法的选择、灭火工程施工和火区监测全过程开展合作，共同开展煤田火灾的治理。(5)通过双方合作，完成吉木萨尔水西沟火区和昌吉硫磺沟9号火区治理，可保护煤炭储量1494万t，遏制煤火对环境的破坏和对大气的污染，再造0.466km^{2}的草场。提高双方煤田火区勘探及治理技术水平和施工能力。同时，德国技术经济合作公司(GTZ公司)为新疆昌吉硫磺沟9号和吉木萨尔水西沟两个示范火区提供500万马克的资金援助。

【整顿煤炭经营秩序】2000年3月2日，新疆经贸委、煤炭厅、工商局、贸易厅联合印发了《新疆维吾尔自治区依法整顿煤炭经营秩序实施方案》。到2000年底，新疆煤炭经营资格审批办公室批准发放煤炭经营资格许可证40个。

(金永祥)

表1 煤 矿 生 产 规 模

项　　目	矿井数(处)	实际年产量(10^4t)	占全区年产量的比例(%)
全(省)区合计	735	2798.96	100
国有重点煤矿	10	543.72	19.42
省(区)属煤矿	78	411.45	14.7
地市营煤矿	20	156.67	5.59
县营煤矿	54	486.33	17.37
集体及个体煤矿	573	1200.79	42.90

表2 重点煤矿基本情况

局矿名称	地址及邮政编码	实际年产量(10^4t)	年末职工人数(人)
哈密矿务局	新疆哈密市三道岭　839003	233.87	8662
乌鲁木齐矿务局	乌鲁木齐市东山区　830027	254.22	9916
艾维尔沟煤矿	乌鲁木齐南山矿区　830025	55.63	3228
布雅煤矿	和田县布雅　848000	29.72	
哈满沟煤矿	库尔勒市塔什店　841011	26.82	
大黄山煤矿	阜康市　835005	22.32	
石河子煤矿	石河子市　832026	50.39	
和布克赛尔查斯托洛盖煤矿	和布克赛尔蒙古自治县　834407	18.45	
康苏煤矿	克孜勒苏自治州乌恰县　845451	3.55	
红星煤矿	吐鲁番市七泉湖　838014	12.44	
五宫煤矿	阜康市　831507	6.41	
巴州煤矿	库尔勒市塔什店　841011	8.15	
阿克苏地区拜城铁力克煤矿	拜城县铁力克　842316	28.34	
和田杜瓦煤矿	和田市杜瓦镇　848016	7.56	
塔城地区铁厂沟煤矿	额敏县铁厂沟镇　834615	24.3	
乌苏四棵树煤矿	乌苏市四棵树乡　833019	45.31	
昌吉市煤矿	昌吉市硫磺沟　831114	14.29	
米泉煤炭有限责任公司	米泉市铁厂沟　831407	34.51	
沙湾县煤炭工业总公司	沙湾县南山　832113	25.32	

表3 重点煤矿主要技术经济指标

局矿名称	原煤产量 (10^4t)	商品煤		洗精煤		掘进总进尺 (m)	回采工作面平均月产量 (t)	掘进工作面平均月进度 (m)	采煤机械化程度 (%)		掘进装载机械化程度 (%)	原煤坑木消耗 ($m^3/10^4t$)	原煤全员效率 (t/工)
		灰分 (%)	含矸率 (%)	产量 (10^4t)	灰分 (%)				合计	其中：综采	合计		
哈密矿务局	226.45	8.40	0.55			4458	93410	3159	100	23.11	28.35		2.789
乌鲁木齐矿务局	263.47	16.58	0.22			18766	174415	7245	64.64	64.64	47.13		2.230
艾维尔沟煤矿	49.33	6.75		25.81	8.05	5404	37284	3123	17.95	17.95	7.67		2.3
布雅煤矿	25.50												
哈满沟煤矿	27.61												
大黄山煤矿	19.42												
石河子南山煤矿	53.22												
和布克赛尔斯托煤矿	20.37												
康苏煤矿	5.52												
红星煤矿	14.12												
五宫煤矿	6.19												
巴州煤矿	11.56												
铁力克煤矿	17.53												
杜瓦煤矿	5.47												
塔城铁厂沟煤矿	22.87												
四棵树煤矿	49.85												
昌吉市煤矿	11.02												
米泉煤炭有限责任公司	23.23												
沙湾县煤炭工业总公司	22.13												

神华集团公司煤炭生产概况

1. 神华乌达煤业有限责任公司

表1 煤 矿 生 产 规 模

项 目	矿井数（处）	实际年产量（10^4t）	占全区年产量的比例（%）
全公司合计	3	292	100
统配煤矿			
省（区）属煤矿			
地市营煤矿			
县营煤矿			
集体及个体煤矿			

表2 重点煤矿基本情况

局矿名称	地址及邮政编码	实际年产量（10^4t）	年末职工人数（人）
神华乌达煤业有限责任公司	内蒙古乌海市乌达区 016040	292	21599
黄白茨煤矿	内蒙古乌海市乌达区教子沟 016044	75	3348
苏海图煤矿	内蒙古乌海市乌达区苏海图 016040	118	3211
五虎山煤矿	内蒙古乌海市乌达区五虎山 016040	99	2489

表3 重点煤矿主要技术经济指标

局矿名称	原煤产量（10^4t）	商品煤		洗精煤		掘进总进尺（m）	回采工作面平均月产量（t）
		灰分（%）	含矸率（%）	产量（10^4t）	灰分（%）		
神华乌达煤业有限责任公司（乌达矿务局）	292	20.39	5.95	55	9.98	22075	25590
黄白茨煤矿	75	17.05	6.38			2843	59167
苏海图煤矿	118	24.64	6.26			10638	18695
五虎山煤矿	99	25.13	5.12			8594	25611

局矿名称	掘进工作面平均月进度（m）	采煤机械化程度（%）		掘进装载机械化程度（%）		原煤坑木消耗（$m^3/10^4t$）	原煤全员效率（t/工）
		合计	其中：综采	合计	其中：综掘		
神华乌达煤业有限责任公司（乌达矿务局）	158	74.22	31.20	46.83		15.19	0.376
黄白茨煤矿	218	93.98	93.98	4.15		10.31	0.622
苏海图煤矿	141	82.06	0	73.67		19.96	1.021
五虎山煤矿	166	51.73	22.97	27.72		12.61	1.105

2. 神华平煤（集团）有限责任公司

表1 煤矿生产规模

项目	矿井数（处）	实际年产量（10^4t）	占全区年产量的比例（%）
全公司合计	8	643.7948	100
省（区）属煤矿	8	643.7948	100
地市营煤矿			
县营煤矿			
集体及个体煤矿			

表2 重点煤矿基本情况

局矿名称	地址及邮政编码	实际年产量（10^4t）	年末职工人数（人）
平煤（集团）公司	内蒙古赤峰市元宝山区 024076	643.7948	32723
元宝山煤矿		46.8667	2744
五家煤矿		35.0089	1669
古山煤矿		107.18	4426
西露天煤矿		98.8293	4534
红庙煤矿		92.5366	3587
风水沟煤矿		122.80	3108
六家煤矿		49.5213	1670
元宝山露天煤矿		90.05	1573

表3 重点煤矿主要技术经济指标

局矿名称	原煤产量 (10^4t)	商品煤		洗精煤		掘进总进尺 (m)	回采工作面平均月产量 (t)	掘进工作面平均月进度 (m)	采煤机械化程度(%)		掘进装载机械化程度(%)		原煤坑木消耗 ($m^3/10^4t$)	原煤全员效率 (t/工)
		灰分 (%)	含矸率 (%)	产量 (10^4t)	灰分 (%)				合计	其中：综采	合计	其中：综掘		
平煤(集团)公司	643.7948	23.62	0.04	0		41868	23618	177	47.75	22.29	81.82	1.48	44.92	1.836
元宝山煤矿	46.8667	33.15	0.04	0		5673	18687	472.75			88.07		33.48	1.445
五家煤矿	35.0089	29.81	0.49	0		1866	15239	169.64			97.86		99.07	1.274
古山煤矿	107.18	25.04	0	0		10618	20582	227.54	18.56		82.01		64.96	2.079
西露天煤矿	98.8293	20.54	0	0										1.872
红庙煤矿	92.5366	29.97	0.14	0		8743	28311	139.9	54.65	20.54	78.69		61.88	1.651
风水沟煤矿	122.8	17.98	0	0		10223	28336	145.58	83.01	58.13	82.06		41.34	2.078
六家煤矿	49.5213	17.86	0	0		4680	20970	142.34	44.92		75.21		56.72	1.629
元宝山露天煤矿	90.05	18.04	0	0										

3. 神华万利煤炭有限责任公司

表1 煤 矿 生 产 规 模

项　　目	矿井数（处）	实际年产量（10^4t）	占全区年产量的比例（%）
全公司合计	3	110	100
省（区）属煤矿	3	110	100
地市营煤矿			
县营煤矿			
集体及个体煤矿			

表2 重点煤矿基本情况

局矿名称	地址及邮政编码	实际年产量（10^4t）	年末职工人数（人）
神华万利煤炭有限责任公司	内蒙古东胜市 017000	110	1009
万利一矿	内蒙古东胜市 017000	15	73
柳塔矿	内蒙古东胜市 017000	50	591
唐公沟矿	内蒙古东胜市 017000	45	121

表3 重点煤矿主要技术经济指标

局矿名称	原煤产量（10^4t）	商品煤		洗精煤		掘进总进尺（m）	回采工作面平均月产量（t）
		灰分（%）	含矸率（%）	产量（10^4t）	灰分（%）		
万利公司	110					12331	41122.67
万利一矿	15	15.93				705	
柳塔矿	50	8.5				4744	12492.25
唐公沟矿	45	11.32				6822	28630.42

局矿名称	掘进工作面平均月进度（m）	采煤机械化程度（%）		掘进装载机械化程度（%）		原煤坑木消耗（$m^3/10^4t$）	原煤全员效率（t/工）
		合计	其中：综采	合计	其中：综掘		
万利公司	1027.58						2.86
万利一矿	58.75			50	50		3.88
柳塔矿	395.33			50	50		1.42
唐公沟矿	568.5						9.64

4. 神华包头矿业有限责任公司

表1 煤 矿 生 产 规 模

项 目	矿井数（处）	实际年产量（10^4t）	占全区年产量的比例（%）
全公司合计	4	100.4081	100
省（区）属煤矿	4	106.4081	100
地市营煤矿			
县营煤矿			
集体及个体煤矿			

表2 重 点 煤 矿 基 本 情 况

局矿名称	地址及邮政编码	实际年产量（10^4t）	年末职工人数（人）
河滩沟矿	内蒙古包头市 014076	36.8288	1018
白狐沟矿	内蒙古包头市 014075	23.3819	650
五当沟矿	内蒙古包头市 014070	8.2849	204
阿刀亥矿	内蒙古包头市 014100	37.9125	673
包头矿务局	内蒙古包头市 014070	106.4081	2545

表3 重点煤矿主要技术经济指标

局矿名称	原煤产量 (10^4t)	商品煤		洗精煤		掘进总进尺 (m)	回采工作面平均月产量 (t)	掘进工作面平均月进度 (m)	采煤机械化程度(%)		掘进装载机械化程度(%)		原煤坑木消耗 ($m^3/10^4t$)	原煤全员效率 (t/工)
		灰分 (%)	含矸率 (%)	产量 (10^4t)	灰分 (%)				合计	其中：综采	合计	其中：综掘		
河滩沟矿	36.8288	21.2				3895	31900	324.6	0	0	50	0	3.86	1.06
白狐沟矿	23.3819	23.0				4393	17905	306.0	0	0	0	0	54.80	1.34
五当沟矿	8.2849	20.0	2			5241	3616	437.0	0	0	0	0	56.10	0.80
阿刀亥矿	37.9125	27.90	0	4.1164	10.06	1819	29483	151.583	100	高档 100	70	0	2.76	5.31
壮能洗煤厂				8.5800	10.50									
包头矿务局	106.4081					15348	82904	1219.2	33.7	0	22.5	0	16.4	1.3

上市公司

兖州煤业股份有限公司

兖州煤业股份有限公司财务报表

代码：600188　名称：兖州煤业

资产负债表　　　　单位：万元

项目＼年度	2001—06—30	1999—12—31	1999—06—30	1998—12—31
流动资产合计	323306.5935	230747.0096	220446.5	179541.1691
其中：存货	34713.8576	31044.9561	22788.4	29759.499
长期投资合计	0		0	0
固定资产合计	720867.6033	521924.4346	529619.6	525785.3566
无形及其他资产	51081.0768	30228.4715	0	31033.6445
资产总计	1095255.2735	782899.9157	780697.4	736360.1702
流动负债合计	175686.0345	154464.3015	184917.9	167548.0585
长期负债合计	74261.4		0	11500
股　本	287000	260000	260000	260000
资本公积	370753.2803	252622.8929	236445.5	236445.498
盈余公积	35858.5824	25231.9083	13519	13518.9921
未分配利润	151695.9763	90580.813	85815	47347.6216
净资产	845307.839	628435.6142	595779.5	557312.1117

利润分配表 单位：万元

项目 \ 年度	2001－06－30	1999－12－31	1999－06－30	1998－12－31
主营业务收入净额	0	406951.5058	216653.2	0
主营业务利润	167645.0714	232316.38	110088.7	227144.7766
其他业务利润	1962.516	1992.5326	265.2	4068.7202
营业利润	62362.4322	109540.3473	57497.4	111465.0978
投资收益	0		0	0
利润总额	61847.5401	109487.5992	57414	112541.553
净利润	44663.8261	78086.1076	38467.4	75383.9827
未分配利润	151695.9763	90580.813	85815	47347.6216

现金流量表 单位：万元

项目 \ 年度	2001－06－30	1999－12－31	1998－12－31
销售商品、提供劳务收到的现金	321633.1998	420907.4836	486184.8211
收到其他与经营活动有关的现金	33547.5008	44578.7585	24997.355
经营活动现金流入小计	371958.827	484593.053	518925.8926
购买商品、接受劳务支付的现金	107581.9588	111429.6494	243637.6696
支付其他与经营活动有关的现金	122947.4269	156778.5579	18853.5068
经营活动现金流出小计	317268.8512	387754.0969	362315.9938
经营活动产生的现金流量净额	54689.9758	96838.9561	156609.8988
收回投资所收到的现金	0	0	0
投资活动现金流入小计	279.8322	79.7419	391.7904
购建固定资产、无形资产等支付的现金	140552.0764	46851.6025	43717.5583
权益性投资所支付的现金	0	0	0
投资活动现金流出小计	140552.0764	46851.6025	238949.0522
投资活动产生的现金流量净额	－140272.2442	－46771.8606	－238557.2618
吸收权益性投资所收到的现金	145130.3874	0	236965.0452
借款所收到的现金	0	0	0
筹资活动现金流入小计	145130.3874	0	240697.433
偿还债务所支付的现金	0	11500	120000
分配股利或利润所支付的现金	23534	14820	14440
筹资活动现金流出小计	23534	27364.952	150804.044
筹资活动产生的现金流量净额	121596.3874	－27364.952	89893.389
现金及现金等价物净增加额	36014.119	22702.1435	7886.8543

兖州煤业股份有限公司2000年年度报告摘要

重要提示：

本公司董事会保证本报告所载资料不存在任何虚假记载、误导性陈述或者重大遗漏，并对其内容的真实性、准确性和完整性负个别及连带责任。

一、公司简介

1. 法定中文名称：兖州煤业股份有限公司
   法定英文名称：Yanzhou Coal Mining Company Limited
2. 法定代表人：赵经彻
3. 授权代表：罗太炎　陈广水
   董事会秘书：陈广水
   联系地址：山东省邹城市凫山路40号
   兖州煤业股份有限公司董事会秘书处
   电话：0537－5383310
   传真：0537－5383311
   E－mail：yzc@yanzhoucoal. com. cn
4. 注册地址：山东省邹城市凫山路40号
   办公地址：山东省邹城市凫山路40号
   邮政编码：273500
   网址：http：//www. yanzhoucoal. com. cn
   E-mail：yzc@yanzhoucoal. com. cn
5. 信息披露报纸名称：《中国证券报》、《上海证券报》、香港《文汇报》、香港《南华早报》
   年度报告登载网址：http：//www. sse. com. cn
   年度报告备置地点：兖州煤业股份有限公司董事会秘书处
   电话：0537－5384451
   传真：0537－5383311
6. A股—上市地点：上海证券交易所
   股票代码：600188
   股票简称：兖州煤业
   H股—上市地点：香港联合交易所有限公司
   股票代码：1171
   ADR—上市地点：纽约股票交易所
   股票简称：YZC

二、会计数据和业务数据摘要

(一) 公司本年度的主要会计数据与业务数据摘要（单位：千元）

利润总额：1,059,789
净利润：764,182
扣除非经常性损益后的净利润：775,774
主营业务利润：2,745,877
其他业务利润：27,559
营业利润：1,071,382
投资收益：—
补贴收入：189
营业外收支净额：－11,781
经营活动产生的现金流量净额：1,075,186
现金及现金等价物净增加额：327,067

注：扣除的非经常性损益包括：补贴收入189千元和营业外收入、支出净额－11,781千元。

(二) 按境内外两种会计准则计算净利润差异

公司聘用德勤·关黄陈方会计师行（香港）和沪江德勤会计师事务所（上海）对2000年度财务报表分别按国际会计准则和中国会计准则进行了审计。经审计的按国际会计准则计算的净利润为748,360千元，按中国会计准则计算的净利润为764,182千元，两者差额为15,822千元。其差异调节表见财务报告附注41。

（三）前三年主要会计数据及财务指标

项　目	单位	2000年	1999年	1998年
主营业务收入	千元	4,780,581	4,069,515	4,333,226
净利润	千元	764,182	780,861	753,840
扣除新股申购冻结资金利息的净利润	千元	764,182	780,861	745,516
总资产	千元	8,438,444	7,828,999	7,363,602
股东权益	千元	6,827,138	6,284,356	5,573,121
每股收益(摊薄)	元/股	0.29	0.30	0.29
每股收益(加权)	元/股	0.29	0.30	0.33
扣除新股申购冻结资金利息的每股收益（摊薄）	元/股	0.29	0.30	0.29
扣除新股申购冻结资金利息的每股收益（加权）	元/股	0.29	0.30	0.33
每股净资产(摊薄)	元/股	2.63	2.42	2.14
调整后的每股净资产	元/股	2.56	2.26	2.13
每股经营活动产生的现金流量净额	元/股	0.41	0.37	0.59
净资产收益率(摊薄)	%	11.19	12.43	13.53
净资产收益率(加权)	%	11.46	12.43	16.65

公司于2001年1月3日成功增发了1亿股A股，增发后的股本由26亿股增加为27亿股。若按增发后股本计算，公司2000年度每股收益为0.28元。

（四）净资产收益率和每股收益指标

报告期利润	净资产收益率(%)		每股收益(元/股)	
	全面摊薄	加权平均	全面摊薄	加权平均
主营业务利润	40.22	41.19	1.06	1.06
营业利润	15.69	16.07	0.41	0.41
净利润	11.19	11.46	0.29	0.29
扣除非经常性损益后的净利润	11.36	11.64	0.30	0.30

三、股本变动及股东情况

1. 截止2000年12月31日，本公司在册股东总数为46,332户。

2.公司前十大股东持股情况股东名称

股东名称	持股数于2000年12月31日	占总股本百分比(%)	持股类别
兖矿集团有限公司	1,670,000,000	64.23	国有法人股
香港中央结算(代理人)有限公司	847,648,000	32.60	H股
兴和基金	988,392	0.04	A股
李相清	581,100	0.02	A股
孙　静	557,800	0.02	A股
张　宏	359,801	0.01	A股
西南证券	350,200	0.01	A股
康立坤	350,000	0.01	A股
朱先元	301,800	0.01	A股
李菊华	292,200	0.01	A股
总　计	2,521,429,293	96.98	

报告期内兖矿集团有限公司持股16.7亿股，没有变化，所持股份没有抵押或冻结情况。

香港中央结算（代理人）有限公司作为本公司H股的结算公司，以代理人身份持有本公司股票。

3. 持股10%以上的法人股东情况

兖矿集团有限公司2000年12月31日持有本公司股份16.7亿股，占本公司总股本的64.23%。兖矿集团有限公司是本公司的发起人，主营煤炭生产、建筑建材、化工、机械加工等。

法定代表人：赵经彻。

香港中央结算（代理人）有限公司于2000年12月31日持有本公司股份847,648,000股H股，占本公司总股本的32.60%。香港中央结算（代理人）有限公司是中央结算及交收系统成员，为客户进行证券登记及托管业务。

四、股东大会简介

公司本年度共召开了两次股东大会。

1. 本公司于2000年4月18日在境内外刊登1999年度股东周年大会会议通知，2000年6月16日，在公司总部召开了1999年度股东周年大会。本次股东周年大会会议决议公告，于2000年6月17日分别刊登在境内的《上海证券报》、《中国证券报》，境外的《香港经济日报》、《南华早报》。

2. 本公司于2000年8月7日在境内外刊登2000年度第一次临时股东大会会议通知，2000年9月22日，在公司总部召开了2000年度第一次临时股东大会。本次临时股东周年大会会议决议公告，于2000年9月25日分别刊登在境内的《上海证券报》、《中国证券报》，境外的《香港经济日报》、《南华早报》。

五、董事会报告

本公司于1998年分别在香港联合交易所、纽约股票交易所和上海证券交易所上市。2001年1月3日成功增发10,000万股A股。

2000年被上海证券交易所主办的《上市公司》杂志评为中国“《上市公司》50强”第10名；被《亚洲货币》杂志评为“中国最佳管理公司”第四名。

1. 公司经营情况

(1) 公司所处的行业及地位

兖州煤业股份有限公司是于1997年9月25日由兖矿集团有限公司(母公司)独家发起成立的境内外上市公司。

2000年，本公司实现净利润764,182千元，是中国盈利最好的煤矿企业；生产原煤2,746万t，是中国最大的煤炭生产商；销售煤炭2,652万t，其中出口煤炭1,008万t，约占全国煤炭出口量的17%，是中国最大的煤炭出口企业之一。2000年出口创汇2.8亿美元。

(2) 公司主营业务的范围及其经营状况

本公司的主营业务为煤炭开采、洗选加工及销售。

2000年，公司主营业务收入4,780,581千元，与1999年相比增加711,066千元或17.5%。主营业务收入占2000年全部销售收入总额的90.3%。

主营业务利润完成2,745,877千元，与1999年相比增长422,713千元或18.2%。

(3)在经营中出现的问题与困难及解决方案

2000年国内外煤炭市场供需矛盾得到缓解，但市场竞争依然激烈。煤炭价格于2000年出现拐点，上半年止跌，下半年小幅回升。

2000年上半年公司平均煤炭价格止住跌势，由1999年下半年的171.53元/t，回升至72.64元/t，但仍与上年同期相比下跌了8.3%。2000年下半年继续回升至187.07元/t。公司全年平均煤炭价格为180.30元/t，与1999年相比吨煤上升0.22元，升幅为0.1%。其中国内平均煤炭价格下跌了1.9%，出口平均煤炭价格下跌了8.8%。平均煤炭价格上升的主要原因是销售品种结构影响。

公司抓住煤炭市场转暖的有利时机，2000年着重实施了开拓国内外目标市场、增加国内外销量，实施收购优质资产的战略：(1)依靠先进的技术和设备，进一步提高劳动效率。全年生产原煤2,746万t，在1999年增长16.0%的基础上又增长了14.4%；(2) 通过进一步完善上海、青岛、广东、日照、济南五个煤炭销售分部的建设，增加国内沿海电力用户的销售，全年销售煤炭2,652万t，与1999年相比上升了17.3%。(3) 以质量信誉为保证，增加煤炭出口，全年出口煤炭1,008万t，较1999年增长了62.6%。(4) 2001年年初成功收购济宁三号煤矿并增发1亿股A股。在煤炭市场逐步好转的环境下，由于收购济宁三号煤矿，将使本公司年生产潜力增长800万t以上，实现了公司核心业务的壮大。

2000年公司继续实施依靠先进采煤技术和优质管理提高劳动效率、减少费用支出的措施，使公司单位销售成本由1999年的74.3元/t下降至73.9元/t。由于公司直接通过铁路销往南方地区的运输紧张，公司采用港转方式造成公司运输费用和国内港转煤费用增加。公司2000年度出口煤炭大幅增加也使出口港转煤费用大幅上升。2000年公司营业费用与上年同期相比增长了62.7%，影响税后利润减少了301,780千元。但由于公司下半年抓住煤价回升的有利时机，克服了2000年上半年煤炭价格平均下跌8.3%对公司业绩的不利影响，采取了扩大产销量和降低成本的措施使公司2000年继续保持了高盈利。2000年公司实现净利润764,182千元，公司继续保持了中国盈利最好的煤炭企业地位。

	2000年		1999年		1998年	
	实际	同比增减（增+减-）	实际	同比增减（增+减-）	实际	同比增减（增+减-）
产量(万t)	2,745	14.4%	2,400	16.0%	2,069	22.6%
销量(万t)	2,652	17.3%	2,260	11.4%	2,028	33.9%
平均价格(元/t)	180.30	0.1%	180.08	-15.7%	213.65	-13.2%
单位销售成本(元/t)	73.9	-0.5%	74.3	-25.0%	99.1	-4.9%
净利润(亿元)	7.64	-2.1%	7.81	3.6%	7.54	2.1%

2. 公司财务状况

(1) 公司财务状况

年末总资产为8,438,444千元，与年初相比增加609,445千元或7.8%。增加的主要原因是公司生产经营活动实现了资产增值。

年末负债总额为1,611,306千元，与年初相比增加66,663千元或4.3%。主要原因是应付账款和预收账款增加所致。

年末股东权益总额为6,827,138千元，与年初相比增加542,782千元或8.6%。增加的原因是：①提取的法定公积金和公益金使盈余公积增加114,627千元；②未分配利润增加428,155千元。

主营业务利润完成2,745,876千元，与1999年相比增加422,712千元或18.2%。主要原因是由于公司主营业务成本增长幅度小于销售收入增长幅度，主营业务利润实现增长。

2000年，公司实现净利润764,182千元，同比降低16,679千元或2.1%。

(2) 本年度德勤·关黄陈方会计师行（香港）和沪江德勤会计师事务所（上海）对本公司的年度审计出具了标准无保留意见的审计报告。

3. 经营环境变化对公司影响

(1) 中国加入世界贸易组织对公司影响

中国加入世贸有利于本公司获得煤炭出口自营权，增强公司盈利能力。

中国加入世贸将增加本公司煤炭出口机会，使本公司更多地参与国际竞争。由于拥有国际领先的采煤技术以及优质管理、高质量的产品与服务，本公司在国际煤炭市场中拥有良好的信誉。本公司依靠优越的地理位置、低成本和较低的运输成本将在国际煤炭市场竞争中占据有利地位。

中国2000年进口煤炭约202万t，与中国煤炭消费相比极少。中国加入世贸后，不会加剧国内煤炭市场竞争。

(2) 煤炭监管环境影响

中国政府自1998年以来实施的关井压产、限产压库政策以及鼓励煤炭出口政策已显现成效：到2000年底全国累计已关闭小煤窑4.73万处，压减产量3.48亿t。煤炭社会库存由1998年的2亿t下降至2000年末的1.4亿t。2000年全国累计生产原煤9.5亿t，同比减少7,226万t，减幅为7.1%；出口煤炭5,884万t，同比增长了49.8%。国内煤炭生产总量已得到有效控制，国内煤炭市场的供应量逐渐减少，对缓解国内煤炭供需矛盾起到了积极的作用。

2001年中国政府将继续采取控制煤炭生产总量，鼓励煤炭出口的措施：全国原煤产量将控制在9.5亿t以内，出口目标由2000年的5,884万t提高到6,300万t以上。国内能源结构的调整和有利于煤炭企业的各项措施将会进一步对煤炭供需关系产生积极作用，拉动煤炭价格上扬，有利于提升公司的业绩。

(3) 市场环境变化对公司的影响

中国政府规划未来五年经济年均增长在7%左右，经济的增长将带动能源需求的增加。煤炭在能源中处于基础地位，在一次性能源中，煤炭的消费量占67%以上。由于石油大量进口以及石油价格动荡，中国政府将进一步提高煤炭在能源中的主导地位。

中国政府对煤炭行业的宏观调控政策将继续对国内煤炭供求产生积极作用。

2001年国内煤炭市场供需关系平稳，部分地区、部分煤炭品种供应紧张。

国际煤炭市场也正朝着有利于公司的方向发展。过去几年过低的煤炭价格严重损害了国际煤炭生产商的利益，导致周期性投资和开发的削减。石油价格的高位振荡促进了能源结构调整，致使对煤炭需求增加，石油价格上涨，导致海运费提高，提高了公司及其他中国煤矿在东亚市场的竞争力。国际煤炭行业正进入一个剧烈的由分散向集中的整合时期，澳大利亚煤矿大规模的收购与兼并扩大了煤炭公司的规模与影响力。国际煤炭价格已出现回升，澳大利亚 BJ 现货指数已由 2000 年 3 月份的 20.9 美元/t 上升至 2001 年 4 月初的 34.1 美元/t。

本公司董事会相信，2001 年国内外煤炭市场需求将进一步增加，煤炭价格稳步上升，本公司在国内外市场的竞争力增强。

(4) 收购济宁三号煤矿对公司业绩影响

2001 年年初公司成功收购了济宁三号煤矿。这是一次战略性收购，完成这次收购提高了公司规模效益，巩固了公司作为中国最大煤炭生产商的地位，有满足市场对产品需求和潜在效益上，比竞争对手更具有优势。收购是在煤价从低谷逐步回升时进行的。该煤矿在 2001 年第一季度生产煤炭 132 万 t，在收购当年即可达产并贡献利润。

4. 新年度的业务发展计划

2001 年本公司取得了令人满意的订单。公司已签订了 3,320 万 t 的销售合同或意向书，比 2000 年公司煤炭销量增加 668 万 t 或 25.2%。国内煤炭销售价格第一季度比去年平均上涨约 10 元/t 或 8%。公司全年出口煤炭将达到 1,320 万 t 以上，公司向日本出口煤炭将首次突破 1,000 万 t，已签订合同价格较 2000 年上升了 5.52 美元/t 或约 19.3%。

2001 年本公司将着重实施四大经营策略：一、提高产量、增加销量，重点加往中国沿海地区电力用户的销售；扩大煤炭出口，尤其是日本、韩国和台湾地区的电力用户和使用冶炼顶吹煤的钢铁公司。二、充分利用自身优势，从提高投资回报率出发，寻求在国内外收购优质资产，壮大主营业务能力。三、进一步巩固、完善综采放顶煤技术，提高技术含量和效率。四、探索煤炭洁净技术。本公司将探索采用购买、合作等方式引进煤炭洁净技术，将煤炭加工成适用于发电、化工、运输等洁净能源。本公司已注意到煤炭洁净技术十分复杂，将根据实际情况采取适当行动。

2001 年本公司将采取以下措施控制经营成本：①精简职工队伍；②依靠先进的采煤技术，提高煤炭产量以降低单位固定成本，减少材料、电力费用投入；③推动掘进支护和辅助运输改革，增强煤巷锚网化程度，提高生产效率；④加强内部管理，开展节支降耗活动。

2001 年公司将出现煤炭价格上升、销量增加、业绩明显提高的良好形势。

5. 董事会日常工作情况

(1) 董事会会议召开情况

报告期内本公司召开了三次董事会会议。

①2000 年 4 月 17 日，本公司召开第一届第十一次董事会会议，审议通过了公司 1999 年度报告；审议通过 1999 年度经审计的财务报告、利润分配预案、末期股息派发预案，提交 1999 年度股东周年大会批准；确认公司 1999 年度关联交易；决定召开 1999 年度股东周年大会。本次会议已刊登于 2000 年 4 月 18 日《中国证券报》、《上海证券报》、境外的《香港经济日报》、《南华早报》。

②2000 年 8 月 4 日，本公司召开第一届第十二次董事会会议，审议通过了公司收购兖矿集团有限公司济宁三号煤矿的有关议案、增发 A 股有关议案、决定召开 2000 年度第一次临时股东大会。本次会议已刊登于 2000 年 8 月 7 日的《中国证券报》、《上海证券报》、境外的《香港经济日报》、《南华早报》。

③2000 年 8 月 18 日，公司召开第一届第十三次董事会会议，审议通过了公司 2000 年度中期报告和中期利润分配预案。本次会议已刊登了 2000 年 8 月 21 日的《中国证券报》、《上海证券报》、境外的《香港经济日报》、《南华早报》。

(2) 报告期内利润分配方案执行情况

报告期内公司董事会根据 1999 年度股东周年大会决议，向公司股东派发了 1999 年度末期股息每股 0.089 元（含税）。

6. 公司管理层及员工情况

(1) 董事、监事、高级管理人员

公司现任董事、监事、高级管理人员情况：

姓 名	性别	年龄	职 务	期初持股量	期末持股量	变化原因
赵经彻	男	64	董事长	10000	10000	无变化
杨德玉	男	52	执行董事及总经理	10000	10000	无变化
杜铭山	男	58	执行董事	10000	10000	无变化
罗太炎	男	60	执行董事	10000	10000	无变化
肖立方	男	62	执行董事及财务总监	10000	10000	无变化

王邦君	男	56	董　事	10000	10000	无变化
莫立崎	男	56	董　事	10000	10000	无变化
刘玉彬	男	59	董　事	10000	10000	无变化
吴则智	男	59	董　事	10000	10000	无变化
陈永阁	男	59	董　事	10000	10000	无变化
马厚亮	男	43	董　事	10000	10000	无变化
许天恩	男	52	董　事	10000	10000	无变化
杨家纯	男	46	董　事	10000	10000	无变化
管维立	男	58	独立非执行董事	—	—	无变化
罗坚明	男	52	独立非执行董事	—	—	无变化
孟宪昌	男	53	监事会主席	10000	10000	无变化
肖述章	男	57	监　事	10000	10000	无变化
钱秀兰	女	55	监　事	10000	10000	无变化
徐新民	男	61	监　事	10000	10000	无变化
周鸿彬	男	58	监　事	10000	10000	无变化
孔　青	男	48	副总经理	10000	10000	无变化
张兴祖	男	52	副总经理	10000	10000	无变化
范国强	男	62	总工程师	10000	10000	无变化
吴玉祥	男	39	财务部经理	10000	10000	无变化
陈广水	男	35	董事会秘书	1000	1000	无变化

2000 年度公司董事、监事、高级管理人员的酬金总额为 110 万元，其中：

3 万元以下 8 人；

3～5 万元 1 人；

5 万元以上 16 人。

报告期内公司没有董事、监事离任，没有聘任或解聘公司经理、董事会秘书。

(2) 员工情况

于 2000 年 12 月 31 日，本公司共有员工 20,176 人。其中生产人员 15,616 人，工程技术人员 610 人，管理人员 1,650 人，其他辅助人员 2,300 人。

7. 本次利润分配预案

董事会建议就截至 2000 年 12 月 31 日止本公司年度利润分配预案如下：

	人民币千元		人民币千元
净　利　润	764,182	可供分配利润	1,555,363
年初未分配利润	905,808	应 付 股 利	221,400
提取法定公积金	76,418	未分配利润	1,333,963
提取法定公益金	38,209		

本公司本年度向全体股东派发股息 221,400 千元（含税），公司共有普通股 27 亿股，每 10 股派发现金股息 0.82 元（含税）。

以上董事会建议利润分配预案，将提请 2000 年度股东周年大会审议批准。

8. 2001 年利润分配政策

本公司坚持长期的利润分配及股利发放政策。2001 年将分配利润一次，利润分配顺序为：提取 10%法定公积金；提取 5%法定公益金；经股东大会决议，提取任意公积金；支付普通股股利。本公司 2001 年度将分配末期股利一次，分配股利总额为 2001 年度扣除法定储备后净收益的约 35%，全部以现金形式分配。本公司本年度未分配利润不用于下年度利润分配。经临时股东大会批准，本公司可以发放特别股息。

六、监事会报告书

在本报告期内，全体监事按照公司法和公司章程的有关规定，认真履行监督职能，维护公司利益，维护股东利益，遵照诚信原则谨慎地、积极努力地开展工作。对本公司的生产经营、技术改造和公司的发展规划等独立发表了自己的意见和建议，对决策的指导思想及作出的具体决策是否符合国家法律法规、公司章程和股东大会决议及股东的利益等进行了有效的监督。报告期内监事会召开了两次会议：

1. 2000年4月17日在公司总部召开会议，通过了1999年度监事会报告。本次会议决议分别刊登在2000年4月18日境内的《上海证券报》、《中国证券报》，境外的《香港经济日报》、《南华早报》。

2. 2000年8月18日在公司总部召开会议，通过了2000年中期监事会报告。本次会议决议分别刊登在2000年8月21日境内的《上海证券报》、《中国证券报》，境外的《香港经济日报》、《南华早报》。

监事会认为：

1. 在本报告期内，本公司严格按照公司法、证券法、公司章程、国家有关法律法规及境内外监管机构的要求，本着维护股东利益和立足长远发展的基本原则规范运作，董事会决策程序合法；按照规定建立健全了各项内控制度；董事会及其高级管理人员认真遵守诚信原则，真诚地以公司最大利益为出发点行事，忠诚履行法律、法规、公司章程所赋予的职责和权利。认真贯彻落实股东大会和董事会的各项决议，严格按照国内外上市公司要求规范动作。在本报告期内，本公司未发现有违反法律、法规及公司章程的行为和损害公司利益的行为，也未发生重大诉讼事项。

2. 报告期内，沪江德勤会计师事务所和德勤·关黄陈方会计师行均出具标准无保留意见的财务报告等有关资料。监事会认为，公司财务报告内容准确、真实、客观地反映了本公司的财务状况和经营成果。本公司实现的业绩是真实的，各项费用支出基本合理，各项提留符合法律、法规和公司章程的规定，并正确遵守了财务准则和会计制度，符合相关法规的规定。

3. 报告期内，本公司和母公司及其附属各公司之间的关联交易符合有关规定，未发现内幕交易，也未发现损害公司权益或造成公司资产流失的行为。

4. 审议确认，本公司2000年8月4日与母公司签订了《济三矿项目收购协议》，该协议经独立董事委员会审议批准，并于2000年9月22日经独立股东批准。按照《济三矿项目收购协议》，经对济宁三号煤矿流动资产调整后，至2000年12月31日济宁三号煤矿收购价为人民币24.51亿元。济宁三号煤矿采矿权价款人民币1.32亿元。

本公司于2001年1月1日收购了济宁三号煤矿。本公司已用自有资金和增发A股净收入支付了部分价款，完全符合协议规定。

5. 审议确认，2000年8月4日本公司董事会建议发行最多10,000万股新A股，并于2000年9月22日经股东大会批准。2000年12月21日中国证券监督管理委员会批准本公司增发10,000万股A股，2001年1月3日本公司10,000万股A股成功发行，发行价为人民币10元/股。经沪江德勤会计师事务所验资报告确认，本次增发10,000万股A股募集资金净额为9.61亿元。募集资金净额全部支付了收购济宁三号煤矿价款，符合募集资金用途，也符合本公司《济三矿项目收购协议》。

七、重要事项

1. 重大合同。

本公司2000年8月4日与兖矿集团有限公司签订了《济三矿项目收购协议》，详情请见“收购济宁三号煤矿”一节。

除本文披露者外，本公司于本年度内概无重大合同。

2. 重大诉讼、仲裁事项。

本年度公司无重大诉讼、仲裁事项。

3. 本年度公司、公司董事及高级管理人员没有受到监管部门处罚。

4. 本年度公司控股股东、公司董事、监事、高级管理人员没有变化。

5. 本年度公司没有出售资产、吸收合并事项。

6. 收购济宁三号煤矿。

2000年8月4日，本公司与母公司签订了《济三矿项目收购协议》，该协议经独立董事委员会审议批准，并于2000年9月22日经独立股东批准。

按照《济三矿项目收购协议》，本公司于2001年1月1日收购了济宁三号煤矿，收购价款为人民币24.51亿元，本公司已用自有资金人民币2.44亿元和增发A股净收入人民币9.61亿元支付了部分价款。剩余价款将于2001年12月31日前和2002年12月31日前分两期等额无息支付。

济宁三号煤矿采矿权价款人民币1.32亿元，本公司将从2001年起分10年向母公司等额无息支付。

济宁三号煤矿于2000年12月28日正式投入商业生产。该煤矿建设工程获得全国煤炭建设质量奖。

7. 增发10,000万股A股。

2000年12月21日中国证券监督管理委员会核准本公司增发10,000万股A股。2001年1月3日本公司10,000万股A股成功发行，发行价为人民币10元/股。经沪江德勤会计师事务所行验资报告确认，本次增发10,000万股A股募集资金净额为人民币9.61亿元。募集资金净额全部支付了收购济宁三号煤矿价款。

增发 10,000 万股 A 股后，本公司股本由 26 亿股增加为 27 亿股。

8. 关联交易

公司的关联方主要是兖矿集团有限公司（母公司）。截至 2000 年 12 月 31 日止年度内，公司发生的 3,000 万元以上或占本公司经审计的净资产值 5%以上或占本期净利润 10%以上的关联方为母公司。关联交易内容如下：

（1）根据与母公司签署的协议，公司向母公司支付退休统筹金及医疗福利金 247,828 千元；

（2）根据与母公司签署的协议，由母公司下属机构向公司提供维修、运输、房产等服务并收取费用合计 395,842 千元；

(3)与母公司发生应收款项合计金额 308,125 千元；发生应付款项金额合计 430,066 千元。本公司关联交易详情参见会计报表附注 38。

9. "三分开"执行情况

本公司所属人员的劳动、人事及工资管理完全独立。公司总经理、副总经理等高级管理人员不担任母公司重要职务。本公司总经理、副总经理等高级管理人员在本公司领取薪酬。

本公司拥有独立的生产系统、辅助生产系统和配套设施，独立拥有采购和销售系统。本公司独立拥有工业产权、商标等无形资产。

本公司设立了独立财务部门，有独立的会计核算体系和财务管理制度，独立开设银行账户。

10. 会计师

2000 年度，德勤·关黄陈方会计师行（香港执业会计师）仍继续担任本公司的境外会计师，而沪江德勤会计师事务所（中国（香港除外）注册会计师）仍作为本公司境内会计师。公司董事会建议在 2000 年度股东周年大会上批准续聘德勤·关黄陈方会计师行及沪江德勤会计师事务所为本公司 2001 年度境外及境内会计师。

八、财务会计报告

（一）审计报告

德师报（审）字（01）P0332 号

兖州煤业股份有限公司全体股东：

我们接受委托，审计了贵公司 2000 年 12 月 31 日的资产负债表及该年度的利润及利润分配表和现金流量表。这些会计报表由贵公司负责，我们的责任是对这些会计报表发表审计意见。我们的审计是依据中国注册会计师独立审计准则进行的。在审计过程中，我们结合贵公司实际情况，实施了包括抽查会计记录等我们认为必要的审计程序。

我们认为，上述会计报表符合《企业会计准则》和《股份有限公司会计制度》的有关规定，在所有重大方面公允地反映了贵公司 2000 年 12 月 31 日的财务状况及 2000 年度的经营成果和现金流量，会计处理方法的选用遵循了一贯性原则。

沪江德勤会计师事务所　中国注册会计师
中国·上海　顾红雨　柳伟敏
2001 年 4 月 20 日

（二）会计报表（略）

（三）会计报表附注

（1）主要会计政策和会计估计主营业务收入

商品销售，公司已将商品所有权上的重要风险和报酬转移给买方，并不再对该商品实施继续管理权和实际控制权，相关收入已取得或收到了收款权利时，确认营业收入的实现。

他人使用本企业资产，以与交易相关的经济利益能够流入企业、收入的金额能够可靠地计量时，确认他人使用本企业资产收入的实现。

所得税按应付税款法核算。

计算所得税支出所依据的纳税所得额系根据有关税法规定对本年度会计所得额作出相应调整后得出。

（2）税项

增值税按煤产品销售收入的 13%和其他销售收入的 17%计算销项税，并按抵扣进项税后的余额缴纳。

资源税按实际销售的原煤吨数及洗煤产品领用原煤吨数之和乘以人民币 1.2 元缴纳。

城市建设维护税按应纳增值税额的 7%缴纳。

教育费附加按应纳增值税额的 3%缴纳。

所得税按 33%缴纳国家所得税及地方所得税。

公司与兖矿集团公司合并缴纳所得税和增值税已获得其主管税务部门的批准。

（3）应收账款

应收账款账龄分析如下：

账龄	年末数 金额（人民币元）	比例（%）	坏账准备（人民币元）	年初数 金额（人民币元）	比例（%）	坏账准备（人民币元）
1年以内	761,896,434	80	20,658,276	715,458,951	82	27,692,800
1至2年	178,003,305	19	53,400,992	126,527,276	14	37,958,183
2至3年	10,262,340	1	5,131,170	18,750,850	2	9,375,425
3年以上	7,853,781	—	7,853,781	12,490,272	2	12,490,272
合　计	958,015,860	100	87,044,219	873,227,349	100	87,516,680

欠款金额前五名情况如下：

单位名称	所欠金额（人民币元）	欠款时间	欠款原因
中国煤炭工业进出口总公司	194,381,046	1年以内	货　款
兖矿集团	51,058,471	1年以内	货　款
宝山钢铁（集团）公司物资贸易公司	24,155,221	1年以内	货　款
山东鲁能电力燃料有限公司邹城分公司	21,966,004	1年以内	货　款
江苏振华经贸公司	21,946,004,	1年以内	货　款
	313,506,746		

应收账款余额中持有公司5%以上股份的股东欠款情况见附注38。

由于下半年出口销售增长较多，与中国煤炭工业进出口总公司结算货款上升，导致应收账款在年末大幅上升。

(4) 其他应收款

	年末数（人民币元）	年初数（人民币元）
应收关联公司款	239,928,198	182,340,475
代垫运杂费	28,091,492	80,562,947
应收物资材料款	64,645,149	43,747,859
其　他	158,736,384	73,949,115
	491,401,223	380,600,396

其他应收款账龄分析如下：

账龄	年末数 金额（人民币元）	比例（%）	坏账准备（人民币元）	年初数 金额（人民币元）	比例（%）	坏账准备（人民币元）
1年以内	438,917,633	89	—	307,839,357	81	—
1至2年	47,023,212	10	—	63,588,914	17	—
2至3年	4,760,378	1	—	7,597,734	2	—
3年以上	700,000	—	—	1,574,391	—	—
合　计	491,401,223	100	—	380,600,396	100	—

公司账龄超过2年以上的余额主要为购置钢材等材料的包装物押金，由于公司滚动使用，故尚未与供应商进行结算。

欠款金额前五名情况如下：

单位名称	所欠金额（人民币元）	欠款时间	欠款原因
兖矿集团	239,928,198	1年以内	代垫济宁三号煤矿设备款
济宁兖煤化纤公司	49,713,591	1年以内	材料销售款
兖州市大庆汽车运输公司	3,610,000	1年以内	代垫运费
福瑞沃国际公司	1,807,597	1年以内	代垫运费
中煤第六十八工程处	1,140,185	1年以内	材料销售款
合　计	296,199,571		

其他应收款余额中持有公司5%以上股份的股东欠款情况见附注38。

(5)存货

	年末数		年初数	
	金额(人民币元)	跌价准备(人民币元)	金额(人民币元)	跌价准备(人民币元)
原材料	215,516,407	—	213,269,980	—
产成品	47,385,480	—	97,179,581	—
	262,901,887	—	310,449,561	—

(6) 固定资产及累计折旧

	房屋建筑物(人民币元)	矿井建筑物(人民币元)	机器设备(人民币元)	运输设备(人民币元)	合计(人民币元)
原值					
年初余额	1,439,928,404	2,498,284,787	4,191,974,202	78,855,292	8,209,042,685
本年购置	1,864,159	—	7,777,034	3,364,116	13,005,309
本年在建工程转入	83,288,980	55,465,288	627,758,000	6,190,220	772,702,488
本年减少	(7,349,598)	—	(229,521,151)	(1,322,883)	(238,193,632)
年末余额	1,517,731,945	2,553,750,075	4,597,988,085	87,086,745	8,756,556,850
累计折旧					
年初余额	445,654,806	1,050,436,101	1,944,889,077	61,682,953	3,502,662,937
本年计提额	66,067,412	68,640,625	362,910,482	10,371,219	507,989,738
本年转出额	(2,385,220)	—	(210,244,267)	(1,227,009)	(213,856,496)
年末余额	509,336,998	1,119,076,726	2,097,555,292	70,827,163	3,796,796,179
净值					
年初余额	994,273,598	1,447,848,686	2,247,085,125	17,172,339	4,706,379,748
年末余额	1,008,394,947	1,434,673,349	2,500,432,793	16,259,582	4,959,760,671

(7) 在建工程

工程名称	年初余额(人民币元)	本年增加额(人民币元)	本年完工转出数(人民币元)	本年其他减少数(人民币元)	年末余额(人民币元)	工程进度(%)	资金来源
待安装设备	380,792,503	579,318,387	(753,967,587)	(79,660,857)	126,482,446	95	自筹资金
土建工程	115,876,484	20,949,453	(15,671,284)	(3,146,415)	118,008,238	90	自筹资金
其他	3,407,607	9,824,014	(3,063,617)	(9,528,004)	640,000	95	自筹资金
合计	500,076,594	610,091,854	(772,702,488)	(92,335,276)	245,130,684		

(8) 主营业务收入

	本年累计数(人民币元)	上年累计数(人民币元)
煤产品国内销售收入	2,462,156,336	2,505,205,124
煤产品出口销售收入	2,318,424,540	1,564,309,934
	4,780,580,876	4,069,515,058

(9) 主营业务成本

	本年累计数(人民币元)	上年累计数(人民币元)
材料	484,336,910	353,081,012
工资	367,661,468	306,333,164
职工福利费	51,472,606	42,887,015
电力	185,758,550	156,901,215
折旧费	487,623,422	471,363,502
土地塌陷费	145,032,892	142,736,872
维修费	174,734,478	136,088,453

不得抵扣出口进项税成本	—	21,704,087
其　他	61,703,732	47,215,880
合　计	1,958,324,058	1,678,311,200

(10) 营业费用

	本年累计数(人民币元)	上年累计数(人民币元)
煤产品国内销售运费	324,067,774	153,282,000
煤产品出口国内运费	780,396,000	485,792,000
其　他	64,227,997	79,200,056
	1,168,691,771	718,274,056

营业费用比上年增加63%，主要原因是：本年度公司出口量大幅上升，导致运至港口的费用上升。

(11) 财务费用

	本年累计数(人民币元)		上年累计数(人民币元)	
利息支出		5,011,637		10,449,520
减:利息收入		25,983,871		24,541,147
其　他	203,247	(20,768,987)	145,333	(13,946,294)

(12) 营业外收入

	本年累计数(人民币元)	上年累计数(人民币元)
清理固定资产收入	1,019,376	—
其　他	1,977,115	81,119
	2,996,491	81,119

(13) 营业外支出

	本年累计数(人民币元)	上年累计数(人民币元)
处理固定资产损失	12,620,226	2,116,479
捐赠支出	300,830	358,862
罚款支出	427,251	332,405
	1,429,671	862,856
其　他	14,777,978	3,670,602

(14) 所得税

	本年累计数(人民币元)	上年累计数(人民币元)
本年应计所得税	295,607,377	314,014,916
本年度会计所得额	1,059,789,348	1,094,875,992
调增:		
1. 捐赠支出	300,830	358,862
2. 罚款支出	427,251	332,405
	728,081	691,267
调减:		
维简费(注)	164,737,500	144,006,906
本年度应纳税所得额	895,779,929	951,560,353
所得税率	33%	33%
本年度应计所得税	295,607,377	314,014,916

注:公司已获得当地税务机关的批准,允许公司根据原煤产量每吨6元计列维简费在税前作为调整项目抵扣应纳税所得额，免除所得税款。

(15) 与关联公司之重大交易事项

(一) 存在控制关系的关联方

企业名称：兖矿集团有限公司（兖矿集团）

注册地址：山东邹城市凫山路40号
主营业务：工业加工
与本公司关系：控股股东
经济性质：国有独资
法定代表人：赵经彻

（二）存在控制关系的关联方所持股份或权益及其变化

	年初数		本年增加数		本年减少数		年末数	
	人民币元	%	人民币元	%	人民币元	%	人民币元	%
兖矿集团	1,670,000,000	64	—	—	—	—	1,670,000,000	64

（三）不存在控制关系的关联方关系的性质

关联方名称	与本公司的关系
邹城南煤轮船航运有限责任公司	关键管理人员

（四）公司与上述关联公司在本年度发生了如下重大关联交易

(a) 销售及采购

公司2000年及1999年度向关联方销售及采购货物有关明细资料如下：

	本年累计数(人民币元)	上年累计数(人民币元)
销售－邹城南煤轮船航运有限责任公司	23,470,000	24,962,000
兖矿集团	66,434,000	60,697,553
	89,904,000	85,659,553
采购－兖矿集团	67,845,000	150,201,000

(b) 债权债务往来情况

科　目	关联公司名称	年末数(人民币元)	年初数(人民币元)
应收账款	兖矿集团	51,058,471	23,138,786
预付货款	兖矿集团	17,137,999	15,225,954
其他应收款	兖矿集团	239,928,198	182,340,474
		308,124,668	220,705,214
应付票据	兖矿集团	308,400,000	—
应付账款	兖矿集团	29,911,711	29,681,241
预收货款	兖矿集团	15,660,304	3,979,975
其他应付款	兖矿集团	76,094,425	248,409,365
		430,066,440	282,070,581

(c) 其他事项

①根据公司与兖矿集团公司签订的协议，由兖矿集团公司统一管理公司的退休统筹基金及医疗福利金，退休统筹基金汇总后统一上交给退休统筹基金单位。为此公司在其1999年度及2000年度会计报表中已列支上述款项为人民币202,609,000元及人民币247,828,000元。

②根据公司与兖矿集团公司签订的协议，由兖矿集团公司下属各部门、单位向公司提供以下服务并收取相应的费用，详细如下：

	本年累计数(人民币元)	上年累计数(人民币元)
维修及保养	79,316,000	90,477,000
技术支持及培训费	15,130,000	15,130,000
采矿权费用	12,980,000	12,980,000
铁路运输费	209,842,000	168,040,000
公用设施费	600,000	600,000
公路运输费	10,474,000	13,124,000
供气供暖费	11,020,000	11,020,000
房产管理费	29,700,000	29,700,000

子女就读费	12,550,000	12,550,000
其　他	14,230,000	14,230,000

③1999年度及2000年度支付给关键管理人员的报酬(包括采用货币、实物形式和其他形式的工资、福利、奖金等)总额分别为人民币1,070,000元及人民币1,143,000元。

(16) 国际会计准则对净利润和净资产的影响

	本年净利润（人民币千元）	于2000年12月31日之资产净值（人民币千元）
以中华人民共和国《企业会计准则》及《股份有限公司会计制度》编制之财务报表	764,182	6,827,138
调整：		
——调整复垦费、土地塌陷费(注)	(25,195)	(258,071)
——递延资产摊销	1,835	(3,672)
——购入济二矿的商誉摊销	(777)	(2,331)
——递延所得税	8,315	85,161
——股利分配	—	221,400
按国际会计准则调整后之财务报表	748,360	6,869,625

注：土地塌陷费是指公司开采地下矿场后就土地塌陷造成的损失或毁损向居民做出的赔偿。

在中国会计准则与国际会计准则下的土地塌陷费差异系公司在国际会计准则下按产出原煤估算应计提的土地塌陷费金额，而在中国会计准则下则以经有关部门批准后实际将支付的塌陷费金额计入当年损益。

兖州煤业股份有限公司董事会

2001年4月23日

上海能源股份有限公司

上海能源股份有限公司财务报表

代码：600508　名称：上海能源

资产负债表　　单位：万元

项目 \ 年度	2001—09—30	2001—06—30	2001—06—30	2000—12—31
流动资产合计	79332.95951	48015.171939	48015.171939	38750.292507
其中：存货	6694.139376	7462.399707	7462.399707	9016.62885
长期投资合计	0	0	0	0
固定资产合计	108763.402391	52086.980131	52086.980131	55818.146619
无形及其他资产	5722.490023	5722.490023	5722.490023	5990.210759
资产总计	193818.851924	105824.642093	105824.642093	100558.649885
流动负债合计	42069.829416	44520.903684	44520.903684	42926.397434
长期负债合计	3000	5140	5140	8140

续表

项目＼年度	2001－09－30	2001－06－30	2001－06－30	2000－12－31
股　本	40151	30151	30151	30151
资本公积	95945.484444	16234.798687	16234.798687	16234.798687
盈余公积	2271.51296	2271.51296	2271.51296	2271.51296
未分配利润	10381.025104	7506.426762	7506.426762	834.940804
净资产	148749.022508	56163.738409	56163.738409	49492.252451

利润分配表　　单位：万元

项目＼年度	2001－09－30	2001－06－30	2001－06－30	2000－12－31	2000－06－30
主营业务收入净额	0	0	0	0	0
主营业务利润	8460	23478.886945	23478.886945	36889.937774	18475.416454
其他业务利润	178	327.977988	327.977988	462.808111	194.989863
营业利润	0	9529.170982	9529.170982	13752.041669	7220.959747
投资收益	0	0	0	0	0
利润总额	0	9517.301364	9517.301364	13559.328415	7190.279791
净利润	2875	6671.485958	6671.485958	11357.564797	4498.937705
未分配利润	0	7506.426762	7506.426762	834.940804	3475.901619

现金流量表　　单位：万元

项目＼年度	2001－06－30	2001－06－30
销售商品、提供劳务收到的现金	84755.289431	84755.289331
收到其他与经营活动有关的现金	402.45786	402.45776
经营活动现金流入小计	85630.109854	85630.109754
购买商品、接受劳务支付的现金	9427.360798	9427.360698
支付其他与经营活动有关的现金	7268.50608	7268.50598
经营活动现金流出小计	67296.463892	67296.463792
经营活动产生的现金流量净额	18333.645962	18333.645962
收回投资所收到的现金	0	0
投资活动现金流入小计	0	0
购建固定资产，无形资产等支付的现金	2933.942021	2933.941921
权益性投资所支付的现金	0	0
投资活动现金流出小计	2933.942021	2933.941921
投资活动产生的现金流量净额	－2933.941821	－2933.941921
吸收权益性投资所收到的现金	0	0
借款所收到的现金	7000.0001	7000
筹资活动现金流入小计	7000.0001	7000
偿还债务所支付的现金	6300.0001	6300
分配股利或利润所支付的现金	7752.033222	7752.033122
筹资活动现金流出小计	14052.033222	14052.033122
筹资活动产生的现金流量净额	－7052.033022	－7052.033122
现金及现金等价物净增加额	8347.671019	8347.670919

河北金牛能源股份有限公司

河北金牛能源股份有限公司财务报表

代码：000937　名称：金牛能源

资产负债表　　　　单位：万元

项目＼年度	2001—06—30	2000—12—31	2000—06—30	1999—12—31	1999—06—30
流动资产合计	119405.042499	110867.551437	113732.091327	110435.677	40109.1368
其中：存货	9389.005811	8824.412361	7440.014745	7385.9254	5292.1156
长期投资合计	100	100	100	0	0
固定资产合计	105790.112088	97964.295339	68918.988025	66922.9617	46600.4937
无形及其他资产	5085.680588	4398.597964	4443.78904	4488.9801	4519.1075
资产总计	230380.835175	213330.44474	187194.868392	181847.6188	91228.738
流动负债合计	69521.856593	60545.223456	39869.369454	43715.96	31267.3674
长期负债合计	0		—39.31183	0	3298.3245
股　本	42500	42500	42500	42500	32500
资本公积	81246.868974	81641.495869	82377.321771	83113.1477	17057.3521
盈余公积	5314.855468	5314.855468	2476.663709	2099.1983	0
未分配利润	31797.25414	23328.869947	20010.825288	10419.3128	7105.694
净资产	160858.978582	152785.221284	147364.810768	138131.6588	56663.0161

利润分配表　　　　单位：万元

项目＼年度	2001—06—30	2000—12—31	2000—06—30	1999—12—31	1999—06—30
主营业务收入净额	54836.332307	89190.983225	41208.444196	80372.1425	40063.7672
主营业务利润	20750.107749	36855.354177	18191.406162	37592.3716	18954.6571
其他业务利润	239.032008	343.569141	753.891082	84.3227	139.6487
营业利润	12148.967259	21737.650812	10490.951289	19880.8714	10724.6256
投资收益	0			0	0
利润总额	12639.379392	22310.460762	11123.196979	19748.4688	10605.5134
净利润	8468.384193	18921.278394	7452.541976	13994.6555	7105.694
未分配利润	31797.25414		20010.825288	10419.3128	7105.694

现金流量表　　　　　　　　　　　　　　　　　　　　　　　　　　　　　　单位：万元

项目＼年度	2001－06－30	2000－12－31	2000－06－30	1999－12－31
销售商品、提供劳务收到的现金	63849.751154	89807.92162	40663.797226	22498.7689
收到其他与经营活动有关的现金	1646.768016	29.185041	75.22608	16.5881
经营活动现金流入小计	66194.424033	90557.69203	40749.381489	22560.5764
购买商品、接受劳务支付的现金	21783.784844	34803.515796	10245.653981	4852.1175
支付其他与经营活动有关的现金	14805.860311	4240.277419	9670.056078	3704.4288
经营活动现金流出小计	49729.762668	79137.907167	36445.164721	19496.9879
经营活动产生的现金流量净额	16464.661365	11419.784863	4304.216768	3063.5885
收回投资所收到的现金	0	0	0	0
投资活动现金流入小计	254.870225	554.305902	4.990389	5.7833
购建固定资产，无形资产等支付的现金	13465.110968	27338.54615	9680.663782	18324.4092
权益性投资所支付的现金	0	100	100	0
投资活动现金流出小计	13465.110968	31623.538368	9780.663782	18324.4092
投资活动产生的现金流量净额	－13210.240743	－31069.232466	－9775.673393	－18318.6259
吸收权益性投资所收到的现金	0	0	0	76539.8847
借款所收到的现金	5500	0	0	0
筹资活动现金流入小计	5500	3876.462423	0	77280.271
偿还债务所支付的现金	0	7833	4000	2000
分配股利或利润所支付的现金	5209.579727	0	0	0
筹资活动现金流出小计	5226.675047	8668.62926	4656.055909	2147.2926
筹资活动产生的现金流量净额	273.324953	－4792.166837	－4656.055909	75132.9784
现金及现金等价物净增加额	3527.745575	－24441.61444	－10127.512534	59877.941

偿债能力指标纵向比较

年　度	2001－06－30	2000－12－31	2000－06－30	1999－12－31
流动比率	1.72	1.83	2.85	2.53
速动比率	1.58	1.69	2.67	2.36
利息支付倍数		59.37	49.56	133.08
应收账款周转率	5.01	3.72	1.53	3.23

资本结构指标纵向比较

年　度	2001—06—30	2000—12—31	2000—06—30	1999—12—31
股东权益比率	0.7	0.72	0.79	0.76
资产负债比率	0.3	0.28	0.21	0.24
长期负债比率	0			0
股东权益与固定资产比率	1.52	1.56	2.14	2.06

盈利指标纵向比较

年　度	2001—06—30	2000—12—31	2000—06—30	1999—12—31	1999—06—30
销售毛利率	0.38	0.41	0.44	0.47	0.47
销售净利率	0.15	0.21	0.18	0.17	0.18
资产收益率	0.04	0.09	0.04	0.08	0.08
股东权益收益率					
主营业务利润率	0.38	0.41	0.44	0.47	0.47

投资收益纵向比较

年　度	2001—06—30	2000—12—31	2000—06—30	1999—12—31
每股收益	0.2	0.44	0.18	0.33
股息发放率	56.13	25.1	63.68	33.95
投资收益率	2.95	3.11	3.22	3.44
每股净资产	3.78	3.59	3.47	3.25

经营能力指标纵向比较

年　度	2001—06—30	2000—12　31	2000—06—30	1999—12—31	1999—06—30
存货周转率	7.1	5.62	2.76	5.6	3.22
固定资产周转率	0.95	1.67	1.08	2.16	1.54
总资产周转率	0.46	0.8	0.42	0.85	0.83
净资产周转率	0.64	1.1	0.53	1.1	1.29

河北金牛能源股份有限公司2000年年度报告摘要

重要提示：

本公司董事会保证本报告所载资料不存在任何虚假记载、误导性陈述或重大遗漏，并对其内容的真实性、准确性和完整性负个别及连带责任。本年度报告摘要摘自年度报告，投资者欲了解详细内容，应阅读年度报告。

一、公司简介

1. 公司法定中文名称：河北金牛能源股份有限公司

公司法定英文名称：HEBEI JINNIU ENERGY RESOURCES Co. Ltd

缩写：金牛能源　"JNNY"

2. 公司法定代表人：刘庆法

3. 公司董事会秘书：刘彦春

联系地址：河北省邢台市中兴西大街 191 号

电话：0319—2068242

传真：0319—2068888

电子信箱：liuyanc@xt－user. he. cninfo. net

4. 公司注册地址：河北省邢台市中兴西大街 191 号

公司办公地址：河北省邢台市中兴西大街 191 号

邮政编码：054021

公司电子信箱：master@goldbullenergy. com

公司互联网网址：www. goldbullenergy. com

5. 公司信息披露报纸名称：《证券时报》、《上海证券报》。

登载公司年度报告的中国证监会指定的国际互联网网址：http：//www. cninfo. com. cn

公司年度报告备置地点：公司证券部

6. 公司股票上市地：深圳证券交易所

股票简称：金牛能源

股票代码：0937

二、会计数据和业务数据摘要

1. 本年度主要利润指标(单位:人民币元)

利润总额:223,104,607.62

净利润:189,212,783.94

扣除非经常性损益后的净利润:188,817,303.30

主营业务利润:368,553,541.77

其他业务利润:3,435,691.41

营业利润:217,376,508.12

投资收益:0

补贴收入:5,498,617.76

营业外收支净额：229，481.74

经营活动产生的现金流量净额：114，197，848.63

现金及现金等价物净增加额：(244，416，144.40)

注：扣除非经常性损益的项目为新股发行冻结资金利息摊销 465，271.38 元，影响净利润减少 395，480.67 元。

利润表及利润分配表附表

报告期利润	净资产收益率(%)		每股收益	
	全面摊薄	加权平均	全面摊薄	加权平均
主营业务利润	24.12	24.55	0.867	0.867
营业利润	14.23	14.48	0.511	0.511
净 利 润	12.38	12.61	0.445	0.445
扣除非经常性损益后的净利润	12.36	12.58	0.444	0.444

2. 截至报告期末公司前三年主要会计数据和财务指标　　(单位：人民币元)

项　目	2000 年	1999 年		1998 年	
		调整后	调整前	调整后	调整前
主营业务收入	891,909,832.25	803,721,425.23	803,721		
	870,081,817.72	870,081,817.72			
净利润	189,212,783.94	165,110,914.03	139,946,555.29	130,803,951.82	145,565,395.64
总资产	2,133,304,447.40	1,843,640,546.60	1,818,476,187.86	636,903,070.81	636,903,070.81

股东权益	1,527,852,212.84	1,406,480,946.94	1,381,316,588.20	282,335,465.97	297,096,909.79
每股收益(摊薄)	0.445	0.388	0.329	0.440	0.490
每股收益(加权)	0.445	0.486	0.412	0.440	0.490
扣除非经常性损益后的每股收益		0.444	0.388	0.329	
每股净资产	3.59	3.31	3.250		1.000
调整后的每股净资产		3.59	3.248	3.248	0.950
每股经营活动产生的现金流量净额		0.27	0.07	0.070	
摊薄净资产收益率	12.38%	11.74%	10.13%	46.33%	49.00%
加权净资产收益率	12.61%	24.06%	20.78%	36.18%	39.46%
扣除非经常性损益后加权净资产收益率	12.58%	24.04%	20.75%	36.15%	39.43%

注：主要财务指标计算方法：全面摊薄每股收益＝净利润/年度末普通股股份总数

加权平均每股收益＝净利润/(期初股份总数＋报告期因公积金转增股本或股票股利分配等增加股份数＋报告期内因发行新股或债转股等增加股份数×增加股份下一月份起至报告期期末的月份数/报告期月份数－报告期因回购或缩股等减少股份数×减少股份下一月份起至报告期期末的月份数/报告期月份数)

每股净资产＝年度末股东权益/年度末普通股股份总数

调整后的每股净资产＝（年度末股东权益－三年以上的应收款项净额－待摊费用－待处理（流动、固定）资产净损失－开办费－长期待摊费用－住房周转金负数余额）/年度末普通股股份总数

每股经营活动产生的现金流量净额＝经营活动产生的现金流量净额/年度末普通股股份总数

全面摊薄净资产收益率＝报告期利润/年度末股东权益×100%

加权平均净资产收益率＝报告期利润/(期初净资产＋报告期净利润/2＋报告期发行新股或债转股等增加的净资产×新增净资产下一月份起至报告期末的月份数/报告期月份数－报告期回购或现金分红等减少净资产×新增资产下一月份起至报告期末的月份数/报告期月份数)

3. 股东权益变动情况

项目	股本(万股)	资本公积	盈余公积	法定公益金	未分配利润	股东权益合计
期初数	42,500	831,131,476.73	24,766,637.09	8,255,545.70	125,582,833.12	1,406,480,946.94
本期增加		28,381,917.59	9,460,639.20	189,212,783.94	217,594,701.53	
本期减少		14,716,518.04			81,500,917.59	96,223,435.63
期末数	4,2500	816,414,958.09	53,148,554.68	17,716,184.90	233,288,699.47	1,527,852,212.84

注:本期资本公积减少是由于摊销固定资产评估增值,盈余公积、法定公益金及未分配利润变化是由于报告期实现净利润和按比例提取所致。

三、股东情况介绍

截止 2000 年 12 月 31 日，本公司股东总数为 12867 户。

公司前 10 名股东持股情况

序号	股东名称	持股数量(股)	占总股本比例(%)
1	邢台矿业(集团)有限责任公司	325,000,000	76.47
2	北京大源非织造有限公司	6,999,393	1.65
3	北京三侨房地产有限责任公司	2,244,872	0.53
4	北京金健华经贸发展有限公司	1,920,000	0.45
5	中煤信托投资有限责任公司	1,711,191	0.40
6	东方世纪证券投资顾问有限公司	1,302,000	0.31
7	欧子清	1,150,000	0.27
8	黄荣华	1,089,396	0.26
9	北京大源腾龙无纺布有限公司	1,035,000	0.24
10	北京集利物业管理有限责任公司	1,004,800	0.23

四、股东大会简介

本年度公司共召开一次股东大会，通过《证券时报》和《上海证券报》发出了召开1999年度股东大会的通知。以记名投票表决方式通过了以下决议：

1. 1999年度董事会工作报告；
2. 1999年度监事会报告；
3. 1999年度经理业务工作报告；
4. 1999年度报告；
5. 1999年度财务报告；
6. 1999年度利润分配方案；
7. 关于续聘北京京都会计师事务所有限责任公司的议案；

以上股东大会决议内容刊登在2000年4月21日的《证券时报》和《上海证券报》上。

五、董事会报告

1. 公司经营情况

(1) 公司在行业中的地位

公司是国有煤炭重点企业之一。采掘机械化程度达到100%，科技水平在全国煤炭行业处于领先地位，有3项科技成果获省级科技进步奖，7项成果获省煤炭科技进步奖和市科技进步奖，并有9项科技项目通过了省级以上的技术鉴定，其中2项成果达到了国际先进水平，公司连续4年荣获煤炭行业科技十佳企业。

(2) 公司主营业务范围及经营状况

2000年，公司依靠科技进步，实施减员提效。随着先进的科学技术转化为现实生产力以及采掘装备水平的不断提高，各矿的生产率有了明显的提高。积极进行技术改造，调整产品结构。东庞矿的水煤浆项目初步取得了良好的市场效应。产品结构调整已经由适应性调整转向对长期稳步提高企业经济效益有重大影响的战略性调整。

报告期内，公司完成商品煤销售量456万t，实现主营业务收入891,909,832.25元，比上年同期增长10.97%，实现净利润189,212,783.94元，比上年同期增长14.60%，主要是受煤炭市场回暖，商品煤销量增加影响。

(3) 在经营中出现的问题及解决办法

2000年，煤炭市场虽有一定好转，但仍面临着煤炭价格偏低、货款回收困难的问题。另外，公司收购的章村、显德汪两矿（含水泥厂）在煤炭生产和管理上存在着一定的差距。针对以上的问题，我公司将进一步严格内部管理，降低产品成本。调整产品结构，开拓销售市场，变压力为动力。对新收购的两矿（含水泥厂），加快改革步伐，及时清理存在的问题，使两矿的生产和管理在短时间内跟上公司的步伐。

2. 公司财务状况

项　目	2000年	1999年	增减幅度(%)
资产总额	2,133,304,447.40	1,843,640,546.60	15.71
长期负债			
股东权益	1,527,852,212.84	1,406,480,946.94	8.63
主营业务利润	368,553,541.77	375,923,715.77	－1.96
净 利 润	189,212,783.94	165,110,914.03	14.60

3. 公司投资情况

(1) 招股说明书承诺投资项目募集资金年度投资计划表

单位：万元

年　份 项 目 名 称	1999年	2000年	2001年	总　计
兴建邢东矿井	29,689	5,350	2,961	38,000
邢台矿压煤迁村	5,500	2,100	0	7,600
收购章村、显德汪煤矿	17,920	16,700	0	34,620
合　计	53,109	24,150	2,961	80,220

上述投资项目所需资金与所筹资金尚存缺口3，403万元左右，公司计划用税后留利解决资金不足部分。

(2) 前次募集资金实际使用情况

单位：万元

项目名称	计划投资额	截止2000年底累计投资额	累计项目进度(%)
兴建邢东矿井	38,000	22,912	60.29
邢台煤矿卧庄压煤迁村	7,600	7,154	94.13
收购章村、显德汪煤矿	34,620	18,785	54.26
其中：			
A. 收购两矿资产（该项目已完成）	17,920	4,185	
B. 两矿开拓延伸	5,000	5,000	100.00
C. 显德汪煤矿洗煤厂改造（该项目计划使用的募集资金已变更投向）	500		
D. 章村洗煤厂（该项目计划使用的募集资金已变更投向）	1,200		
E. 显德汪煤矿矸石电厂	8,000	7,600	95.00
F. 补充流动资金	2,000	2,000	100.00

(3) 投资项目变更情况说明

公司在1999年新股招股说明书中拟用资金17,920万元(其中：募集资金14,200万元)收购章村、显德汪两矿生产经营部分资产，由于1998年河北省取消对两矿的亏损补贴及两矿这两年又连续出现亏损，造成净资产大幅下降，经2000年7月31日评估两矿生产经营部分净资产为4,185万元，公司同意以评估价4,185万元收购两矿生产经营部分资产，出资624万元支付两矿土地出让金，还剩余募集资金9,391万元；另在招股说明书中拟用1,200万元在章村煤矿建一座洗煤厂，用500万元对显德汪煤矿选煤厂进行技术改造，这两个项目本次收购前由两矿筹集资金完成，其资产在收购两矿中已包括，故进行调整。以上三项资金共剩余11,091万元，经公司第一届董事会第九次会议决议和2001年第一次临时股东大会审议通过，剩余募集资金投向调整如下：

A. 投资3598万元在东庞煤矿建一座水煤浆厂；

B. 投资2405万元对邢台煤矿洗煤厂进行技术改造；

C. 各矿技术更新，新增生产设备共计5088万元；

邢台煤矿：购置综采液压支架145架1592万元；

东庞煤矿：购置综合采煤设备一套共计1670万元，其中：胶带输送机一台670万元，综采液压支架40架726万元，采煤机一台274万元；

显德汪煤矿：综采液压支架100架800万元；

葛泉煤矿：综采液压支架90架1026万元。

D. 募集资金投向调整项目进度如下：

单位：万元

项目名称	计划投资额	2000年实际投资额	项目进度(%)
东庞煤矿水煤浆厂	3,598	1,661	46.16
邢台煤矿洗煤厂改造	2,405	1,443	60.00
各矿新增设备	5,088	5.088	100.00

注：截止报告期末，募集资金投向（含调整项目）中东庞矿水煤浆厂部分设备已投入生产，水煤浆全部销往燕山石化，2000年实现销售36242t，销售收入813万元，营业利润174万元，市场反映较好；各矿新增设备已全部用于生产，发挥了很好的作用。

公司发行普通股A股股票共募集资金76543万元，截止报告期末，公司累计使用募集资金57043万元，占公司前次募集资金的74.52%，尚剩余募集资金19500万元。

4. 生产经营环境与宏观政策等对公司财务状况的影响

从国内来看，煤炭市场仍然较为疲软。但是，煤炭行业关井压产工作已经初见成效，煤炭产品供过于求的矛盾正从宏观上得到缓解，煤炭价格逐步回升。从公司内部来看，我公司的主要产品属于优质煤炭品种，有稳定的用户群，公司新生产的水煤浆产品投放市场后，市场反映较好。

中国加入 WTO 后，我公司又有了新的发展机遇。由于我公司一直没有放弃国外市场，加入 WTO 又为我公司进一步扩大国外市场提供了可能性。有利于提高公司的盈利能力。

5. 新年度的业务发展计划

进入 2001 年，公司面临着很好的发展形势和机遇。国有企业改革的脱困的目标已经基本实现，国民经济出现了重要转机，各行业出现了恢复性增长，也拉动了能源基础行业的发展，煤炭产品供过于求的局面已有所改善。

在这种形势下，公司将以创新和科技进步为动力，努力提高经济效益，继续坚持实施“精煤电煤”的产品战略，提高精煤电煤在商品煤中的比重，同时密切注意洁净能源市场需求动态，积极寻找和主动占领新的市场。为平衡国内市场，扩大企业知名度，继续使出口煤在商品煤中占一定比例。

继续进行洗煤厂的技术改造，提高产品质量，优化产品结构。依靠科技进步，提高经济效益。积极进行“产、学、研”相结合的技术研究开发，加快推进企业技术创新和科研成果的转化，提高企业的自主开发能力。

积极作好配股筹资工作，力争公司 2001 年度筹资计划顺利完成。严格按照募股资金承诺，争取配股建设项目尽快实施，以进一步提高公司盈利能力和整体经济效益，为公司拓展更大的生存空间。

6. 董事会日常工作情况

（1）报告期内董事会的会议情况和决议内容

报告期内董事会共召开了七次会议。

A. 2000 年 3 月 1 日，河北金牛能源股份有限公司第一届董事会第三次会议在公司二楼会议室召开，应出席董事 11 人，实出席董事 11 人，监事会成员列席了会议。经表决，会议通过了《关于计提各项资产减值准备报告》。

B. 2000 年 3 月 10 日，河北金牛能源股份有限公司第一届董事会第四次会议在公司二楼会议室召开，应出席董事 11 人，实出席董事 11 人，监事会成员列席了会议。经表决，会议通过以下决议：

a. 同意河北金牛能源股份有限公司与中国煤炭运销协会等十六家煤炭生产经营单位共同发起设立中联煤炭销售有限责任公司。

b. 同意祁泽民同志代表河北金牛能源股份有限公司出任中联煤炭销售有限责任公司董事。

c. 同意以货币形式向中联煤炭有限责任公司出资壹百万元人民币，占该公司 6.25%股份。

C. 2000 年 3 月 11 日，河北金牛能源股份有限公司第一届董事会第五次会议在公司二楼会议室召开，应出席董事 11 人，实出席董事 11 人，监事会成员列席了会议。经表决，会议通过以下决议：

a. 1999 年度董事会工作报告

b. 1999 年度报告及年度报告摘要

c. 1999 年度财务工作报告

d. 1999 年度利润分配预案

e. 关于续聘北京京都会计师事务所有限责任公司的议案

f. 公司召开 1999 年度股东大会的议案

D. 2000 年 5 月 25 日，河北金牛能源股份有限公司第一届董事会第六次会议在公司二楼会议室召开。经经理提名、董事会会议研究决定，聘任张振华先生为河北金牛能源股份有限公司副经理，解聘尹志民先生河北金牛能源股份有限公司副经理职务。

E. 2000 年 8 月 9 日，河北金牛能源股份有限公司第一届董事会第七次会议在公司三楼会议室召开，应出席董事 11 人，实出席董事 9 人，监事会成员以及高级管理人员出席了会议。经表决，会议通过以下决议：

a. 2000 年度中期报告和中期报告摘要

b. 2000 年度中期利润分配预案

c. 郑存良先生辞去董事长职务

d. 选举刘庆法先生为董事长，赵森林先生为副董事长

e. 审议通过了《关于胡人太先生因调任国家公务员而辞去公司董事的议案》

f. 审议通过了《关于补选尹志民先生为公司董事的议案》，该议案尚须提交下次股东大会通过后生效

F. 2000 年 9 月 11 日，河北金牛能源股份有限公司第一届董事会第八次会议在公司三楼会议室召开，应出席董事 10 人，实出席董事 9 人，监事会成员以及有关高级管理人员列席了会议。经表决，会议通过投资 2800 万元在东庞煤矿建成年产能力 30 万吨的水煤浆厂一座的决议。

G. 2000 年 12 月 15 日，河北金牛能源股份有限公司第一届董事会第九次会议在公司二楼会议室召开，应出席董事 9 人，实出席董事 9 人，监事会成员列席了会议。经表决，会议通过关于募集资金调整的决议。

（2）董事会对股东大会决议的执行情况

报告期内，本公司没有资本公积金转增股本情况，也没有配股、增发新股情况。

7. 公司管理层和员工情况

（1）董事、监事和高级管理人员情况

＊董事、监事情况

姓 名	职 务	性别	年龄	任 期
刘庆法	董事长	男	57	1999年8月—2002年8月
赵森林	副董事长	男	46	1999年8月—2002年8月
郑存良	董 事	男	56	1999年8月—2002年8月
高同燕	董 事	男	43	1999年8月—2002年8月
张文敏	董 事	男	56	1999年8月—2002年8月
张振华	董 事	男	44	1999年8月—2002年8月
周 欣	董 事	男	50	1999年8月—2002年8月
白忠胜	董 事	男	42	1999年8月—2002年8月
杜士波	董 事	男	43	1999年8月—2002年8月
索志华	监事会召集人	男	50	1999年8月—2002年8月
郭励生	监 事	男	59	1999年8月—2002年8月
张印娟	监 事	女	48	1999年8月—2002年8月
王志安	监 事	男	44	1999年8月—2002年8月
李凤仪	监 事	男	44	1999年8月—2002年8月
高金凯	监 事	男	41	1999年8月—2002年8月
张吉运	监 事	男	39	1999年8月—2002年8月

说明：董事尹光远先生于2000年9月去世；董事胡人太先生因调任国家公务员而辞去公司董事职务。

＊高级管理人员情况：

姓 名	职 务	性别	年龄	任 期
赵森林	经 理	男	46	1999年8月—2002年8月
刘建功	副经理	男	44	1999年8月—2002年8月
张振华	副经理	男	45	1999年8月—2002年8月
赵庆彪	总工程师	男	44	1999年8月—2002年8月
李笑文	总会计师	男	44	1999年8月—2002年8月
祁泽民	总经济师	男	42	1999年8月—2002年8月
刘彦春	董事会秘书	男	38	1999年8月—2002年8月

注：公司董事、监事及高级管理人员年度报酬执行河北省国有企业岗位技能工资标准，年度报酬在15000～75000元之间，除此之外没有其他额外报酬；期末无持股。

（2）员工情况

截止2000年12月31日，公司员工共计9047人，其中：专业人员386人，管理人员392人，生产人员7503人，其他人员766人；公司现有高级职称77人，中级职称201人，初级职称314人。公司目前无离退休人员。

8. 本次利润分配预案或资本金转增股本预案

经北京京都会计师事务所有限责任公司审计，本公司2000年度净利润189,212,783.94元。按照公司章程等有关规定，提取10%法定盈余公积金18,921,278.39元和提取5%法定盈余公益金9,460,639.20元后，剩余可供股东分配的利润160,830,866.35元，加年初未分配利润125,582,833.12元，累计可供股东分配的利润286,413,699.47元，经董事会讨论以2000年末42500万股为基数，每10股派现金1.25元(含税)，共计5312.5万元。本年度不进行资本金转增股本。

上述利润分配预案尚须提交公司股东大会审议。

9. 预计2001年度利润分配政策

公司拟在2001年度结束后分配利润一次，2001年其他时间不再分配；公司下一年度实现的净利润在提取法定盈余公积和公益金后用于股利分配的比例不高于40%，公司2000年末滚存的未分配利润用于股利分配的比例不高于30%，分配主要采用现金分红方式；公司董事会保留公司根据实际情况对该分配方案进行调整的权利。

10. 其他报告事项

（1）公司聘任的会计师事务所未发生变更。

（2）公司选定的信息披露报刊为《证券时报》和《上海证券报》，没有变更。

六、监事会报告

1. 监事会会议情况

报告期内本公司监事会共召开 3 次会议

(1) 河北金牛能源股份有限公司第一届监事会第三次会议，于 2000 年 3 月 11 日在公司三楼会议室召开，会议通过了如下决议：

A. 监事会根据国家有关法律法规，对公司依法运作情况进行监督，认为公司决策程序合法，建立了完善的内部控制制度，公司董事、经理执行公司职务时，遵纪守法，廉洁自律、没有违反法律、法规、公司章程及损害公司利益的行为。

B. 北京京都会计师事务所有限责任公司对公司 1999 年度财务报告进行了审计，出具了无保留意见的审计报告。公司监事会认为财务报告真实的反映了公司的财务状况和经营成果。

C. 报告期内，公司没有收购、出售资产，未发现有内幕交易、损害股东利益、造成公司资产流失的行为。

D. 公司与控股股东下属企业之间的商品购销、提供劳务等关联交易符合市场公平竞争原则，没有损害关联各方的利益。

E. 公司监事会认为公司在 1999 年度核销和计提四项准备金及坏账的相关事项报告，程序合法，依据充分。

F. 确认加盟中联煤炭销售有限责任公司事宜。

(2) 河北金牛能源股份有限公司第一届监事会第四次会议，于 2000 年 8 月 9 日在公司三楼会议室召开，会议通过了公司 2000 年度中期报告和报告摘要。

(3)河北金牛能源股份有限公司第一届监事会第五次会议，于 2000 年 12 月 15 日在公司二楼会议室召开，会议通过了如下决议：

A. 成立河北金牛能源股份有限公司章村煤矿、显德汪煤矿；

B. 通过了募集资金调整的议案。

2. 公司依法运作情况

在国家加大整顿煤炭生产秩序，规范煤炭销售市场工作力度，为企业生产经营创造良好的外部环境的形势下。公司董事会、经理层解放思想、科学决策、抓住机遇、严格管理、较好的完成了公司年初提出的各项经营指标。公司决策程序合法，内部控制制度健全。监事会通过对公司各方面工作的了解和有关执法执纪部门的信息反馈，未发现董事会成员及其他高级管理人员有违反国家法规、公司章程和损害公司利益的行为。

3. 检查公司财务情况

(1) 公司财务报告真实反映公司的财务状况和经营成果。

(2) 公司募集资金和投向按照招股说明书规定使用。

(3) 募集资金调整部分按照公告使用。

4. 公司与邢矿集团的有关关联交易

按照《服务和供应协议》、《火药库房和坑木场房租赁合同》、《排矸铁路及销煤铁路专用线租赁合同》和《共享道路维修养护费用分担协议书》进行，未发现损害股份公司和广大投资者利益的行为。

七、重要事项

1. 报告期内本公司无重大诉讼、仲裁事项。

2. 报告期内本公司的董事及高级管理人员没有受到监管部门的处罚。

3. 报告期内本公司的控股股东没有变更，公司董事会没有换届，公司经理没有变更，董事会秘书也没有变更。

4. 报告期内本公司没有进行资产的收购及出售、吸收合并事项。

5. 重大关联交易事项见会计报表附注。

6. 本公司与控股股东在人员、资产、财务上的“三分开”情况：

(1) 人员分开

为了更好执行“三分开”原则，本公司原董事长郑存良先生（也是控股股东董事长）主动辞去董事长职务，现由刘庆法先生担任。公司与控股股东之间没有双重任职和兼职，有完整的劳动、人事及工资管理制度，保持人员的独立性。

(2) 资产完整

本公司资产完整，有独立的生产系统、辅助生产系统和配套设施，有独立的销售系统，独立面对市场，避免与控股股东之间的同业竞争。

(3) 财务独立

本公司设立了独立的财务部门，建立了独立的财务核算体系，具有规范的财务会计制度以及对分公司的财务管理制度；公司拥有独立的银行账户，并依法独立纳税。

7. 报告期内公司无托管、承包、重大租赁其他公司的资产或其他公司托管、承包、租赁本公司的资产。

8. 报告期内本公司继续聘任北京京都会计师事务所有限责任公司。

9. 报告期内本公司无重大合同或担保及其履行情况。

10. 报告期内本公司名称及股票简称没有更改。

八、财务会计报告

九、公司的其他有关资料

公司注册登记地点、日期

注册登记地点：河北省工商行政管理局

注册登记日期：1999年8月26日

企业法人营业执照注册号：13000010013011/1

公司税务登记号：130503718311625

公司未流通股票托管机构：深圳证券登记有限公司

公司聘请的会计师事务所及其办公地址：

会计师事务所：北京京都会计师事务所有限责任公司

办公地址：北京建国门外大街22号赛特广场

十、备查文件目录

1. 载有公司法定代表人、总会计师、会计经办人签名并盖章的会计报表
2. 载有会计师事务所盖章，注册会计师签名并盖章的审计报告正文
3. 报告期内在中国证监会指定报纸上公开披露的公司文件正文及公告原稿
4. 年度报告正文

河北金牛能源股份有限公司董事会

2001年3月8日

北京京都会计师事务所有限责任公司

Beijing Jingdu Certified Public Accountants Co., Ltd.

审 计 报 告

北京京都审字（2001）第0218号

河北金牛能源股份有限公司全体股东：

我们接受委托，审计了河北金牛能源股份有限公司（以下简称“贵公司”）2000年12月31日的资产负债表、2000年度利润及利润分配表和2000年度现金流量表。这些会计报表由贵公司负责，我们的责任是对这些会计报表发表审计意见，我们的审计是根据《中国注册会计师独立审计准则》进行的。在审计过程中，我们结合该公司实际情况，实施了包括抽查会计记录等我们认为必要的审计程序。

我们认为，上述会计报表的编制符合《企业会计准则》及《股份有限公司会计制度》的有关规定，在所有重大方面公允地反映了该公司2000年12月31日财务状况及2000年度经营成果和2000年度资金变动状况，会计处理方法的选用遵循了一贯性原则。

北京京都会计师事务所有限责任公司　　中国注册会计师

中国·北京赛特广场　　中国注册会计师

2001年2月26日

通宝能源股份有限公司

通宝能源股份有限公司财务报表

代码：600780　名称：通宝能源

资产负债表

单位：万元

项目＼年度	2001－06－30	1999－12－31	1998－12－31	1997－12－31	1996－12－31
流动资产合计	20008.804582	27776.032562	29638.4455	25583.8672	25166.0162
其中：存货	366.893959	119.303345	2234.5396	2456.1537	1790.2222
长期投资合计	0		477	977	2952
固定资产合计	55525.137244	58970.239	55107.0524	9652.8253	5095.0196
无形及其他资产	293.452	304.1301	808.8548	1149.083	1121.8895
资产总计	75827.393826	87050.401662	86031.3527	37362.7757	34334.9254
流动负债合计	14786.385886	19112.755247	21994.4474	13008.6667	12731.7953
长期负债合计	9113.96	22422.099619	37841.8464	110	110
股　本	21569.4612	21569.4612	10680	8900	8900
资本公积	16262.478432	16262.478432	9551.8196	9551.709	9551.709
盈余公积	4316.115026	2977.885032	2172.8772	1649.7974	1159.4478
未分配利润	9778.993282	4705.722132	3491.6907	3843.3719	1881.9732
净资产	51927.04794	45515.546796	25896.3875	23944.8784	21493.13

利润分配表

单位：万元

项目＼年度	2001－06－30	1999－12－31	1998－12－31	1997－12－31	1996－12－31
主营业务收入净额	0	17620.068477	22896.1043	9169.7752	9467.2415
主营业务利润	4280.946857	6542.760345	7180.5241	873.1701	947.9788
其他业务利润	0	1736.77275	57.2241	280.3983	660.2211
营业利润	3232.750918	5799.028872	2678.1626	1153.5684	1608.1999

续表

项目 \ 年度	2001—06—30	1999—12—31	1998—12—31	1997—12—31	1996—12—31
投资收益	0	303.965202	600	1733.2763	909.1925
利润总额	3226.22228	6127.266085	3195.8967	2885.2687	2765.9854
净利润	2416.533817	6072.085668	2615.3985	2451.7484	2352.4665
未分配利润	9778.993282	4705.722132	3491.6907	3843.3719	1881.9732

现金流量表

单位：万元

项目 \ 年度	2001—06—30	1999—12—31	1998—12—31
销售商品、提供劳务收到的现金	11622.661485	24254.642344	16114.6099
收到其他与经营活动有关的现金	4984.068115	1314.279902	5860.4431
经营活动现金流入小计	16863.3296	25568.922246	24607.0359
购买商品、接受劳务支付的现金	4228.235384	8850.111603	11513.3102
支付其他与经营活动有关的现金	789.802185	1932.429545	6300.7512
经营活动现金流出小计	8467.851299	14127.71895	21455.8999
经营活动产生的现金流量净额	8395.478301	11441.203296	3151.136
收回投资所收到的现金	0	270	230
投资活动现金流入小计	—8.546462	292.340459	857.3285
购建固定资产，无形资产等支付的现金	1102.500182	14759.722354	9250.9125
权益性投资所支付的现金	0	0	0
投资活动现金流出小计	1102.590182	14759.722354	9250.9125
投资活动产生的现金流量净额	—1111.136644	—14467.381895	—8393.5839
吸收权益性投资所收到的现金	0	15952.8	0
借款所收到的现金	9000	7200	9750
筹资活动现金流入小计	9000	23163.206965	9750
偿还债务所支付的现金	1800	11170	2840
分配股利或利润所支付的现金	2254.0651	312.14556	769.5506
筹资活动现金流出小计	4054.0651	14057.925873	7194.7124
筹资活动产生的现金流量净额	4945.9349	9105.281092	2555.2876
现金及现金等价物净增加额	12230.276557	6079.102493	—2687.1603

山西西山煤电股份有限公司

山西西山煤电股份有限公司财务报表

代码：000983　名称：西山煤电

资产负债表

单位：万元

项目 \ 年度	2001—06—30	2000—12—31	2000—06—30	1999—12—31	1998—12—31
流动资产合计	235167.589399	218799.470109	77836.524796	79316.1472	37009.2192
其中：存货	19043.769772	22776.12203	9908.740122	8755.1253	14232.4011
长期投资合计	3000			0	0
固定资产合计	157560.022274	154621.256202	95046.714496	96153.7738	76295.017
无形及其他资产	6887.143058	6981.099958		0	0
资产总计	402614.754731	380401.826269	172883.239292	175469.9211	113304.2362
流动负债合计	80730.474669	64857.174346	42834.346763	52337.7841	28874.7641
长期负债合计	40099	35990	43519.7618	45119	32930
股　本	80800	80800	52000	52000	51499.472
资本公积	177315.257603	177315.257603	23941.497603	23941.4976	0
盈余公积	4976.802616	4976.802616	2071.639374	2071.6394	0
未分配利润	18693.219843	16462.591704	8515.993752	0	0
净资产	281785.280062	279554.651923	86529.130729	78013.137	51499.472

利润分配表

单位：万元

项目 \ 年度	2001—06—30	2000—12—31	2000—06—30	1999—12—31	1998—12—31
主营业务收入净额	92937.225162	125658.77253	48128.097702	100138.9035	108371.0274
主营业务利润	33664.03165	53406.542079	25069.314566	47864.4893	52581.4745
其他业务利润	1515.332393	1647.501899	370.220621	1028.9582	580.3716
营业利润	14829.655179	25159.216026	12733.073346	22202.5358	23770.168
投资收益	184.17678	—184.17678		0	0
利润总额	14962.321855	25509.531982	12710.438436	22157.0818	23683.6585
净利润	10310.628139	19367.754946	8515.993752	17766.886	15868.0512
未分配利润	18693.219843	16462.591704	8515.993752		

现金流量表　　单位：万元

项目 \ 年度	2001—06—30	2000—12—31	2000—06—30	1999—12—31
销售商品、提供劳务收到的现金	59552.180253	151202.886164	58166.28919	52696.8366
收到其他与经营活动有关的现金	1799.512887	4.67859	3.86309	3.2498
经营活动现金流入小计	72513.83159	160782.775558	62682.599505	52700.0865
购买商品、接受劳务支付的现金	17698.230241	71863.515708	19003.078042	19377.6321
支付其他与经营活动有关的现金	24528.522411	18380.357074	8314.769404	13466.5797
经营活动现金流出小计	52472.91457	129182.439047	44506.990873	49311.2371
经营活动产生的现金流量净额	20040.91702	31600.336511	18175.608632	3388.8494
收回投资所收到的现金	0	0	0	0
投资活动现金流入小计	0	303.015126	0	478.0596
购建固定资产，无形资产等支付的现金	8061.367903	34697.967716	2680.622564	5240.364
权益性投资所支付的现金	0	39683.386217	0	0
投资活动现金流出小计	11061.367903	106381.353933	2680.622564	5240.364
投资活动产生的现金流量净额	—11061.367903	—106078.338807	—2680.622564	—4762.3044
吸收权益性投资所收到的现金	0	182173.76	0	0
借款所收到的现金	19229	13223	0	7080
筹资活动现金流入小计	19330.765684	196572.614203	32.610651	7080
偿还债务所支付的现金	14329	13223	0	1180
分配股利或利润所支付的现金	1697.17251	11739.289787	10696.767923	0
筹资活动现金流出小计	16027.869684	28495.45223	12123.948327	3057.7578
筹资活动产生的现金流量净额	3302.896	168077.161973	—12091.337676	4022.2422
现金及现金等价物净增加额	12282.445117	93599.159677	3403.648392	2648.7872

山西西山煤电股份有限公司2000年年度报告

重要提示：

本公司董事会保证本报告所载资料不存在任何虚假记载、误导性陈述或重大遗漏，并对其内容的真实性、准确性和完整性负个别及连带责任。

本公司年度财务会计报告已经山西天元会计师事务所审计并出具无保留意见的审计报告。

一、公司简介

1. 公司法定中文名称：山西西山煤电股份有限公司

公司法定英文名称：Shanxi Xishan Coal and Electricity Power Co.，Ltd

2. 公司法定代表人：梁兴保

3. 公司董事会秘书：宁志华

联系地址：山西省太原市西矿街 319 号

联系电话：0351－6127434

联系传真：0351－6127434

公司证券事务授权代表：段天生

联系地址：山西省太原市西矿街 319 号

联系电话：0351－6148453

电子信箱：xsstock@public. ty. sx. cn

4. 公司注册地址：山西省太原市西矿街 319 号

公司办公地址：山西省太原市西矿街 319 号

邮政编码：030053

公司电子信箱 xishanco@public. ty. sx. cn

5. 公司指定信息披露报纸：《证券时报》

登载公司年报的中国证监会指定国际互联网网址：http：//www. cninfo. com. cn

公司年报备置地点：山西省太原市西矿街 319 号公司证券部

6. 公司股票上市交易所：深圳证券交易所

股票简称：西山煤电

证券代码：0983

二、会计数据和业务数据摘要

1. 公司本年度会计数据（单位：人民币元）

利润总额：255,095,319.82

净利润：193,677,549.46

扣除非经常性损益后的净利润：190,174,389.90

主营业务利润：534,065,420.79

其他业务利润：16,475,018.99

营业利润：251,592,160.26

投资收益：－1,841,767.80

补贴收入：—

营业外收支净额：5,344,927.36

经营活动产生的现金流量净额：316,003,365.11

现金及现金等价物净增加额：935,991,596,77

备注：扣除的非经营性损益项目和涉及金额：3,503,159.56 元

(1) 投资收益：－1,841,767.80 元

(2) 营业外收入：5,945,534.32 元

其中：新股申购冻结资金利息：5,898,748.42 元

(3) 营业外支出：600,606.96 元

2. 主要会计数据和财务指标（单位：人民币元）

项　目	2000 年度	1999 年度	1998 年度
主营业务收入	1,256,587,725.30	1,001,389,034.89	1,083,710,273.63
净利润	193,677,549.46	177,668,860.43	158,680,511.92
总资产	3,804,018,262.69	1,754,699,210.71	1,133,042,361.57
股东权益(不含少数股东权益)	2,795,546,519.23	1,754,699,210.71	1,133,042,361.57
每股收益	0.24	0.34	—
按月平均加权法计算的每股收益	0.30	0.34	—
扣除非经常性损益后的每股收益	0.235	0.34	—

每股净资产	3.46	1.50	—
调整后的每股净资产	3.37	1.50	—
每股经营活动产生的现金流量净额	0.39	0.10	—
净资产收益率(%)	6.93	22.77	30.81
扣除非经常性损益后的净资产收益率(%)	6.80	22.77	30.81

根据中国证监会《公开发行证券公司信息披露编号细则（第9号）》要求计算的利润数据如下：

报告期利润	净资产收益率		每股收益	
	全面摊薄	加权平均	全面摊薄	加权平均
主营业务利润	18.65%	31.86%	0.645	0.815
营业利润	9.21%	15.74%	0.319	0.402
净 利 润	6.93%	11.84%	0.240	0.303
扣除非经常性损益后的净利润	6.80%	11.62%	0.235	0.297

备注：主要财务指标计算公式如下：

每股收益＝净利润/年度末普通股股份总数

净资产收益率＝净利润/年度末股东权益×100%

每股净资产＝年度末股东权益/年度末普通股股份总数

调整后每股净资产－（年度末股东权益　三年以上的应收款项净额－待摊费用－待处理（流动、固定）资产净损失－开办费－长期待摊费用－住房周转金负数余额）/年度末普通股股份总数

3. 股东权益变动情况

项　目	期初数	本期增加	本期减少	期末数	变动原因
股　　本	520,000,000.00	288,000,000.00		808,000,000.00	增资发行
资本公积	239,414,976.03	1,533,737,600.00		1,773,152,576.03	股本溢价
盈余公积	20,716,393.74	29,051,632.42		49,768,026.16	利润计提
法定公益金	6,905,464.58	9,683,877.47		16,589,342.05	利润计提
未分配利润	0	164,625,917.04		164,625,917.04	本年利润未分配
合　计	780,131,369.77	2,015,415,149.46		2,795,546,519.23	

三、股本变动及股东持股情况

（一）股本变动情况

公司股份变动情况表

单位：万股

项　目	本次变动前	本次变动增减（十、一）	本次变动后
1. 尚未上市流通股份			
(1) 发起人股份			
其中			
国家持有股份			
境内法人持有股份	520,000,000		520,000,000
境外法人持有股份			
其他			
(2) 募集法人股			
(3) 内部职工股			
(4) 优先股或其他		172,800,000	172,800,000
其中：转配股			
未上市流通股份合计	520,000,000	172,800,000	692,800,000
2. 已上市流通股份			

(1) 人民币普通股		115,200,000	115,200,000
(2) 境内上市的外资股			
(3) 境外上市的外资股			
其他			
已上市流通股份合计		115,200,000	115,200,000
3. 股份总数	520,000,000	288,000,000	808,000,000

备注：本公司于2000年6月22日～7月14日，采用向法人配售和向一般投资者上网发行相结合的方式向社会公开发行人民币普通股(A股)28,800万股，其中向法人配售17280万股，向一般投资者上网定价发行11520万股。发行价6.49元/股，向一般投资者发行的11520万股于2000年7月26日上市交易；向战略投资者配售的17280万股在约定的持股期满后方可上市流通。

（二）股东持股情况介绍

1. 报告期末股东总数

截止2000年12月29日公司股东总数108810户，其中：未流通法人股股东98户，流通股股东108712户。

2. 公司前十名股东持股情况

截止2000年12月29日公司前十名股东持股情况如下：

股东名称	期末持股数（股）	占总股本比例（%）
(1) 西山煤电（集团）有限责任公司	509,530,000	63.06
(2)基金裕元	16,340,775	2.02
(3) 基金开元	11,269,500	1.39
(4) 基金兴和	11,269,500	1.39
(5) 基金天元	8,639,950	1.07
(6) 基金兴华	8,639,950	1.07
(7) 广州科技风险投资有限公司	6,573,875	0.81
(8) 山西电力公司	5,634,750	0.70
(9) 北京首钢股份有限公司	5,634,750	0.70
(10) 基金裕阳	4,883,450	0.60

说明：

①报告期末持有公司5%（含5%）以上股份的股东是西山煤电（集团）有限责任公司一家，是本公司的控股股东和主要发起人，其持股数量在报告期内未发生增减变动情况。

②持有公司5%（含5%）以上股份的股东未发生质押或冻结情况。

③前10名股东中，除西山煤电集团公司为本公司的发起人股东外，其他9家是在向法人配售时成为公司的战略投资者，持股期自股权登记日满12个月方可流通。

④本公司前10名股东间不存在关联关系。

四、股东大会简介

公司于2000年9月28日在山西省太原市西矿街319号西山宾馆南楼二层会议室召开了2000年度第一次临时股东大会，出席会议的股东及股东代表代表股份占公司总股本的64.36%，符合《公司法》及公司章程的规定。大会审议通过了：

1.《关于对公司章程部分条款进行修正的议案》；

2.《关于聘用会计师事务所的议案》；

3.《关于杜复新先生辞去公司董事的议案》；

4.《关于增补车树春等三人为公司董事的议案》。

股东大会决议公告于2000年9月29日刊登在《证券时报》上。

年度内，原公司董事杜复新辞去在本公司的职务，增补车树春、杨茂林、宁志华为公司董事。

五、董事会报告

（一）公司本年度经营情况

本公司主营业务是煤炭的生产、洗选加工、销售及发供电，属能源基础产业。目前公司的生产规模、技术水平、质量水平、销售额均处于国内同行业前列，是国内最大的炼焦煤生产基地。

2000年是公司发展史上具有里程碑意义的一年，在董事会的正确领导下，顺利地完成了发行上市工作，为企业调整产业产品结构，推动技术进步融得了发展资金，取得了直接融资渠道。

为了发展煤炭主营业务，按照募集资金用途要求，公司在2000年7月完成了对集团公司所属的西铭矿、太原选煤厂和矸石电厂的收购，使公司原煤生产能力增加到1090万t/年，原煤入洗能力达到1110万t/年，增加了7200万kWh/a的发电能力。

在激烈的市场竞争中，公司立足国内，积极开拓国际市场，通过管理创新和技术创新，调整产品结构，稳固市场占有率。2000年，公司所属矿厂全部完成ISO9002质量体系认证，并对所属洗煤厂的洗选环节进行技术改造，提高产品质量和精煤回收率，保证适销对路的产品生产。煤炭销售量587万t，其中，洗混煤471万t、较上年分别增长41.85%和34.57%；煤炭出口量76万t，比上年增长23%；实现销售收入125,659万元，较上年增长25.48%；实现利润25,510万元，较上年增长15%。

主营业务利润的构成情况类比表

产品	销售收入（元）	收入构成（%）	主营业务利润（元）	利润构成（%）
洗精煤	1,151,585,589.51	91.64	490,647,918.41	91.87
洗混煤	41,410,055.02	3.30	20,819,611.76	3.90
原煤	55,440,639.38	4.41	20,865,051.87	3.91
电力	8,151,441.39	0.65	1,732,838.75	0.32
合计	1,256,587,725.30	100.00	534,065,420.79	100.00

（二）公司财务状况

项目	2000年12月31日	1999年12月31日	增减幅度（%）	主要原因
资产总额	3,804,018,262.69	1,754,699,210.71	117	增资发行
应收款项净额	558,086,283.81	556,052,535.30	0.3	回购增加
存货净额	227,341,508.66	87,551,253.32	160	回购及产成品增加
长期投资净额				
固定资产净值	1,236,150,334.01	943,784,393.51	31	回购增加
长期负债	359,900,000.00	451,190,000.00	−20	转入流动负债
股东权益	2,795,546,519.23	780,131,369.77	258	股本溢价
主营业务利润	534,065,420.79	478,644,893.03	11.5	销量增加
净利润	193,677,549.46	177,668,860.43	9.01	销量增加

（三）公司投资情况

1. 募集资金使用情况

本公司于2000年7月14日完成向社会公众发行股票，募集资金到位后，公司按照招股说明书披露的项目进行资金的投人，没有项目变更的事项，各投资项目进展情况如下：

(1) 山西古交电厂一期工程项目。

山西古交电厂建设项目现由公司委托山西恩华能源有限公司进行筹建，报告期预付电厂工程款264,115,789.60元，电厂实际支出9,115,900.00元。

1998年8月原电力部规划设计总院对古交电厂可行性研究报告的审查意见确定古交电厂厂址为武家庄厂址。2000年11月，恩华公司与山西省电力设计院共同研究，将古交电厂厂址改在西山煤电集团公司现有的总仓库。厂址改移后可大大节省初期投资；可降低运营成本，降低上网电价；可减少新占用土地，发挥闲置资产的作用；可加快工程建设进度。

现在改址后需政府有关部门如城建规划、环保、土地、水利等出具的同意文件已全部取得。2001年1月8～10日，国家环保总局委托国家煤炭工业局在西山酒店主持召开《古交电厂环境影响报告书》技术审查会，并通过审查。2001年2月14～16日，由华北电管局主持审查厂址改移报告；争取3月份电力规划设计总院主持召开可研收口审查会，6月份可研报告批复；2001年6月开工，2003年12月第一台300MW机组投入运行。

(2) 收购集团公司“一矿两厂”项目。

公司按照招股说明书披露的募集资金用途和《资产收购协议》，以经北京中正评估公司中正评报字（1999）第0017号评估报告及中国地产评估咨询中心［99］中地资［总］字第147号土地估价报告评估并经财政部财评字（1999）656号文确认的评估报告结果为依据，于2000年7月31日收购了西山煤电（集团）有限责任公司西铭矿、太原选煤厂、矸石电厂，回购总资产554658万元，总负债14448万元，结算价款40,210.89万元，其中含土地使用权4,372.55万元，采矿权2,460.60万元。年末实现利润2598万元，与盈利预测3075万元相差477万元，主要原因是回购日期较预测期晚一个月，减利512万元。

（3）马兰矿采掘能力补套项目。

该项目总概算投资14000万元，2000年完成投资2250.73万元，其中完成井巷工程1271.3m，资金837.1万元，设备购置费1356.63万元，安装工程57万元。

2001年计划投资1亿元，完成补套项目，预计在三季度初步形成能力，年末新增生产能力150万t。

2. 其他投资情况

报告期内，公司利用募集资金使用上的时间差，将3.2亿元资金分批用于国债投资。

（四）政策法规影响

根据山西省人民政府晋政函［1999］101号文批准，本公司成立后享受先按33%计缴，后返还18%的优惠政策，实际税负为15%。根据财政部财税［2000］99号文规定，本公司继续享受所得税先征33%再返18%的政策，该政策执行到2001年12月31日止。公司本年度计提所得税79,940,163.55元，山西省财政厅通过集团公司返还本公司所得税22,878,789.19元，返还数冲减了当年所得税计提数，计入了本年利润。

（五）新年度的业务发展计划

2001年，国家继续实施积极的财政政策和稳健的货币政策，巩固和发展经济增长的良好形势。煤炭仍是国家重点调控的行业之一，总量调控、淘汰落后的关井压产政策，有助于大型煤炭企业的集约化生产。煤炭经济形势和运行质量总体上已开始出现转机，但煤炭供求矛盾依然突出，结构调整仍是煤炭经济运行的中心。在新的一年中，公司要致力于深化改革，加强管理，以科技创新、机制创新和市场开拓为动力，大力调整产品结构，增强企业的核心竞争力，实现生产规模化和效益的最大化。

（1）在生产技术上，以市场为导向，优化生产布局，推进高产高效建设，以洗选工艺环节的改造为重点，完善产品结构，适应多元化的市场需求。2001年计划投资1亿多元，完成马兰矿补套项目和洗煤厂重点工艺环节的技术改造，适应煤质条件的变化，实现公司清洁煤生产的目标。

（2）在经营管理上，继续完善公司各项经营管理制度，规范化运作。优化市场结构，建立与重点用户的战略合作关系，健全营销人员的激励机制，以稳定的产品质量，扩大市场占有率。实行全面预算管理和全员目标成本管理，推行会计委派制、采购招标制、营销员制，节支降耗，增强产品竞争力。培养资本运作人才，提高驾驭资本市场的素质和能力。

（3）以洁净煤技术开发为中心，增强技术创新能力。以洗煤、选煤、配煤及型煤加工技术开发为方向，生产低灰低硫的洁净煤；搞好电厂降尘脱硫技术的引进，把发电产业和高科技结合起来。

新年度的生产经营目标是原煤产量920万t，洗精煤产量611万t，商品煤销量861万t。

（六）董事会日常工作情况

1. 报告期内董事会的会议情况及决议内容

报告期内公司董事会共召开了二次会议，具体情况如下：

（1）第一次会议于2000年5月6日在公司会议室召开，会议审议通过了如下决议：

①《公司关于中国证监会证发反馈函［2000］50号文落实情况的复函》；

②同意杜复新先生辞去公司董事长的请求，并选举梁兴保先生为新任董事长；

③选举杜复新先生为公司副董事长。

（2）第二次会议于2000年8月23日在公司会议室召开，会议审议通过了如下决议：

①《公司2000年中期报告及其摘要》；

②《公司2000年中期利润分配及资本公积金转增股本方案》；

③《关于修改公司章程的议案》；

④《关于聘任山西晋元会计师事务所为公司财务审计机构的议案》；

⑤《关于杜复新先生辞去副董事长、董事的议案》；

⑥《关于车树春、杨茂林、宁志华等三人为董事会侯选人的议案》。

会议决议公告刊登在2000年8月26日的《证券时报》上。

2. 董事会对股东大会决议的执行情况

报告期内董事会严格执行股东大会通过的决议，圆满完成了各项任务：

（1）对公司章程部分条款进行了修正，并正式使用了新章程。

（2）正式聘用了山西天元会计师事务所为本公司财务审计机构。

（3）全面实现了各项经营指标，实现利润25509万元。

（七）公司管理层及员工情况

1. 董事、监事、高级管理人员

姓 名	性别	年龄	职 务	任 期	年度报酬（元）
梁兴保	男	60	董事长	1999.2～2002.2	32041.41
李 仪	男	52	副董事长	1999.2～2002.2	未在公司领取报酬
张惠钧	男	57	副董事长兼总经理	1999.2～2002.2	30925.90
史德明	男	59	董 事	1999.2～2002.2	未在公司领取报酬
王林文	男	56	董 事	1999.2～2002.2	未在公司领取报酬
孙炳章	男	49	董 事	1999.2～2002.2	未在公司领取报酬
车树春	男	50	董 事	2000.8～2002.5	未在公司领取报酬
杨茂林	男	43	董 事	2000.8～2002.5	未在公司领取报酬
宁志华	男	47	董事兼董事会秘书	1999.5～2002.5	20673.50
段锡三	男	54	监事会召集人	1999.5～2002.5	未在公司领取报酬
任钟煌	男	57	监 事	1999.5～2002.5	未在公司领取报酬
崔新华	男	58	监 事	1999.5～2002.5	未在公司领取报酬
张树茂	男	45	监 事	1999.5～2002.5	未在公司领取报酬
王建祥	男	53	监 事	1999.5～2002.5	未在公司领取报酬
亢龙田	男	46	监 事	1999.5～2002.5	36342.00
张进明	男	50	监 事	1999.5～2002.5	31718.60
汪潜峰	男	43	副总经理	1999.5～2002.5	23092.40
于长龙	男	36	副总经理	1999.5～2002.5	22137.13
李 群	男	44	财务负责人	1999.5～2002.5	22356.74

报告期内，公司董事，监事和高管人员均未持有本公司股票。

2. 董事、监事、高级管理人员变动情况

2000 年 5 月 6 日公司董事会第一次会议选举梁兴保先生为董事长，杜复新先生为副董事长，同意杜复新先生辞去公司董事长；2000 年 9 月 28 日公司股东大会增补车树春、杨茂林、宁志华 3 人为公司董事，杜复新先生因工作调动原因辞去公司董事、副董事长职务。

报告期内，公司无监事、高级管理人员离任，无聘任或解聘公司经理、董事会秘书。

3. 公司员工情况

截止 2000 年 12 月 31 日，公司职工总数 18963 人，其中管理人员 1596 人，占职工总数的 8.42%，生产人员 15872 人，占职工总数的 84.91%，技术人员 683 人，占职工总数的 3.6%，销售人员 136 人，财务人员 156 人，其他人员 520 人；退休人员 76 人；职工总数中具有高级职称的 158 人，具有中级职称的 633 人，初级职称的 1281 人，中专学历以上人员有 2937 人。

（八）本年度利润分配预案或公积金转增股本预案

1. 利润分配预案

经山西天元会计师事务所审计，本公司 2000 年度利润总额为255,095,319.82元，依法缴纳企业所得税 61,417,770.36 元，净利润为 193,677,549.46 元。依照我国《公司法》和本公司章程的规定，按净利润的 10%提取法定盈余公积金 19,367,754.95 元，按净利润 5%提取法定公益金 9,683,877.47 元，可供股东分配的净利润为 164,625,917.04 元。考虑到公司的上市时间仅 5 个月，2001 年上半年公司到期借款约 1.4 亿元，同时考虑对山西证券公司的参股，董事会建议本年度不进行利润分配，也不进行公积金转增股本。

以上预案需经股东大会审议通过后实施。

2. 2001 年利润分配政策

公司拟在 2001 年度中期进行一次利润分配；公司 2000 年度未分配利润用于股利分配的比例为 50%；分配采用派发现金的形式。

（九）其他报告事项

报告期内公司选定的信息披露报纸为《证券时报》，无变更情况。

六、监事会报告

本年度监事会于 2000 年 8 月 23 日召开了一次会议，会议审议通过了如下决议：

①《公司 2000 年中期报告及其摘要》；

②《公司 2000 年中期利润分配及资本公积金转增股本方案》；

③《关于修改公司章程的议案》;
④《关于聘任山西晋元会计师事务所为公司财务审计机构的议案》;
⑤《关于杜复新先生辞去副董事长、董事的议案》;
⑥《关于车树春、杨茂林、宁志华等三人为董事会侯选人的议案》。

在2000年度，监事会对公司、董事及高级管理人员等进行了有效监督。情况如下：

1. 公司依法运作情况

公司董事会和经理班子认真履行了《公司法》和《公司章程》赋予的责任和义务。公司决策符合程序，建立和完善了各项内部管理制度。未发现公司董事、经理违反法律、法规、公司章程或损害公司利益的行为。

2. 公司财务管理情况

山西天元会计师事务所出具的审计报告真实可靠，公司财务报告及审计意见真实反映了公司的财务状况和经营成果。

3. 公司最近一次募集资金实际投人项目和承诺项目一致。实际投资项目在2000年度内未发现变更。

4. 在关联交易中按合同或协议公平交易，没有损害公司利益的情况。

5. 2000年度山西天元会计师事务所对公司财务状况出具了无保留意见的审计报告。

七、重要事项

(一) 本年度公司无重大诉讼、仲裁事项。

(二) 报告期内公司、公司董事及高级管理人员无受监管部门处罚情况。

(三) 报告期内，公司无控股股东变更、董事会换届、总经理变更、董秘解聘的情况。

(四) 报告期内，公司完成了收购集团公司“一矿两厂”的募集资金投向。公司按照《资产收购协议》，以经北京中正评估公司中正评报字(1999)第0017号评估报告及中国地产评估资询中心[99]中地资[总]字第147号土地估价报告评估并经财政部财评字(1999) 656号文确认的评估报告结果为依据，于2000年7月31日收购了西山煤电(集团)有限责任公司西铭矿、太原选煤厂、矸石电厂，回购总资产554658万元，总负债14448万元，结算价款40,210.89万元，增加原煤生产能力240万t，原煤人洗能力300万t，发电能力7200万kWh，年末实现利润2598万元，占利润总额的10.2%。

(五) 重大关联交易事项

1. 关联方及关联关系

(1) 存在控制关系的关联方：

企业名称	注册地	主营业务	与本企业关系	经济性质	法定代表人
西山煤电(集团)有限责任公司	太原市西矿街319号	煤炭开采、加工、销售(精煤、焦煤及附产品)、发电供电等	母公司	国有	梁兴保

(2) 存在控制关系的关联方所持股份或权益及其变化：

企业名称	期初数		本期增加	期末数	
	金额	比例		金额	比例
西山煤电(集团)有限责任公司	509,530,000.00	97.99%		509,530,000.00	63.06%

2. 关联方交易定价方法

公司与关联方的交易遵循独立核算的原则和以市价为基础的公允原则，依据双方签定的《综合服务协议》、《土地使用权租赁协议》、《资产收购协议》以及其他相关协议进行公平交易和结算。

3. 关联方交易事项

(1) 根据《综合服务协议》，集团公司按市场价提供公司生产所需的部分辅助材料，按月结算，年度发生额8679万元，占当期购货额90%；向公司提供铁路专用线服务，年度支付专维费909万元，年末根据全年发运量和距离一次结清；按国家定价向公司提供电费代缴服务，按月结算，年度结算额5235万元。

以上服务是长期性的，在市场不发生大的变化的条件下，价格五年有效，年度适度调整。

(2) 按照招股说明书披露的募集资金投向要求，公司在2000年8月底完成了对集团公司所属的西铭矿，太原选煤厂和矸石电厂的收购。“一矿两厂”的净资产评估值经财政部财评字[1999] 656号文确认为40210.89万元，收购价格按净资产评估值确认。

收购集团公司“一矿两厂”后，公司中心选煤厂—太原选煤厂需要集团公司提供 一部分原料煤，本年度发生金额10293万元，占当期入洗煤的10.99%。

(3) 关联方往来款项。公司与集团公司之间的应付账款1350万元，占该科目的余额24.24%

(4) 其他关联交易。根据《综合服务协议》，股份公司承租集团公司综采设备，结算价格为成本加合理利润，年度结算价格为5041万元；根据《土地使用权租赁协议》，公司租赁使用集团公司土地使用权，公司土地租赁费总计1,173万元，分五年交清，1～4年每年年末支付集团公司240万元，第五年末支付集团公司213万元，年度支付土地租赁费240万。

(六) 公司与控股股东"三分开"情况

公司与控股股东实现了人员独立，资产完整、财务独立。

(1) 人员分开方面：公司在劳动、人事及工资管理等方面实行独立，经理、副经理董秘、财务负责人，监事中的亢龙田先生、张进明先生等高级管理人员在本公司领取报酬，未在控股单位担任重要职务。其他董事、监事因在控股股东和其他股东单位任职，故未在公司领取报酬。

(2) 资产完整方面：本公司拥有完整所生产系统、辅助生产系统和配套设施，其他工业产权、商标、非专利技术等无形资产为本公司所有。

(3) 财务分开方面：本公司设有独立的财务核算体系，具有规范、独立的财务会计制度和对分公司的财务管理制度；有独立的银行账户，不存在与控股股东共用同一银行账户的情况，本公司独立依法纳税。

(七) 公司聘任的审计单位山西晋元会计师事务所改名为山西天元会计师事务所有限公司。

(八) 报告期内公司的重大合同及其履行事项。

本公司于2000年9月10日与集团公司所属子公司山西恩华能源有限责任公司签订《古交电厂项目委托代建协议》，双方约定在未办理完公司受让集团公司所持恩华公司股权及恩华公司办理变更手续之前，继续委托山西恩华能源有限责任公司筹建古交电厂。公司本年度向山西恩华能源有限公司预付电厂建设款264,115,789.60元。截至2000年12月31日，电厂实际支出9,115,900.00元。

(九) 报告期内公司无对外担保事项。

(十) 报告期内公司名称、股票简称没有变更。

(十一) 报告期内公司公开披露的重大信息有：

2000年6月22日，在《中国证券报》、《证券时报》刊登《山西西山煤电股份有限公司招股意向书》和股票《发行公告》。2000年8月26日，在《证券时报》刊登《山西西山煤电股份有限公司2000年中期报告摘要》。2000年9月29日，在《证券时报》刊登《山西西山煤电股份有限公司2000年度第一次临时股东大会决议公告》。

八、财务会计报告（经审计）

审 计 报 告

(2000) 天元师股审字第　号

山西西山煤电股份有限公司全体股东：

我们接受委托，审计了贵公司2000年12月31日的资产负债表及2000年1～12月利润表及利润分配表和现金流量表。这些会计报表由贵公司负责，我们的责任是对这些会计报表发表审计意见。我们的审计是依据《中国注册会计师独立审计准则》进行的。在审计过程中，我们结合贵公司实际情况，实施了包括抽查会计记录等我们认为必要的审计程序。

我们认为，上述会计报表符合《企业会计准则》和《股份有限公司会计制度》的规定，在所有重大方面公允地反映了贵公司2000年12月31日的财务状况及2000年1～12月的经营成果和现金流量情况，会计处理方法的选用遵循了一贯性原则。

山西天元会计师事务所（有限公司）　　中国注册会计师　赵利新

中国·太原　　中国注册会计师　尹　巍

2001年3月2日

会计报表附注：

(一) 公司概况

山西西山煤电股份有限公司（以下简称本公司）是经山西省人民政府晋政函[1999]第12号文批准，由西山煤电（集团）有限责任公司、太原西山劳动服务公司、山西煤炭第二工程建设有限公司、太原杰森木业有限公司、太原佳美彩印包装有限公司等5家股东共同发起设立，于1999年4月26日注册成立的股份有限公司。各发起股东出资情况如下：

西山煤电（集团）有限责任公司投入其所属马兰矿、马兰选煤厂、西曲矿、西曲选煤厂、镇城底矿、镇城底选煤厂与煤炭生产、洗选、经营相关的资产净值 744,114,976.03 元，太原西山劳动服务公司投入货币资金 5,000,000.00元，山西煤炭第二工程建设公司投入货币资金 3,000,000.00 元、太原杰森木业有限公司投入货币资金 6,800,000.00 元、太原佳美彩印包装有限公司投入货币资金 500,000.00 元。西山煤电（集团）有限责任公司所投资产净值 744,114,976.03 元业经北京市中正评估公司评估，并经山西省国有资产管理局晋国资评管函字（1999）第 13 号文和财政部财评字（1999）第 129 号文确认。根据山西省国有资产管理局晋国资企字（1999）第 31 号文批准，上述各发起人投入资本均按 68.47%的比例折为股本，共计 520,000,000.00 股，每股面值 1 元，共计 520,000,000.00 元，余额 239,414,976.03 元计入资本公积。

经证监发行字［2000］81 号文批准，本公司于 2000 年 6 月 22 日～2000 年 7 月 14 日期间，采用向法人配售和向一般投资者上网发行相结合的方式发行人民币普通股（A 股）28,800 万，每股面值 1 元，溢价发行，每股发行价 6.49 元，其中向法人配售 17,280 万股，向一般投资者上网发行 11,520 万股。本公司股票于 2000 年 7 月 26 日在深圳交易所挂牌交易。

本公司注册资本：人民币 808,000,000.00 元。

本公司经营范围：煤炭生产、洗选加工、电力生产及销售；矿山开发及设计施工；矿用电力器材生产、经营。

（二）主要会计政策、会计估计和合并会计报表编制方法

1. 会计制度：

本公司执行《股份有限公司会计制度》。

2. 会计年度：

本公司采用公历年度，自每年 1 月 1 日起到 12 月 31 日止为一个会计年度。

3. 记账本位币：

本公司以人民币为记账本位币。

4. 记账原则和计价基础：

本公司以权责发生制为记账原则，以实际成本为计价基础。

5. 外币业务核算方法：

本公司的外币业务以业务发生当日市场汇率折合成记账本位币入账，期末将外币账户余额按当年 12 月 31 日市场汇率重新折合人民币进行调整，此数与原账面人民币差额计入当期财务费用。

6. 现金等价物的确认标准：

本公司持有的期限较短、流动性强、易于转换为已知金额的现金、价值变动风险很小的投资确认为现金等价物。

7. 坏账核算方法：

本公司采用备抵法核算坏账损失。坏账的确认标准：债务人破产或死亡，以其破产财产或遗产清偿后仍无法收回；或因债务人逾期未能履行偿债义务超过五年仍然不能收回的应收账款，经法定程序审核批准，可列为坏账损失。

本公司将应收款项（含应收账款及其他应收款）根据债务单位的财务状况、现金流量等情况按账龄分析法计提坏账准备并计入当年损益，坏账准备计提比例列示如下：

账　龄	计提比例（%）
1 年以内	1
1～2 年	5
2～3 年	10
3～5 年	50
5 年以上	100

8. 存货核算方法：

（1）本公司存货实行永续盘存制。包括材料采购、原材料、库存商品、低值易耗品等。

①原材料按计划成本核算，原材料实际成本与计划成本的差异，在材料成本差异科目核算，月末按分类差价分摊法计算材料成本差异率分摊材料成本差异，将计划成本调整为实际成本。

②库存商品入库按实际成本计价，发出采用加权平均法。

③低值易耗品的核算：发出或领用采用一次摊销法摊销。

(2) 期末存货按成本与市价孰低法计价，按单个存货成本低于可变现净值的差额提取存货跌价损失准备。

9. 短期投资核算方法：

短期投资按取得时的实际成本计价，按处置收入与短期投资账面价值的差额确认投资收益。

期末短期投资采用成本与市价孰低法计价，按短期投资成本与可变现净值的差额计提短期投资跌价准备。

10. 长期投资核算方法：

(1) 长期股权投资：长期股权投资按取得时的实际成本计价，对被投资单位具有控制、共同控制或重大影响的长期股权投资，采用权益法核算，并对拥有实际控制权的单位编制合并会计报表；股权投资差额按一定期限摊销，计入损益；对被投资单位无控制、共同控制或重大影响的长期股权投资，采用成本法核算。

(2) 长期债权投资：长期债权投资按取得时的实际成本计价，按权责发生制原则确认投资收益，长期债券投资溢价或折价在债券购入后至到期前的期间内摊销，与确认债券利息收入同时进行，并作为计提的应收利息的调整。

(3) 长期投资减值准备：按个别长期投资未来可收回金额低于账面价值的差额计提长期投资减值准备。

11. 固定资产的计价和折旧方法：

(1) 固定资产划分标准为单位价值 2,000 元以上，使用年限在一年以上。

(2) 折旧采用平均年限法分类计提，残值率为 3%。

(3) 根据财政部（89）财工字第 302 号文件规定，矿井建筑物按产量计提折旧，计提比例为 2.5 元/t。其他固定资产按工业企业财务制度规定的折旧年限，在本公司改制设立前，按实际成本计提折旧；本公司改制设立后，纳入评估范围的固定资产按重置价值计提折旧，新增固定资产按实际成本计提折旧。固定资产分类折旧率如下：

类 别	折旧年限	残值率（%）	折旧率（%）
房屋建筑物	10～45 年	3	2.16～9.70
专用设备	15 年	3	6.47
通用设备	8～28 年	3	3.46～12.13
运输设备	12 年	3	8.08
矿井建筑物	按产量吨煤提取 2.5 元计入折旧		

12. 在建工程核算方法：

在建工程按实际成本计价，竣工验收并交付使用后转为固定资产。为建造固定资产而发生的借款利息支出，在合理工期内予以资本化。

13. 无形资产计价和摊销方法：

无形资产按实际成本计价，按一定期限平均摊销。

14. 开办费、长期待摊费用摊销方法：

开办费、长期待摊费用按实际成本计价。开办费按不超过五年的期限摊销，长期待摊费用按一定期限平均摊销。

15. 收入确认原则：

商品销售：本公司将商品所有权上的重要风险和报酬转移给购货方；本公司不再对该产品实施继续管理权和实际控制权，相关的收入已经收到或取得了收款的证据，并且与销售该产品的成本能够可靠地计量时确认为营业收入的实现。

提供劳务：劳务已经提供，其经济利益能够流入本公司，并且与提供该劳务相关的成本能够可靠地计量时确认为营业收入的实现。

16. 所得税的会计处理方法：

所得税的会计处理采用应付税款法。

17. 合并会计报表的编制方法：

合并会计报表范围为本公司对其他单位占该投资单位资本总额 50%以上（含 50%）或虽然占该单位资本总额不足 50%，但具有实际控制权的，该单位列入合并范围。合并会计报表编制方法依据财政部［1995］11 号文《合并会计报表暂行规定》的有关要求确定。

（三）税项

1. 流转税及附加

(1) 增值税：按 17%（销售材料、转供水电）、13%（内销煤）、零税率（出口煤）的税率计缴。

(2) 营业税：按服务收入的 5%计缴。

(3) 资源税：按煤炭销售量或移送量以 0.80 元/t 比例计缴。

（4）城市维护建设税：按缴纳增值税、营业税的7%计缴。

（5）教育费附加：按缴纳增值税、营业税的3%计缴。

2. 房产税、土地使用税、印花税、固定资产投资方向调节税按国家税法规定缴纳。

3. 所得税：本公司成立前执行33%的所得税税率，根据山西省人民政府晋政函［1999］101号文批准，本公司成立后享受先按33%计缴，后返还18%的优惠政策，实际税负为15%。根据财政部财税［2000］99号文规定，本公司继续享受所得税先征33%再返18%的政策，该政策执行到2001年12月31日止。

（四）控股子公司及合营企业

本公司无控股子公司及合营企业。

（五）会计报表主要项目注释

1. 货币资金

项　目	1999年12月31日	2000年12月31日
现　金	46,242.91	60.505.75
银行存款	45,517,339.98	981,494,673.91
合　计	45,563,582.89	981,555,179.66

货币资金本期增加较大，主要系公司于2000年6月22日至7月14日间向社会公开发行人民币普通股所募集的资金尚未全部使用所致。

2. 短期投资

项　目	1999年12月31日		2000年12月31日			
	投资金额	跌价准备	投资金额	报表日市价	市价总额	跌价准备
995国债			20,097,200.00	99.85	19,970,000.00	127,200.00
998国债			149,902,800.00	99.94	149,203,424.20	699,375.80
20国债4			150,000,000.00	101.71	148,984,808.00	1,015,192.00
合　计			320,000,000.00		318,158,232.20	1,841,767.80

2000年10～12月，本公司将部分募集资金的闲置资金分批用于国债投资系依据2000年7月6日本公司公布的《招股说明书》第六章募集资金的运用中所述："由于资金到位与投资项目资金运用的时间差而产生的闲置资金，本公司将根据自身的实际情况，本着安全、有效的原则，进行如国债等国家政策允许的投资"和2000年度第一次临时股东大会决议"董事会运用公司资产对外投资，所需资金不得超过公司资产百分之十"。

市价资料来源：《证券之星》HTTP：//WWW.STOCKSTAR.COM提供的2000年12月29日收盘价。

3. 应收票据

出票人	出票日	到期日	金　额	备　注
铜山县泰裕农机公司	2000.8.1	2001.2.1	700,000.00	银行承兑
深圳市赛格三星股份有限公司	2000.9.28	2001.3.28	980,000.00	银行承兑
济南钢铁集团总公司	2000.11.22	2001.5.22	1,000,000.00	银行承兑
鞍山钢铁集团公司供销公司	2000.12.21	2001.6.20	1,000,000.00	银行承兑
石家庄焦化厂	2000.9.22	2001.2.28	2,000,000.00	银行承兑
石家庄焦化厂	2000.10.30	2001.4.26	2,000,000.00	银行承兑
包头钢铁集团公司原料公司	2000.11.18	2001.6.7	2,000,000.00	银行承兑
江苏省燃料公司	2000.10.31	2001.4.28	3,000,000.00	银行承兑
山东大强实业集团总公司	2000.11.28	2001.5.28	4,000,000.00	银行承兑
济南大强燃料有限公司	2000.9.25	2001.3.23	5,000,000.00	银行承兑
鞍山钢铁集团公司供销公司	2000.12.21	2001.6.20	7,560,000.00	银行承兑
鞍钢供销公司原燃料处	2000.11.30	2001.5.29	10,000,000.00	银行承兑
鞍钢供销公司原燃料处	2000.11.30	2001.5.29	10,000,000.00	银行承兑
鞍钢供销公司原燃料处	2000.11.30	2001.5.30	10,000,000.00	银行承兑
南海市华创化工有限公司	2000.10.24	2001.1.23	254,600.00	银行承兑
深圳市石化塑料集团株洲塑胶公司	2000.9.26	2001.1.26	250,000.00	银行承兑

南海市华创化工有限公司	2000.10.24	2001.1.23	300,000.00	银行承兑
深圳石化塑胶集团株州塑胶有限公司	2000.10.27	2001.3.30	400,000.00	银行承兑
深圳石化塑胶集团株州塑胶有限公司	2000.10.27	2001.5.29	450,000.00	银行承兑
深圳石化化工建材有限公司	2000.10.23	2001.4.29	50,000.00	银行承兑
深圳石化化工建材有限公司	2000.10.23	2001.5.29	50,000.00	银行承兑
深圳石化塑胶集团株州塑胶有限公司	2000.10.27	2001.4.30	400,000.00	银行承兑
鞍山钢铁集团公司供销公司	2000.12.21	2001.6.20	600,000.00	银行承兑
山东海化股份有限公司	2000.10.11	2001.5.11	1,000,000.00	银行承兑
深圳石化化工建材有限公司	2000.10.23	2000.12.29	399,600.00	银行承兑
合　计		63,394,200.00		

4.应收账款

(1)账龄分析

项　目	1999年12月31日 金　额	比　例	坏账准备	2000年12月31日 金　额	比　例	坏账准备
1年以内	543,800,004.67	99.83%	5,438,000.05	523,922,390.66	97.14%	5,239,223.91
1～2年	952,884.77	0.17%	47,644.24	15,404,415.89	2.86%	770,220.79
合　计	544,752,889.44	100.00%	5,485,644.29	539.326,806.55	100.00%	6,009,444.70

(2)本账户无应收持公司5%以上股份的股东单位欠款。

(3)本账户欠款前五名单位明细如下：

单位名称	金　额	欠款原因
包钢(集团)公司原料处	112,249,177.22	资金紧张
太原晋太实业(集团)有限公司	52,882,684.43	资金紧张
本溪钢铁原料处	37,992,313.42	资金紧张
鞍山钢铁集团公司原料处	32,864,634.58	资金紧张
大连东北交通物资有限公司	21,101,644.15	资金紧张
合　计	257,090,453.80	

5.其他应收款

(1)账龄分析

项　目	1999年12月31日 金　额	比　例	坏账准备	2000年12月31日 金　额	比　例	坏账准备
1年以内	15,741,088.57	90.78%	157.410.89	22,274,228.95	84.81%	222,742.29
1～2年	676,038.55	3.90%	33,801.93	617,240.10	2.35%	30,862.01
2～3年	245,384.79	1.42%	24,538.48	1,453,288.41	5.53%	145,328.84
3～5年	677,059.06	3.90%	338,529.52	1,646,195.28	6.27%	823,097.64
5年以上				273,721.79	1.04%	273,721.79
合计	17,339,570.97	100.00%	554,280.82	26,264,674.53	100.00%	1,495,752.57

(2) 本账户中无应收持公司5%以上股份的股东单位欠款。

(3) 本账户中欠款金额前5名单位明细如下：

债　务　人	金　额
马兰选煤厂多经公司	5,280,693.59
镇城底矿建安公司	2,864,041.86
太原矿机集团公司	2,800,000.00
任保林	434,919.00

太原恒昌五金厂	402,849.95
合　计	11,782,502.40

其他应收款本期增加较大，主要系公司上市后收购集团公司所属西铭矿、太原选煤厂、矸石电厂（以下简称一矿二厂）生产经营性资产所组入的其他应收款项。

6. 预付账款

（1）账龄分析

账　龄	1999年12月31日 金　额	比例(%)	2000年12月31日 金　额	比例(%)
1年以内	4,474,938.28	99.76	31,145,896.93	98.61
1～2年	10,985.62	0.24	435,690.37	1.38
2～3年			2,402.80	0.01
合　计	4,485,923.90	100.00	31,583,990.10	100.00

（2）本账户中大额欠款单位明细如下

单位名称	金　额
北京铁路局太原铁路分局	29,543,427.22
太原河西亚泰实业公司	340,130.46
古交乙炔气厂	146,693.44
合　计	30,030,251.12

（3）本账户余额中无预付持公司5%以上股份的股东单位款项。

（4）本账户本年变化较大，主要系本年年末发运量较大，未结算的运费增加所致。

7. 应收补贴款

项　目	1999年12月31日	2000年12月31日
出口退税	18,737,303.91	7,875,306.66
应收所得税返还	29,300,872.92	
合　计	48,038,176.83	7,875,306.66

根据税法有关规定，公司出口煤炭所交增值税实行先征后返，出口退税余额7,875,306.66元系公司本期期末应收出口煤炭所支付的增值税销项税税金。

8. 存货

项　目	1999年12月31日 金　额	跌价准备	2000年12月31日 金　额	跌价准备
材料采购	5,985,237.58		6,108,420.97	
原材料	56,415,682.04		89,237,895.77	
材料成本差异	25,150,333.70		3,107,385.93	
产成品			128,412,894.93	419,711.64
委托加工材料			894,622.70	
合　计	87,551,253.32		227,761,220.30	419,711.64

公司期末对存货进行了清查，除产成品外，其他存货项目不存在可变现净值低于成本的风险，产成品可变现净值的确认依据是：以期末市场售价作为市价，以市价作为可变现净值。

9.固定资产及累计折旧

类　别	期初数	本期增加	本期减少	期末数
固定资产原值				
房屋建筑物	392,139,041.21	151,443,086.20		543,582,127.41
通用设备	313,823,510.77	138,542,203.23	3,030,151.26	449,335,562.74
专用设备	473,436,706.60	278,444,316.78	40,689,240.17	711,191,783.21

运输设备	42,543,243.53	16,525,798.96	1,536,845.00	57,532,197.49
矿井建筑物	519,070,482.98	82,821,829.03		601,892,312.01
合　计	1,741,012,985.09	667,777,234.20	45,256,236.43	2,363,533,982.86
累计折旧				
房屋建筑物	128,963,748.08	69,788,749.67		198,752,497.75
通用设备	142,821,124.07	68,270,888.12		211,092,012.19
专用设备	310,088,777.84	172,211,849.60	26,103,420.69	456,197,206.75
运输设备	25,688,848.39	9,363,711.65	1,477,858.97	33,574,701.07
矿井建筑物	189,666,093.20	38,101,137.89		227,767,231.09
合　计	797,228,591.58	357,736,336.93	27,581,279.66	1,127,383,648.85
固定资产净值	943,784,393.51			1,236,150,334.01

本账户本期增加较大，主要系上市后收购集团公司一矿二厂生产经营性资产所组入的固定资产。

本期在建工程转固金额为 32,280,434.84 元。

10.在建工程

工程名称	期初数	本期增加	本期转入固定资产数	其他减少数	期末数	资金来源
马兰矿南五采区大巷		12,932,698.22			12,932,698.22	募股资金
维简及井巷工程	6,407,397.10	26,357,895.74	25,397,617.39	59,779.00	7,307,896.45	其他
缓冲仓	2,783,212.00				2,783,212.00	其他
压分机房改造	3,384,636.50	189,701.00	3,512,356.50		61,981.00	其他
过滤机改造	31,566.00	361.00			31,927.00	其他
浮选机改造	312,528.00				312,528.00	其他
排矸系统改造	1,655,927.70	109,239.00			1,765,166.70	其他
$3^{\#}$卸坑改造	457,594.00				457,594.00	其他
南翼风井供电线路	379,414.00				379,414.00	其他
北三暗斜井	1,743,525.00				1,743,525.00	其他
北三轨道上山		1,258,854.00	1,258,854.00			其他
北一$8^{\#}$回风轨轨道皮带下山		663,518.00	663,518.00			其他
漏泄通讯系统改造		570,000.00	570,000.00			其他
北三采区煤仓		583,675.00			583,675.00	其他
201 皮带改造		4,837,304.31			4,837,304.31	其他
加压系统改造安装		850,000.00			850,000.00	其他
东风井扇风机安装		250,000.00	250,000.00			其他
广场锅炉脱硫除尘		453,252.95	453,252.95			其他
1018 大巷铺轨		3,141,046.03			3,141,046.03	其他
下广场场区设施		3,228,969.56			3,228,969.56	其他
架线电机车改造		642,684.78			642,684.78	其他
$2^{\#}$齿轨巷		499,775.08			499,775.08	其他
沉灰池轨道加垮		523,464.00		340,239.00	183,225.00	其他
冀家沟风机房改造		708,772.51			708,772.51	其他
北三至北五		421,819.02			421,819.02	其他
井下洒水消防管路		407,088.78			407,088.78	其他
1018 抗滑桩		1,548,626.15			1,548,626.15	其他
1018 车场封闭		447,321.28			447,321.28	其他

古交电厂		264,115,789.60			264,115,789.60	募股资金
其他零星工程	597,544.66	247,479.88	174,836.00		670,188.54	其　他
合　计	17,753,344.96	324,989,335.89	32,280,434.84	400,018.00	310,062,228.01	

注:在建工程期末数中无利息资本化金额。

本期在建工程增加较大的原因:

(1)本公司于 2000 年 9 月 10 日与集团公司所属子公司山西恩华能源有限责任公司签订《古交电厂项目委托代建协议》,委托山西恩华能源有限责任公司筹建古交电厂,根据山西恩华能源有限责任公司提供的数据,截至 2000 年 12 月 31 日,电厂实际支出 9,115,900.00 元。在建工程期末比期初增加较大的主要原因是预付给山西恩华能源有限责任公司的电厂工程款。

(2) 本公司上市后收购集团公司一矿二厂生产经营性资产所组入的在建工程。

11. 无形资产

类　别	原始金额	期初数	本期增加	本期转出	本期摊销	期末数	剩余摊销年限
西铭矿采矿权	24,606,060.00		24,606,060.00		341,750.00	24,264,310.00	29.42 年
土地使用权	43,725,500.00		43,725,500.00		364,397.15	43,361,102.85	49.42 年
排矸山场地使用权	2,185,586.73		2,185,586.73			2,185,586.73	10 年
合　计	70,517,146.73		70,517,146.73		706,147.15	69,810,999.58	

本账户本期增加较大系本公司上市后收购集团公司一矿二厂相关的土地使用权及西铭矿采矿权。本公司已办理该采矿权主体的变更登记手续,土地使用权的主体变更手续正在办理之中。

12. 短期借款

借款类别	1999 年 12 月 31 日	2000 年 12 月 31 日
信用借款	77,230,000.00	92,200,000.00
担保借款		25,000,000.00
合　计	77,230,000.00	117,200,000.00

注:短期借款中无逾期贷款。

13. 应付票据

(1) 本账户期末余额为 1,533,633.91 元。

(2) 本账户余额中无应付持公司 5%以上股份的股东款项。

14. 应付账款

(1) 本账户期末余额为 55,698,381.24 元。

(2) 本账户余额中应付持本公司 5%以上股份的股东款项详见附注七。

(3) 本账户余额变化较大,主要系与供应商及时结算所致。

15. 预收账款

(1) 本账户期末余额 82,517,912.93 元。

(2) 本账户余额中无应付持本公司 5%以上股份的股东款项。

16. 应付股利

单　位	期初数	本期增加	本期减少	期末数
西山煤电(集团)有限责任公司	115,033,300.62		115,033,300.62	
太原西山劳动服务公司	774,793.13		774,793.13	
山西煤炭第二工程建设有限公司	457,832.30		457,832.30	
太原杰森木业有限公司	1,056,536.08		1,056,536.08	
太原佳美彩印包装有限公司	70,435.74		70,435.74	
合　计	117,392,897.87		117,392,897.87	

17. 应交税金

项目	1999年12月31日	2000年12月31日
增值税	4,760,298.97	
所得税	53,718,267.01	42,352,112.71
城建税	552,207.35	233,840.46
资源税	3,237,140.93	5,629,267.93
营业税	34,639.77	4,176.50
房产税	371,835.55	1,077,505.95
土地使用税		(212,451.07)
合计	62,674,389.58	49,084,452.48

18. 其他应交款

项目	1999年12月31日	2000年12月31日
教育费附加	2,010,945.99	2,314,367.25
矿产资源补偿费		
合计	2,010,945.99	2,314,367.25

19. 其他应付款

(1) 本账户期末余额125,647,480.32元。

(2) 本账户余额中无应付持本公司5%以上股份的股东款项。

(3) 本账户余额较上年增加较大主要系。

20. 一年内到期的长期借款

借款类别	1999年12月31日	2000年12月31日
信用借款		151,320,000.00
抵押借款		
担保借款		
合计		151,320,000.00

21. 长期借款

贷款单位	金额	起止日期	年利率(%)	借款条件
工行西山支行	20,000,000.00	2000.09.14—2002.08.10	5.91	信用
工行西山支行	20,000,000.00	2000.09.13—2002.08.15	5.94	信用
工行西山支行	24,000,000.00	1999.09.29—2003.03.25	6.33	担保
工行西山支行	21,800,000.00	1999.12.14—2002.12.10	6.12	信用
工行西山支行	25,000,000.00	1999.12.14—2002.12.10	7.11	信用
工行西山支行	10,000,000.00	2000.08.4—2002.08.05	6.12	信用
工行西山支行	10,000,000.00	1999.11.30—2002.01.15	5.85	信用
中国信达资产管理公司太原办事处	229,100,000.00	1996.02.02—2010.10.30	4.68	信用
合计	359,900,000.00			

22. 股本

项目	期初数	本期增减变动						期末数
		配股	送股	公积金转股	增发	其他	小计	
一、尚未流通股份	520,000,000.00							520,000,000.00
1.发起人股份	520,000,000.00							520,000.000.00

续表

项　　目	期初数	本期增减变动						期末数
		配股	送股	公积金转股	增　发	其他	小计	
其中：								
国家拥有股份								
境内法人持有股份	520,000,000.00							520,000,000.00
境外法人持有股份								
战略投资者持有股份					172,800,000.00			172,800,000.00
一般法人持有股份								
其　他								
2.募集法人股								
3.内部职工股股份								
4.优先股或其他								
尚未流通股份合计	520,00,000.00				172,800,000.00			692,800,000.00
二、已上市流通股份								
1.境内上市人民币普通股					115,200,000.00			115,200,000.00
2.境内上市的外资股								
3.境外上市的外资股								
4.其　他								
已上市流通股份合计					115,200,000.00			115,200,000.00
三、股份总数	520,000,000.00				288,000,000.00			808,000,000.00

经证监发行字［2000］81号文批准，本公司于2000年6月22日至2000年7月14日期间，采用向法人配售和向一般投资者上网发行相结合的方式发行人民币普通股（A股）28,800万，其中向法人配售17,280万股，向一般投资者上网发行11,520万股。7月26日该种股票上市流通。

上述股本业经山西晋元会计师事务所（2000）晋元师股验字第9号和（2000）晋元师股验字第10号验资报告验证。

23. 资本公积

项　　目	期初数	本期增加	本期减少	期末数
股本溢价	239,414,976.03	1,533,737,600.00		1,773,152,576.03
接收捐赠资产准备				
住房周转金转入				
资产评估增值准备				
股权投资准备				
被投资单位接受捐赠准备				
被投资单位评估增值准备				

续表

项　目	期初数	本期增加	本期减少	期末数
被投资单位股权投资准备				
被投资单位外币折算差额				
其他资本公积转入				
合　计	239,414,976.03	1,533,737,600.00		1,773,152,576.03

经证监发行字[2000]81号文批准，本公司于2000年6月22日至2000年7月14日期间，采用向法人配售和向一般投资者上网发行相结合的方式发行人民币普通股(A股)28,800万，每股面值1元，溢价发行，每股发行价6.49元。发行溢价1,533,737,600.00元计入资本公积。

24. 盈余公积

项　目	期初数	本期增加	本期减少	期末数
法定盈余公积	13,810,929.16	19,367,754.95		33,178,684.11
法定公益金	6,905,464.58	9,683,877.47		16,589,342.05
任意盈余公积				
合　计	20,716,393.74	29,051,632.42		49,768.026.16

25. 未分配利润

期初数	0.00
本期增加(本期净利润转入)	193,677,549.46
减:提取盈余公积	19,367,754.95
其中:公益金	9,683,877.47
转作股本的普通股股利	
期末数	164,625,917.04

根据利润分配预案，本年度按税后利润10%提取法定盈余公积，5%提取法定公益金，不分配，不转增。

26. 其他业务利润

项　目	其他业务收入	其他业务成本	其他业务利润
外购煤炭	21,263,731.68	13,937,311.24	7,326,420.44
材料销售	6,420,227.22	6,008,426.92	411,800.30
转供电	1,271,791.44	990,341.63	281,449.81
洗矸销售	1,473,810.68	0.00	1,473,810.68
固定资产出租	1,793,877.76	89,693.89	1,704,183.87
专维费	13,983,112.44	9,273,941.86	4,709,170.58
装调车费	243,630.00	3,167.20	240,462.80
自备车管理费	333,044.51	35,024.00	298,020.51
合　计	46,783,225.73	30,337,906.74	16,445,318.99

本期其他业务利润增加的主要原因：

(1) 外购煤销量增加，收入增加。

(2) 煤炭运销量增加，专维费收入增加。

27. 财务费用

项　目	2000年1～12月	1999年1～12月
利息支出	35,296,497.58	31,988,474.12
减:利息收入	5,859,793.61	2,365,118.08

手续支出	35,126.85	29,628.73
合　计	29,471,830.82	29,652,984.77

28. 投资收益

项　目	2000年1～12月	1999年1～12月
债权投资跌价准备	－1,841,767.80	

29. 营业外收入

项　目	2000年1～12月	1999年1～12月
申购资金利息收入	5,898,748.42	
罚没收入	46,785.90	66,395.70
其　他		3,680.22
合　计	5,947,522.32	70,075.92

30. 营业外支出

项　目	2000年1～12月	1999年1～12月
捐赠支出	24,000.00	14,000.00
固定资产清理净损失	58,986.03	189,247.00
赔罚款	384,170.93	232,241.62
其　他	133,450.00	89,126.61
合　计	600,606.96	524,615.23

31. 所得税

根据山西省人民政府晋政函［1999］101号文批准，本公司成立后享受先按33%计缴，后返还18%的优惠政策，实际税负为15%。根据财政部财税［2000］99号文规定，本公司继续享受所得税先征33%再返18%的政策，该政策执行到2001年12月31日止。公司本年度计提所得税79,940,163.55元，山西省财政厅通过集团公司返还本公司所得税22,878,789.19元，返还数冲减了当年所得税计提数，计入了本年利润。

32. 支付的其他与经营活动有关的现金

2000年度支付的其他与经营活动有关的现金为183,803,570.74元，主要支出列示如下：

项　目	金　额
销售费用	155,749,573.51
办公费	5,925,629.30
差旅费	3,661,649.13
运输费	2,455,118.59
保险费	1,555,307.97
合　计	169,347,278.50

(六)关联方关系及其交易

1.关联方及关联关系

(1)存在控制关系的关联方：

企业名称	注册地	主营业务	与本企业关系	经济性质	法定代表人
西山煤电(集团)有限责任公司	太原市西矿街319号	煤炭开采、加工、销售(精煤、焦煤及附产品)、发电供电等	母公司	国有	梁兴保

(2)存在控制关系的关联方的注册资本及其变化：

企业名称	期初数	本期增加	本期减少	期末数
西山煤电(集团)有限责任公司	1,174,390,000.00	912,040,000.00		2,086,430,000.00

(3)存在控制关系的关联方所持股份或权益及其变化：

企业名称	期初数		本期增加	期末数	
	金额	比例(%)		金额	比例(%)
西山煤电(集团)有限责任公司	509,530,000.00	97.99		509,530,000.00	63.06

(4)不存在控制关系的关联方关系的性质

企业名称	与本企业的关系
太原西山劳动服务公司	发起股东
山西煤炭第二工程建设有限公司	发起股东
太原杰森木业有限公司	发起股东
太原佳美彩印包装有限公司	发起股东
山西恩华能源有限责任公司	受同一母公司控制

2.关联方交易事项

(1)关联方交易定价方法：公司与关联方的交易遵循独立核算的原则和以市价为基础的公允原则，依据双方签定的《综合服务协议》、《土地使用权租赁协议》、《资产收购协议》、《港口煤代管协议》、《古交电厂代建协议》以及其他相关协议进行公平交易和结算。

①主要交易事项：

a.本公司向集团公司租赁土地及综高采设备。

b.集团公司向本公司提供铁路专用线服务、电费代缴服务、生产辅助材料供应、入洗原料煤以及港口煤代发服务。

②结算方式：土地租赁费总计1,173万元，分五年交清，1～4年每年年末支付集团公司240万元，第5年年末支付集团公司213万元；材料费、电费、租赁费、港口煤费用根据实际发生额按月结算，专维费每年年末根据全年发运量和距离一次结清。

③付款条件：集团公司按质按量提供公司所需物资、服务后付款。

(2) 关联交易情况：

采购货物：

(单位：人民币万元)

供货单位	货物名称	2000年1～12月	1999年1～12月
西山煤电(集团)有限责任公司	材　料	14,978	10,017
占当期购货额(%)	材　料	90	90
西山煤电(集团)有限责任公司	入洗原料煤	10,293	
占当期入洗煤(%)	入洗原料煤	10.99	

其他主要交易事项：

①根据《综合服务协议》，集团公司按国家定价向股份公司提供转供电服务，2000年1～12月结算价格为5,253万元，1999年1～12月结算价格为4,150万元。

②根据《综合服务协议》，股份公司承租集团公司综采设备，结算价格为成本加合理利润，2000年1～12月结算价格为5,041万元，1999年1～12月结算价格为5,082万元。

③根据《土地使用权租赁协议》，股份公司租赁使用集团公司土地使用权，2000年1～12月支付土地租赁费240万元。

④根据《综合服务协议》，集团公司向股份公司提供铁路专用线服务，股份公司2000年1～12月支付专维费909万元。

⑤根据本公司招股说明书披露的募集资金的用途，本公司与山西恩华能源股份有限公司签订《古交电厂项目代建协议》，股份公司本年向山西恩华能源股份有限公司预付电厂建设款264,115,789.60元。

⑥根据本公司招股说明书披露的募集资金的用途和《资产收购协议》，以经北京中正评估公司中正评报字(1999)第0017号评估报告及中国地产评估咨询中心[99]中地资[总]字第147号土地估价报告评估并经财政部财评字(1999)656号文确认的评估报告结果为依据，本公司于2000年7月31日收购了西山煤电(集团)有限责任公司西铭矿、太原选煤厂、矸石电厂，结算价款40,210.89万元，其中含土地使用权4,372.55万元，采

矿权 2,460.60 万元。

⑦为节省开支，本公司与集团公司签订《港口煤代发协议》，根据该协议股份公司港口煤由集团公司代为发运和管理。

(3) 关联方往来余额：

(单位：人民币万元)

科目	2000 年 12 月 31 日		1999 年 12 月 31 日	
	金额	占该科目余额(%)	金额	占该科目余额(%)
应付账款				
西山煤电集团有限责任公司	1,350	24.24	1,324	14.74

(七) 或有事项及承诺事项

本公司无重大或有事项及承诺事项。

(八) 承诺事项

截至报告期末，本公司无重大承诺事项。

(九) 资产负债表日后事项中的非调整事项

本公司无重大资产负债表日后事项。

(十) 其他重要事项

截至报告期末，本公司无其他重要事项。

九、公司的其他有关资料

1. 公司首次注册日期：1999 年 4 月 26 日
   注册地点：山西省太原市西矿街 319 号
   公司最新登记注册日期：2000 年 7 月 14 日
   注册地点：山西省太原市西矿街 319 号
2. 企业法人营业执照注册号：1400001007428-1
3. 税务登记号码：14010471367651 0
4. 公司未流通股票的托管机构的名称：深圳证券登记结算有限公司
5. 公司报告期内主承销商名称：广发证券有限责任公司
6. 公司聘请的会计师事务所名称：山西天元会计师事务所有限公司
   办公地址：中国山西太原市水西门街 67 号国税大楼 21 层

十、备查文件目录

1. 载有董事长亲笔签名的年度报告文本；
2. 载有法定代表人、主管会计工作负责人、会计机构负责人签名并盖章的会计报表；
3. 载有会计事务所盖章、注册会计师亲笔签字并盖章的审计报告正本；
4. 报告期内在中国证监会指定报刊上公开披露的所有公司文件的正本及公告原稿；
5. 山西西山煤电股份有限公司章程

上述备查文件备置于公司董秘处供投资者及有关部门查阅。

山西西山煤电股份有限公司董事会

2001 年 3 月 2 日

郑州煤电股份有限公司

郑州煤电股份有限公司财务报表

代码：600121　名称：郑州煤电

资产负债表　　　　单位：万元

项目＼年度	2001－06－30	1999－06－30	1998－12－31
流动资产合计	66206.586502	50840.5324	45064.24675
其中：存货	4301.409761	3838.5793	3582.60269
长期投资合计	2208.017579	0	0
固定资产合计	101290.041983	89433.4103	83293.72643
无形及其他资产	0	6682.9155	6963.16331
资产总计	169704.646064	146956.8582	135321.1365
流动负债合计	44087.218703	16344.8022	13979.03652
长期负债合计	5690	21174.6444	20976.93343
股　本	81000	45000	30000
资本公积	22371.871682	40176.261	46176.261
盈余公积	10880.355116	5437.7811	5437.78111
未分配利润	5675.200563	18823.3695	18751.12444
净资产	119927.427361	109437.4116	100365.16655

利润分配表　　　　单位：万元

项目＼年度	2001－06－30	1999－06－30	1998－12－31	1995－12－31
主营业务收入净额	0	23324.0103	41100.52513	31756.4033
主营业务利润	9121.087019	11315.7004	19319.02874	
其他业务利润	69.022383	5.879	55.93145	56.3395
营业利润	5356.312343	9037.2399	15228.39116	
投资收益	－87.982421	0	0	0
利润总额	5335.788119	9072.2451	20365.00531	
净利润	4535.419901	9072.2451	15294.64013	
未分配利润	5675.200563	18823.3695	18751.12444	

现金流量表 单位：万元

项目 \ 年度	2001—06—30	1999—06—30	1998—12—31
销售商品、提供劳务收到的现金	26904.474178	8554.005	34144.74761
收到其他与经营活动有关的现金	0	211.8051	494.04098
经营活动现金流入小计	27404.474178	9714.1076	38634.8633
购买商品、接受劳务支付的现金	10791.871312	2793.9887	17418.26174
支付其他与经营活动有关的现金	0	1167.1526	125.56322
经营活动现金流出小计	17253.210099	9802.5896	26584.73075
经营活动产生的现金流量净额	10151.264079	—88.482	12050.13255
收回投资所收到的现金	0	0	0
投资活动现金流入小计	0	0	712.33745
购建固定资产、无形资产等支付的现金	2294.053643	2245.6277	37544.38884
权益性投资所支付的现金	0	0	0
投资活动现金流出小计	2294.053643	2245.6277	37544.38884
投资活动产生的现金流量净额	—2294.053643	—2245.6277	—36832.05139
吸收权益性投资所收到的现金	0	0	0
借款所收到的现金	0	300	0
筹资活动现金流入小计	0	300	0
偿还债务所支付的现金	0	0	2355.8
分配股利或利润所支付的现金	2025	0	3000
筹资活动现金流出小计	2025	0	5837.16109
筹资活动产生的现金流量净额	—2025	300	—5837.16109
现金及现金等价物净增加额	5832.210436	—2034.1097	—30619.07993

郑州煤电股份有限公司2000年年度报告摘要

重要提示：

本公司董事会保证本报告所载资料不存在任何虚假记载、误导性陈述或者重大遗漏，并对其内容的真实性、准确性和完整性负个别及连带责任。本年度报告摘要摘自年度报告，投资者欲了解详细内容，应阅读年度报告。

一、公司简介中文名称：郑州煤电股份有限公司

英文名称及缩写：ZHENGZHOU COAL INDUSTRY & ELECTRIC POWER CO., LTD. (ZCE)

法定代表人：李国安
董事会秘书：付胜龙
联系地址：郑州市二七区大学路 30 号
电话：(0371) 6950227 或 13603982629
传真：(0371) 6982668
电子信箱：E-mail：ZZCE@public2.zz.ha.cn
证券事务代表：张玉东
联系地址：郑州市二七区大学路 30 号
电话：(0371) 9782652
传呼：198-37122859
电子信箱：E-mail：ZZCE@public2.zz.ha.cn
注册地址：郑州市二七区大学路 30 号
办公地址：郑州市二七区大学路 30 号
邮政编码：450052
互联网址：http：//www.zzce.com.cn
信息披露报纸：《上海证券报》、《中国证券报》。
登载年报的中国证监会指定国际互联网网址：http：/www.sse.com.cn
年度报告置备地点：郑州市大学路 30 号公司董事会办公室
股票上市交易所：上海证券交易所
股票简称：郑州煤电
股票代码：600121

二、会计数据和业务数据摘要

1. 本年度利润情况（单元：元）
利润总额：117863451.03
净利润：117863451.03
扣除非经常性损益后的净利润：118189913.87
主营业务利润：181915796.30
其他业务利润：2519700.14
营业利润：118229913.87
营业外收支净额：－326462.84
经营活动产生的现金流量净额：41934531.76
现金及现金等价物净增加额：－90674271.94
投资收益：－40000
注：扣除的非经常性项目和涉及金额。
①营业外收入：1495529.52
②营业外支出：1821992.36

2. 公司前三年主要会计数据及财务指标

项　目	2000 年	1999 年	1998 年
主营业务收入（万元）	45883.94	47927.88	41100.53
净利润（万元）	11786.35	17981.05	14997.89
总资产（万元）	177793.61	159778.29	132766.61
股东权益（万元）	125553.04	115791.69	97810.64
每股收益（摊薄、元）	0.1455	0.3996	0.4999
（加权、元）	0.1455	0.464	
每股净资产（元）	1.55	2.57	3.26
调整后的每股净资产（元）	1.548	2.53	3.23
每股经营活动产生的现金流量净额（元）	0.052	0.505	0.417
净资产收益率（%）	9.39	15.53	15.33
加权平均净资产收益率（%）	9.69		
扣除非经常性损益后的净资产收益率（%）	9.71		

报告期利润	净资产收益率		每股收益	
	全面摊薄	加权平均	全面摊薄	加权平均
主营业务利润	14.49%	14.95%	0.2246	0.2246
营业利润	9.42%	9.71%	0.1460	0.1460
净利润	9.39%	9.69%	0.1455	0.1455
扣除非经常性损益后净利润	9.41%	9.71%	0.1459	0.1459

三、股东情况介绍

1. 报告期末股东总数截止 2000 年 12 月 31 日，公司股东总数为 6495 户。

2. 持有本公司 5%（含 5%）以上股份的股东是郑州煤炭工业（集团）有限责任公司，期初持股数量为 33000 万股，年末持股数量为 59400 万股，所持股份全部为国有法人股。报告期内无质押或冻结的情况。

公司前 10 名股东持股情况：

股东名称	持股数量（股）	股份性质	比例（%）
郑煤集团公司	594000000	国有法人股	73.33%
宋春玲	3871501	社会公众股	0.478%
张　静	1705868	社会公众股	0.21%
李博华	1686204	社会公众股	0.208%
宋　巍	1591621	社会公众股	0.196%
姚　斌	1545944	社会公众股	0.19%
吕　庄	1411900	社会公众股	0.174%
刘　文	1371353	社会公众股	0.169%
叶　进	1358251	社会公众股	0.168%
赵　明	1349501	社会公众股	0.167%

注：

a. 公司前 10 名股东之间不存在关联交易。

b. 无战略投资者或一般法人因配售新股成为前十名股东的情况。

3. 持有 10%（含 10%）以上的法人股东年末持股 10%（含 10%）以上的法人股东为本公司的发起人郑州煤炭工业（集团）有限责任公司，该公司的法定代表人为李国安先生，公司注册资本为 10 亿元人民币，为国家大型一类企业，国家二级企业。其经营范围是：煤炭生产、矿井建设、铁路运输、发电及输变电、冶炼、水泥及耐火材料、机械制造、设备安装、普通机械。

4. 报告期内公司的控股股东没有发生变化。

四、股东大会简介

报告期内共召开一次年度股东大会。经公司一届十次董事会讨论决定，公司 1999 年度股东大会于 2000 年 3 月 24 日召开。通过的决议刊登于 2000 年 3 月 25 日的《上海证券报》和《中国证券报》上。

五、董事会报告

（一）公司经营情况

1. 公司所处行业

公司所处煤炭与电力两大行业，是以生产和销售煤炭、发电及输变电为主的综合型能源企业。

2. 公司主营业务的范围及其经营情况

公司主营为煤炭生产及销售、发电及输变电。

2000 年公司进一步深化内部改革、完善管理体制、加强市场开拓、着力拓宽投资领域，同时千方百计加快前次募集资金投资项目的工程进度，以进一步扩大公司主导产品规模，促进了公司健康发展。报告期内，公司完成煤炭产量 384 万 t，发电量 3.60 亿 kW·h，实现主营业务收入 458839432.18 元，实现净利润 117863451.03 元，比去年同期减少的主要原因是煤炭售价比去年同期下降。

本公司主要产品为煤炭和电力，煤炭为中灰(14%)、低硫(0.4%)、高发热量(25MJ/kg)的无烟煤和贫煤，是优质的工业动力煤；公司拥有的东风电厂为资源综合利用项目的坑口电厂，电厂使用的燃料为公司及附近各煤矿的生产废料煤矸石和劣质煤，具有成本低、高环保等优点。主要输送范围在郑州矿区，部分上网，不参加调峰。

3. 在经营中出现的问题与困难及解决方案

2000年，国内外煤炭需求总量仍处于相对稳定的状况，煤炭产品整体供大于求的局面还没有得到彻底改变，公司的煤炭销售受到一定的影响。同时，煤炭销售价格下降，销售货款回收难，造成的资金短缺困扰了公司的生产经营工作。

针对上述不利因素，公司主要采取了以下措施：

(1) 根据市场需求，调整产品结构，提高无烟煤的产量和销售力度，提高了公司煤炭产品的市场竞争力。

(2) 加强质量管理。健全质保体系，进一步巩固和扩大公司煤炭产品的良好的市场信誉。

(3) 全面加强技术革新力度，大力进行技术攻关。研究推广应用的综合开天窗一次采全高技术，在提高采煤工作效率的同时，也进一步提高了公司的技术含量和综合竞争实力。

(4) 强化市场营销，加大资金回笼力度。

(5) 加强企业基础管理，向管理严、细、精要效益。公司通过深化内部劳动用工分配制度的改革，充分调动了广大员工的生产积极性和工作主动权，增强了公司的凝聚力；通过继续完善公司内部的各项管理制度，加强了对财务管理等项制度的改革，进一步降低了成本费用，最大化发挥了资金的效用。

(6) 加强对国家宏观经济形势的研究和市场分析，继续提高管理人员特别是公司高级管理人员的素质和决策能力，增加公司的应变能力。

(二) 公司财务状况

1. 公司的财务状况及经营情况

项　目	2000年	1999年	增减幅度（%）
资产总额	1777936064.29	1597782889.75	11.28
长期负债	59600106.82	204655108.90	－70.88
股东权益	1255530365.82	1157916914.79	8.43
主营收入	458839432.18	479278821.00	－4.26
主营业务利润	181915796.30	230186014.50	－20.97
净利润	117863451.03	179810524.09	－34.45

说明：资产总额及股东权益增加是由于本年度实现利润11786.35万元所致；主营业收入、主营业务利润及净利润的减少，主要原因是本年度煤炭销售价格下降所致。

2. 公司的财务会计报表经北京兴华会计师事务所有限责任公司审计，出具了无保留意见的审计报告。

(三) 公司投资情况

1. 报告期内，公司没有募集资金，前次募集资金时承诺投资项目与实际投资项目没有发生变化。报告期内实际投资情况为：(单位：元)

承诺项目	募集资金投入			自筹资金投入	合　计
	2000年	1999年	1998年		
收购建设告成矿井	0	100000.00	311900000.00	165463277.02	477463277.02
东风电厂二期扩建	5518995.12	24188045.08	83492959.80	45953283.38	159153283.38
合　计	5518995.12	24288045.08	395392959.80	211416560.40	636616560.40

注：公司前次募集资金已按规定投入承诺项目，项目之一的告成矿经中华人民共和国审计署驻郑州特派员办事处郑特审决投［1999］16号审计，已于2000年12月份转入固定资产并投入生产。东风电厂目前正处于设备安装调试阶段。

2. 报告期内，公司非募集资金的投资情况

经公司一届八次董事会审议通过：决定与北京化工大学共同出资设立高新技术产业公司。报告期内经过详细的市场调查，根据项目的资金需求情况，双方先期注册成立了北京裕华创新科技发展有限公司。本公司先期投入300万元，占公司注册资本的80%。

经公司一届十一次董事会审议通过：同意公司与国家信息中心、中社网信息产业有限公司、北京邦盛有限公司、北京中科投资管理有限公司、北京金同兴业投资管理有限公司共同作为发起人，在北京设立中社网盟信息技术有限公司。本公司对中社网信息技术有限公司的出资额为2000万元人民币，占该公司注册资本的20%（其他股东：中社网信息产业有限公司占20%，国家信息中心占15%，北京邦盛投资有限公司占15%，北京中科投资有限公司占15%，北京金同兴投资管理有限公司占15%）。

上述两项投资，因新设立公司处于刚刚成立的创业时期，故此本年度没有投资收益。

(四) 生产经营环境和宏观政策对公司财务状况的影响。

报告期内，国家对煤炭行业继续实行“控制总量、调整结构、提高效益”的宏观调控政策，规范煤炭经营秩序，为公司公平参与市场竞争创造了良好的外部经营环境。国家出台的一系列宏观政策已见成效，国内煤炭价格出现了恢复性上涨。特别是从今年第3季度开始，煤炭价格止跌回升，对公司的生产经营产生了有利的影响。

（五）新年度的业务发展计划。

2001年公司工作指导思想是：按照中国证监会对上市公司“法制、监管、自律、规范”的总体要求，内抓管理，外树形象，进一步完善公司运作，巩固公司稳定的局面，在稳定中发展，在改革中创新，逐步调整产业结构，提高企业科技含量；加强领导班子和职工队伍建设，完善各项管理制度，不断提高经营管理水平，树立郑州煤电新形象。

为保证经营目标的实现，公司将重点采取以下措施：

1. 新年度公司将在新技术开发、信息管理领域加大力度，建立信息网络系统，及时掌握国家政策和市场变化，提高公司的应变能力。

2. 加强对公司投资项目的监督和管理工作，尽早取得收益，进一步寻求具有发展潜力的投资项目，不断培育公司新的利润增长点，给投资者更好的回报。

3. 加强公司内部管理，进一步规范公司运作。在现有基础上不断研究新情况、新问题，在实践中充实、完善财务、人事、工资等各项管理制度。

4. 做好公司配股申报工作。

5. 加大债权回收力度。利用各种渠道，力争在较短时间内收回欠款。

（六）董事会日常工作情况

1. 报告期内董事会的会议情况及决议内容报告期内本公司董事会共举行了四次会议。

（1）2000年2月21日，公司召开一届十次董事会，一致通过了：

①1999年度报告及年报摘要；

②董事会1999年度工作报告；

③总经理1999年度业务工作报告；

④公司1999年度财务决算及2000年度财务预算报告；

⑤公司1999年度利润分配预案；

⑥公司2000年配股预案；

⑦配股募集资金运用的可行性报告；

⑧审议通过了前次募集资金使用及效益的情况说明；

⑨关于建立各项资产减值准备计提和核销办法的报告；

⑩决定召开公司1999年度股东大会。

以上事项刊登于2000年2月22日的《中国证券报》、《上海证券报》。

（2）2000年6月14日，公司召开一届十一次董事会；一致通过了关于同意作为发起人设立中社网信息技术有限公司的决议。

该决议刊登于2000年6月17日的《中国证券报》、《上海证券报》。

（3）2000年8月10日，公司召开一届十二次董事会，一致通过了：

①公司2000年中期报告及报告摘要；

②公司2000年中期不进行利润分配，同时也不进行资本公积金转增股本的议案；

③同意李恩东先生因工作变动原因辞去分司董事职务的请求，并推举陈建生先生为董事候选人，提请下次股东大会决议。

以上事项刊登于2000年8月12日的《中国证券报》、《上海证券报》。

（4）2000年12月15日，公司召开一届十三次董事会，一致通过了：

①关于修改公司章程部分条款的议案；

②关于公司董事会换届的议案；推举李国安先生、陈建生先生、苏万里先生、张金贵先生、袁清伟先生、张玉东先生、郭矿生先生、杨松君先生、陈复兴先生、王志勤先生、崔书平先生为本公司第二届董事会董事候选人。

以上事项刊登于2000年12月16日的《中国证券报》、《上海证券报》。

2. 董事会对股东大会决议的执行情况报告期内董事会较好地执行了股东大会决议，对股东大会通过的每10股送4股，另用资本公积金转增4股的年度利润分配方案，董事会及时通过上海证券交易所交易系统于2000年5月23日实施完毕。

（七）公司管理层及员工情况

公司现任董事、监事、高级管理人员

姓名	性别	年龄	职务	任期起止日期	年初持股	年末持股
李国安	男	56	董事长	2001.1—2004.1	4500	8100
陈建生	男	44	董事	2001.1—2004.1	0	0
苏万里	男	55	董事	2001.1—2004.1	4500	8100
张金贵	男	51	董事	2001.1—2004.1	0	0
袁清伟	男	44	董事	2001.1—2004.1	4500	8100
张玉东	男	48	董事	2001.1—2004.1	4500	8100
郭矿生	男	41	董事 总经理	2001.1—2004.1	4500	8100
杨松君	男	39	董事	2001.1—2004.1	4500	8100
陈复兴	男	57	董事	2001.1—2004.1	0	0
王志勤	男	47	董事 副总经理	2001.1—2004.1	4500	8100
崔书平	男	42	董事	2001.1—2004.1	0	0
李振江	男	58	监事会主席	2001.1—2004.1	4500	8100
李绍明	男	53	监事	2001.1—2004.1	0	0
石银秀	男	52	监事	2001.1—2004.1	4500	8100
禹海盈	男	52	监事	2001.1—2004.1	4500	8100
焦方保	男	46	监事	2001.1—2004.1	0	0
赵同山	男	55	监事	2001.1—2004.1	0	0
张胜金	男	38	监事	2001.1—2004.1	0	0
卫国华	男	58	监事	2001.1—2004.1	0	0
高实现	男	54	监事	2001.1—2004.1	0	0
赵　康	男	37	副总经理	2001.1—2004.1	0	0
薛渊博	男	33	副总经理	2001.1—2004.1	4500	8460
许杏枝	女	52	总会计师	2001.1—2004.1	7500	13500
白财富	男	38	总经济师	2001.1—2004.1	3000	5400
付胜龙	男	36	董事会秘书	2001.1—2004.1	0	0

注：

①公司高级管理人员全部在公司领取报酬，执行煤炭行业岗位技能工资和公司岗位津贴标准，年度报酬在12000元到18000元之间。除此之外，公司没有额外支付其他报酬。

②公司董事、监事、高级管理人员持股数量增加的原因均为公司实施1999年度的利润分配方案及公积金转增股本方案和个人购买股票所致。

③报告期内，公司董事李恩东先生因工作变动辞去公司董事职务，已获公司一届十二次董事会审议通过，并推举陈建生先生为董事候选人。

④报告期内公司总经理、董事会秘书没有发生变化。

（八）本次利润分配预案或资本公积金转增股本预案

1. 利润分配预案

经北京兴华会计师事务所审计，公司2000年度共实现净利润117863451.03元，在分别提取10%的法定公积金和10%的法定公益金后，剩余可供股东分配利润为94290760.83元，加上实施1999年度利润分配方案后的未分配利润40923443.83元，累计可供股东分配利润为135214204.66元。

经公司董事会二届二次会议讨论，提议以公司2000年度总股本810000000股为基数，向全体股东每10股派送0.25元现金红利（含税）。未分配利润余额114964204.66元结转下年度，不再进行公积金转增股本。

上述利润分配预案尚需提请公司股东大会审议批准。

2. 预计公司2001年度利润分配政策

(1) 公司2001年度拟进行一次利润分配；

(2)公司2001年度实现净利润在提取10%法定公积金、10%公益金和任意盈余公积金后用于股利分配的比例为15%左右；

(3) 公司2000年度未分配利润用于2001年度股利分配的比例为15%左右；

(4) 分配将主要采取派发现金形式，其中现金股息占股利分配的比例不低于50%；

(5) 上述2001年利润分配政策为预计方案，公司董事会保留根据公司实际情况对该政策进行调整的权力。

(九) 其他报告事项公司选定的信息披露报纸没有发生变化，仍为《中国证券报》、《上海证券报》。

六、监事会报告

(一) 监事会工作情况监事会本着对全体股东负责的精神，根据《公司法》和公司章程的规定，认真履行职责，积极开展工作，有效地维护了广大股东的权益。报告期内，公司监事列席了各次董事会会议，参加了股东大会，监事会独立召开了四次会议。

1. 2000年2月21日一届七次监事会会议在本公司召开。会议审议了公司监事会1999年度工作报告、董事会1999年度工作报告、总经理1999年度工作报告、公司1999年年度报告及报告摘要、公司1999年度财务决算及2000年度财务预算报告、公司1999年度利润分配预案、公司2000年度配股预案、公司前次募集资金使用及效益情况的说明、公司关于建立各项资产减值准备和核销内部控制制度的报告，形成了会议决议，并于2000年2月23日在《中国证券报》、《上海证券报》同时公告。

2. 2000年6月14日一届八次监事会会议在本公司召开。会议通报了中国证监会济南证券监管办公室和郑州特派员办事处对公司监事会巡回检查的情况，研究制定了公司监事会关于进一步规范运作的意见，审议了公司一届十一次董事会会议决议，传达了上海证券交易所“关于签署董事、监事声明与承诺书”的通知，签署了《监事声明与承诺书》，形成了会议决议。

3. 2000年8月10日一届九次监事会会议在本公司召开。会议审议了公司2000年中期报告及报告摘要，形成了会议决议，并于2000年8月12日在《中国证券报》、《上海证券报》同时公告。

4. 2000年12月15日一届十次监事会会议在本公司召开。会议一致推举李振江先生、李绍明先生、石银秀先生、禹海盈先生、焦方保先生、赵同山先生为公司第二届监事会股东代表监事候选人，形成了会议决议，并于2000年12月16日在《中国证券报》、《上海证券报》同时公告。

(二) 监事会对公司依法运作情况的意见

1. 报告期内，公司严格按照国家法律、法规、公司章程的规定，实行规范运作，公司决策程序合法，已建立了完善的内部控制制度，未发现公司董事、经理在执行公司职务时有违反法律、法规、公司章程或损害公司利益的行为。

2. 北京兴华会计师事务所对公司2000年年度报告出具了无保留意见的审计报告，监事会表示赞同，认为财务报告真实、客观、准确地反映了公司的财务状况和经营成果。

3. 公司募集资金实际投人项目与招股说明书承诺投人项目完全一致。

4. 报告期内，公司关联交易公平，按照市场原则进行，没有损害公司利益和非关联股东利益。

七、重要事项

(一) 报告期内公司重大诉讼，仲裁事项

报告期内公司无重大诉讼、仲裁事项。

(二) 报告期内公司董事及高级管理人员没有受监管部门处罚的情况。

(三) 报告期内公司控股股东没有变化，没有进行董事会的换届选举及改举；公司总经理及董事会秘书均未变动。

(四) 报告期内本公司无收购、出售资产及吸收合并事项。

(五) 重大关联交易事项

1. 本公司煤炭产品的销售主要依靠国家铁路运输对外销售。因受国家铁路运输计划的影响，本公司暂无独立的外运煤炭销售系统。同时，公司下属的东风电厂生产的电力主要售予郑煤集团公司，上述提供服务和电力销售属于关联交易，在铁路运输计划暂时尚不能单独下达给股份公司时，该关系业经双方按国家规定，本着公平、公正的原则，签订了《综合服务协议》予以确定。郑煤集团公司保证在自己拥有铁路运输计划额度内，满足本公司年生产能力80%的运销需求；保证有偿供应本公司所需的用水、用电需求；本公司售给郑煤集团公司的电力按物价、电力部门的人网价格计算。交易内容的款项结算按实际发生额每半个月或1个月结算一次。虽然本公司与郑煤集团公司之间关联交易标的额较大，但由于合同的签订是本着公平的原则，所以对公司利润并无直接太大的影响。

2. 本公司向关联交易方销售产品情况如下：

关联方名称	销售产品项目	数量	金额（元）
郑州煤炭工业（集团）有限责任公司	煤　炭	147万t	190428283.49
	电　力	17342万度	33476911.08

上述购销关系均属正常的经营活动，对本公司未产生不公允影响。

3．报告期内，本公司及持股5%以上股东未在指定报纸和网站上披露承诺事项。

（六）本公司与控股股东的“三分开”情况

1．在人员方面，公司在劳动、人事工资管理等方面完全独立。公司经理、副经理及高级管理人员均在本公司领取报酬，未在控股股东单位领取报酬和担任重要职务。

2．在资产方面，本公司拥有独立的生产体系，辅助生产系统和配套设施。工业产权、商标、非专利技术等无形资产均由本公司拥有；公司拥有独立的采煤系统，煤炭的外运暂时委托控股股东代为销售。

3．在财务方面，本公司设有独立的财务部门并建立了独立的会计核算系统和财务管理制度，并在银行独立开户。

（七）报告期内本公司没有对外发生托管、承包、租赁其他公司资产或其他托管、承包、租赁上市公司资产的事项。

（八）本年度继续聘请北京兴华会计师事务所有限责任公司为本公司的会计师事务所。

（九）报告期内，公司无重大担保项目。

（十）报告期内，公司未更改公司名称及股票简称。

八、财务会计报告

1．审计报告

审计报告（2001）

京会兴字48号

郑州煤电股份有限公司全体股东：

我们接受委托，审计了贵公司2000年12月31日的资产负债表及2000年度的利润表和2000年度的现金流量表。这些会计报表由贵公司负责，我们的责任是对这些会计报表发表审计意见。我们的审计是根据《中国注册会计师独立审计准则》进行的。在审计过程中，我们结合贵公司的实际情况，实施了包括抽查会计记录等我们认为必要的审计程序。

我们认为，上述会计报表符合《企业会计准则》和《股份有限公司会计制度》的有关规定，在所有重大方面公允地反映了贵公司2000年12月31日的财务状况及2000年度经营成果及2000年度的现金流动情况，会计处理方法的选用遵循了一贯性原则。

北京兴华会计师事务所有限责任公司　　注册会计师：吴亦忻

地址：阜成门外大街2号万通新世界广场708室　　注册会计师：王全洲

2001年2月16日

2．会计报表

3．公司本年度会计报表合并范围没有发生变化，会计政策也没有发生变化。

九、公司其他有关资料

1．公司变更登记日：2000年10月24日

企业法人营业执照注册号码为豫工商企：4100001003835

2．税务登记号码：410183170011386

3．公司聘请的会计师事务所为：北京兴华会计师事务所有限责任公司

办公地址为：北京市阜成门外大街2号万通新世界广场708室

4．公司未流通股票国有法人股的托管机构为上海证券中央登记结算公司。

5．期后事项

（1）公司于2001年1月16日召开2001年度第一次临时股东大会，出席会议股东及股东授权代表共12人，持有和代表公司股份594094860股，占公司总股本810000000亿股的73.35%，会议经审议形成如下决议：

①审议通过了选举李国安等11位先生为本公司第二届董事会董事的议案。

②审议通过了选举李振江等6位先生为本公司第二届监事会股东代表监事的议案。另外3位职工代表监事张胜金、卫国华、高实现已于2001年1月12日由公司职工代表大会选举产生，他们和上述6名股东代表监事共同组成本公司第二届监事会。

该决议公告刊登于2001年1月17日的《上海证券报》和《中国证券报》上。

(2)公司于2001年1月16日召开第二届董事会第一次会议,会议应到董事11人,实到11人。形成如下决议:

①一致选举李国安先生为第二届董事会董事长;

②根据董事长李国安提名,公司董事会聘任郭矿生先生为总经理;

③根据董事长李国安提名,公司董事会聘任付胜龙先生为第二届董事会秘书;

④根据总经理郭矿生先生提名,公司董事会聘赵康先生、薛渊博先生、王志勤先生为副总经理,聘任许杏枝女士为总会计师,聘任白财富先生为总经济师。

此决议公告刊登于2001年1月17日的《上海证券报》和《中国证券报》上。

(3)公司于2001年1月16日召开第二届监事会第一次会议,会议应到监事9人,实到9人,形成如下决议:一致推举李振江先生为公司第二届监事会主席,根据监事会主席提名,聘任史永安先生为公司第二届监事会秘书。

此决议公告刊登于2001年1月17日的《上海证券报》和《中国证券报》上。

十、备查文件

1. 载有法定代表人、总会计师、会计主管人员亲笔签名并盖章的财务报表;
2. 载有会计师事务所盖章,注册会计师签名并盖章的审计报告正本;
3. 报告期内在《中国证券报》、《上海证券报》上公开披露过的所有公司文件的正本及公告原稿;
4. 公司章程。

郑州煤电股份有限公司

2001年2月20日

河南神火煤电股份有限公司

河南神火煤电股份有限公司财务报表

代码:000933　名称:神火股份

资产负债表

单位:万元

项目 \ 年度	2001—06—30	2000—12—31	2000—06—30	1999—12—31	1999—06—30
流动资产合计	28910.63661	38939.872875	35119.988835	36785.1036	15505.865
其中:存货	4445.662747	3904.036465	4542.087607	5462.1212	5079.9512
长期投资合计	1563.029794	1488.24776	200.822415	2.4	87.4
固定资产合计	74553.179915	67058.319037	69438.339659	65981.3524	42592.8298
无形及其他资产	0	1495.277244	1815.532229	511.4132	694.6255
资产总计	105026.846319	108981.716916	106574.683138	103280.2692	58880.7205
流动负债合计	22407.000122	25387.624946	16952.125995	19762.6251	15778.5464
长期负债合计	4057.3	4068.027678	6741.769018	6513	20641.5
股　本	22868	22868	22868	22868	15868
资本公积	46473.584359	46473.584359	46473.584359	46473.5844	2303.5843
盈余公积	3775.827118	2899.751984	1465.053111	1465.0531	371.2872
未分配利润	5388.753718	7284.727949	12074.150655	6198.0067	3917.8025
净资产	78506.165195	79526.064292	82880.788125	77004.6441	22460.6741

利润分配表

单位：万元

年度 项目	2001—06—30	2000—12—31	2000—06—30	1999—12—31	1999—06—30
主营业务收入净额	31058.119786	53885.711966	27136.769224	46234.9897	21794.8405
主营业务利润	11542.935582	17350.382079	9673.037337	16861.4827	7941.4786
其他业务利润	368.273316	1578.963753	598.115076	195.5103	157.8583
营业利润	8154.843608	11311.657225	7049.928211	9605.7113	4618.7005
投资收益	322.337223	780.185303	308.103	420	0
利润总额	8465.48885	11827.404175	8303.565015	11165.2846	5438.8317
净利润	6148.851167	9564.659154	5876.143988	7748.9406	3917.8025
未分配利润	5388.753718	7284.727949	12074.150655	6198.0067	

现金流量表

单位：万元

年度 项目	2001—06—30	2000—12—31	2000—06—30	1999—12—31	1998—12—31
销售商品、提供劳务收到的现金	33174.951467	60726.245225	25290.265107	44382.2561	22290.8676
收到其他与经营活动有关的现金	0	3824.281964	1241.784557	1224.9595	698.0111
经营活动现金流入小计	38257.02733	66196.319576	27763.663698	51648.8047	22988.8786
购买商品、接受劳务支付的现金	19208.966567	31579.521031	12754.708287	19950.6793	9210.3914
支付其他与经营活动有关的现金	6810.363576	3982.395827	788.502123	2275.8657	1218.7408
经营活动现金流出小计	31035.277696	56551.964089	22479.023635	45704.9143	15812.4272
经营活动产生的现金流量净额	7221.749634	9644.35548699999	5284.640063	5853.8904	7176.4515
收回投资所收到的现金	6260	0	0	0	20
投资活动现金流入小计	6592.88	899.526212	1.95571	432.8	24.2
购建固定资产、无形资产等支付的现金	6612.15244	4119.63815	1572.991856	27414.4033	4087.078
权益性投资所支付的现金	0	1420	0	5000	0
投资活动现金流出小计	6612.15244	7739.63815	3802.991856	38079.4033	4087.078
投资活动产生的现金流量净额	—19.27244	—6840.111938	—3801.036146	—37646.6033	—4062.878
吸收权益性投资所收到的现金	0	0	0	51416.25	0
借款所收到的现金	0	3000	0	0	0

续表

项目 \ 年度	2001—06—30	2000—12—31	2000—06—30	1999—12—31	1998—12—31
筹资活动现金流入小计	0	3000	0	51746.1379	200
偿还债务所支付的现金	4900.148096	2414.510865	10	13290.8687	0
分配股利或利润所支付的现金	3781.546164	0	0	0	2850
筹资活动现金流出小计	8692.89426	2507.861471	20.424513	13906.1086	3059.5
筹资活动产生的现金流量净额	—8692.89426	492.138529	—20.424513	37840.0294	—3059.5
现金及现金等价物净增加额	—1490.417066	3296.38207799999	1463.179404	6047.3165	54.0735

河南神火煤电股份有限公司2000年年度报告摘要

重要提示：

本公司董事会保证本报告所载资料不存在任何虚假记载、误导性陈述或者重大遗漏，并对其内容的真实性、准确性和完整性负个别及连带责任。本年度报告摘要摘自年度报告，投资者欲了解详细情况，应阅读年度报告。

一、公司简介

1. 公司法定中文名称：河南神火煤电股份有限公司
   公司法定英文名称：HENAN SHEN HUO COAL INDUSTRY AND ELECTRICITY POWER CO. LTD
2. 公司法定代表人：李志经
3. 公司董事会秘书：王培顺
   证券事务代表：李孟臻
   联系地址：河南省永城市新城区光明路
   电话：0370—5114822 5114055
   传真：0370—5114822
4. 公司注册地址：河南省永城市新城区光明路
   公司办公地址：河南省永城市新城区光明路
   邮政编码：476600
5. 公司年度报告备置地点：公司董事会秘书办
   公司指定信息披露报纸：《中国证券报》、《证券时报》
   登载公司年度报告的中国证监会指定国际互联网网址：http：//www. cninfo. com. cn
6. 公司股票上市交易所：深圳证券交易所
   股票简称：神火股分
   证券代码：0933

二、会计数据和业务数据摘要

1. 2000年度公司实现利润总额118274041.75元，净利润95646591.54元，扣除非经常性损益后的净利润87634858.57元；其中主营业务利润173503820.79元，其他业务利润15789637.53元，投资收益7801853.03元，营业外收支净额—2644383.53元，经营活动产生的现金流量净额96443554.87元，现金及现金等价物净增加额32963820.78元。（注：扣除非经常性损益投资收益7801853.03元；无法支付款项719.98元；捐赠支出110200.00元；处理固定资产损失98959.96元）

2. 主要会计数据和财务指标

单位：人民币元

指标项目	2000年	1999年	1998年（调整后）	1998年（调整前）
(1) 主营业务收入	538857119.66	462349897.42	412915734.28	412915734.28
(2) 净利润	95646591.54	77489405.99	58737824.93	63309505.5
(3) 总资产	1089817169.16	1032802692.21	560319600.34	564891280.91
(4) 股东权益	795260642.92	770046441.37	211603668.52	216175349.09
(5) 每股净资产	3.478	3.367	1.334	1.362
(6) 调整后的每股净资产	3.474	3.345		
(7) 每股经营活动产生的现金流量净额	0.424	0.46		
(8) 每股收益	0.418	0.339	0.370	0.399
(9) 加权平均每股收益	0.418	0.413	0.370	0.399
(10) 净资产收益率	12.03	10.06	27.76	29.3

3. 根据中国证监会《公开发行证券公司信息披露编报规则第9号》计算的净资产收益率和每股收益：

报告期利润	净资产收益率（%）		每股收益（元/股）	
	全面摊薄	加权平均	全面摊薄	加权平均
主营业务利润	21.82	21.21	0.7587	0.7587
营业利润	14.22	13.83	0.4947	0.4947
净利润	12.03	11.69	0.4183	0.4183
扣除非经常性损益后的净利润	11.02	10.72	0.3832	0.3832

三、股本变动及股东情况

(一) 股本变动情况

报告期内公司股本无有增减变动。

公司股份变动情况表

数量单位：万股

	本次变动前	本次变动增减（+、-）						本次变动后
		配股	送股	公积金转股	增发	其他	小计	
1. 未上市流通股份	15868							15868
(1) 发起人股份								
其中：								
国家持有股份								
境内法人持有股份	15868							15868
境外法人持有股份								
其　他								
(2) 募集法人股份								
(3) 内部职工股份								
(4) 优先股或其他								
其中：转配股								
未上市流通股份合计	15868							15868
2. 已上市流通股份	7000							7000
(1) 人民币普通股	7000							7000
(2) 境内上市的外资股								
(3) 境外上市的外资股								

其　他		
已上市流通股份合计		
3. 股份总数	22868	22868

（二）股东情况介绍

报告期末股东总数为 31333 户。

持有公司 5%以上股份的股东是河南神火集团有限公司（以下简称神火集团）。神火集团注册资本 3.5 亿元人民币，法定代表人李志经，生产经营范围涉及煤炭开采及洗选加工、发供电、电解铝、机械制造、建筑建材、纺织、医药、商贸等行业，是国家重点扶持的 520 家企业之一。

根据中共商丘市委决定并履行法定程序，河南神火集团有限公司原副董事长李志经先生任该公司董事长，河南神火集团有限公司原董事长齐宗贤先生因年龄原因不再担任该公司董事长职务。

神火集团持有本公司股份均为未上市流通的国有法人股，报告期内无增减变化，亦不存在质押或冻结情况。

（三）截止 2000 年 12 月 31 日，持有本公司股票的前 10 名股东名单：

股东名称	持股数	占总股本比例（%）
河南神火集团有限公司	157632100	68.93
高建文	387441	0.17
永城市铝厂	349300	0.15
鲍吉田	341189	0.15
左雪琴	308000	0.14
洪金汉	297900	0.13
永城市皇沟酒业集团公司	262000	0.11
永城市化学工业公司	262000	0.11
刘国梁	256629	0.11
李　瑶	256438	0.11

公司前十位股东中，第一名、第三名、第七名、第八名股东同为本公司发起人，其所持有股份均为未上市流通的国有法人股，其余股东为持有本公司上市流通股的股东。

四、股东大会简介

（一）1999 年年度股东大会

公司 1999 年度股东周年大会于 2000 年 4 月 28 日在公司本部召开，会议审议通过如下事项：

1. 同意公司董事会 1999 年度工作报告；
2. 同意公司监事会 1999 年度工作报告；
3. 同意 1999 年度公司财务决算及 2000 年度财务预算的报告；
4. 同意公司董事会提出的 1999 年度利润分配方案；
5. 审议通过公司董事会关于收购河南神火集团矸石电厂的议案；
6. 审议通过关于授予公司董事会 5000 万元以下投资项目自主决策权的报告；
7. 审议通过关于固定资产折旧方法变更的报告；
8. 审议通过关于股票上市募集资金实施情况的报告；
9. 审议通过关于继续聘任河南华为会计师事务所为公司审计中介机构的议案。

本次股东大会决议公告刊登于 2000 年 4 月 29 日的《中国证券报》、《证券时报》。

（二）2000 年第一次临时股东大会

公司 2000 年度第一次临时股东大会于 2000 年 12 月 31 日在公司本部召开，与会股东及股东代表审议表决通过公司董事会《关于变更募集资金投向的议案》。

本次临时股东大会决议公告刊登在 2001 年 1 月 3 日的《中国证券报》、《证券时报》。

五、董事会报告

（一）公司经营情况

公司主营业务是煤炭的生产、洗选加工与销售、发供电，基于本公司在管理上的优势，公司综合经济指标良好。公司全年生产煤炭 304.59 万 t，较上年增长 0.6%，销售煤炭 329.14 万 t，较上年增加 14.35%。

2000年度，由于国家对经济结构进行战略性调整和实施扩大内需的积极财政政策，煤炭经济形势和运行质量总体上开始出现转机，煤炭价格止跌回升。但是，目前我国煤炭经济运行的质量和效益仍处于低位状态，煤炭供大于求的矛盾依然突出，董事会领导公司全体员工知难而进，以深化企业改革为动力，积极实施科技兴企战略，大力调整产品结构，努力开拓国际国内市场，取得显著成效，公司主要经济技术指标均达到或超过历史最好水平。

(1) 大力调整和优化产品结构，进一步提高产品的高附加值和科技含量，取得显著成效。本年度高附加值的洗精煤、块煤产销量达126万t，增加利润6145万元，成为公司2000年主要利润增长点。

(2) 加强内部管理，降低成本费用，推行成本倒逼法，使单位产品成本持续下降。本年度吨煤营业成本比去年降低2.19元，增加利润721.4万元。

(3) 大力实施科技兴企战略，积极稳妥地向高新技术产业进军，参股投资等离子显示器项目，并在参与资本运营上进行了积极有益的探索。

(4) 调整和优化产业结构，收购集团公司矸石电厂，发挥煤电联营的优势。

(5) 以销售为龙头，积极开拓国际国内市场。年内公司销售煤炭达329.14万t，较上年增长14.35%，其中出口13.80万t，增长109.10%。

（二）公司财务状况

经天一会计师事务所（原河南华为会计师事务所）审计，公司2000年12月31日资产总额108981.72万元，较上年同期增加5701.45万元，增加的原因是公司利润增长所致。公司2000年12月31日股东权益79526.06万元，较1999年同期增加2521.42万元，增加主要原因是本年度盈利。公司负债总额较1999年同期增加3180.40万元，增加的主要原因是公司董事会决议提出2000年度分红派现的预案，应付股利大幅度增长。2000年度公司主营业务收入53857.12万元，比上年增加7622.13万元，主要原因是公司募集资金投资项目竣工投产，产销量特别是高附加值的洗精煤、块煤大幅度增加。公司2000年度实现利润11827.40万元，净利润9564.66万元，分别比1999年增加662.12万元和1815.72万元，这主要是公司大力调整和优化产品结构，高附加值的洗精煤、块煤产销量大幅度增加所致。

（三）公司投资情况

年内公司完成募集资金投资额5577.47万元，累计完成募集资金投资额43029.84万元。

(1) 投资收购河南神火集团有限公司矸石电厂

该项目计划投资5100万元，经公司1999年度股东大会审议通过，公司按照《招股说明书》第六章《募集资金的运用》中的承诺，按照经国有资产管理部门审核确认的评估值即净资产3104.05万元等值收购了河南神火集团矸石电厂，更名为河南神火煤电矸石电厂。报告期内矸石电厂实现供电57369千度，同比增长10.45%。

(2) 黄集井田开发项目：该项目批准投资4950万元，实际累计完成投资5187.88万元，比投资概算超支237.88万元，超支幅度4.8%。经河南省经贸委组织验收，以豫经贸投资（2000）1084号文批复同意竣工验收。

(3)矿区铁路专用线延伸改造项目：经公司董事会决议并经公司2000年度第一次临时股东大会审议通过，变更该项目投资，该项目变更情况本公司已于2001年1月3日在《中国证券报》、《证券时报》公告。

(4) 募集资金其中流动资金占用8140.16万元。

截止2000年底，公司募集资金使用情况与1999年《招股说明书》之《募集资金的运用》中的计划基本相符。

报告期内非募集资金投资项目情况：2000年7月，公司经董事会决议以自有资金1258.4万元（占注册资金的22%）出资《郑州中显等离子显示技术有限责任公司》。该公司注册资金5720万元，注册地址是郑州市高新技术产业开发区，主营等离子彩色显示器，预计2001年建成投产。

（四）本年度公司仍执行河南省商丘地区财政局商财工字（1999）21号文批复，公司所得税按“先征后返”的原则，按33%税率计征，然后由商丘市财政局按公司实际缴纳所得税额的39%返还，专项用于归还江苏、河南两省借款。

（五）新年度的业务发展计划

2001年是新世纪开局的第一年，公司的工作思路是继续执行“安全第一，质量为本，销售龙头，效益中心，科技兴企，管理创新”的工作方针。

(1) 继续强化管理，努力开源节流，实行成本倒逼，突出经济效益，健全内部承包责任制度，实现成本费用持续下降；进一步深化三项制度改革，充分调动广大员工特别是高级管理人员、科技人员的积极性。

(2) 突出销售龙头地位，大力开拓国际国内二个市场，提高市场占有率；进一步调整产品结构，优化用户结构，增加适销对路的品种和数量。2001年度计划高附加值产品产销量达到155万t，比2000年增长15%。

(3) 严格按照ISO9002质量体系运行，提高产品质量，树立神火品牌，增强产品市场竞争力；进一步增强环保意识，提高产品等级，力争年内通过ISO14001环境管理体系认证。

(4) 充分利用公司在资金和管理上的优势，积极稳妥地搞好资本经营，防范风险，拓宽思路，培育新的效益增长点。

(5) 大力实施科技兴企战略，积极进行新产品、新技术的开发研究和推广应用，以机制创新、科技创新、管理创新实现两个根本性转变。

(6) 在进一步搞好公司规范运作的基础上，拟通过增资配股积极调整产业结构，提高产品的科技含量和附加值，增加公司的整体竞争能力。

新年度公司将致力于内挖潜力，外拓市场，走内涵发展的道路，争取实现公司的可持续发展。

（六）董事会日常工作情况

年内公司董事会共举行六次重要会议，会议按照《公司法》及《公司章程》的有关规定对公司有关重大问题进行了讨论和表决，具体情况如下：

(1) 2000 年 1 月 12 日召开董事会一届七次会议。会议审议通过公司总经理根据中国证监会《关于上市公司做好各项资产减值准备等有关事项的通知》精神拟订的《河南神火煤电股份有限公司关于计提资产减值准备等有关事项的说明》。

(2) 2000 年 3 月 26 日召开董事会一届八次会议。会议讨论并表决通过以下事项：①公司 1999 年年度报告及其摘要；②公司董事会 1999 年度工作报告；③公司 1999 年度财务决算和 2000 年度财务预算报告；④公司 1999 年度利润分配预案；⑤公司公开发行股票募集资金投资项目实施情况；⑥关于请求股东大会授予董事会 5000 万元以下投资项目自主决策权的报告；⑦决定召开 1999 年度股东大会。

(3) 2000 年 6 月 23 日召开董事会一届十二次会议，会议审议通过关于聘任总会计师等人事变更的决议。

(4) 2000 年 7 月 7 日召开董事会一届十三次会议，会议审议通过关于以自有资金 1258.4 万元（占注册资本的 22%）投资《郑州中显等离子显示技术有限责任公司》的决议。

(5) 2000 年 7 月 31 日召开董事会一届十四次会议，会议审议通过公司 2000 年中期报告、中期报告摘要及中期分配方案。

(6) 2000 年 11 月 29 日召开董事会一届十六次会议，会议审议通过以下事项：①变更募集资金投向；②召开 2000 年度第一次临时股东大会。

（七）公司管理层及员工情况

公司董事、监事及其他高级管理人员概况：

1. 董事会成员：

(1) 董事长：李志经先生，56 岁，大学，高级工程师。

(2) 副董事长：赵奇先生，50 岁，大专，高级会计师。

(3) 副董事长：李孟臻先生，43 岁，大学，高级工程师。

(4) 董事：齐宗贤先生，65 岁，中专，高级工程师。

(5) 董事：任启礼先生，63 岁，初中，高级政工师。

(6) 董事：陈靖欣先生，51 岁，大专，高级政工师。

(7) 董事：刘合祥先生，57 岁，高中，高级政工师。

2. 监事会成员：

(1) 监事长：张士华先生，49 岁，大学，工程师。

(2) 副监事长：窦修勤先生，60 岁，大学，高级工程师。

(3) 监事：张家玉先生，48 岁，大专。

3. 公司高级管理人员及重要职员：

(1) 张光建先生，43 岁，大学，高级工程师，总经理。

(2) 王培顺先生，52 岁，大专，高级会计师，公司董事会秘书。

(3) 王东华先生，42 岁，大专，经济师，公司副总经理。

(4) 司铁贤先生，46 岁，政工师，公司副总经理。

(5) 程乐团先生，37 岁，研究生，工程师，公司副总经理兼总工程师。

4. 董事、监事、高级管理人员年薪报酬情况：6～8 万元 6 人，8～12 万元 6 人，12～15 万元 3 人。

5. 公司董事、监事、高级管理人员任期均为三年，任职期间是 1998 年 8 月 31 日～2001 年 8 月 31 日。

6. 公司董事、监事、经理等高级管理人员均不持有本公司股份。

7. 职工人数及构成：

公司职工 6605 人，其中生产人员 5620 人，占职工总数的 85%；管理人员 265 人，占 4%；技术人员 662 人，占 10%；销售人员 58 人，占 0.9%；财务人员 74 人，占 1.1%。

本公司职工的福利、劳保、养老退休金等制度按国家和公司所在地的有关规定执行，并参加了养老保险、工伤保险、失业保险。

（八）董事会经过认真讨论，提出 2000 年度公司利润分配预案

经天一会计师事务所审计，本公司 2000 年度实现利润总额 118274041.75 元，净利润 95646591.54 元。根据《公司章程》，分别提取 10％的法定公积金 9564659.15 元；提取 5％的法定公益金 4782329.58 元；加上上年结转利润 61980066.67 元，本次累计可供股东分配利润 143279669.48 元（不含 1998 年 9～12 月份可供分配利润 21039610.02 元）。

董事会提议以公司 2000 年底总股本 228680000 股为基数，向全体股东按每 10 股派送现金 4.00 元（含税），可供分配利润支出总计 91472000.00 元（含 1998 年 9～12 月份可供分配利润 21039610.02 元）。未分配利润 72847279.49 元结转下年度。

董事会提议本年度不进行公积金转增股本。

以上议案尚需提交 2000 年度股东大会审议表决。

（九）其他报告事项

公司指定信息披露报纸为《中国证券报》、《证券时报》。

六、监事会报告

2000 年度，本届监事会按照《公司法》和《公司章程》赋予的权力依法履行职责，认真开展了监督工作。报告期内公司监事列席了历次董事会会议和股东大会。2000 年度公司监事会共召开三次会议，具体情况如下：

1. 2000 年 3 月 26 日召开公司监事会第一届六次会议，会议审议通过公司监事会 1999 年度工作报告、公司 1999 年年度报告、年度报告摘要及相关事项。

2. 2000 年 7 月 31 日召开公司监事会第一届七次会议，会议审议通过公司 2000 年度中期报告及其摘要。

3. 2000 年 11 月 29 日召开公司监事会第一届八次会议，会议审议了公司矿区铁路专用线延伸改造项目变更的决议，各位监事对募集资金投资项目变更事项均发表了意见，一致认为：公司董事会关于项目变更的决议及其变更后的投向均经过了充分的调查和论证，是适应社会主义市场经济不断发展变化的科学决策，有利于公司的长远发展，没有损害股东的利益。

七、重要事项

1. 本年度公司无重大诉讼、仲裁事项；

2. 报告期内公司、公司董事、监事及公司高级管理人员无受监管部门处罚的情况；

3. 报告期内控股股东没有发生变更、公司经理、董事会秘书未予更换；

4. 公司收购河南神火集团矸石电厂工作完成，已纳入本年度报告；

5. 重大关联交易事项。

自成立之日起，本公司与河南神火集团有限公司本着诚实信用、优势互补的原则，达成以下协议：

(1) 签订《综合服务合同》，主要解决职工上下班通勤、职工就餐、单身职工宿舍旅馆化，职工住宅区的保安、环卫、绿化、供水、供暖和制冷，年有偿服务费 414 万元。

(2) 签订《国有土地使用权租赁合同》，有偿使用葛店煤矿 10000m² 土地，新庄煤矿 48840m² 上地，新庄铁路专用线占地 56277.67m²，年租金 80.88 万元，租赁期限分别为 48 年、48 年和 50 年。

(3) 签订《房屋租赁合同》有偿使用神火集团办公楼 10218.75m²，年租金 102.19 万元，租赁期限为 24 年。

(4) 收购河南神火集团有限公司矸石电厂情况见本年度报告摘要之《公司投资情况》。

6. 公司与控股股东“三分开”情况

公司改制彻底，运作规范，在人员、资产、财务上实现了“三分开”。

(1) 人员分开方面

按照《公司法》关于权力机构、决策机构、执行机构、监督机构之间权责明确、互相制衡的原则，公司设立了股东大会、董事会、监事会、经理，建立了规范的企业法人治理结构。公司人员独立，经理、副经理等高级管理人员均在本公司领取薪酬，且未在股东单位担任任何重要职务，公司的劳动、人事及工资管理亦完全独立。

(2) 资产完整方面

公司控股股东河南神火集团有限公司已将其煤炭产业的生产系统、辅助系统及配套设施全部投入本公司，本公司依法独立拥有采矿权、注册商标等无形资产，神火集团及其附属单位已不具备生产经营同类产品的能力，不存在发生同业竞争的问题。公司拥有独立的采购、生产、销售系统，具有直接面向市场独立经营的能力。

(3) 财务分开方面

公司财务独立，设有独立的财务部门，不存在财务人员在关联单位兼职的现象。公司在银行开设了独立的基本帐户，依法单独纳税。公司执行《股份有限公司会计制度》及其补充规定，建立了独立的会计核算体系，具有规范、独立的财务会计制度和财务管理制度。

7. 报告期内公司名称和股票简称没有变更。

8. 报告期内公司公开披露的重大事项有：

(1)《河南神火煤电股份有限公司董事会澄清公司》刊登于2000年3月23日的《中国证券报》、《证券时报》。

(2)《河南神火煤电股份有限公司1999年年度报告摘要》、《河南神火煤电股份有限公司第一届八次董事会决议公告暨召开1999年度股东大会的公告》、《河南神火煤电股份有限公司监事会第一届六次会议决议公告》刊登于2000年3月28日的《中国证券报》、《证券时报》及中国证监会指定国际互联网网址。

(3)《河南神火煤电股份有限公司1999年年报补充公告》、《河南神火煤电股份有限公司监事会关于1999年度盈利预测实际情况的说明》、《河南华为会计师事务所关于公司1999年度盈利预测的说明》刊登于2000年4月19日的《中国证券报》、《证券时报》。

(4)《河南神火煤电股份有限公司1999年度股东大会决议公告》刊登于2000年4月29日的《中国证券报》、《证券时报》。

(5)《河南神火煤电股份有限公司董事会公告》刊登于2000年6月29日的《中国证券报》、《证券时报》。

(6)《河南神火煤电股份有限公司董事会决议公告》刊登于2000年7月13日的《中国证券报》、《证券时报》。

(7)《河南神火煤电股份有限公司2000年度中期报告摘要》2000年8月2日的《中国证券报》、《证券时报》。

(8)《河南神火煤电股份有限公司董事会公告暨召开2000年第一次临时股东大会公告》、《河南神火煤电股份有限公司监事会公告》刊登于2000年12月1日的《中国证券报》、《证券时报》。

除上述事项外，本公司没有应披露而没有披露的信息。

9. 承诺事项及履行情况

(1) 本公司1999年7月21日在《中国证券报》、《证券时报》披露《招股说明书概要》中做出如下承诺：公司经理、副经理等高级管理人员现在未在股东单位兼职，将来也不在任何股东单位兼任职务。

履行情况：报告期内公司经理、副经理等高级管理人员均未在股东单位兼任职务。

(2) 本公司1999年8月26日在《中国证券报》、《证券时报》披露《河南神火煤电股份有限公司上市公告书》中做出如下承诺：

本公司董事会将严格遵守《公司法》、《证券法》、《股票发行与交易管理暂行条例》、《公开发行股票公司信息披露实施细则》、《深圳证券交易所上市规则》和有关法律、法规的规定，并自股票上市之日起做出如下承诺：

①按照法律、法规的规定程序和要求披露重大的信息，并接受证券主管机关、深圳证券交易所的监督管理。

②及时、真实、准确地公布本公司中期报告和年度报告，并备置于规定场所供投资者查阅。

③本公司董事会成员、监事会成员及高级管理人员，如发生人事变动或持有本公司股票数量发生变化时，在报告证券主管机关、深圳证券交易所的同时通过新闻媒体向投资者公布。

④在任何公共传播媒介中出现的消息可能对本公司股票的市场价格产生误导性影响时，本公司知悉后将及时对该消息予以公开澄清。

⑤本公司董事会成员、监事会成员及高级管理人员将认真听取社会公众的意见和批评，不利用已获得的内幕消息和其他不正当手段直接或间接从事股票买卖活动。

⑥本公司没有无记录负债。

履行情况：报告期内本公司严格依照国家有关法律、法规的规定履行信息披露义务，及时、真实、准确地公布了年度报告、中期报告以及高级管理人员变动等临时报告，公司、公司董事、监事、经理等高级管理人员没有发生利用内幕消息从事股票交易活动等违法违规行为。

除上述事项外，公司、持有公司5%以上股份的股东即河南神火集团有限公司无在指定报纸或网站上披露承诺事项。

八、财务会计报告

公司财务报表经天一会计师事务所审计并出具无保留意见的审计报告。

审计报告

天一审字（2001）第（3）—010号

河南神火煤电股份有限公司全体股东：

我们接受委托，审计了贵公司2000年12月31日的资产负债表和合并资产负债表、2000年度利润表及利润分配表和合并利润表及利润分配表、2000年度现金流量表和合并现金流量表。这些会计报表由贵公司负责，我们的责任是对这些会计报表发表审计意见。我们的审计是依据《中国注册会计师独立审计准则》进行的。在审计过程中，我们结合贵公司的实际情况，实施了包括抽查会计记录等我们认为必要的审计程序。

我们认为，贵公司上述会计报表符合《企业会计准则》和《股份有限公司会计制度》的有关规定，在所有重大方面公允地反映了贵公司2000年12月31日的财务状况和2000年度的经营成果及现金流量情况，会计处理方法的选用遵循了一贯性原则。

天一会计师事务所有限责任公司　　中国注册会计师：朱晓琳

中国·北京　　中国注册会计师：范保根

报告日期：2001年2月20日

（一）会计报表

（二）会计报表附注

1. 主要会计政策、会计估计和会计报表的编制方法：

(1) 会计制度：执行《股份有限公司会计制度》及其补充规定。

(2) 会计年度：为公历年度，即1月1日至12月31日。

(3) 记账本位币：人民币。

(4) 记账原则和计价基础：公司以权责发生制为记账原则，以历史成本为计价基础。

(5) 会计报表的编制方法：

将本公司内部独立核算单位的会计报表平行汇总，对内部往来进行抵销后生成母公司会计报表。

合并会计报表以母公司拥有子公司半数以上权益性资本，以及权益性资本虽未达到半数以上但拥有对其实质性控制权的子公司的会计报表和其他相关资料为依据，按照《合并会计报表暂行规定》编制而成。公司间的重大交易，资金往来等，均已在合并时抵销。

(6) 现金等价物的确定标准：本公司以持有的期限短、流动性强、易于转换为已知金额现金、价格变动风险很小的投资确定为现金等价物。

(7) 坏账损失的核算方法：

坏账损失采用备抵法核算。估计坏账损失的方法为账龄分析法，即按应收账款、其他应收款（扣除关联单位）的年末余额与估计的坏账损失率提取坏账准备，提取比例如下：

应收款项账龄	提取比例
1年以内	5%
1～2年	10%
2～3年	30%
3年以上	50%

坏账确认标准为：

①因债务人破产或死亡，以其破产财产或遗产依法清偿后，仍然无法收回的应收款项；

②因债务人逾期未能履行其清偿义务，而且具有明显特征表明无法收回的应收款项，报董事会批准，确认为坏账损失。

(8) 存货核算方法：

公司存货主要包括原材料、产成品和低值易耗品等。原材料日常按计划成本核算，月末通过材料成本差异调整为实际成本；产成品按实际成本计价，发出时按加权平均法计算；低值易耗品的摊销采用一次摊销法。

本公司的存货按成本与可变现净值孰低计价，存货跌价准备系按单个存货项目的成本高于其可变现净值的差额提取，预计的存货跌价损失计入当年度损益类账项。

(9) 长期投资的核算方法：

①长期股权投资核算方法：

长期股权投资按实际支付的价款或确定的价值记账。对其他单位的投资占该单位的表决权资本总额20%以下或虽占该单位有表决权资本总额20%或20%以上，但不具有重大影响的，采用成本法核算：对其他单位的投资占该单位有表决权资本总额20%或20%以上的，或虽投资不足20%但有重大影响的，采用权益法核算。

长期股权投资取得时的成本与其在被投资单位所有者权益中所占的份额有差额的，其借差按不超过10年的期限摊销，贷差按不低于10年的期限摊销，其摊销额记入当年投资收益。

②长期债权投资核算方法：

长期债权投资按实际支付的款项计价，其收益采用成本法核算。

③长期投资减值准备：

按各长期投资可收回的金额低于账面价值的差额计提长期投资减值准备。

(10) 固定资产核算方法：

固定资产的标准是指使用年限超过一年，单位价值在2000元以上的房屋、建筑物、机器设备和运输工具等。固定资产按实际成本计价。本公司2000年上半年固定资产折旧采用产量法，即按固定资产原值的3%预留残值，按产量法计提折旧，吨煤折旧额如下：

类　别	吨煤折旧额（元）
新庄煤矿	18.81
葛店煤矿	12.78

2000年4月28日河南神火煤电股份有限公司召开1999年度股东大会，经大会表决通过了更改固定资产折旧方法的议案，将产量法改为直线法，并于2000年7月1日起开始按新方法执行（未来适用法）。公司折旧方法更改后，本年计提折旧额比按原方法多提1191982.94元，相应减少本年利润1191982.94元。新折旧方法的分类如下：

类　别	残值率（%）	折旧年限	折旧率（%）
房屋建筑物	3	20～35年	2.77～4.85
通用设备	3	7～14.5年	6.69～13.86
运输设备	3	9年	10.78
其他设备	3	11.5年	8.43

(11) 在建工程核算方法：

在建工程按实际成本核算。

(12) 开办费摊销政策：

以实际成本计价，自1996年1月1日起按5年平均摊销。

(13) 收入实现的确认：

公司已将商品所有权上的重要风险和报酬转移给买方，公司不再对该商品实施继续管理权和实际控制权，相关的收入已经取得或取得收款的证据，并且与销售商品有关的成本能可靠的计量时，确认营业收入的实现。

(14) 所得税的会计处理方法：

所得税的会计处理采用应付税款法。

2. 会计政策、会计估计的变更：

2000年4月28日河南神火煤电股份有限公司召开1999年度股东大会，经大会表决通过了更改固定资产折旧方法的议案，将产量法改为直线法，并于2000年下半年开始按新方法执行（未来适用法）。公司折旧方法更改后，本年计提折旧额比按原方法多提1191982.94元，相应减少本年利润1191982.94元。

3. 税项：

公司适用的主要税种和税率如下：

(1) 增值税：税率为13%，按销项税扣除进项税后的余额计缴；

(2) 资源税：1～10月按吨煤销售量1.30元计缴，11～12月按吨煤销售量1.00元计缴；

(3) 营业税：按应税营业额的3%计缴；

(4) 城建税：按应缴增值税及营业税额的1%和5%计缴；

(5) 教育费附加：按应缴增值税及营业税额的3%计缴；

(6) 所得税：根据商丘地区财政局商财工字（1996）4号文批复、经2000年6月29日商丘市财政局重新确认，公司根据当年实现利润计算应纳税所得额，先按33%税率计征，然后由商丘市财政局按其实际交纳所得税的39%返还，专项用于归还江苏借款。

4. 控股子公司与合营企业：

企业名称	注册资本	经营范围	本公司投资额	股权比例（%）
河南神火煤电矸石电厂	3000万元	火力发电	3104万元	100
郑州中显等离子显示技术有限责任公司	5720万元	等离子显示器件开发、销售	1250万元	22
余杭市钱神有限责任公司	250万元		170万元	34

2000年4月28日经本公司1999年度股东大会表决通过，全资收购河南神火集团自备矸石电厂，并于2000

年5月1日起纳入本公司会计报表合并范围。

5. 合并会计报表主要项目注释：(单位：元)

(1) 货币资金

项目	期初数	期末数
现金	178682.43	35632.16
银行存款	66077027.40	104632649.55
其他货币资金	10151186.18	4702435.08
合计	76406896.01	109370716.79

货币资金期末数比期初数增长73.57%，主要是公司本年大力增加现销所致。

(2) 短期投资

单位	金额	跌价准备	备注
江苏省国信投资徐州公司	40000000.00		委托资产管理
郑州圣光工贸有限公司	22000000.00		委托资产管理
商丘市东方宾馆	4000000.00		
合计	66000000.00		

(3) 应收账款

①账龄分析：

	期初数			期末数		
账龄	金额	比例(%)	坏账准备	金额	比例(%)	坏账准备
1年以内	46717798.33	87.68	2335889.92	48347239.52	93.88	2417361.98
1～2年	5878089.32	11.03	587808.92	1944583.58	3.80	194458.36
2～3年	669339.98	1.26	200801.97	461153.69	0.90	138346.08
3年以上	14813.77	0.03	7406.89	744543.79	1.42	372271.90
合计	53280041.40	100.00	3131907.70	51497520.58	100.00	3122438.32

②应收账款中无持有本公司5%(含5%)以上股份的股东单位的欠款：

③应收账款主要明细项目列示如下：

债务人名称	期末欠款额	欠款原因	账龄
上海梅山冶金公司	7030541.76	结算欠款	1年以内
南京钢铁股份公司	6105157.10	结算欠款	1年以内
神火铝电有限责任公司	4980967.42	结算欠款	1年以内
莱芜钢铁股份有限公司	4839256.30	结算欠款	1年以内
苏州钢铁股份有限公司	4326076.64	结算欠款	1年以内
马鞍山钢铁股份有限公司	3750607.43	结算欠款	1年以内

(4) 其他应收款

①账龄分析：

	期初数			期末数		
账龄	金额	比例(%)	坏账准备	金额	比例(%)	坏账准备
1年以内	74901437.57	81.15	567326.85	74020220.26	98.32	737243.81
1～2年	16546052.68	17.93	1654605.27	62842.96	0.08	6284.30
2～3年	37506.00	0.04	11251.80	204727.26	0.27	61418.18
3年以上	819968.00	0.88	409984.00	999120.00	1.33	499560.00
合计	92304964.25	100.00	2643167.92	75286910.48	100.00	1304506.29

②其他应收款中有应收关联单位款项41552669.76元，占其他应收款总额的55.19%，其中应收母公司河南神火集团有限公司36249500.00元。

(5) 固定资产及累计折旧

固定资产原价：

类别	期初价值	本期增加	本期减少	期末价值
房屋建筑物	503557636.06	15156775.74	41463.47	518672948.33
通用设备	343389059.19	35231365.67	319418.12	378301006.74
运输设备	21617201.90	5877900.04	1676270.68	25818831.26
其他设备	1534522.03	4700.00		1539222.03
合计	870098419.18	56270741.45	2037152.27	924332008.36
固定资产净值	669538518.66			

(6) 短期借款

单位	金额	年利率（%）
光大银行郑州文化路支行	30000000.00	5.85
工商银行永城市支行	860000.00	7.56
农业银行永城市支行	1500000.00	6.44
合计	32360000.00	

(7) 应付股利

项目	期初数	期末数
应付国有法人股股东	96782.21	48969396.82
应付社会公众股股东	6440224.62	28000000.00
合计	6537006.83	76969396.82

(8) 应交税金

项目	期初数	期末数
增值税	7348744.48	2757356.27
城建税	398892.90	91103.03
资源税	1335981.05	1014537.53
企业所得税	3166788.58	84625.60
房产税	29153.43	3439.50
营业税	117886.94	115961.28
个人所得税		－49997.00
合计	12397447.38	4017026.21

根据商丘地区财政局商财工字（1996）4号文批复，经2000年6月29日商丘市财政局重新确认，公司根据当年实现利润计算应纳税所得额，先按33%税率计征，然后由商丘市财政局按其实际交纳所得税的39%返还，专项用于归还江苏借款。

(9) 长期借款

借款单位	期初金额	期末金额	借款期限	利率	借款条件
江苏省投资公司	33750000.00	22500000.00	2003年	无息	信用
河南省建设投资总公司	31380000.00	15960000.00	2002年	无息	信用
永城市财政局	2293000.00	2113000.00			信用
合计	67423000.00	40573000.00			

(10) 资本公积

项目	期初数	本期增加	本期减少	期末数
股本溢价	464735843.59			464735843.59
合计	464735843.59			464735843.59

(11) 盈余公积

项目	期初数	本期增加	本期减少	期末数
法定公积金	9767020.74	9564659.15		19331679.89

公益金	4883510.37	4782329.58		9665839.95
合计	14650531.11	14346988.73		28997519.84

盈余公积本期增加14346988.73元，系公司按本年实现净利润分别提取10%、5%法定公积金和公益金所致。

(12) 未分配利润

期初数	本期增加	本期减少	期末数
61980066.67	95646591.54	84779378.72	72847279.49

(13) 主营业务收入

本年数	上年数
538857119.66	462349897.42

主营业务收入包括两部分：A本公司煤炭销售收入，本年营业收入合计531116899.56元；B神火煤电矸石电厂发电收入，本年营业收入9480595.45元。

(14) 主营业务成本

本年数	上年数
358514317.18	287923087.67

(15) 主营业务税金及附加

税种	本年数	上年数
资源税	4133129.02	3741845.84
城建税	1140519.58	845838.32
教育费附加	1565333.09	1224298.16
合计	6838981.69	5811982.32

(16) 投资收益

项目	本年数	上年数
债券投资收益	0.00	0.00
委托资产管理收益	8025000.00	4200000.00
其他投资收益	6030.00	
减：投资减值准备	170000.00	
投资差额摊销	59176.97	
合计	7801853.03	4200000.00

(17) 补贴收入

项目	本年数	上年数
所得税返还	0.00	8205079.42

6. 关联方关系及其交易：

关联方关系：

①存在控制关系的关联方

企业名称	注册地址	主营业务	与本公司关系	注册性质	法人代表
河南神火集团有限公司	河南省永城市新城光明路	煤炭、化工、纺织、建材等	母公司	国有	李志经
河南神火煤电矸石电厂	河南省永城市工业西路2号	火力发电	子公司		张光建

②存在控制关系的关联方的注册资本及其变化

企业名称	期初数	本期增加	本期减少	期末数
河南神火集团有限公司	35000.00万元			35000.00万元
河南神火煤电矸石电厂	3000.00万元			3000.00万元

7. 或有事项：公司截止审计报告日无重大或有事项。

8. 承诺事项：公司截止审计报告日无重大承诺事项。

九、公司其他有关资料

1. 公司首次注册登记日期：1998 年 8 月 31 日

地点：河南省工商行政管理局

公司经中国证监会核准增资扩股后，于 1999 年 8 月 6 日在河南省工商行政管理局变更注册登记，注册资金由 15868 万元变更为 22868 万元。

2. 企业法人营业执照注册号：410001004406

3. 公司税务登记号：411481706784652

4. 公司未流通股份托管机构：深圳证券登记有限公司

5. 公司聘请的审计中介机构：天一会计师事务所

注册地址：北京市西城区金融街 27 号

联系电话：0371－7978299

十、备查文件目录

1. 载有公司法定代表人、总会计师签名并盖章的会计报表。

2. 天一会计师事务所出具的审计报告正本。

3.《河南神火煤电股份有限公司招股说明书》。

4.《河南神火煤电股份有限公司公司章程》。

5.《河南神火煤电股份有限公司 2000 年年度报告正本》。

6. 报告期内公司在指定报纸公开披露信息原稿。

上述文件备置于公司董事会秘书办公室供投资者及有关部门查阅。

河南神火煤电股份有限公司董事会

2001 年 2 月 28 日

盘江股份有限公司

股票代码：600395　股票简称：盘江股份

资产负债表

年度 项目	2001 中期 (20010630)	2001 中期 (20001231)	招股书 (20000930)	招股书 (19991231)	招股书 (19981231)
流动资产	1027759954.54	341043772.09	334397326.41	255283511.86	288226558.87
货币资金	725412193.78	2845926.17	2611215.48	107830.73	387705.24
应收账款	171509227.6	208503322.93	261439508.98	232718267.12	225937544.27
其他应收款	25631250.24	3463824.89	12094750.47	4048540.76	10894338.48
预付账款	1931102.23	820235.34	890984.43	694266.07	23754634.43
存货净额	0	0	43580059.04	33530110	37614259.9
待摊费用	0	0			
长期投资	0	0			
固定资产	335963253.71	337998790.2	353151615.78	351263275.54	217058337.9
无形资产	49800000	50670000	51112300		
资产合计	1413908208.25	730513336.9	739512065.22	606546787.4	505284896.77
流动负债	162200120.78	239811868	261957166.82	242066247.97	236905727.57
应付账款	50738336.44	88515997.88	103873364.03	88442599.53	89664060.88
预收账款	5779533.84	0			

续表

年度 / 项目	2001 中期 (20010630)	2001 中期 (20001231)	招股书 (20000930)	招股书 (19991231)	招股书 (19981231)
长期负债	100800000	101670000	102112300		
负债合计	263000120.78	341481868	364069466.82	242066247.97	236905727.57
股东权益	1150908087.47	389031468.9	375442598.4	364480539.43	268379169.2
股　　本	371300000	251300000	251300000	251300000	278944537.9
资本公积	727818038	119710828.2	119710828.2	119710828.2	
盈余公积	6470100.78	6470100.78	4431770.2		
未分配利润	45319948.69	11550539.92		−6530288.77	−10565368.7
负债及股东	1413908208.25	730513336.9	739512065.22	606546787.4	505284896.77

利润及其分配表

年度 / 项目	2001 中期 (20010630)	2000 年度 (20001231)	招股书 (20000930)	2001 中期 (20000630)	招股书 (19991231)
主营业务收入	249159220.44	334208812.4	334208812.4	198056686.18	478489793.1
主营业务成本	169496960.26	210955492.33	210955492.33	126035860.27	284162771.46
营业税金及附加	2980978.96	3459861.47	3459861.47	1394697.63	4586913.56
主营业务利润	76681281.22	119793458.6	119793458.6	70626128.28	189740108.08
营业费用	18036439.86	35907568.22	35907568.22	17689920.8	90455621
管理费用	16641035.83	26512530.09	26512530.09	13416747.32	33743711.55
财务费用	2270996.87	3072147.16	3072147.16	1869085.47	3234005.59
营业利润	39728528.6	53966613.11	53966613.11	37385680.34	61810177.84
投资收益	0			0	
补贴收入	0			0	
营业外收入	67374.89	10000	10000	0	
营业外支出	140069.51	132697.51	132697.51	97332.31	278845.67
利润总额	39655833.98	53843915.6	53843915.6	37288348.03	61531332.17
应交所得税	5886425.21	17768492.15	17768492.15	11176590.67	18433947.44
净利润	33769408.77	36075423.45	36075423.45	26111757.36	43097384.73
年初未分配利润	11550539.92	−6530288.77	−6530288.77	−6530288.77	18892837.35
盈余公积转入	0	0	0	0	0
可分配利润	45319948.69	29545134.68	29545134.68	19581468.59	−6530288.77
提取法定盈余公积	0	2954513.47	2954513.47	0	
提取公益金	0	14772566.73	1477256.73	0	
可供股东分配的利润	0	25113364.48	25113364.48	0	−6530288.77
提取任意公积	0			0	
应付普通股股利	0	25113364.48	25113364.48	0	
未分配利润	45319948.69			19581468.59	−6530288.77

现金流量表

项目 \ 年度		2001中期 (20010630)	招股书 (20001231)	2001中期 (20000630)	招股书 (19991231)
经营活动产生的现金流量	销售商品、提供劳务所收到的现金	309318078.38	217337858.78	0	80588886.63
	收取的租金	0		0	
	收到的增值税销项税额和退回的增值税款	0		0	
	收到的增值以外的其他税费返还	0		0	
	收到的其他与经营活动有关的现金	2060735.85	4262757.05	0	
	购买商品、接受劳务支付的现金	214177652.56	108880643.76	0	36513586.24
	经营租赁所支付的现金	0		0	
	支付给职工以及为职工支付的现金	5767895.48	42892722.83	0	12913739.2
	支付的增值税款	0	14903994.87	0	10023194.18
	支付的所得税款	0		0	
	支付的除增值税、所得税以外的其他税费	59421349.5	2409996.52	0	1250380.24
	支付的其他与经营活动有关的现金	30625849.27	22040250.84	0	14238432.15
	经营活动产生的现金流量净额	0	30473007.01	0	5649554.62
投资活动产生的现金流量	收回投资所收到的现金	0		0	
	分得股利或利润所收到的现金	0		0	
	取得债券利息收入所收到的现金	0		0	
	处置固定资产、无形资产和其他长期资产	0		0	
	收到的其他与投资活动有关的现金	0		0	
	购建固定资产、无形资产和其他长期资产	13235723.68	24954398.71	0	5010301.28
	权益性投资所支付的现金	0		0	
	债权性投资所支付的现金	0		0	
	支付的其他与投资活动有关的现金	0		0	
	投资活动产生的现金流量净额	-13235723.68	-24954398.71	0	-5010301.28

续表

项目 \ 年度		2001中期（20010630）	招股书（20001231）	2001中期（20000630）	招股书（19991231）
筹资活动产生的现金流量	吸收权益性投资所收到的现金	728107209.8		0	
	借款所收到的现金	0		0	
	收到的其他与筹资活动有关的现金	8361006.42		0	
	偿还债务所支付的现金	2052292.35		0	
	发生筹资费用所支付的现金	0		0	

人事、机构、体制

国家煤炭工业局批复煤炭信息研究院调整内设机构

国家煤炭工业局于 2001 年 2 月 13 日以煤司办字〔2001〕第 2 号文批复煤炭信息研究院调整内设机构。主要内容是：

调整后，管理处室 6 个：综合办公室（党委办公室）、组织干部处（人才交流中心）、财务处、经营管理处、科技管理处（煤炭信息研究院科学技术委员会秘书处）、基建房产管理处；二级单位 8 个：图书出版部、音像出版部、印刷厂、信息研究部、信息资源部（煤炭图书馆）、新闻中心、信息工程部（煤炭工业信息网总站、国际信息交流中心）、物业开发部。

国家煤炭工业局批复同意中国煤田地质总局等 18 个单位更名

国家煤炭工业局于 2001 年 2 月 16 日以煤司办字〔2001〕第 3 号文批复同意中国煤田地质总局等 18 个单位更名如下：

1. 中国煤田地质总局更名为中国煤炭地质总局；

2. 中国煤田地质总局第一勘探局更名为中国煤炭地质总局第一勘探局；

3. 中国煤田地质总局水文地质局更名为中国煤炭地质总局水文地质局；

4. 中国煤田地质总局航测遥感局更名为中国煤炭地质总局航测感局；

5. 中国煤田地质总局地球物理勘探研究院更名为中国煤炭地质总局地球物理勘探研究院；

6. 广东煤田地质局更名为中国煤炭地质总局广东煤炭地质局；

7. 广西煤田地质局更名为中国煤炭地质总局广西煤炭地质局；

8. 青海煤田地质局更名为中国煤炭地质总局青海煤炭地质局；

9. 江苏煤田地质局更名为中国煤炭地质总局江苏煤炭地质局；

10. 浙江煤田地质局更名为中国煤炭地质总局浙江煤炭地质局；

11. 湖北省煤田地质局更名为中国煤炭地质总局湖北煤炭地质局；

12. 中国煤田地质总局资料档案馆更名为中国煤炭地质总局煤炭资源信息中心；

13. 中国煤田地质总局涿州基地管理中心更名为中国煤炭地质总局机关事务管理中心；

14. 中国煤田地质总局干部学校更名为中国煤炭地质总局干部学校；

15. 中国煤田地质总局勘探设备研制中心更名为中国煤炭地质总局勘探设备研制中心；

16. 中国煤田地质总局制图印刷中心更名为中国煤炭地质总局制图印刷中心；

17. 中国煤田地质总局供应中心更名为中国煤炭地质总局供应中心；

18. 中国煤田地质总局中学更名为中国煤炭地质总局中学。

国家安全生产监督管理局（国家煤矿安全监察局）职能配置、内设机构和人员编制方案

为适应我国安全生产工作的需要，进一步加强对安全生产的监督管理，预防和减少各类伤亡事故，设立

国家安全生产监督管理局，国家煤矿安全监察局与其一个机构、两块牌子。涉及煤矿安全监察方面的工作，以国家煤矿安全监察局的名义实施。国家安全生产监督管理局(国家煤矿安全监察局)是综合管理全国安全生产工作、履行国家安全生产监督管理和煤矿安全监察职能的行政机构，由国家经济贸易委员会(以下简称国家经贸委）负责管理。

一、职能调整

(一)现由国家经贸委承担的安全生产监督管理职能，划给国家安全生产监督管理局(国家煤矿安全监察局)。

(二）原国家煤矿安全监察局承担的职能不作调整。

二、主要职责

(一)负责起草安全生产方面的综合性法律草案和行政法规，拟定有关政策及工矿商贸企业安全生产规章、规程和安全技术标准。

(二）综合管理全国安全生产工作，分析和预测全国安全生产形势，拟定全国安全生产工作规划，依法行使国家安全生产监督管理职权，指导、协调和监督质量技术监督等有关部门承担的专项安全监察、监督工作。

(三）依法行使国家煤矿安全监察职权。对设在各地的煤矿安全监察局及其煤矿安全监察办事处的管理，按照《国务院办公厅关于印发煤矿安全监察管理体制改革实施方案的通知》（国办发〔1999〕104号）规定执行。

(四）负责发布全国安全生产信息，综合管理全国伤亡事故统计工作，组织、协调重大、特大事故的调查处理，受国务院委托对特大事故调查报告进行批复。

(五）指导、协调全国安全生产检测检验工作，组织实施对工矿商贸企业安全生产条件和有关设备（由其他有关部门承担的锅炉、压力容器、电梯、防爆电器等特种设备除外)进行检测检验、安全评价、安全培训、安全咨询等社会中介组织的资格认可工作，并负责监督检查。

(六)组织全国安全生产方面的宣传教育和本系统安全生产监察人员、煤矿安全监察人员的培训、考核工作，依法组织、指导并监督特种作业人员的考核工作和企业主要经营管理者的安全资格考核工作。

(七）监督工矿商贸企业贯彻执行安全生产法律、法规情况和安全生产条件、有关设备、材料及劳动防护用品的安全管理工作。

(八）负责新建、改建、扩建工程项目的安全设施与主体工程同时设计、同时施工、同时投产使用（以下简称“三同时”）的安全监督检查工作，按照职业安全法规和标准监督检查工矿商贸企业职业危害的防治工作，依法监督检查重大危险源的监控和重大事故隐患的整改工作，组织对不具备安全生产基本条件的生产经营单位的查处工作，组织、指导和协调煤矿救护、化学事故应急救援等工作。

(九）拟定安全生产科研规划，组织、指导安全生产重大科学技术研究和技术示范工作。

(十)按照干部管理权限负责局机关和直属机构的干部管理工作。

(十一）开展安全生产方面的国际交流与合作。

(十二）承办国务院和国家经贸委交办的其他事项。

三、内设机构

根据上述职责，国家安全生产监督管理局(国家煤矿安全监察局）设9个职能司（室)。

(一）办公室（外事司、财务司)。

负责机关文秘、档案、信息、保密和行政后勤等方面的工作；负责财务、经费、国有资产管理工作；负责组织安全生产方面的国际技术合作与交流活动。

(二）政策法规司。

负责起草有关法律草案和行政法规的具体工作；研究拟定工矿商贸企业安全生产规章、规程及安全技术标准；承办安全生产方面的行政复议工作；负责安全生产重大政策研究和起草重要文件及重要会议报告；组织、指导安全生产新闻宣传工作。

(三）信息与技术装备保障司。

负责发布全国安全生产信息和伤亡事故统计的具体工作，分析和预测全国安全生产形势；监督管理安全技术措施经费；组织有关科研成果的鉴定和技术推广；负责国家安全生产专家组工作；实施对工矿商贸企业安全生产条件和有关设备（由其他有关部门承担的锅炉、压力容器、电梯、防爆电器等特种设备除外）进行检测检验、安全评价、安全培训、安全咨询等社会中介组织的资格认可工作，并进行监督检查。

(四）煤矿安全监察一司。

组织国有煤矿建设工程安全设施的设计审查和竣工验收；监督检查国有煤矿贯彻执行安全生产法律、法规情况及其安全生产条件、设备设施安全和职业危害情况；组织调查和处理国有煤矿重大、特大事故；组织、指导和协调煤矿救护及应急救援工作。

(五）煤矿安全监察二司。

监督检查乡镇煤矿贯彻执行安全生产法律、法规情况及其安全生产条件、设备设施安全和职业危害情况，依法查处不具备安全生产基本条件的小煤矿；组织调查和处理乡镇煤矿重大、特大事故。

(六）安全监督管理一司。

监督检查金属与非金属矿山企业贯彻执行安全生产法律、法规情况及其“三同时”情况和安全生产条件、设备设施安全情况；组织调查和处理金属与非金属矿山企业重大、特大事故；组织、指导和协调金属与非金属矿山企业事故应急救援工作。

(七）安全监督管理二司。

监督检查石油、化工、电力、贸易、机械、冶金、有色、轻工、纺织、医药、建材、烟草、地质等行业的工矿商贸企业贯彻执行安全生产法律、法规情况及其“三同时”情况和安全生产条件、设备设施安全情况；组织调查和处理相关的重大、特大事故；组织、指导和协调化学事故应急救援等工作。

（八）安全监督管理三司。

指导、协调和监督公路、水运、铁路、民航、建筑、水利、邮政、电信、林业、军工、旅游等行业的安全生产工作；组织、协调相关的重大、特大事故的处理工作。

（九）人事培训司。

按照干部管理权限负责局机关和直属机构干部管理的具体工作；组织、指导本系统安全生产监察人员、煤矿安全监察人员的培训、考核和全国企业安全生产技术培训工作；依法组织、指导并监督特种作业人员的考核工作和企业主要经营管理者的安全资格考核工作。

机关党委。负责局机关和在京直属单位的党群工作，办事机构设在人事培训司。

四、人员编制

国家安全生产监督管理局（国家煤矿安全监察局）机关行政编制160名。其中：局长1名，副局长4名，正副司长职数30名（含机关党委专职副书记），国家安全生产监察专员15名（司局级）。

五、其他事项

（一）国家安全生产监察专员受国家安全生产监督管理局（国家煤矿安全监察局）的委托，监督检查有关单位对重大危险源和重大事故隐患的监控与整改情况，参加对重大、特大事故的调查处理工作，完成局领导交办的其他重要事项。

（二）国家经贸委安全科学技术研究中心（包括中国劳动保护科学技术学会）、原国家煤炭工业局所属的离退休干部管理机构，由国家安全生产监督管理局（国家煤矿安全监察局）管理；原国家煤炭工业局管理的机关服务中心等事业单位以及中国煤炭工业劳动保护科学技术学会，暂由国家安全生产监督管理局（国家煤矿安全监察局）管理。有关事业单位的改革事宜，由中编办商有关部门另行研究。

国务院安全生产委员会成立

2001年3月17日，国务院办公厅以国办发〔2001〕20号文通知各省、自治区、直辖市人民政府，国务院各部委、各直属机构：为加强安全生产工作，国务院决定成立国务院安全生产委员会（以下简称安委会）。

一、安委会主要职责

（一）定期分析全国安全生产形势，部署和组织国务院有关部门贯彻落实党中央、国务院关于安全生产的方针、政策。

（二）研究、协调和解决安全生产中的重大问题。

（三）协调解放军总参谋部和武警总部迅速调集部队参加特别重大事故应急救援工作。

（四）完成国务院领导同志交办事项，以及其他有关安全生产的重大事项。

二、安委会的组成

主　任：吴邦国（国务院副总理）

副主任：尤　权（国务院副秘书长）

石万鹏（国家经贸委副主任）

杨焕宁（公安部副部长）

陈昌智（监察部副部长）

张宝明（国家安全生产监督管理局、国家煤矿安全监察局局长）

纪明波（全国总工会书记处书记）

成　员：汪　洋（国家计委副主任）

张保庆（教育部副部长）

李学勇（科技部副部长）

张广钦（国防科工委副主任）

朱志刚（财政部副部长）

王东进（劳动保障部副部长）

郑一军（建设部副部长）

刘志军（铁道部副部长）

洪善祥（交通部副部长）

殷大奎（卫生部副部长）

汪纪戎（环保总局副局长）

杨元元（民航总局副局长）

韩新民（工商局副局长）

朱明暹（质量技监局副局长）

张希钦（旅游局副局长）

王　晨（中宣部副部长）

尚恒春（解放军总参谋部作战部副部长）

三、安委会工作机构的设置

安委会在国家安全生产监督管理局（国家煤矿安全监察局）设立办公室，作为安委会的工作机构。办公室的主要职责是：承办安委会召开的会议；定期编报全国安全生产工作简报；承办安委会交办事项和日常工作。安委会办公室主任由国家安全生产监督管理局（国家煤矿安全监察局）局长张宝明兼任，副主任由国家安全生产监督管理局（国家煤矿安全监察局）副局长闪淳昌、赵铁锤、王德学担任。

国家安全生产监督管理局、国家煤矿安全监察局职能配置、内设机构和人员编制规定

一、办公室（外事司、财务司）

1. 负责组织机关办公，协调局领导交办的业务和行政事务工作。

2. 负责机关值班、文秘、公文处理及局党组会议、局务会议、局长办公会议的组织、记录和纪要工作。

3. 负责政务信息工作及督促落实局党组会议、局务会议和局长办公会议决定的工作事项。

4. 负责办公室处理的来往文件、电报的签收、登记、传递、催办、管理和立卷归档工作；负责局党组及局印章、办公室（外事司、财务司）印章、局领导名章的保管、监印工作。

5. 负责保密、档案及文电、文印工作。

6. 负责人民来信、来访工作和提案、建议回复的管理工作。

7. 负责机关经费预算的分配、使用和机关财务会计的日常工作。

8. 负责本部门及所属单位财务管理、会计核算及国有资产管理；组织编制监督本部门及所属单位预算的分配执行；负责编制汇总会计财务决算以及会计制度培训、会计人员管理；负责财务审计工作。

9. 负责机关及直属单位机构编制及有关社团管理工作。

10. 负责组织政府、民间安全生产方面的国际交流与合作及国外智力引进工作；审批办理所属单位人员出国任务，审批组织参加国际组织和国际会议，协调指导直属单位的外事工作；负责安全生产无偿援助项目的管理和邀请外国人及港澳人员来访工作。

11. 完成局领导交办的其他事项。

办公室设综合处（保密办）、秘书处（值班室）、督查处、机关财务处、财务资产处、国际合作处（对外联络处）、信访办公室。机关人员编制 30 名，其中正副主任（司长）5 名；正副处长 13 名；非领导职务职数按国家公务员暂行条例另行核定。

二、政策法规司

1. 负责组织编制和实施安全生产立法规划和年度计划；组织起草有关法律草案和行政法规草案。

2. 组织拟定工矿商贸企业安全生产规章、规程及安全技术标准。

3. 归口管理局的法规工作；负责安全生产方面的行政复议、法规答复、执法监督工作。

4. 负责安全生产重大政策及典型经验的调查研究；负责安全生产政策研究及政策研究相关课题的组织、管理、协调工作。

5. 负责起草重要文件及重要会议报告材料；负责编辑《安全生产工作动态》、《安全生产工作简报》、《安全生产法制工作简讯》。

6. 组织、协调、指导安全生产宣传教育和新闻报道工作；负责对局主管报刊的有关管理工作；组织局召开的新闻发布会。

7. 了解煤矿安全监察队伍的思想状况，提出加强精神文明建设的意见，总结推广队伍建设的典型经验。

8. 完成局领导交办的其他事项。

政策法规司设宣传处（综合处）、政策研究处、法规处（执法监督处）。机关人员编制 12 名，其中正副司长 3 名；正副处长 6 名；非领导职务职数按国家公务员暂行条例另行核定。

三、信息与技术装备保障司

1. 负责综合管理全国安全生产信息和伤亡事故的统计工作；组织分析和预测年度全国安全生产形势。

2. 负责安排安全技术措施经费、安全科研经费、国家预算内投资、国家安排的专项安全设备和设施资金，并进行监督检查；负责安全技术改造工作。

3. 负责拟定安全生产科研规划，组织、指导安全生产重大科学技术研究和技术示范工作，组织安全科研成果的鉴定和技术推广。

4. 负责煤矿安全监察相关单位的设施建设和装备综合管理工作。实施对工矿商贸企业安全生产条件和有关设备（由其他有关部门承担的锅炉、压力容器、电梯、防爆电器等特种设备除外）进行检测检验、安全评价、安全咨询等社会中介组织的资格认证工作，并进行监督检查；负责危险装备的安全标志管理工作；负责国家授权的机电产品进出口管理工作。

5. 负责国家安全生产专家组工作。

6. 负责指导、协调安全生产、职业危害的检测、检验工作。

7. 负责安全生产信息体系、安全技术支撑体系、安全装备管理体系、安全生产社会中介评价体系建设。

8. 完成局领导交办的其他事项。

信息与技术装备保障司设信息管理处（综合体）、安全科技处、安全装备处（安全评审处）。机关人员编制 13 名，其中正副司长 3 名；正副处长 6 名；非领导职务职数按国家公务员暂行条例另行核定。

四、煤矿安全监察一司

煤矿安全监察一司负责国有煤矿的安全监察工作，主要职责是：

1. 组织起草、修订国有煤矿建设工程安全设施的设计审查标准和竣工验收办法；组织国有煤矿建设工程安全设施的设计审查和竣工验收，对验收文本实施档案管理。

2. 监督检查国有煤矿贯彻执行安全生产法律、法规情况及其安全生产条件；拟定国有煤矿安全监察有关工作制度、办法；负责国有煤矿行政处罚的文本管理。

3. 组织起草国有煤矿设备设施标准及监察有关工作制度、办法；监督检查国有煤矿设备设施安全情况。

4. 组织起草国有煤矿职业危害防治和检测标准、办法；监督检查国有煤矿职业危害情况；监督检查煤矿特种劳动保护用品的使用情况。

5. 组织调查和处理国有煤矿重、特大事故；拟定国有煤矿伤亡事故调查处理规定、办法；承办国有煤矿有关事故调查报告的批复、事故调查结案的档案管理，监督检查事故责任者处理意见和事故防范措施的落实情况。

6. 指导、协调国有煤矿救护及其应急救援工作；组织起草煤矿救护队的标准，并进行监督检查和资格认可；拟定煤矿救护及其应急救援工作制度；指导和协调跨省区的煤矿救护及其应急救援工作。

7. 组织指导中介组织对国有煤矿企业的安全评估、职业危害和有关设备的检测检验工作。

8. 负责组织、指导国有煤矿职业安全业务交流工作；完成局领导交办的其他事项。

煤矿安全监察一司设综合处、监察一处、监察二处。机关人员编制13名，其中正副司长3名；正副处长6名；非领导职务职数按国家公务员暂行条例另行核定。

五、煤矿安全监察二司

煤矿安全监察二司负责乡镇煤矿的安全监察工作，主要职责是：

1. 监督检查乡镇煤矿贯彻执行安全生产法律、法规情况，定期通报和分析乡镇煤矿安全生产状况，提出政策建议；拟定乡镇煤矿安全监察有关工作制度、办法。

2. 组织调查、处理乡镇煤矿重、特大事故；承办乡镇煤矿有关事故调查报告的批复；负责事故调查处理结案的档案管理；监督检查事故责任人员的处理意见和事故防范措施的落实情况。

3. 组织起草乡镇煤矿安全生产标准，依法查处不具备安全生产条件的乡镇煤矿。

4. 组织起草乡镇煤矿建设工程安全设施的设计审查和竣工验收标准；指导乡镇煤矿建设工程安全设施的设计审查。

5. 组织起草乡镇煤矿设备设施标准，监督检查乡镇煤矿设备设施安全情况。

6. 组织起草拟定乡镇煤矿职业危害检测标准、办法；监督检查乡镇煤矿职业危害情况及职业危害防治措施和粉尘检测情况；监督检查乡镇煤矿特种劳动保护用品的使用情况。

7. 指导、协调乡镇煤矿救护工作；组织起草乡镇煤矿救护队标准，并进行监督检查和资格认可；拟定乡镇煤矿救护工作制度；指导、协调跨省区的乡镇煤矿救护工作。

8. 负责组织、指导乡镇煤矿职业安全业务交流工作；完成局领导交办的其他事项。

煤矿安全监察二司设综合处、监察一处、监察二处。机关人员编制13名，其中正副司长3名；正副处长6名；非领导职务职数按国家公务员暂行条例另行核定。

六、安全监督管理一司

安全监督管理一司综合监督管理全国金属与非金属等非煤矿山企业的安全生产工作，主要职责是：

1. 组织起草、修订有关非煤矿山的安全生产规章、规程、安全技术标准。

2. 监督检查非煤矿山企业贯彻执行安全生产法律、法规以及安全生产方针政策和责任制落实等情况。

3. 监督检查非煤矿山新建、改建、扩建非煤矿山工程项目的安全设施与主体工程的同时设计、同时施工、同时投产使用情况。

4. 监督检查非煤矿山企业的安全生产条件、设备设施和重大危险源监控、重大事故隐患治理，以及劳动防护用品的安全管理工作。

5. 监督检查非煤矿山企业特种作业人员和企业主要经营者及安全管理人员安全资格考核持证上岗情况工作。

6. 组织指导中介组织对非煤矿山企业的安全培训、安全评估、安全生产条件和有关设备的检测检验，以及非煤矿山安全生产科技工作。

7. 组织调查和处理非煤矿山企业重大、特大事故。

8. 组织、指导非煤矿山重大、特大事故应急救援工作。

9. 负责组织、指导非煤矿山职业安全业务交流工作；承办上级交办的其他事项。

安全监督管理一司设综合处、安全监督管理一处、安全监督管理二处。机关人员编制13名，其中，正副司长3名，正副处长6名，非领导职务职数按国家公务员暂行条例另行核定。

七、安全监督管理二司

安全监督管理二司综合监督管理石油、化工、电力、贸易、机械、冶金、有色、轻工、纺织、医药、建材、烟草、地质等行业的安全生产工作，主要职责是：

1. 组织起草、修订分管行业安全生产方面的规章、规程和安全技术标准。

2. 监督检查分管行业企业贯彻执行安全生产法律、法规情况。

3. 监督检查分管行业新建、改建、扩建工程项目的安全设施与主体工程同时设计、同时施工、同时投产使用的情况。

4. 监督检查分管行业工矿商贸企业安全生产条件、设备设施和重大危险源监控及重大事故隐患的整改情况；监督检查分管行业职业危害防治及劳动防护用品的安全管理工作。

5. 监督检查分管行业企业特种作业人员和企业主要经营管理者及安全管理人员安全资格考核持证上岗情况。

6. 组织指导中介组织对分管行业企业的安全评价、安全培训、安全咨询、安全生产条件和有关设备的检测检验工作，以及分管行业安全生产科技工作。

7. 组织调查和处理分管行业重大、特大事故。

8. 综合管理危险化学品登记注册工作，组织指导和协调化学事故应急救援等工作。

9. 负责组织、指导分管行业职业安全业务交流工作；完成局领导交办的其他事项。

安全监督管理二司设综合处、安全监督管理一处、安全监督管理二处。机关人员编制13名，其中正副司长3名；正副处长6名；非领导职务职数按国家公务员暂行条例另行核定。

八、安全监督管理三司

安全监督管理三司指导协调监督公路、水运、铁路、民航、建筑、水利、邮政、电信、林业、军工、旅游等行业的安全生产工作，主要职责是：

1. 监督检查分管行业贯彻执行安全生产法律、法规情况。

2. 组织起草、修订分管行业安全生产监督管理的规章制度。

3. 监督检查分管行业新建、改建、扩建工程项目的安全设施与主体工程同时设计、同时施工、同时投产使用的情况。组织指导监督“三同时”预评价工作。

4. 负责分管行业职业安全的调查研究和事故预防工作，并提出对策建议。

5. 负责指导协调监督分管行业重大事故隐患、重大危险源的监控、跟踪、治理和整改工作，监督检查分管行业职业危害防治及特种劳动保护用品的安全管理工作。

6. 组织协调、监督指导分管行业的重大、特大事故的调查和处理工作。

7. 组织指导监督中介组织对分管行业企业的安全评估、安全培训、安全咨询、安全生产条件和有关设备的检测检验工作，以及分管行业安全生产科技工作。

8. 负责指导协调监督各地区分管行业的安全生产工作。

9. 负责组织、指导分管行业职业安全业务交流工作；负责完成局领导交办的其他事项。

安全监督管理三司设综合处、安全监督管理一处、安全监督管理二处。机关人员编制13名，其中正副司长3名；正副处长6名；非领导职务职数按国家公务员暂行条例另行核定。

九、人事培训司

1. 负责机关和省级煤矿安全监察局及煤矿安全监察办事处公务员队伍建设，承办公务员的考核、任免、考录、奖惩、培训、晋升、工资、辞退等管理工作。

2. 负责各煤矿安全监察局领导班子和后备干部队伍建设，承办各煤矿安全监察局领导干部的考核、任免、奖惩、离退休和工资等日常管理以及各煤矿安全监察办事处主要领导干部的备案管理工作。

3. 负责在京直属单位领导班子和后备干部队伍建设，承办有关领导干部的考核、任免、奖惩、离退休和工资等日常管理工作。

4. 指导直属单位人事制度改革工作，研究提出人事制度改革的政策和措施。

5. 负责煤矿安全监察系统和直属单位专业技术干部队伍建设，承办全国注册安全工程师资格考试、煤矿安全监察系统专家库管理以及直属单位职称改革、拔尖人才、特殊津贴、院士增选及留学回国等工作。

6. 组织、指导全国安全生产技术培训，承办煤矿安全监察人员的培训、考核、发证及直属单位的干部培训。

7. 依法组织、指导并监督特种作业人员的考核管理和企业主要经营管理者的安全资格考核认证工作，承办安全培训机构的评估认证等工作。

8. 负责机关和直属单位干部调配和军转干部、大中专毕业生接收工作。

9. 负责机关和直属单位的劳动工资及社会保险工作。

10. 负责直属院校的管理，指导直属院校的教学改革和实验室建设、审批专业设置和招生计划等工作。

11. 负责机关工作人员以及局党组管理干部的人事档案管理和直属系统干部统计工作。

12. 负责干部人事工作中的来信来访；完成局党组交办的其他工作。

机关党委。负责机关和在京直属单位的党群工作，办事机构设在人事培训司。

人事培训司设综合管理处（劳动工资处）、机关干部处、直属干部处（培训教育处）。机关人员编制13名，其中正副司长3名；正副处长6名；非领导职务职数按国家公务员暂行条例另行核定。

机关党委设党委办公室（群工部）。机关人员编制4名，其中领导干部职数1名；正副处长2名；非领导职务职数按国家公务员暂行条例另行核定。

江苏煤矿安全监察局职能配置、内设机构和人员编制方案

根据国务院批准的煤矿安全监察管理体制改革实施方案和《国务院办公厅关于组建江苏煤矿安全监察局等问题的复函》（国办函〔2000〕50号），组建江苏煤矿安全监察局，由国家煤矿安全监察局垂直管理。江苏煤矿安全监察局为国家煤矿安全监察局的直属机构，实行国家煤矿安全监察局与江苏省人民政府双重领导，以国家煤矿安全监察局为主的管理体制。

按照政企分开、安全监察与安全管理分开和精简、统一、效能的原则，转变职能、理顺关系，调整内部结构和优化干部队伍，依法行政，认真履行安全监察职能，结合江苏省煤炭工业实际，制定江苏煤矿安全监察局的职能配置、内设机构和人员编制方案，逐步建立起与社会主义市场经济体制相适应的煤矿安全监察管理体制。

一、主要职责

1. 贯彻落实国家关于煤矿安全生产的方针、政策和法律、法规及规章、规程。

2. 按照分级管理的原则和上级授权，组织查处煤矿伤亡事故。

3. 组织、指导煤矿安全生产技术培训、职业危害防治、煤矿救护队及其应急救援工作。

4. 负责煤矿使用的设备、材料、仪器仪表的安全监察管理工作。

5. 查处不符合安全生产标准的煤炭企业。

6. 承办国家煤矿安全监察局交办的其他事项。

二、内设机构

根据上述主要职责，江苏煤矿安全监察局设5个职能处室。

1. 办公室（财务办公室）

负责机关文秘、档案、保密、信访、财务、外事和其他行政事务管理等工作。

2. 安全监察一处（事故调查和行政复议处）

负责监督检查省内国有重点煤矿企业贯彻执行国家有关煤矿安全生产的方针政策、法律法规、规章规程和标准的情况；查处国有重点煤矿安全生产方面的违法行为；按照分级管理的原则和国家煤矿安全监察局授权，组织查处煤矿伤亡事故；负责煤矿安全执法监督和行政复议工作；负责全省煤矿安全事故信息报送，发布煤矿安全信息；负责煤矿事故的统计分析；指导和协调煤矿救护队及其应急救灾、救援工作。

3. 安全监察二处

负责监督检查省内地方乡镇煤矿企业贯彻执行国家有关煤矿安全生产的方针政策、法律法规、规章规程和标准的情况；查处地方乡镇煤矿安全生产方面的违法行为。

4. 安全技术装备保障处（职业危害防治处）

负责煤矿使用的设备、材料、仪器仪表标准、认证、安全标志的管理及安全监察工作；组织煤矿建设工程安全设施的设计审查和验收；负责煤矿安全技术检测和职业危害防治技术保障工作；监督指导全省煤矿职业危害的防治工作，负责职业危害的统计分析。

5. 人事培训处

负责机关的人事管理；组织指导煤炭企业安全生产技术培训；负责煤炭企业主要经营管理者安全资格认证工作。

根据有关规定，江苏煤矿安全监察局设纪检组（监察室）和机关党委，合署办公。其主要职责是：负责机关纪检监察及党群工作。

三、人员编制

江苏煤矿安全监察局机关行政编制为40名（其中江苏省机构编制委员会办公室核定20名）。其中：局长1名，副局长2名，纪检组长1名。中层干部职数14名。

巡视员、助理巡视员、调研员、助理调研员等非领导职务的职数按有关规定核定。

离退休干部工作机构、后勤服务机构及编制，按有关规定另行核定。

徐州煤矿安全监察办事处成立

2001年9月28日，中央机构编制委员会办公室、国家煤矿安全监察局以中央编办复字〔2001〕168号文批复成立徐州煤矿安全监察办事处。主要内容如下：

同意成立徐州煤矿安全监察办事处，为处级建制，由江苏煤矿安全监察局管理。核定编制20名，其中10名在已核定的全国煤矿安全监察局以及办事处行政编制中调剂解决，10名由江苏煤矿安全监察局调剂解决。

铜陵煤矿安全监察办事处更名

2001年12月13日，中央机构编制委员会办公室以中央编办复字〔2001〕222号文批复同意铜陵煤矿安全监察办事处更名为皖南煤矿煤矿安全监察办事处。

国家煤炭工业局驻上海办事处更名

2001年6月13日，国家煤矿安全监察局办公室以安监管司办字〔2001〕18号文批复同意将原国家煤炭工业局与上海办事处更名为国家煤矿安全监察局驻上海办事处。

财政部、国家煤矿安全监察局批复河北等煤矿安全监察局资产财务划转问题

2001年4月1日财政部、国家煤矿安全监察局以财建〔2001〕138号、139号、140号、141号、142号、143号、144号、145号、146号、147号、148号文，2001年10月16日以财建〔2001〕611号、612号、613号、614号、615号文批复河北、江西、黑龙江、新疆、安徽、甘肃、山东、重庆、云南、宁夏、四川、湖南、陕西、江苏、辽宁、内蒙古煤矿安全监察局资产财务划转问题。主要内容是：

经研究，决定从2001年1月1日起，将河北煤矿安全监察局及所属机关服务中心资产财务关系划转中央管理。具体批复如下：

一、河北省原煤炭工业管理局资产按1999年财务决算数划转国家煤矿安全监察局管理，其中资产总额6602万元，负债总额1173万元，净资产5429万元。请按规定及时办理国有资产变更登记。

二、河北煤矿安全监察局经费1171万元上划中央财政，此项划转基数中央财政与地方财政年终单独结

算。

三、根据上划人员情况及编制，核定河北煤矿安全监察局各项经费指标如下：

1. 行政机关编制人数 60 人，核定政府机关经费 454 万元。

2. 行政单位离退休人员 291 人，离退休管理人员 11 人，核定离退休经费 544 万元（其中离退休管理机构经费 56 万元）。

3. 行政机关事业费 173 万元。

四、河北煤矿安全监察局及所属机关服务中心 2000 年经费仍由你省负责；2000 年度财务决算在报当地财政部门的同时，报财政部和国家煤矿安全监察局备案。

经研究，决定从 2001 年 1 月 1 日起，将江西煤矿安全监察局及所属后勤服务中心资产财务关系划转中央管理。具体批复如下：

一、江西省原煤炭工业管理局有关资产按 1999 年财务决算数上划国家煤矿安全监察局管理，其中资产总额 2458 万元，负债总额 381 万元，净资产 2077 万元。请按规定及时办理国有资产变更登记。

二、江西煤矿安全监察局经费 398.56 万元上划中央财政，此项划转基数中央财政与地方财政年终单独结算。

三、根据上划人员情况及编制，核定江西煤矿安全监察局各项经费指标如下：

1. 行政机关编制人数 45 人，核定政府机关经费 204 万元；

2. 行政单位离退休人员 84 人，离退休管理人员 5 人，核定离退休经费 149.56 万元（其中离退休管理机构经费 18.9 万元）；

3. 行政机关事业费 45 万元。

四、江西煤矿安全监察局及所属机关服务中心 2000 年经费仍由你省负责；2000 年度财务决算在报当地财政部门的同时，报财政部和国家煤矿安全监察局备案。

经研究，决定从 2001 年 1 月 1 日起，将黑龙江煤矿安全监察局及所属机关服务中心资产财务关系划转中央管理。具体批复如下：

一、黑龙江省原煤炭工业管理局资产按 1999 年财务决算数划转国家煤矿安全监察局管理，其中资产总额 25612 万元，负债总额 1051 万元，净资产 24561 万元。请按规定及时办理国有资产变更登记。

二、黑龙江煤矿安全监察局经费 1042 万元上划中央财政，此项划转基数中央财政与地方财政年终单独结算。

三、根据上划人员情况及编制，核定黑龙江煤矿安全监察局各项经费指标如下：

1. 行政机关编制人数 60 人，核定政府机关经费 410 万元；

2. 行政单位离退休人员 356 人，离退休管理人员 16 人，核定离退休经费 632 万元（其中离退休管理机构经费 45 万元）。

四、黑龙江煤矿安全监察局及所属机关服务中心 2000 年经费仍由你省负责；2000 年度财务决算在报当地财政部门的同时，报财政部和国家煤矿安全监察局备案。

经研究，决定从 2001 年 1 月 1 日起，将新疆煤矿安全监察局及所属机关服务中心资产财务关系划转中央管理。具体批复如下：

一、新疆原煤炭工业管理局资产按 1999 年财务决算数划转国家煤矿安全监察局管理，其中资产总额 2701 万元，负债总额 444 万元，净资产 2257 万元。请按规定及时办理国有资产变更登记。

二、新疆煤矿安全监察局经费 738.72 万元上划中央财政，此项划转基数中央财政与地方财政年终单独结算。

三、根据上划人员情况及编制，核定新疆煤矿安全监察局各项经费基数如下：

1. 行政机关编制人数 45 人，核定政府机关经费 232.34 万元；

2. 行政单位离退休人员 122 人，离退休管理人员 7 人，核定离退休经费 230.28 万元（其中离退休管理机构经费 35.14 万元）；

3. 行政机关事业费 276.1 万元。

四、新疆煤矿安全监察局及所属机关服务中心 2000 年经费仍由你区负责；2000 年度财务决算在报当地财政部门的同时，报财政部和国家煤矿安全监察局备案。

经研究，决定从 2001 年 1 月 1 日起，将安徽煤矿安全监察局资产财务关系划转中央管理。具体批复如下：

一、安徽省原煤炭工业管理局资产按 1999 年财务决算数划转国家煤矿安全监察局管理，其中资产总额 5108 万元，负债总额 3891 万元，净资产 1217 万元。请按规定及时办理国有资产变更登记。

二、安徽煤矿安全监察局经费 288 万元上划中央财政，此项划转基数中央财政与地方财政年终单独结算。

三、根据上划人员情况及编制，核定安徽煤矿安全监察局各项经费指标如下：

1. 行政机关编制人数 50 人，核定政府机关经费 240 万元；

2. 行政机关事业费 48 万元。

四、安徽煤矿安全监察局 2000 年经费仍由你省负责；2000 年度财务决算在报当地财政部门的同时，报财政部和国家煤矿安全监察局备案。

经研究，决定从 2001 年 1 月 1 日起，将甘肃煤矿安全监察局及所属机关服务中心资产财务关系划转中央管理。具体批复如下：

一、甘肃省原煤炭工业管理局资产按 1999 年财务决算数划转国家煤矿安全监察局管理，其中资产总额 2365 万元，负债总额 1147 万元，净资产 1218 万元。请按规定及时办理国有资产变更登记。

二、甘肃煤矿安全监察局经费 541 万元上划中央财政，此项划转基数中央财政与地方财政年终单独结算。

三、根据上划人员情况及编制，核定甘肃煤矿安全监察局各项经费指标如下：

1. 行政机关编制人数 45 人，政府机关经费 305.84 万元；

2. 离退休人员 87 人，离退休管理人员 3 人，行政单位离退休经费 114.16 万元（其中离退休管理机构经费 17.16 万元）；

3. 行政机关事业费 121 万元。

四、甘肃煤矿安全监察局及所属机关服务中心 2000 年经费仍由你省负责；2000 年度财务决算在报当地财政部门的同时，报财政部和国家煤矿安全监察局备案。

经研究，决定从 2001 年 1 月 1 日起，将山东煤矿安全监察局及所属机关服务中心资产财务关系划转中央管理。具体批复如下：

一、山东省原煤炭工业管理局有关资产按 1999 年财务决算数上划国家煤矿安全监察局管理，其中资产总额 17462 万元，负债总额 1497 万元，净资产 15965 万元。请按规定及时办理国有资产变更登记。

二、山东煤矿安全监察局经费 2700 万元上划中央财政，此项划转基数中央财政与地方财政年终单独结算。

三、根据上划人员情况及编制，核定山东煤矿安全监察局各项经费指标如下：

1. 行政机关编制人数 60 人，政府机关经费 933 万元；

2. 行政单位离退休人员 352 人，离退休管理人员 21 人，离退休经费 670 万元（其中离退休管理机构经费 106 万元）；

3. 行政机关事业费 1097 万元。

四、山东煤矿安全监察局及所属机关服务中心 2000 年经费仍由你省负责；2000 年度财务决算在报当地财政部门的同时，报财政部和国家煤矿安全监察局备案。

经研究，决定从 2001 年 1 月 1 日起，将重庆煤矿安全监察局及所属机关服务中心资产财务关系划转中央管理。具体批复如下：

一、重庆市原煤炭工业管理局资产按 1999 年财务决算数划转国家煤矿安全监察局管理，其中资产总额 7524 万元，负债总额 2315 万元，净资产 5209 万元。请按规定及时办理国有资产变更登记。

二、重庆煤矿安全监察局经费 662 万元上划中央财政，此项划转基数中央财政与地方财政年终单独结算。

三、根据上划人员情况及编制，核定重庆煤矿安全监察局各项经费指标如下：

1. 行政机关编制人数 45 人，政府机关经费 262 万元；

2. 行政单位离退休人员 151 人，离退休管理人员 6 人，离退休经费 244 万元（其中离退休管理机构经费 28 万元）；

3. 行政机关事业费 156 万元。

四、重庆煤矿安全监察局及所属机关服务中心 2000 年经费仍由你市负责；2000 年度财务决算在报当地财政部门的同时，报财政部和国家煤矿安全监察局备案。

经研究，决定从 2001 年 1 月 1 日起，将云南煤矿安全监察局及所属机关服务中心资产财务关系划转中央管理。具体批复如下：

一、云南省原煤炭工业管理局资产按 1999 年财务决算数划转国家煤矿安全监察局管理，其中资产总额 4146 万元，负债总额 898 万元，净资产 3248 万元。请按规定及时办理国有资产变更登记。

二、云南煤矿安全监察局经费 500 万元上划中央财政，此项划转基数中央财政与地方财政年终单独结算。

三、根据上划人员情况及编制，核定云南煤矿安全监察局各项经费基数如下：

1. 行政机关编制人数 45 人，核定政府机关经费 225 万元；

2. 行政机关事业费 275 万元。

四、云南煤矿安全监察局及所属机关服务中心 2000 年经费仍由你省负责；2000 年度财务决算在报当地财政部门的同时，报财政部和国家煤矿安全监察局备案。

经研究，决定从 2001 年 1 月 1 日起，将宁夏煤矿安全监察局及所属机关服务中心资产财务关系划转中央管理。具体批复如下：

一、宁夏原煤炭工业管理局有关资产按 1999 年财务决算数划转国家煤矿安全监察局管理，其中资产总额 6954 万元，负债总额 1150 万元，净资产 5804 万元。请按规定及时办理国有资产变更登记。

二、宁夏煤矿安全监察局经费 522 万元上划中央财政，此项划转基数中央财政与地方财政年终单独结算。

三、根据上划人员情况及编制。核定宁夏煤矿安全监察局各项经费指标如下：

1. 行政机关编制人数 45 人，政府机关经费 314 万元。

2. 离退休人员 99 人，离退休管理人员 4 人，行政单位离退休经费 140 万元（其中离退休管理机构经费 15 万元）。

3. 行政机关事业费 68 万元。

四、宁夏煤矿安全监察局及所属机关服务中心 2000 年经费仍由你省负责；2000 年度财务决算在报当地财政部门的同时，报财政部和国家煤矿安全监察局备案。

经研究，决定从 2001 年 1 月 1 日起，将四川煤矿安全监察局及所属后勤服务中心资产财务关系划转中央管理。具体批复如下：

一、四川省原煤炭工业管理局有关资产按1999年财务决算数划转国家煤矿安全监察局管理，其中资产总额2271万元，负债总额1359万元，净资产912万元。请按规定及时办理国有资产变更登记。

二、四川煤矿安全监察局经费760万元上划中央财政，此项划转基数中央财政与地方财政年终单独结算。

三、根据上划人员情况及编制，核定四川煤矿安全监察局各项经费基数如下：

1. 行政机关编制人数50人，核定政府机关经费340万元；

2. 行政单位离退休人员224人，离退休管理人员9人，核定离退休经费351万元（其中离退休管理机构经费36万元）；

3. 行政机关事业费69万元。

四、四川煤矿安全监察局及所属后勤服务中心2000年经费仍由你省负责；2000年度财务决算在报当地财政部门的同时，报财政部和国家煤矿安全监察局备案。

经研究，决定从2001年1月1日起，将湖南煤矿安全监察局及所属后勤服务中心资产财务关系划转中央管理，具体批复如下：

一、湖南省原煤炭工业管理局有关资产按1999年财务决算数上划国家煤矿安全监察局管理，其中资产总额2044万元，负债总额894万元，净资产1150万元。请按规定及时办理国有资产变更登记手续。

二、湖南煤矿安全监察局经费825万元上划中央财政，此项划转基数中央财政与地方财政年终单独结算。

三、根据上划人员情况及编制，核定湖南煤矿安全监察局各项经费指标如下：

1. 行政机关编制人数50人，核定政府机关经费377万元；

2. 行政单位离退休人员225人，离退休管理人员12人，核定离退休经费354万元（其中离退休管理机构经费36万元）；

3. 行政机关事业费94万元。

四、湖南煤矿安全监察局及所属机关服务中心2000年经费仍由你省负责；2000年度财务决算在报当地财政部门的同时，报财政部和国家煤矿安全监察局备案。

经研究，决定从2001年1月1日起，将陕西煤矿安全监察局及所属后勤服务中心资产财务关系划转中央管理，具体批复如下：

一、陕西省原煤炭工业管理局有关资产按1999年财务决算数上划国家煤矿安全监察局管理，其中资产总额2848万元，负债总额170万元，净资产2678万元。请按规定及时办理国有资产变更登记手续。

二、陕西煤矿安全监察局经费796万元上划中央财政，此项划转基数中央财政与地方财政年终单独结算。

三、根据上划人员情况及编制，核定陕西煤矿安全监察局各项经费指标如下：

1. 行政机关编制人数50人，核定政府机关经费352.35万元；

2. 行政单位离退休人员174人，离退休管理人员13人，核定离退休经费350万元（其中离退休管理机构经费63万元）；

3. 行政机关事业费93.4万元。

四、陕西煤矿安全监察局及所属机关服务中心2000年经费仍由你省负责；2000年度财务决算在报当地财政部门的同时，报财政部和国家煤矿安全监察局备案。

经研究，决定从2001年1月1日起，将江苏煤矿安全监察局资产财务关系划转中央管理，具体批复如下：

一、江苏煤矿安全监察局经费92万元上划中央财政，此项划转基数中央财政与地方财政年终单独结算。

二、根据上划人员情况及编制，核定江苏煤矿安全监察局政府机关经费92万元（行政机关编制20人）。

三、江苏煤矿安全监察局2000年经费仍由你省负责；2000年度财务决算在报当地财政部门的同时，报财政部和国家煤矿安全监察局备案。

经研究，决定从2001年1月1日起，将辽宁煤矿安全监察局及所属机关服务中心资产财务关系划转中央管理，具体批复如下：

一、辽宁省原煤炭工业管理局有关资产按1999年财务决算数上划国家煤矿安全监察局管理，其中资产总额31077万元，负债总额7313万元，净资产23764万元。请按规定及时办理国有资产变更登记手续。

二、辽宁煤矿安全监察局经费1268万元上划中央财政，此项划转基数中央财政与地方财政年终单独结算。

三、根据上划人员情况及编制，核定辽宁煤矿安全监察局各项经费指标如下：

1. 行政机关编制人数60人，政府机关经费515万元；

2. 行政单位离退休人员342人，离退休管理人员15人，离退休经费613万元（其中离退休管理机构经费60万元）；

3. 行政机关事业费140万元。

四、辽宁煤矿安全监察局及所属机关服务中心2000年经费仍由你省负责；2000年度财务决算在报当地财政部门的同时，报财政部和国家煤矿安全监察局备案。

经研究，决定从2001年1月1日起，将内蒙古煤矿安全监察局及所属后勤服务中心资产财务关系划转中央管理，具体批复如下：

一、你区原煤炭工业管理局有关资产按1999年财务决算数上划国家煤矿安全监察局管理，其中资产总额5754万元，负债总额3530万元，净资产2224万元。请按规定及时办理国有资产变更登记手续。

二、内蒙古煤矿安全监察局经费500万元上划中央财政，此项划转基数中央财政与地方财政年终单独结算。

三、根据上划人员情况及编制，核定内蒙古煤矿安全监察局各项经费指标如下：

1. 行政机关编制人数60人，核定政府机关经费274万元；

2. 行政单位离退休人员97人，离退休管理人员8人，核定离退休经费166万元(其中离退休管理机构经费22万元)；

3. 行政机关事业费60万元。

四、内蒙古煤矿安全监察局及所属机关服务中心2000年经费仍由你区负责；2000年度财务决算在报当地财政部门的同时，报财政部和国家煤矿安全监察局备案。

外事中心职能配置、内设机构及人员编制方案

根据国务院批准的煤矿安全监察管理体制改革实施方案及国家安全生产监督管理局（国家煤矿安会监察局）"三定"方案的有关规定和中央机构编制委员会办公室中编办字〔1999〕55号文件精神，按照精简、统一、效能的原则，制定外事中心职能配置、内设机构和人员编制方案。

一、主要职责

1. 承担国家安全生产监督管理局（国家煤矿安全监察局）因公出国（境）人员护照、签证（签注）、赴港澳通行证的申办以及护照通行证的收缴和管理工作；负责组织出国（境）人员出国（境）前的培训工作。

2. 承担国家安全生产监督管理局（国家煤矿安全监察局）的外事、外专经费管理工作；负责因公出国（境）团组和人员用汇计划申请及核销工作。

3. 与外国政府、国际组织和机构、社团及工矿商贸企业开展经济技术交流与合作。

4. 协助国家安全生产监督管理局（国家煤矿安全监察局）办公室（外事司）开展国际交流与合作。

5. 组织本系统各类人员境内外培训；接受国家安全生产监督管理局(国家煤矿安全监察局)引智领导小组委托，承担本系统引进国外智力工作。

6. 组织或承办境内外各类展览及会议。

7. 负责涉外安全评价、检测检验、危险辨识、资质认证的业务工作。

8. 负责信息与科学技术咨询服务及翻译工作。

9. 负责中国煤炭工业协会的国际交流与合作业务。

10. 承担国家安全生产监督管理局(国家煤矿安全监察局）交办的其他事项。

二、内设机构

根据上述主要职责，外事中心设5个职能处室。

1. 综合处（财务处）

负责中心文秘、档案、信息、保密、印鉴管理、行政事务、人事、党务及财务管理工作。

2. 合作处（培训处）

负责开发和管理政府间及多边和工矿商贸企业之间的合作项目；组织境内外人员培训；承担引进国外智力工作。

3. 技术交流处（会议展览处）

负责组织国内外科学、技术、文化交流与合作；组织或承办境内外展览及会议。

4. 信息与科技处

负责信息与科学技术咨询及翻译服务；负责涉外安全评价、检测检验、危险辨识、资质认证等业务工作。

5. 出国服务处

负责国家安全生产监督管理局（国家煤矿安全监察局）因公出国（境）人员护照、签证（签注）和赴港、澳通行证的申办及护照、通行证的收缴管理工作；组织出国（境）人员出国前的培训工作；为出国（境）人员提供相关服务。

三、人员编制

外事中心人员编制45名。中层干部职数15名。

中国煤炭进出口现状与展望及相关基础设施建设

中国是世界上发现、开采和利用煤炭最早的国家之一。据科学考证，早在6000多年前，中国古代先民就认识和利用了煤炭，并逐渐传播到国外，这对于世界各地开发和利用煤炭起到了重要的影响。中国近代煤炭出口始于19世纪80年代，1884年，开平煤矿通过天津塘沽港把煤销往国外，后来出口煤量达到8万t左右。1949年新中国成立以后，中国煤炭工业有了很大发展，煤炭出口数量也逐年有所增加，1978年中国实行对外开放后，煤炭出口持续、稳步增长，近年来出现了快速增长的势头。煤炭进口数量则长期保持在200万t左右。1950～2000年中国煤炭进出口情况如图1所示。

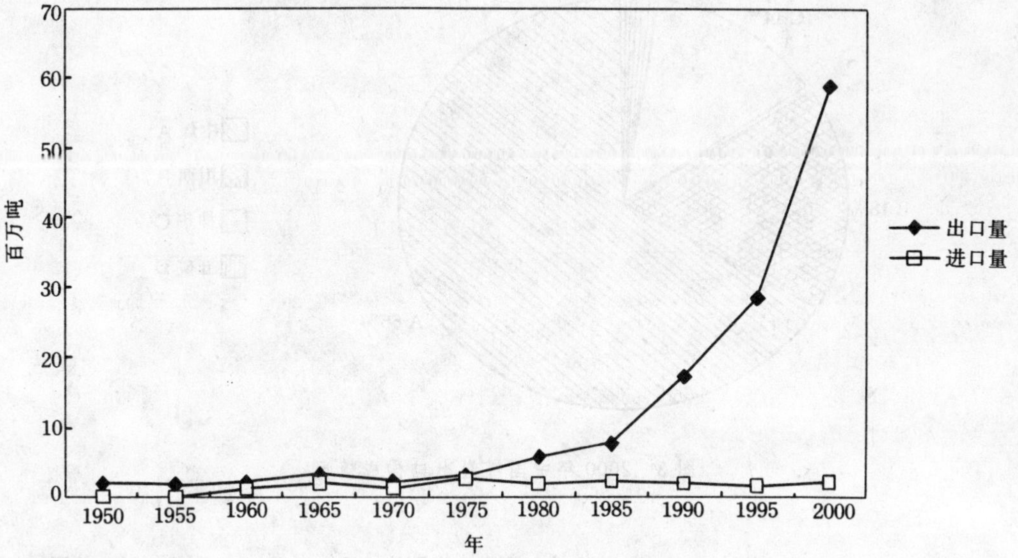

图1　1950～2000年中国煤炭进出口情况

一、中国煤炭进出口现状

1. 中国煤炭出口情况

1987年，中国煤炭出口量突破1000万t大关，达到1313万t；1991年超过2000万t，1997年超过3000万t，2000年达到5884万t，比1999年增加近2000万t，增长50%。1990～2000年，中国煤炭出口情况如图

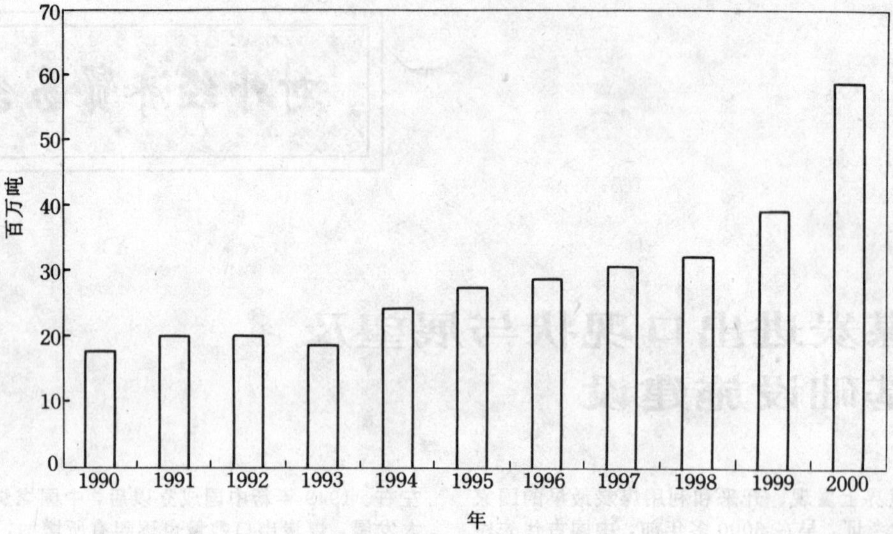

图 2　1990～2000 年中国煤炭出口情况

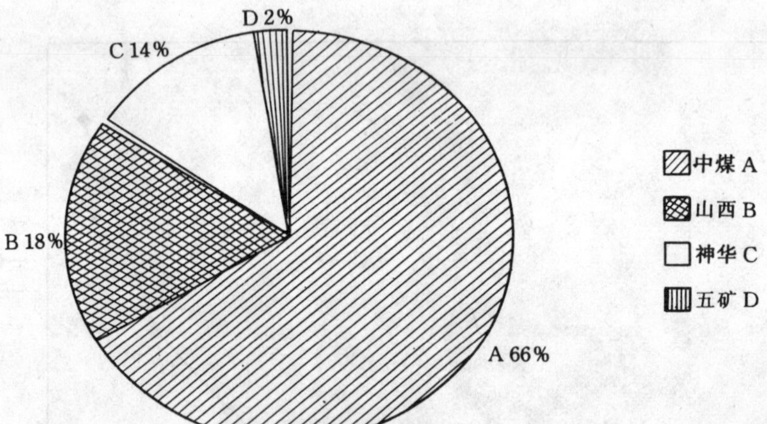

图 3　2000 年中国煤炭出口构成情况

2 所示。

目前，中国煤炭出口的经营单位主要有 4 家，即中国煤炭工业进出口集团公司、山西煤炭进出口集团公司、神华集团公司和中国五金矿产进出口总公司。2000 年，这 4 家公司分别出口煤炭 3920 万 t、1047 万 t、807 万 t 和 109 万 t，其出口数量分别占全国煤炭出口总量的 66%、18%、14%和 2%，如图 3 所示。

中国煤炭出口的市场主要集中在亚洲，大约占 94%，欧洲占 5%，南美、北美等其它地区占 1%左右。而亚洲的市场又主要集中在日本、韩国、台湾和香港，这两个国家和两个地区占中国煤炭出口市场的 86%。中国煤炭出口市场情况如图 4 所示。

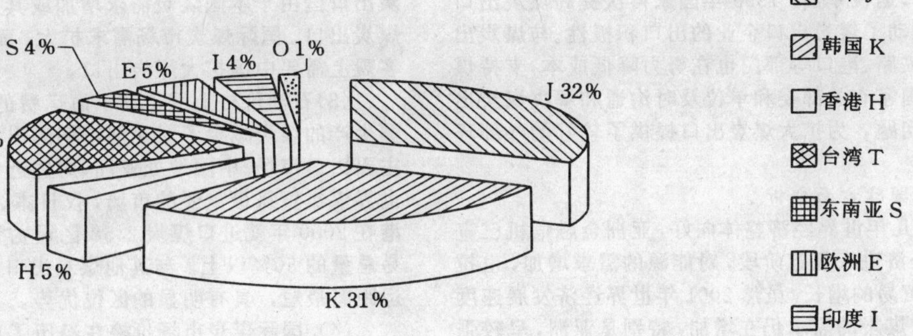

图 4　中国煤炭出口市场情况

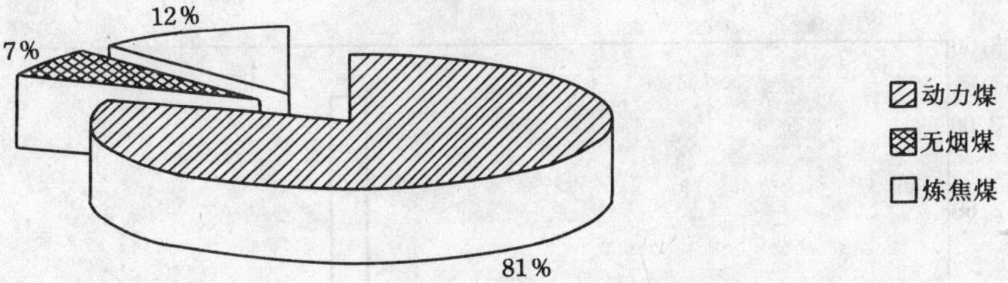

图 5　中国煤炭出口煤种情况

中国出口的煤种包括动力煤、炼焦煤和无烟煤三大类，其中动力煤、炼焦煤和无烟煤分别占 81%、12% 和 7%，如图 5 所示。

2. 中国煤炭进口情况

新中国成立以来，我国一直有少量的煤炭进口，主要是朝鲜需进口我国炼焦煤，为平衡贸易，朝鲜对我国出口无烟煤。改革开放后，我国开始从澳大利亚等国进口少量炼焦煤和动力煤，进口煤的数量稳定在 200 万 t 左右，1996 年因国内煤炭供应紧张，进口煤增加到创纪录的 320 万 t。随着国内煤炭供应缓和，近几年进口煤量呈下降趋势，2000 年进口煤有所回升，达到 213 万 t（图 6），比 1999 年增加 44.7 万 t，增长 26.8%。

2000 年中国进口煤炭的品种和国别分别如图 7 和图 8 所示。

进口动力煤的用户主要是广东、浙江等沿海地区的大型火电厂，炼焦煤主要用户为上海宝钢等大型钢铁公司，无烟煤主要是广西等地的一些工业企业。中煤进出口集团公司代理进口煤量占全国进口煤量的 80%左右。

二、中国煤炭出口近年来快速增长的原因分析

1. 从国内方面分析

(1) 国内煤炭市场需求不足，供大于求，需要扩大煤炭出口。近几年国家加大了对经济结构、产业结构和能源结构的调整力度，关闭了一大批耗能高的小电厂、小钢铁、小化肥等企业，加强了节能、技改、环保工作，加大了天然气、水电等优质能源的开发，扩大了石油、钢材等能源和高耗能产品的进口，相应减少了国内煤炭的消费，煤炭占能源消费总量的比重由过去的 70% 以上降到 2000 年的 67%。因此，在实行关井压产的同时，扩大煤炭出口就成为缓解国内煤炭市场压力的一项重要措施。

(2) 中国煤炭出口在经过几十年的不懈努力后，无论是煤种种类还是内外品质都接近或达到了国际市场的要求。煤炭出口企业积极开拓国际市场，提高服务质量。煤炭生产企业加大技术改造力度，调整生产布局，提高机械化水平，加快高产高效矿井建设，提高洗煤能力和改进洗煤工艺，使出口煤炭的质量有了明显的提高，增强了在国际市场上的竞争能力。

(3) 国家加大了对基础设施的投资，铁路运输能力有很大提高，制约煤炭流通的瓶颈问题已基本得到解决。港口装船条件也得到了明显改善，日照、前湾、秦皇岛煤港均可以接纳好望角级船舶，几个主要煤炭出口港的装船条件已与国际标准接轨。

(4) 国家对煤炭出口实行鼓励政策。继 1998 年提高煤炭出口退税率后，1999年国家再次提高煤炭出口退税率，调动了煤炭出口企业的出口积极性。与煤炭出口有关的铁路、港口等部门也在努力降低成本，支持煤炭出口。国家有关部委和单位及时沟通和解决煤炭出口的有关问题，为扩大煤炭出口提供了较好的外部环境。

2. 从国际方面分析

(1)近几年世界经济整体向好，亚洲金融危机已宣告结束，经济进入复苏阶段，对能源的需求增加，也拉动了煤炭贸易的增长。虽然2001年世界经济发展速度趋缓，但对煤炭的需求仍在增加，特别是亚洲，呈较强增长势头，有利于中国的煤炭出口。

(2) 2000年，国际石油价格大幅上升。石油价格上涨，带动了煤炭消费的增加。美国、加拿大等主要煤炭出口国由于本国煤炭需求增加或其他因素而减少了煤炭出口。国际煤炭市场需求扩大，而供给相对不足，客观上需要中国扩大煤炭出口。

(3)石油价格上涨带动了海运费的上升，南非和美洲生产的煤炭减少了对亚洲市场的出口，把欧洲作为主要出口市场。中国地处亚洲，周边近邻国家和地区是世界煤炭贸易最重要的市场，仅日本、韩国、台湾、香港在2000年就进口煤炭2.58亿t，占世界煤炭海运贸易总量的50%以上。与其他煤炭出口国相比，中国海运距离最短，具有明显的区位优势。

(4) 国际煤炭市场价格在经历了连续几年的低迷之后，从2000年下半年开始，出现了转机，主要表现在需求增加，现货价格上涨，世界煤炭供求总量趋向平衡。国际煤炭市场的这一积极变化为中国的煤炭出口

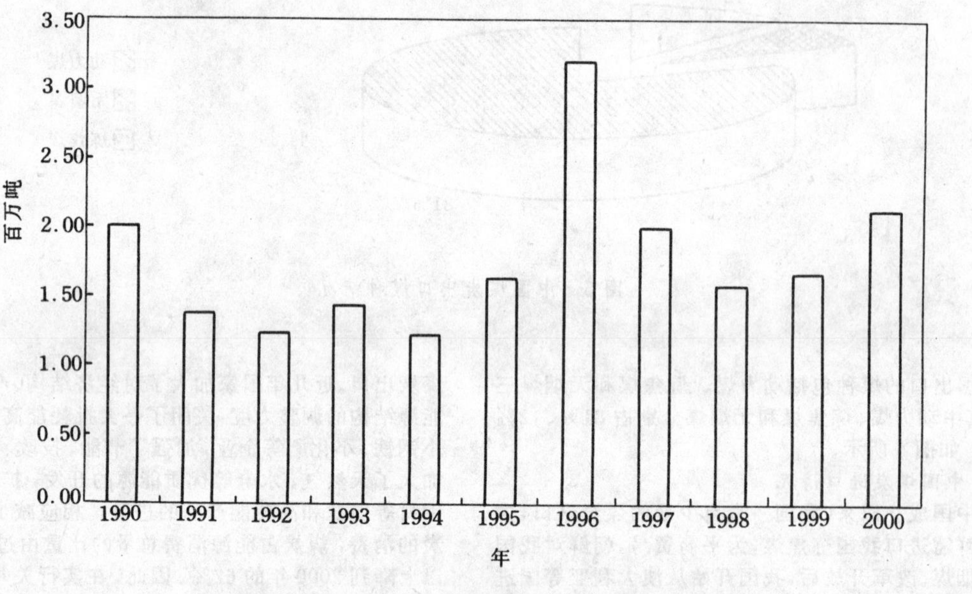

图6 1990～2000年中国煤炭进口情况

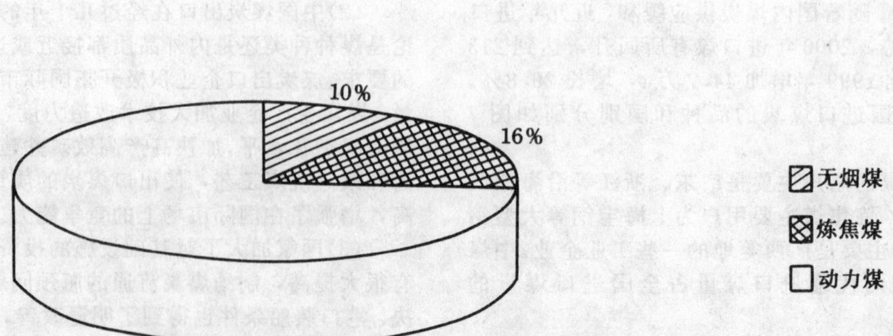

图7 2000年中国煤炭进口煤种情况

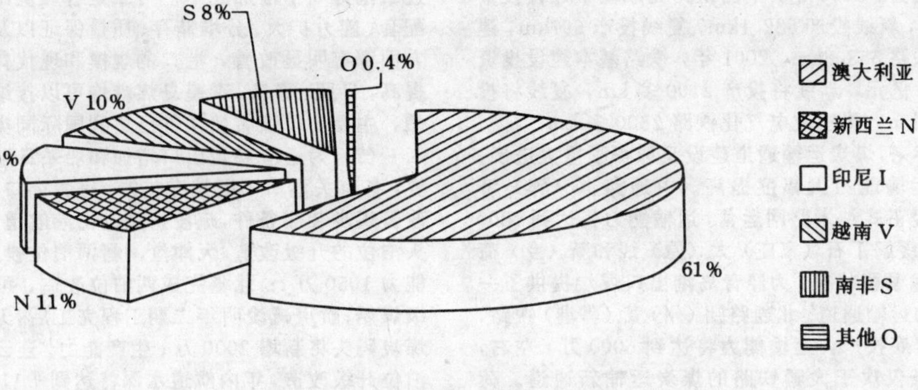

图 8　2000 年中国煤炭进口国别情况

提供了良好的机遇。进入 2001 年，国际煤炭市场价格回升势头强劲，大大高于国内煤价的升幅，更加激发了煤炭企业向国际市场进军的积极性。

由于以上方面的原因，使得中国煤炭出口近年来快速增长，不断创出历史新高。

三、中国煤炭进出口展望

2001 年的煤炭出口将会继续保持快速增长的势头。1～6 月份，全国煤炭出口已达 3987 万 t。从目前情况看，下半年煤炭出口增势不减。按此势头，2001 年全国煤炭出口将达到 8000 万 t 以上。

2002～2005 年，中国煤炭出口将保持稳定、适度增长，到 2005 年，煤炭出口数量有可能达到 1 亿 t。主要依据是：

(1) 煤炭是经济、可靠和稳定的能源，在国际石油价格仍然比较高和不稳定的情况下，将推动洁净煤技术的开发和应用，一些国家和地区的能源结构也会随着进行调整，增加对煤炭的需求。经济全球化，能源种类、供应途径和市场的多元化，客观上要求作为煤炭生产大国的中国为世界提供更多的煤炭。

(2) 国际煤炭市场价格在持续多年下跌后开始回升，按照一般规律，价格探底回升之后一般还应持续上涨一定时期。考虑到世界经济、油价和煤炭供求等多种因素，煤炭价格的涨势可能会因全球经济放缓和油价下滑而受到抑制，但应该维持在一定的水平上。

(3) 中国具有煤炭资源丰富、品种齐全、生产能力大、靠近主要进口国家和地区的优势，目前在亚洲煤炭贸易市场中仅占有 20%～30%的份额，煤炭出口增长潜力较大。由于亚洲一些国家新的燃煤电厂的投产，预计今后几年国际煤炭贸易量将会继续有所增加。

从以上分析，国际国内市场环境继续有利于我国煤炭出口。可以预见，在未来几年内，如果各方面情况能正常发展，则中国煤炭出口实现 1 亿 t 规模是很有可能的。届时中国将不仅仅是煤炭生产大国，亦同时将成为名副其实的煤炭出口大国。

随着经济全球化和贸易自由化进程的加快，特别是我国加入世贸组织后，煤炭出口将面临新的机遇和挑战。经过 15 年的艰辛努力，中国即将成为世贸组织的成员。中国加入世贸组织，有利于与各个世贸组织成员在市场经济的原则下进行国际贸易，开展各种形式的经贸合作与竞争，充分发挥国内、国际两个市场在配置资源方面的积极作用，使中国经济与世界联结成有机的整体，优势互补、共同发展。

中国加入世贸组织后，将为煤炭出口创造更好的环境，带来新的机遇。有利于煤炭企业在多边、稳定和最惠国待遇条件下与国外企业互相开展国际贸易和经济合作，引进国外资金、技术和管理，参与国际分工和协作，利用国外的信息和销售网络，增强国际竞争能力；有利于发挥我国煤炭的比较优势，进一步扩大出口数量，提高中国煤炭在国际市场的占有率。

煤炭出口在面临新的发展机遇的同时，也会面临新的挑战。加入世贸组织后，我国外贸体制将逐步与国际接轨，实行外贸经营资格登记注册制度，逐步对各类企业进出口贸易的放开经营，对我国现行的煤炭出口贸易管理体制将产生重要影响。

煤炭进口数量将逐渐增加。目前中国煤炭进口量比较少，对国内煤炭市场影响还不大。但随着东南沿海利用外资建设大电厂的增加，进口煤数量会有所增加。特别是我国加入世贸组织后，煤炭进口关税将会逐步降低，进口煤的数量将呈增长趋势，在东南沿海等局部市场上与国内煤进行竞争。进口煤由于运距远、运费高，竞争能力受到很大影响，因此进口数量不会大量增加，对国内煤炭市场也不会造成太大的冲击。

四、铁路、港口等相关基础设施建设情况

1. 铁路

中国煤炭产地主要分布在西北内陆地区，远离港口，严重依赖铁路运输，煤炭运量占铁路货运总量的 40%左右。2000 年，全国煤炭铁路运量 68538 万 t，今年上半年铁路运输煤炭 36646 万 t，同比增加 3622 万 t，增长 11%，创历史最高纪录。其中，出口煤炭运输完成 4000 多万 t，同比增加 1400 多万 t，增长 55%，适应了煤炭出口大幅度增长的需要。

(1)中国铁路继续加大投资建设力度，煤炭运输能力大幅度提高。2000年，中国铁路完成基本建设投资509.9亿元，新线投产582.1km，复线投产697km，建成电气化铁路553.8km。2001年，铁路基本建设投资将达到550亿元，新线将投产2100多km，复线将投产1100多km，将建成电气化铁路2800多km。

近两年来，煤炭运输通道建设又取得了重大进展，铁路煤炭运输能力大幅度提高。中通路邯（郸）济（南）线已经正式纳入路网运营，运输能力将达到1800万t左右，缓解了石（家庄）太（原）线和新（乡）荷（泽）线运输紧张状况，为经青岛港出口煤炭提供了一条更便捷的运输通道。北通路朔（州）黄（骅港）铁路，将于今年年底投产，运输能力将达到6000万t左右，这将是一条仅次于大秦铁路的煤炭运输新通道。荷（泽）兖（州）日（照港）复线将于今年年底全线开通，将增加货运能力1200多万t。

(2)中国铁路优先确保出口煤炭运输。中国铁路十分重视出口煤炭运输工作，采取了一系列有力措施，千方百计确保出口煤炭运输。一是优先安排、重点保证出口煤运输计划。年度订货重点保证出口煤运输，月度计划优先安排出口煤炭运输，日常计划及时补充出口煤炭运输。二是对出口煤运输实行“四优先”，即按照出口煤种、煤质和船期要求，及时组织装车发运，做到“优先配车、优先装车、优先挂运和优先放行”。三是开行了出口煤炭直达列车。对长期稳定的大宗出口煤炭，实行固定发到站、固定发收货人和固定车次及运行线的均衡运输，目前已组织开行了到连云港、青岛和日照等港口的出口煤炭直达列车8条运行线，为出口煤运输提供更方便、快捷的服务。

2. 港口

随着国家对港口等基础设施不断加大投入，港口接卸、堆存和装船条件得到了明显改善，综合运输能力有了较大的提高。2000年，中国港口煤炭发运近2亿t，比1999年增长24%。其中出口煤炭发运约5900万t，比1999年增长了52%。2001年上半年，港口煤炭发运完成1.12亿t，其中出口煤炭发运完成近4000万t，同比增长53%。

(1)交通部门历来十分重视出口煤炭的运输工作，努力为煤炭出口提供可靠的运输保障。一是近几年新开通了锦州、京唐、岚山、防城、烟台港等5个出口煤港，使出口煤港由原来的秦皇岛、天津、青岛、日照、连云港等5个增加到10个。二是各煤炭出口港在设施配套、能力扩大、分堆储存、质量保证以及管理水平等方面都有明显改善，港口的规模和现代化水平进一步提高，日照、青岛、秦皇岛煤港均可以接纳好望角级船舶，主要出口煤装船条件已达到国际同类港口水平。

(2) 为适应煤炭出口增加和船舶日益大型化的需要，各有关港口不断挖潜扩能，完善港口的服务功能，改善煤炭装船条件，疏浚拓宽进出港航道，抓紧进行码头泊位的升级改造。天津港南疆两泊位投入使用，新增能力1050万t；北疆完成两泊位改造，可靠泊10万t级煤船；航道疏浚明年二期工程完工后，天津港专业化煤炭码头将新增2000万t生产能力。连云港也在进行泊位升级改造，年内航道水深将达到－11.5m，巴拿马型船舶可乘潮进港。青岛港对煤炭装卸流程和泊位进行技术改造，新增煤炭通过能力500万t。日照港两泊位改造将于明年上半年竣工，将新增煤炭装船能力1000万t。

(3) 为满足出口煤炭品种多、分堆储存的需要，各煤炭出口港投入大量资金不断扩大港口堆存能力。秦皇岛港调整煤炭堆存场地，增加了50万t出口煤炭堆存能力。青岛港先后投资3000多万元，新增堆场面积8万m^2，增加煤炭堆存量60万t。日照港开工建设80万t煤炭堆场，明年上半年竣工后，煤炭堆存能力将达到250万t以上。

(4)为保证出口煤炭质量，各出口港采用电磁除铁器和人工捡杂相结合的方法，在卸车线和装船线安装大型电磁除铁器，用来清除金属杂物，人工捡杂清除软杂物，从各个环节加强管理，确保出口煤炭质量。

随着我国“十五”计划的实施，国家将进一步加大铁路和港口等基础设施的建设，铁路运输和港口条件将进一步改善，为煤炭出口提供更好的服务，创造良好的条件。

综上所述，中国煤炭具有资源丰富、品种齐全、生产能力大、靠近主要进口市场等多重优势，煤炭出口增长潜力较大。中国煤炭出口近年来快速增长，是调控国内市场和满足国际市场的需要；是国际国内能源结构调整的需要；是中国煤炭企业与国际接轨，适应经济全球化和贸易自由化的需要。在新的世纪里，中国煤炭出口将会抓住机遇，实现持续、稳定、健康发展。

（贺定超）

中国煤炭工业进出口集团公司

China National Coal Industry Imp. & Exp. (Group) Corp.

中国煤炭工业进出口集团公司原为中国煤炭进出口总公司，成立于1982年7月，是经国务院批准的中国煤炭行业从事对外贸易和经济合作的全国性公司。1992年，中国煤炭进出口总公司更名为中国煤炭工业进出口总公司。1995年公司进出口总额突破10亿美元，达到10.2亿美元。

1997年，中国煤炭工业进出口总公司与中国煤炭销售运输总公司、中国地方煤矿总公司、中煤生产技术开发公司以及平朔煤炭工业公司联合组建了以中国煤炭工业进出口总公司为核心企业的中国煤炭工业进出口集团公司。当年公司资产总额为44.6亿元，进出口总额为11.87亿美元，国内企业营业收入112亿元，利润1.7亿元。

1999年5月，国家对中国煤炭工业进出口集团公司进行了重组，将中国煤炭综合利用集团公司、中国煤炭物产集团公司、中国煤矿工程机械装备集团公司以及大屯煤电（集团）有限责任公司、太原煤炭气化（集团）有限责任公司、北京煤机厂等企业并入中国煤炭工业进出口集团公司，并被列入由中央企业工委管理的国有重点骨干企业范围。从此，中煤进出口集团公司所属生产企业规模、生产能力及产品种类均得到了大幅度提升。

2000年11月，北京金路实业公司对中煤深圳公司的股权划归中国煤炭工业进出口集团公司。

目前，中国煤炭工业进出口集团公司已与世界上50多个国家和地区建立了经济贸易合作关系，构建了比较完善的国内国际供销渠道和信息服务网络，初步组成了以煤炭、焦炭、煤气、电力、煤机、机械零部件、矿产建材等产品的生产、销售、运输、进出口以及技术咨询的综合性经济实体，形成了产运销相结合、内外贸相统一的格局。集团公司的业务投资范围也已扩展到高科技、金融、建材、化工等行业。截止到2000年底，中煤进出口集团公司共有54个二级单位，包括20个全资子公司、8个分公司、2个办事处、17个控股企业以及7个境外机构和公司；另有8个参股企业。国内企业资产总额约为214.7亿元，员工5.6万余人，离退休职工1.2万余人。2000年集团公司工业总产值达到了48.07亿元，销售收入140.66亿元，进出口总额13.32亿美元，利润2.37亿元。2000年集团公司的煤炭贸易量达6,025万t(其中出口3,920.6万t、进口141.3万t、国内销售1,963万t)，煤炭生产量2,585万t，焦炭产量72万t，煤气产量2.16亿m^3，发电8.33亿度。同年，包括焦炭、各类机械、成套洗选设备、机电产品、五矿化工原材料等产品在内的非煤产品的进出口总额已达2.1亿美元。集团公司资产总额、年销售收入、年出口创汇、煤炭及焦炭出口量在全国煤炭行业均居前列。

China National Coal Industry I/E (Group) Corp., the former China National Coal Imp. & EXp. Corp., was founded in July 1982. Incorporated upon the approval of the State Council, it is a national corporation specializing in foreign trade and economic cooperation for China's coal industry.

In 1992, China National Coal Imp. & Exp. Corp. was renamed as China National Coal Industry Imp. & Exp. Corporation. In 1995, the company ushered in a surge of its imports/exports, which topped US $1 billion and reached US $1.02 billion.

In 1997, China National Coal Industry Imp. & Exp. Corp. allied with China Coal Sales and Transportation Corp., China Local Coaf Mines Corp., China Coal Production Technology Development Corp. and Pingshuo Coal Industry Company, and established the China National Coal Industry Imp. & Exp. (Group) Corp., with China National Coal Industry Imp. & Exp. Corp. as the kernel enterprise. In the very year, the Group Corp.'s total assets were valued at 4.46 billion yuan, with total imports and exports of US $1.187 billion, a turnover of 11.2 billion yuan from domestic operations and a total profit of 170 million yuan. In May 1999, the State reorganized China National Coal Industry Imp. & Exp. (Group) Corp., merging into it such enterprises as China National Coal Comprehensive Utilization Group Corp., China National Coal Material Industrial Group Corp., China National Coal Mining Engineering Equipment Group Corp., Datun Coal & Electricity (Group) Co., Ltd., Taiyuan Coal Gasification (Group) Corp., Ltd., Beijing Coal Mining Machinery Factory etc. Meanwhile, the Group Corporation was listed among the state-owned backbone enterprises under the direct leadership of the Central Enterprises Working Committee. Thenceforth, China National Coal Industry Imp. & Exp. (Group) Corp. has enjoyed remarkable improvement in the scale, capacity and product types of its affiliated enterprises.

In November 2000, Beijing Golden Road Industry Company's Shenzhen subsidiary was transferred to CNCIEC.

At present, China National Coal Industry Imp. & Exp. (Group) Corporation has established economic and trade relations with more than 50 countries and regions over the world, and has structured sound domestic and international supply/sales channels and information service networks. Combining production, transportation and sale, and consolidating domestic and foreign trade, it has by and large become a comprehensive economic entity engaged in the production, sale, transportation, import & export and technical consultancy covering coal, coke, gas, electricity, coal mining machinery, machine parts & components, minerals and building materials, and so on. In addition, the Corporation has expanded its investment to high tech, financing, building materials and chemical industry.

By the end of 2000, China National Coal Industry Imp. & Exp. (Group) Corp. had 54 tier-two units in all, including 20 wholly owned subsidiaries, 8 branches, 2 offices, 17 holding enterprises and 7 overseas agencies and companies. In addition, it had equity participation in 8 companies. Its domestic assets totaled about 21.47 billion yuan, its staff numbered around 56 thousand with over 12 thousand retirees. In 2000, the Corporation's total industrial output rose to 4.807 billion yuan, its sales income 14.066 billion yuan, its im ports & exports US $1.332 billion, and its profits 237 million yuan. Also in 2000, the Corporation's volume of coal trade amounted to 60.25 million tons (of which 39.206 million tons were exports, 1.413 million tons were imports and 19.63 million tons were domestic sales), and its output of coal was 25.85 million tons, that of coke 720 thousand tons, gas 216 million m^3, electricity 833 million KWH. And in the same year, CNCIEC's imports & exports of non-coal products, such as coke, machinery, whole set of washing appliances, electromechanical products, minerals, chemical raw materials, etc., came up to US $ 210 million. Moreover, in terms of total assets value, annual sales income, annual foreign exchanges earned from exports, exports of coal and coke, CNCIEC also cut a leading figure in China's coal industry.

集团公司机构名录 Subsidiaries and Representative Offices

总部：中国煤炭工业进出口集团公司
地址：北京市东城区安定门外大街乙88号
邮编：100011
电话：(010) 64287188（查询）
传真：(010) 64287166
网址：www. chinacoal. com
China National Coal Industry Imp. & Exp. (Group) Corp.
Add: No. 88, Andingmenwai, Dongcheng District, Beijing, China
Post Code: 100011
Tel: 86-10-64287188
Fax: 86-10-64287166
Website: www. chinacoal. com
E-mail: cnciec@chinacoal. com

集团公司子公司 Major Subsidiaries

中国煤炭综合利用集团公司
China National Coal Comprehensive Utilization Group Co.
地址：北京市安定门外和平里北街21号
Add: No. 21 Hepingli Beijie, Andingmenwai, Beijing
邮编 (Zip)：100713
电话 (Tel)：(010) 64204778
传真 (Fax)：(010) 64208118
E-mail: webmaster@cnccugc. com. cn

中国煤炭物产集团公司
China National Coal Material Industrial Group Corp.
地址：北京市安定门外和平里北街21号
Add: No. 21 Hepingli Beijie, Andingmenwai, Beijing
邮编 (Zip)：100713
电话 (Tel)：(010) 64273450
传真 (Fax)：(010) 64273450
E-mail: cnmrgbgs@263. net. cn

中国煤矿工程机械装备集团公司
China National Coal Mining Engineering Equipment Group Corp.
地址：北京市安定门外和平里北街21号
Add: No. 21 Hepingli Beijie, Andingmenwai, Beijing
邮编 (Zip)：100713
电话 (Tel)：(010) 64237830
传真 (Fax)：(010) 64214010
E-mail: emejyglb@ccidc. com. cn

北京煤矿机械厂
Beijing Coal Mining Machinery Factory
地址：北京市房山区城关镇矿机南路1号
Add: Kuangjinanlu, Chengguan County, Fangshan District, Beijing, China.
邮编：(Zip)：102400
电话 (Tel)：(010) 69314724
传真 (Fax)：(010) 69311624
E-mail: cbgs@cbmj. com. cn

平朔煤炭工业公司
Pingshuo Coal Industry Company
地址：山西省朔州市1号信箱
Add: Post Box. 1, Shuozhou, Shanxi Province, China
邮编 (Zip)：036606
电话 (Tel)：(0349) 2054453
传真 (Fax)：(0349) 2055488
E-mail: pscic@ccidc. com. cn

大屯煤电（集团）有限责任公司
Datun Coal & Electricity Co., Ltd.
地址：江苏省沛县
Add: Pei County, Jiangsu Province
邮编 (Zip)：221611
电话 (Tel)：(0516) 4025204
传真 (Fax)：(0516) 4025878
E-mail: dtanyi@public. xz. js. cn

中国煤炭销售运输总公司
China Coal Sales & Transportation Corp.
地址：北京市安外和平里北街21号
Add: No. 21 Hepingli Beijie, Andingmenwai, Beijing

邮编（Zip）：100713
电话（Tel）：（010）64216786
传真（Fax）：（010）64216786
E－mail：ccst@mai12.a－1.net.cn

中国地方煤矿总公司
China Local Coal Mines Corp.
地址：北京市东城区安定门外大街200号
Add：No.200，Andingmenwai Dajie，Dongcheng District，Beijing
邮编（Zip）：100011
电话（Tel）：（010）64290643
传真（Fax）：（010）64202064
E－mail：cnlcc@zhongdimei.com

中煤生产技术开发公司
China Coal Production Technology Development Corporation
地址：北京市安定门外和平里北街21号
Add：No.21 Hepingli Beijie，Andingmenwai，Beijing
邮编（Zip）：100713
电话（Tel）：（010）64217766－22313
传真（Fax）：（010）64214279
E－mail：scgs@ccidc.com.cn

中国煤炭进出口公司
China Coal Imp.& Exp.Co.
地址：北京市东城区安定门外大街乙88号
Add：No.88，Andingmenwai Ave.，Dongcheng District，Beijing
邮编（Zip）：100011
电话（Tel）：（010）64287389
传真（Fax）：（010）64287353
E－mail：cciecl@public2.east.net.cn

中国煤炭开发公司
China National Coal Development Corp.
地址：北京市东城区安定门外大街乙88号
Add：No.88，Andingmenwai Ave，Dongcheng District，Beijing
邮编（Zip）：100011
电话（Tel）：（010）64287342
传真（Fax）：（010）64287343
E－mail：cncdc@mail.263.net.cn

中国煤矿设备矿产进出口公司
China Coal Mine Equipment & Minerals Imp. & Exp. Corp.
地址：北京市东城区安定门外大街乙88号
Add：No.88，Andingmenwai Ave.，Dongcheng District，Beijing
邮编（Zip）：100011
电话（Tel）：（010）64287141
传真（Fax）：（010）64287336
E－mail：ccemco@public.east.net.cn.

中国煤炭海外开发公司
China Coal Overseas Development Corp.
地址：北京市东城区安定门外大街乙88号
Add：No.88，Andingmenwai Ave.，Dongcheng District，Beijing
邮编（Zip）：100011
电话（Tel）：（010）64287105
传真（Fax）：（010）64287104
E－mail：wanzhengk@chinacoal.com

北京中煤经纶计算机系统工程公司
CNCIEC Jinglun Computer System Engineering Corp.
地址：北京市东城区安定门外大街乙88号
Add：No.88，Andingmenwai Ave.，Dongcheng District，Beijing
邮编（Zip）：100011
电话（Tel）：（010）64287258
传真（Fax）：（010）64287256
E－mail：zmjl@chinacoal.com

中国煤炭工业进出口深圳公司
CNCIEC Shenzhen Co.
地址：广东省深圳市福田区深南大道4009号投资大厦14楼40#
Add：14 th Fl.，Touzi Dasha，No.4009 Shennan Road，Futian District，Shenzhen，Guangdong Province
邮编（Zip）：518026
电话（Tel）：（0755）2712752
传真（Fax）：（0755）2712753
E－mail：b0891zpl@public.szptt.net.cn

中煤吉林进出口公司
CNCIEC Jilin Co.
地址：吉林省长春市朝阳区延安大街11号
Add：No.11，Yanan Dajie，Changchun，Jiljin Province
邮编（Zip）：130012
电话（Tel）：（0431）5955981－2488
传真（Fax）：（0431）5911937
E－mail：zmjlgs@mail.jl.cn

上海中煤实业总公司
CNCIEC Shanghai Industrial Development Co.
地址：上海市浦东东方路899号中煤大厦四楼
Add：No.899，Dongfang Rd.，Pudong，Shanghai
邮编（Zip）：200122
电话（Tel）：（021）68764227
传真（Fax）：（021）68764037
E－mail：cnciecsh@sh163.net

中国煤炭工业进出口总公司大连开发区公司
CNCIEC Dalian Development Co.，Ltd.
地址：辽宁省大连市金州区国防路1号
Add：No.1，Guofang Rd.，Jinzhou，Dalian，Liaoning Province
邮编（Zip）：116100
电话（Tel）：（0411）7815494
传真（Fax）：（0411）7815495

中国煤炭工业进出口集团连云港公司
China National Coal Industry I/E Group Lianyungang Corp.
地址：江苏省连云港市墟沟中山中路 243 号
Add： No. 243 Zhongshan zhonglu，Xugou，Lianyungang，Jiangsu Province
邮编（Zip)：222042
电话（Tel)：(0518) 2310509
传真（Fax)：(0518) 2317401
E-mail：cnclyg@public. lyg. js. cn

中国煤炭工业进出口集团江苏公司
China National Coal Industry Imp. & Exp. (Group) Jiangsu Co.，Ltd.
地址：江苏省南京市北京西路 15-1 号
Add：No. 15-1 Beijing Xilu，Nanjing，Jiangsu Province
邮编（Zip)：210024
电话（Tel)：(025) 6635320
传真（Fax)：(025) 3305411
E-mail：cnciecjs@publicl. ptt. js. cn

中煤深圳公司
CNCIEC Shenzhen CO.
地址：广东省深圳市春风路联城大厦 12 层
Add：12th Fl.，Liancheng Dasha，Chunfeng Road，Shenzhen，Guangdong Province
邮编（Zip)：518002
电话（Tel)：(0755) 5104362
传真（Fax)：(0755) 5104362
E-mail：zmszgs@sina. com

主要分公司
Major Branches

中国煤炭工业进出口集团秦皇岛分公司
CNCIEC Qinhuangdao Branch
地址：河北省秦皇岛市民族路 252 号
Add：No. 252 Minzulu，Qinhuangdao，Hebe Province
邮编（Zip)：066001
电话（Tel)：(0335) 3609351
传真（Fax)：(0335) 3066897
E-mail：cnciecqh@public. qhptt. he. cn

中国煤炭工业进出口集团公司天津分公司
CNCIEC Tianjin Branch
地址：天津市和平区曲阜道 85 号国贸大厦 15-17 层
Add：15-17/f，International Trading building，No. 85 Qufu Rd，Hepingqu，Tianjin
邮编（Zip)：300042
电话（Tel)：(022) 23112550
传真（Fax)：(022) 23112550
E-mail：tjyw@publicl. tpt. tj. cn

中国煤炭工业进出口集团公司青岛分公司
CNCIEC Qingdao Branch
地址：山东省青岛市黄岛区崇明岛西路 67 号
Add： No. 67 Chongmingdaoxilu，Huangdaoqu，Qingdao，Shandong Province
邮编（Zip)：266500
电话（Tel)：(0532) 6856546
传真（Fax)：(0532) 6856546
E-mail：cnciecqd@public. qd. sd. cn

中国煤炭工业进出口集团公司日照分公司
CNCIEC Rizhao Branch
地址：山东省日照市石臼镇黄海一路 94 号
Add：94 Huanghai Yilu，Shijiu Zhen，Rizhao，Shandong Province
邮编（Zip)：276826
电话（Tel)：(0633) 8332371
传真（Fax)：(0633) 8333510
E-mail：cncrz@rz-public. sd. cninfo. net

中国煤炭工业进出口集团公司广东分公司
CNCIEC Guangdong Branch
地址：广东省广州市环市东路 360 号珠江大厦东 10 楼
Add： 10th fl.，East Bldg.，Zhujiang Dasha，360 Huanshi Donglu，Guangzhou，Guangdong Province
邮编（Zip)：510060
电话（Tel)：(020) 83863056
传真（Fax)：(020) 83355864
E-mail：cnciecgd@public. guanzhou. gd. cn

中国煤炭工业进出口集团公司连云港分公司
CNCIEC Lianyungang Branch
地址：江苏省连云港市墟沟中山中路 243 号
Add： No. 243 Zhongshan Zhonglu，Xugou，Lianyungang，Jiangsu Province
邮编（Zip)：222042
电话（Tel)：(0518) 2310509
传真（Fax)：(0518) 2317401
E-mail：cnclyg@public. lyg. js. cn

中国煤炭工业进出口集团公司黑龙江分公司
CNCIEC Heilongjiang Branch
地址：黑龙江省哈尔滨市经济技术开发区大顺街 7 号
Add：NO. 7 Dashun jie，Jingjijishu Kaifaqu，Harbin，Heilongjiang Province
邮编（Zip)：150030
电话（Tel)：(0451) 2303612-263
传真（Fax)：(0451) 2303815
E-mail：cnciechl@public. hr. hl. cn

主要控股公司
Major Holding Enterprises

太原煤炭气化（集团）有限责任公司
Taiyuan Coal Gasification (Group) Corporation

Limited
地址：山西省太原市万柏林区和平南路 83 号
Add：No. 83 South Heping Road，Taiyuan Shanxi Province
邮编（Zip）：030024
电话（Tel）：（0351）6019396
传真（Fax）：（0351）6040001
E－mail：cgc@public. ty. sx. cn

上海中煤大厦有限责任公司
Shanghai China Coal Mansion Co.，Ltd.
地址：上海浦东东方路 899 号
Add：No. 899，Dongfang Road，Pudong，Shanghai
邮编（Zip）：200122
电话（Tel）：（021）58306666
传真（Fax）：（021）58305555
E－mail：cnciecsh@sh163. net

平朔第一煤炭有限公司
Pingshuo First Coal Co.，Ltd.
地址：山西省朔州市 1 号信箱
Add：Post Box. 1，Shuozhou，Shanxi Province，China
邮编（Zip）：038506
电话（Tel）：（0349）2054453
传真（Fax）：（0349）2055488
E－mail：pscic@ccidc. com. cn

中煤实业有限责任公司
CNCIEC Industry Company Limited
地址：北京市东城区安定门外大街乙 88 号
Add： No. 88， Andingmenwai Ave.， Dongcheng District，Beijing
邮编（Zip）：100011
电话（Tel）：（010）64287128
传真（Fax）：（010）64287166
E－mail：zmsy@chinacoal. com

中煤进出口发展有限公司
CNC Development Ltd.
地址：北京市东城区安定门外大街乙 88 号
Add： No. 88， Andingmenwai Ave.， Dongcheng District，Beijing
邮编（Zip）：100011
电话（Tel）：（010）64287196
传真（Fax）：（010）64287392
E－mail：cncfz@chinacoal. com

中煤房地产开发公司
CNCIEC Real Estate Company
地址：北京市东城区建外大街甲 24 号东海中心 307 室
Add：Rm 307，No. 24，Jianwai Ave.，Dongcheng District，Beijing
邮编（Zip）：100022
电话（Tel）：（010）65156159
传真（Fax）：（010）65155774
E－mail：zhmfdc@mail. east. net. cn

主要境外和驻港机构
Major Overseas Offices & Companies

环能贸易有限公司
Double Resources Ltd.
地址：香港湾仔港湾道一号会展广场办公大楼 2606－2608 室
Add：Rm. 2606 － 2608，Office Tower，Convention Plaza，26/F，No. 1，Harbour Road，Wanchai，Hong Kong
电话（Tel）：（00852）27351909
传真（Fax）：（00852）27306130
E－mail：yleedr@netvigator. com

日本代表处
CNCIEC Japan Office
地址：日本东京都千代田区内神田 1－2－2，小川 6F
Add：6f，Ogawa Bldg.，1－2－2 Uchikanda Chiyoda－ku，Tokyo 101－0047，Japan
电话（Tel）：（0081）3 35184166
传真（Fax）：（0081）3 35184168
E－mail：wangyujie@chinacoal. co. jp

汉城代表处
CNCIEC Seoul Office
地址：韩国汉城特别市江南区三成洞 159－6 都心空港 Terminal 403
Add： Rm. 40 3，City Airport，Terminal B/D，Samsung－Dong Kangnam－Gu，Seoul，Korea
电话（Tel）：（0082）2 551 5188/5189
传真（Fax）：（0082）2 551 5186
E－mail：cnciecso@unitel. co. kr

欧洲代表处
CNCIEC Europe Office
地址：比利时布鲁塞尔 1150，好来松大街 42 号
Add：No. 42 Av. De L' Horizon，1150 Brussels，Belgium
电话（Tel）：（0032）2 7702940
传真（Fax）：（0032）2 7626029
E－mail：sineuro@pophost. eunet. be

中日石炭株式会社
Sino－Japan Coal co.，Ltd.
地址：日本东京都千代田区内神田 1－2－2，小川 6F
Add：6f，Ogawa Bldg.，1－2－2 Uchikanda Chiyoda－ku，Tokyo 101－0047，Japan
电话（Tel）：（0081）3 35184166
传真（Fax）：（0081）3 35184168
E－mail：wangyujie@chinacoal. co. jp

欧洲发展有限公司
Sineuro S. A.

地址：比利时布鲁塞尔 1150，好来松大街 42 号
Add：No. 42 Av. De L' Horizon，1150 Brussels，Belgium
电话（Tel）：（0032）2 7702940
传真（Fax）：（0032）2 7626029
E－mail：sineuro@pophost. eunet. be

中煤美国有限责任公司
Sinocoal（U. S. A.）Inc.
地址：美国加利福尼亚工业城 250 区卡斯顿街 17870 号 250 室
Add：No. 17870 Castleton Street，Suite 250，City of Industry，CA91748
电话（Tel）：（001）6269131313
传真（Fax）：（001）6269131319
E－mail：mail@sinocoal. net

DGS 系列隔爆型荧光灯

完成单位：煤炭科学研究总院上海分院
鉴定日期：2000 年 5 月 25 日

DGS 系列隔爆荧光灯主要用于煤矿井下有瓦斯、煤尘爆炸危险的巷道、硐室等工作场所的照明；也可用于其他凡有各种气体爆炸危险场所的照明。该设备采用新颖的振荡回路式电子镇流器启辉灯管和能够在 360°范围内任意转动的断电装置。

性能指标：

DGS 系列隔爆荧光灯较普通荧光灯或白炽灯具有节能、光效高、寿命长等特点。适用电压范围宽，能够一次性启动点亮，无频闪，不熄灭。更换灯管方便、快速、安全。

DGS 18W/127V

额定电压	127V
电压适用范围	90～180V
功　率	18W
光通量	>10Lm

DGS 18W/220V

额定电压	220V
电压适用范围	150～270V
功　率	18W
光通量	>10Lm

DGS 36W/220V

额定电压	220V
电压适用范围	150～270V
功　率	36W
光通量	>10Lm

DGS 系列隔爆荧光灯的问世，首先解决了新颖电子镇流器的制造问题，该荧光灯省电 20%，亮度提高 30%以上，寿命提高 50%以上。每灯设有断电装置（防爆开关），可以进行单盏灯的维修，并可更换灯管，既节省了大量的资金及维护费用，又给用户带来了极大地方便和安全。该灯使用量大、面广，据初步调查，仅皖北矿务局年耗量达数千盏，估计地面及井下使用可销量数万盏，产生经济效益上千万元，其推广前景是非常宽广的。

带式输送机用水介质调速型液力偶合器

完成单位：煤炭科学研究总院上海分院
鉴定日期：2000 年 11 月 7 日

带式输送机用水介质调速型液力偶合器以水为工作介质，采用勺管出口调节方式实现对转速的调节，具有空载起动、过载保护、慢速驱动、无级调速及多机功率平衡等优点，是带式输送机、风机等工作机械最理想的调速装置。

其主要性能参数如下：

有效直径 D	560mm
输入转速 n	1500r/min
额定功率 N	250kW
调速范围	0.4～0.96（恒扭矩负载）
传动效率	0.95～0.97
多电机驱动功率平衡精度	≥95%

调速型液力偶合器作为主机的软启动和功率平衡装置，已开始大量应用于大型带式输送机中；迄今国产液力偶合器主要采用透平油作为传动介质，但在超载过大时，如温升保护装置或散热系统失灵时，会引起油液燃烧事故。因此，我国新颁布的 ZBD93008—90《煤矿井下用带式输送机技术条件》中规定：井下用偶合器禁止采用油作为传动介质。现行煤矿井下用油作为调速型液力偶合器的传动介质，是在增加温升保护、外循环散热系统等多项保护的情况下，经煤炭部安全司特批才在井下使用的。带式输送机用水介质调速型液力偶合器是以水为工作介质的，和油介质偶合器相比，具有安全可靠、经济合理、寿命长等优点，由于目前水介质调速型液力偶合器在国内还是一个空白，因而具有极为广阔的市场空间和良好的推广应用前景。

采煤机机载交流变频调速系统与PLC电控装置的研究

完成单位：煤炭科学研究总院上海分院
鉴定日期：2000年11月8日

该项目是结合交流变频调速电牵引采煤机的进一步发展需要而研制开发的产品，并形成以此为控制中心的电气系统，集变频调速装置、牵引变压器和电控装置于一体，已首先在MG250/600—WD1型采煤机上配套使用。

主要技术性能指标如下：

1. 适用环境：周围介质温度在－10℃～＋40℃；25℃时，周围空气的相对湿度不大于95%，不存在腐蚀金属和破坏绝缘的气体；有甲烷或爆炸性煤尘的采煤工作面。

2. 参数：

牵引变压器	
输入	1140V（或3300V），50Hz
输出	380V，50Hz
容量	90kVA（或125kVA）
变频器	
输入电压与频率	380V，50Hz
输出电压与频率	max 380V，5～83.4Hz
额定输出电流	152A（或190A）
配用电动机功率	2×40kW（2×50kW）
PLC电控装置	
输入电源	1140V（或3300V）
输出电源	非本安DC±12V，0.8A
本安	DC12V，1A
电磁阀电源	DC24V，4A
遥控发射机电源	本安9.6V(Ni－Cd电池)

采煤机机载变频调速系统与PLC电控装置首先应用在MG250/600—WD1型电牵引采煤机上，并在晋城矿务局古书院矿3#煤层13304工作面进行井下工业性试验，采煤机一年共计生产原煤729558t，并创最高月产103886t，最高日产5586t。该装置工作稳定，控制、保护手段齐全，最大限度地发挥了采煤机的工作潜能，能适应各类型的机载电牵引采煤机和非机载电牵引采煤机，采用1140V和3300V两种电压供电，目前，已有10套该装置在采煤机上运用，其中井下使用的有7套，经济效益显著。因此，该装置具有广泛的使用和推广价值，为我国的电牵引采煤机提供了较为理想的配套设备。应用PLC可编程控制器，可提高采煤机电控系统的可靠性，增加系统的故障检测和故障诊断，提高采煤机的开机率，达到高产高效的目的。

以上两项技术在采煤机上的应用，使采煤机更可靠，效率更高，总体性能指标上了一个新台阶，已达到或接近进口的电牵引采煤机，而价格仅为进口机组的1/5。同时，既可1140V供电，亦可3300V供电，适应我国现有的煤矿供电系统，市场前景十分可观。

MG200/450—WD型采煤机

完成单位：煤炭科学研究总院上海分院
大同矿务局
鉴定日期：2000年11月8日

MG200/450—WD型采煤机是为了满足薄煤层高产高效生产需要而研制的。MG200/450—WD型采煤机是国内第一台采用多电机驱动、主电机横向布置的新型薄煤层无链电牵引采煤机。该机适用于煤层厚度1.0～1.7m、倾角≤15°、煤层中硬的薄煤层综采机械化工作面。

主要技术参数

采高范围	1.0～1.7m
装机功率	450kW
截割功率	2×200kW
牵引功率	2×25kW
牵引力	400kN
牵引速度	6m/min
截深	800mm
滚筒转速	44.68r/min
滚筒直径	Φ1000mm，Φ1250mm，Φ1400mm

主要技术特点：①整机采用多电机横向布置、骑运输机运行的总体结构方式，构思巧妙，富有创新性；②采用交流变频调速、齿轮—销轨牵引方式，牵引力大，调速性能好；③截割部、牵引部机械系统设计强度大、传动功率高、结构紧凑；④主机身采用三段式结构，取消了底托架，通过销、键和液压螺栓紧固联结，有效地降低了机身高度；⑤研制了适用于薄煤层工作条件的操作和电控系统，具有恒功率、过电流、热保护等功能，并可增设无线电控制装置。

该MG200/450—WD型采煤机在采高1.3～1.5m、煤质较硬的条件下进行了工业性试验，共开采三个工作面，累计开采面积543600m²，生产煤炭100万t，取得平均月产7.3万t，最高月产9.55万t，创造了国产机组在同类开采条件下的最好成绩。采煤机经受了高强度生产、过断层等地质构造的考验，整机工作基本正常。

MG200/450—WD型采煤机主要性能指标接近并达到国外同类产品Anderson的Thin Seam Electro采煤机的先进水平。我国薄煤层资源丰富，可采储量约占总煤炭储量的20%，但全国统配煤矿的薄煤层年回采产量仅占10%左右。各大局、矿厚薄煤层开采比例失调现象依然存在，尤其是薄煤层作为解放层，开采速度缓慢，严重制约了矿井生产的正常发展。MG200/450—WD型采煤机的研制成功，可为我国薄煤层生产提供新型高效的采煤设备。该采煤机在工业性试验期间，84 天共采原煤 219001t，平均日产 2607.15t，最高日产达 4018t。1998 年 5 月份，月产达到了 95498t，平均日推进速度达 9m 左右，达到了国内中厚煤层采煤机的生产能力。

KS8M 型免维护矿灯的研究

完成单位：煤炭科学研究总院上海分院
平顶山矿灯厂
温州龙湾光明矿灯厂
鉴定日期：2000 年 11 月 12 日

本项目研制的产品用于煤矿井下或爆炸性气体环境中作业人员的携带式照明。该产品利用蓄电池内因电解产生的气体在一定条件下可以重新化合成水的原理，实现了矿灯蓄电池的密封与免维护。

主要性能指标如下表：

	额定电压 /V	额定容量 /Ah	灯泡电流 /A	光通量 /lm
任务要求	4	8	0.7	26
实际达到	4	≥11	0.7	29.4
	照度/lx	补液周期 /天	循环寿命 /次循环	全灯重量 /kg
任务要求	600/300	不补液	≥350	≤1.9
实际达到	1100/600	不补液	≥550	1.9

本项目研制的 KS8M 型免维护矿灯在生产中省去了传统的蓄电池极板具有严重环境污染的工艺过程，避免了环境污染，降低了制造成本；在使用中有无需初充电、无需补液、无酸雾排出、重量轻、亮度高、点灯时间长、循环寿命长、安全防爆性能更加可靠等优点。由于我国每年矿灯消耗在 300～400 万盏之间，因此，若推广应用措施得当，用 3 年左右时间，当可使我国免维护矿灯的产销量占全部矿灯产销量的 1/3。

国际上仅有英国能够生产以铅酸蓄电池为电源的免维护矿灯，但售价是我国矿灯的 10 余倍；俄罗斯近年研制出了以镍镉蓄电池为电源的免维护矿灯，很受东欧等国家欢迎，但制造成本及售价均很高。

MG400/920—WD 型电牵引采煤机

完成单位：煤炭科学研究总院上海分院
晋城矿务局
鉴定日期：2000 年 11 月 28 日

MG400/920—WD 型交流电牵引采煤机是我国自行研制的功率和生产能力最大的交流变频调速电牵引采煤机，是煤矿高效集约化生产发展急需的关键设备，特别适用于高产高效综合机械化开采。

主要技术参数

采高范围	2.0～4.0m
煤层倾角	<18°
煤质硬度	硬或中硬
机面高度	1573mm
摇臂回转中心距底板高度	1043mm
摇臂回转中心距离	6458mm
截深	630、800mm
截割功率	2×400kW
截割电压	1140V
牵引功率	2×40kW
牵引速度	7.00、14.53m/min
牵引力	581、280kN

主要技术特点：

(1) 整体结构合理，配套性好，采高范围大。整机采用多电机横向布置的总体设计方案，能够方便地与不同宽度的刮板输送机配套，开采煤层厚度达 2～4m。

(2) 采用交流变频调速和强力齿轮——销轨牵引方式，牵引力大，调速性能好，并能适应倾斜煤层开采的要求。

(3) 截割部、牵引部机械系统采用行星或多级行星齿轮传动和四行星轮、多元件浮动的结构，设计强度和寿命、传动功率、重量比等参数达到先进水平。

(4) 主机身采用三段式框架结构，取消了底托架，通过销、键和液压螺栓紧固联结，在保证强度和刚度的前提下，简化了结构，并有效降低了机身高度。

(5) 高速轴采用了柔性传动轴结构，降低了线速度，提高了密封可靠性和使用寿命，低速轴采用防尘和平面密封组合结构，较好地解决了高冲击、高振动、高粉尘工况条件下的密封难题。

(6) 电控系统具有恒功率、过电流、热保护等功能，操纵系统具有随机、机头控制站和无线电控制 3 种操纵方式，使用可靠、方便。

(7) 采用了机载高压喷雾降尘技术，取得了良好的降尘效果。

该机主要性能参数和技术指标已接近目前国际同类产品的先进水平，将成为高产高效工作面首选机型，推广使用后，可在我国出现一批日产 3000～5000t、年产 120～200 万 t 的高产高效工作面，为我国到本世纪末实现原煤产量 14 亿 t 的目标提供有力的保证，可替代国内高产高效工作面进口设备，并可进入国际市场，具有良好的销售前景。

分子结构型膨胀凝胶防灭火技术的研究

完成单位：煤炭科学研究总院抚顺分院
龙口矿务局北皂煤矿
鉴定日期：2000 年 7 月 18 日

本课题研究开发了分子结构型膨胀凝胶和与此配套的压注工艺及设备。

分子结构型膨胀凝胶选用水玻璃为其制胶基料、工业硫酸铝为固化剂、膨润土为骨料，这三者反应后形成立体分子结构，起框架作用，配方和及应机理均较新颖。配方中以高膨胀性的膨润土作骨料，提高了凝胶的吸水性和热稳定性，还以无毒无刺激性气味的铝盐替代传统凝胶的铵盐作固化剂，消除了现场应用中，因氨挥发所产生的刺激性气味对作业环境的污染和对工人的危害，这在我国矿用防火材料中尚属首创。

应用此配方，按最佳配比研制的分子结构型膨胀凝胶具有良好的稳定性、可塑性、耐压性和渗透性，因此具有长寿命阻化效果，是原料来源广、制备工艺简单、性能价格比合理、适用于防治煤自然发火的新型阻化材料。

在龙口矿务局北皂矿综放面进行的工业性试验证明该凝胶经压注喷洒后，对采空区浮煤能起到有效的阻化隔氧作用，还能封堵漏风通道，减少漏风，防火效果可靠且操作简单，易于实施。所研制的双箱单泵和凝胶压注工艺系统，简化了工艺，适于在井下作业环境中操作。

煤与瓦斯突出强度预测技术的研究

完成单位：煤炭科学研究总院抚顺分院
平顶山煤业（集团）有限责任公司
鉴定日期：2000 年 10 月 18 日

该子专题系统统计分析了 106 个突出矿井突出强度资料，建立了突出强度同地质构造、作业方式、突出预兆、巷道类型、开采深度、煤层厚度等因素之间定性关系。在国内外首次从理论上确定了突出模拟力学模型，根据力学模型按相似理论设计了真三维突出过程物理模拟装置，成功地模拟了不同开采深度应力、瓦斯压力条件下三维突出过程，得出了模型突出强度同垂直应力、水平应力、侧向应力、煤体强度、瓦斯压力之间定量数学模型和突出强度同瓦斯压力单项因素定量数学模型，该项试验在国内外属首次进行。

子专题应用实验心理学 7±2 心理极限概论合理选定模糊评判因素集。根据定性排序和专家打分采用层次分析法确定各因素对突出强度贡献度权重；根据突出强度同地质构造、作业方式、突出预兆、巷道类型、开采深度、煤层厚度等因素间定性关系和物理模拟结果，采用定性数据定量化理论建立了各因素分别隶属于大型突出、中型突出和小型突出的隶属度分布函数；采用二级模糊综合评判模型和“加权平均型”评判数学模型建立了煤与瓦斯突出强度预测模糊评判新方法并开发了“煤与瓦斯突出强度预测模糊综合评判”软件。

松软煤层打钻综合配套工艺技术及装备研究

完成单位：煤炭科学研究总院抚顺分院
平顶山煤业（集团）有限责任公司
鉴定日期：2000 年 10 月 18 日

KY－300 型全液压钻机是松软煤层打钻综合配套技术装备的最关键部分，配备有内喷雾式压风排粉系统及相应钻具，构成成套专用装备，可用于低透性松软煤层及其他易塌孔、易夹钻等打钻困难地层钻孔施工。该钻机适用范围广，除可以用于本煤层预抽孔，防突措施孔打钻外，还可用于其他各种钻孔，如穿层孔，岩石孔，定向水平长钻孔，以及探水、探煤、探地质构造等用途钻孔的施工作业。

KY－300 型全液压钻机由主机、操纵台、液压泵站三大部分组成，各部分之间由油管连接，可以解体运输，组装方便。设计上采用了变幅式全程往复运动推进油缸，实现无链推进，外置保压式液压卡盘与耐冲击负荷的减速器组成一体化动力头；带集成块的集中控制式液压操纵台等先进结构和技术，实用性强，可靠性高，经地面试验和现场试验验证，各项性能指标达到了设计要求。

突出矿井分级管理技术的研究

完成单位：煤炭科学研究总院抚顺分院
平顶山煤业（集团）有限责任公司

鉴定日期：2000 年 10 月 18 日

该研究通过对全国重点突出矿区 177 对突出矿井资料进行分析的基础上，提出了我国突出矿井危险程度的分级指标和方法，建立了我国突出矿井的分级标准。该研究采用历史最大突出强度和近 10 年突出总次数作为划分矿井突出危险程度的综合指标，将突出矿井划分为“严重”、“中等”、“较弱”三级。

满足下列条件之一者为严重突出危险矿井（Ⅲ级）：

(1) 历史最大突出强度大于 1000t/次；

(2) 近 10 年突出总次数大于 100 次；

(3) 历史最大突出强度大于 400t/次，且近 10 年突出总次数大于 10 次。

同时具备下列条件者为较弱突出危险矿井（Ⅰ级）：

(1) 历史最大突出强度小于 100t/次；

(2) 近 10 年突出总次数小于 20 次。

凡不符合Ⅲ级、Ⅰ级矿井者为中等突出危险矿井（Ⅱ级）

对新的突出矿井，除分析突出事例外，尚应测定有关突出危险参数，结合开采技术条件，参考邻近突出矿井情况并经实验室模拟实验，由国家授权的研究单位参与综合确定矿井突出危险等级。

该研究结合我国突出矿井的实际情况，在广泛调查、统计分析后提出的突出矿井的分级方法和指标，解决了矿井突出危险程度判别时各项指标交叉时难以定性的技术难题；提出的突出矿井分级管理指标符合企业实际，为突出矿井科学管理提供了科学依据；提供的鉴定资料齐全，数据真实、可靠。

平顶山矿区煤层合理预抽期的研究

完成单位：煤炭科学研究总院抚顺分院
平顶山煤业（集团）有限责任公司

鉴定日期：2000 年 10 月 18 日

该项目以平顶山矿区低透气性难抽煤层合理瓦斯抽放方式和合理预抽期评价为研究重点，采用 3 种预抽布孔方式（平行钻孔、交叉钻孔和大直径钻孔）在两个典型工作面进行了瓦斯抽放效果的对比考察，试验中着重考察了不同抽放方式、不同钻孔布置参数条件下的钻孔自然瓦斯涌出特征、钻孔瓦斯抽放量及抽放率随时间变化的规律，经对比分析，得出交叉钻孔是平顶山矿区低透气性难抽煤层合理的布孔方式和合理的钻孔布置参数；并在实测数据整理与理论分析的基础上，研究建立了以防突、减风和防突减风复合为目的的 3 种不同情况下的煤层瓦斯合理预抽期评价与计算模型，取得了交叉钻孔预抽率比平行钻孔预抽率高近一倍的良好预抽效果。

本项目采用的研究方法正确，技术途径合理，合理预抽方式的瓦斯预抽率比平行钻孔预抽率高近一倍。有效地解决了高瓦斯、突出危险工作面的瓦斯超限和突出危险问题，为合理抽放低透气性难抽煤层的瓦斯抽放提供了技术支持。

声发射实时跟踪预测突出危险性技术的研究

完成单位：煤炭科学研究总院抚顺分院
焦作矿务局

鉴定日期：2000 年 10 月 18 日

本研究利用环境监测系统进行声发射连续监测，开展自动连续预测突出的试验研究，得出了煤层声发射综合反映矿压和瓦斯赋存状况变化的规律，初步证明了 Ne 值作为声发射预测预报突出危险性临界值指标的合理性，并在焦作九里山矿井条件下，将 Ne 值达到 0.6 确定为该矿声发射预测突出危险性临界指标。

交叉钻孔扩孔预抽煤层瓦斯工艺技术及装备的研究

完成单位：煤炭科学研究总院抚顺分院
平顶山煤业（集团）有限责任公司

鉴定日期：2000 年 10 月 18 日

该研究通过对井下交叉钻孔、扩孔抽放瓦斯的试验，计算出较难抽煤层交叉钻孔合理工艺参数，成功地研制了新的扩孔钻头及封孔材料。试验过程中，在平顶山煤业集团十矿 20100 机巷施工平行钻孔 89 个，施工交叉钻孔 128 个，累计施工钻孔长度为 15400m。在 20100 风巷施工大直径钻孔 20 个，在其他地方施工大直径钻孔 8 个，累计施工钻孔长度为 1100m。加工了 5 套可伸缩扩孔钻头，在十矿进行了现场应用。考察了不同布孔形式的瓦斯自然涌出量及抽放量随时间的变化规律。

研制的自动变径扩孔钻头，在钻机推进压力为 1～2MPa，旋转压力为 5.0～6.0MPa，后退扩孔拉力为 1.0～2.0MPa，旋转压力为 3.0～5.0MPa 时，该钻头可以打扩孔 150mm 钻孔，钻孔深度可达 50m 以上。解决了大直径钻孔打钻时钻机能力不够、钻杆抗扭矩强度不足、打钻易诱导突出的难题。在管路风压大于0.35MPa时，变径扩孔钻孔内的钻粉可以顺利排出。研制的系列定位销满足了在煤的坚固性系数$f=0.10\sim1.0$的煤层中切削扩孔，在突出煤层中具有较广泛的适用性。

现场试验表明：交叉钻孔自然瓦斯涌出量是平行孔的1.23倍，衰减系数低于平行孔，交叉孔的自然瓦斯涌出效果好于平行孔。交叉孔初始百米抽放量是平行孔的1.25倍，从平均单孔抽放量来看，能提高1.13倍，其极限抽放量是平行孔的1.2倍。采用交叉扩孔钻预抽本煤层瓦斯是可行的。

在考虑煤体蠕变的情况下，交叉钻孔的影响范围大约为钻孔直径的12倍，可较好的进行瓦斯抽放。新研制的聚氨酯封孔材料在自由空间中发泡膨胀，膨胀倍数可达20～27倍，能够满足封孔质量和强度及密封性的要求，在抽放负压为97kPa以下时，可以保持长时间不漏气。

防止故障电火引爆瓦斯煤尘新技术的研究

完成单位：煤炭科学研究总院抚顺分院
平顶山煤业（集团）有限责任公司

鉴定日期：2000年10月18日

“防止故障电火引爆瓦斯煤尘新技术研究”包括4项新产品：BKD1－630/1140（660）‘防电火引爆’矿用隔爆型真空馈电开关；矿井低压供电系统快速断电综合保护装置；煤电钻综合保护装置快速断电改造；GJB－6型高压接地保护装置。针对矿井6～10kV电网中性点经消弧线圈并电阻接地方式和经电阻接地判断接地故障途径的研究，确定的“低频信号注入法”保护原理具有明显的创造性。该项研究在国内外尚属首次，填补了该领域理论研究的空白，为该领域供电安全研究开辟了新途径、新方法。以该原理设计研制的接地保护装置，与其他原理的接地保护装置不同，不受电网的工频零序电流、零序电压及功率方向角的影响，只与接地时的接地电阻有关。装置采用微机控制，具有良好的选择性和高频抗干扰能力。

低压供电系统的3项新产品，其原理采用快速断电安全技术和漏电相快速旁路技术，解决了采用快速断电安全技术难以实现容量大的难题，使馈电开关容量从合同所规定的指标500A增大到630A，满足了现场生产的实际需要。“煤电钻综合保护装置快速断电改造”的短路故障及漏电故障全断电时间小于3.5ms，高于国际同类产品的技术性能指标，在技术上达到了国际先进水平。

该项成果的研制成功，增强了煤矿预防电火引燃引爆瓦斯煤尘的能力，极大地提高了煤矿供电系统整体防火防爆的安全水平。

深孔控制预裂爆破提高煤层瓦斯抽放率的研究

完成单位：煤炭科学研究总院抚顺分院
平顶山煤业（集团）有限责任公司

鉴定日期：2000年10月18日

通过对平顶山矿区3个典型矿井的10个综掘工作面各个瓦斯涌出源的定量考察、实验室测试及理论分析研究，取得了如下成果：

(1)通过对比验证，研究得出了煤层瓦斯含量、掘进煤壁、落煤瓦斯涌出强度和排放带度随时间变化的关系；研究考察了综掘工作面瓦斯涌出与掘进工艺参数（掘进断面、掘进速度、工序）、煤层赋存和地质条件（煤层厚度、软硬煤变异程度、埋藏深度、基岩厚度、地质构造）、实验室实测煤的自然粒度、残存瓦斯含量、瓦斯涌出特征的关系。确定了适合综合机械化掘进条件下瓦斯预测的各种影响因素及各种参数，提出了平顶山矿区综掘工作面瓦斯涌出量的预测方法。

(2)系统地研究考察了平顶山矿区煤层赋存与埋藏深度、地质、煤厚变化、地质构造的关系及影响因素，提出了根据煤层瓦斯含量测定值和采掘工作面瓦斯涌出资料进行瓦斯富集区的超前判识方法及指标。

该研究项目的完成，进一步完善了矿井瓦斯涌出量预测方法——分源计算法，瓦斯涌出量预测准确率可达85%以上。该成果密切结合煤矿现场生产的实际需要，在我国具有广泛的适用性。

采空区瓦斯抽放工艺与自控装置的研究

完成单位：煤炭科学研究总院抚顺分院
平顶山煤业（集团）有限责任公司

鉴定日期：2000年10月18日

该研究所研制的菱镁管质轻、价廉、制造简单、强度高，适于埋管抽放瓦斯之用，填补了国内空白。

抽放瓦斯自控装置由主机、执行装置和取样泵组成。控制器采用先进的89C51单片机作为控制核心器件，配有甲烷和一氧化碳传感器，根据抽放管道中的CH_4和CO浓度的变化，来调节管道阀门的开、闭程度，技术先进，控制准确，使抽放参数保持在预定范围内，确保安全抽放瓦斯；取样泵重量轻、连续运转性能稳定。该产品为我国煤矿瓦斯抽放提供了一套新装备，其技术指标与性能达到了国际先进水平。

通过采空区瓦斯浓度分布的研究，确定了抽放瓦斯的最佳位置，对采空区瓦斯抽放具有指导意义。

TY3061FB 型井下防爆低污染轻型自卸车

完成单位： 神华集团有限责任公司
煤炭科学研究总院太原分院

鉴定日期： 2000 年 3 月 7 日

无轨胶轮车是现代化高产高效矿井的配套设备，适用于井下无轨辅助运输，可为井下运送设备及物料。该产品选用高性能、防爆、低污染柴油发动机作动力源，并配置了技术先进的进排气防爆装置，可有效降低井下 CO、NO_x 的含量，改善井下工作环境，提高矿井生产的安全性。该项目设计了性能可靠的超速停车及发动机进排气等保护回路，使整车运行平稳可靠，操作方便灵活，运载效率高，是井下辅助运输的理想设备。该项目达到国内领先水平，并填补了国内空白。

该车的主要性能指标：

型式	平头后翻自卸式
驱动方式	4×2 后轮驱动
发动机功率/kW	48
装载质量/kg	2500
满载车速/km·h^{-1}	不小于 32
爬坡能力/(°)	纵向不小于 15
最小离地间隔/mm	240
最小转弯半径/m	×6.7
车厢容积/m^3	2.41

TY6/20FB 型井下防爆低污染中型客货胶轮车

完成单位： 神华集团有限责任公司
煤炭科学研究总院太原分院

鉴定日期： 2000 年 3 月 7 日

TY6/20FB 型井下防爆低污染中型客货胶轮车是现代化高产高效矿井配套的辅助运输设备，可为井下运送设备及人员。该车选用高性能防爆低污染柴油发动机作动力源，并配置了技术先进的进排气防爆装置，有效降低了井下 CO、NO_x 的含量，改善了井下工作环境，提高了矿井的安全性。采用液力机械式传动，前后铰接全液压转向，及各种安全保护回路，使整车运行平稳，操作灵活方便，运载效率高，是井下辅助运输的理想设备。经煤炭工业邢台柴油机械质检中心检验，各项指标均符合要求。该车与国外同类车辆比较具有以下特点：

(1)设计了双层不锈钢水纹管水冷却排气装置，具有自动水位控制和缺水保护功能。

(2)选用液力机械式传动装置，具有运行平衡及自动适应载荷变化功能。

(3) 采用气顶油双回路工作制动和液压解除弹簧锁紧的紧急停车制动。

(4) 采用光电控制的超速停车保护装置。

(5) 采用前后铰接式全液压转向控制，动作灵活，转弯半径小。

(6) 采用气马达启动发动机控制系统，启动可靠。

(7)采用液压操纵四连杆机械快换客货厢装置，操作方便，更换便捷。

(8)采用气动控制前后灯光方向转换装置，使车辆运行时安全可靠。

该项目达到国际先进水平，并填补了国内空白。

该车的主要性能指标：

车型	前后机架铰接式
驱动方式	4×2 前轮驱动
车座定员/人	20
装载质量/kg	6000
整车质量/kg	11400
发动机功率/kW	74
额定车速/km·h^{-1}	25
最大爬坡度/(°)	15
最小转弯半径/m	向内 2.8，向外 6
最小离地间隔/mm	270

液粘离合器封油环摩擦学系统设计参数计算机仿真与实验研究

完成单位： 煤炭科学研究总院太原分院

鉴定日期： 2000 年 4 月 12 日

液粘离合器，国外又称为奥米茄离合器，广泛用于大型设备的节能调速及矿用带式输送机、刮板输送机的软起动。刮板输送机、胶带输送机采用此种装置可解决此类设备的电机空载启动、输送机软起动、功率均衡及过载保护，且具有传递效率高、控制便捷的优点。

本项目参考国外结构，从密封装置的密封原理人手，对封油环密封的动力学特性进行分析，采用计算机仿真与实物实验相结合的办法，提出提高封油环密封能力的最佳结构。

经本项目的研究，弄清了封油环的密封机理：①轴肩推压，形成端面密封；②环内侧压力升高，形成外环静密封；③端面磨损后，在压力作用下，封油环轴向推移补偿。推导了封油环尺寸应满足的尺寸关系。通过计算机，进行了封油环的尺寸关系仿真，确定了封油环的实际尺寸。专门设计了实验台，对封油环进行了实验室实验，证明封油环尺寸设计合理，效果良好，并提出了更高压力转速下封油装置的设计方法。采用本仿真程序可设计出相应的封油环结构尺寸。

可控硅交流调压起动装置

完成单位：煤炭科学研究总院太原分院

鉴定日期：2000 年 5 月 22 日

“可控硅交流调压起动装置”主要适用于防爆等级为 Exdibi 的环境中，诸如带式输送机、刮板输送机等场合，直接控制鼠笼型异步电动机缓慢起动。利用此项技术生产的地面起动装置也可应用于其他行业需缓慢起动的负载，如港口的带式输送机、风机等。

通过控制三组反并联大容量可控硅组件的导通角，实现三相交流电的相位斩波，使电机端电压以恒定速率上升，可控硅移相电路中引入电流的模糊控制反馈，使负载电机具有软起动、软制动及起停控制功能，通过多机的级联，实现负荷均衡调节，综合保护各项指标符合 MT175 矿用隔爆型电磁起动器用电子保护要求标准的要求。

实际达到的性能指标：

装置容量：660V，250A，250kW；1140V，250A，400kW；载荷均衡调节转速能力为$-n_e\%$r/min，制动功率为电机额定功率的 1/2，连续可调；起动调节时间 5～40s 连续可调；适应于带额定载荷起动要求；综合保护各项指标满足 MT175 矿用隔爆型电磁起动器用电子保护器的要求。

电液控制系统的合理匹配与抗干扰能力的研究

完成单位：煤炭科学研究总院太原分院

鉴定日期：2000 年 7 月 5 日

该项目从电液控制系统各元部件参数的合理匹配、提高系统的抗干扰能力着手研究，解决了国产电液控制系统中存在的问题，提高了系统的防水抗污能力，提高了系统设备对井下的物理环境、供电系统以及采煤工艺的适应能力。系统的设计更为合理，采用了硬件抗干扰、软件冗余等技术，使系统具有较强的抗干扰能力，系统的整体可靠性和适应性能大大提高。

该电液控制系统具有操作简单，适应性强等特点，其性能可以满足国内目前高产高效工作面设备配套要求，适合我国煤矿发展的技术水平，集实用性与经济性于一体，将会为我国综采机械化水平的提高起到重要的作用。

主要性能指标

移架速度	12m/min（在两柱式支架试验使用时）
系统压力	31.5MPa
系统流量	400L/min
输入电压	交流 127V，50Hz
波动范围	−45%～+45%
控制电压	15V，1.5A

系统元部件性能及其之间的匹配均已达到计划任务书的要求，系统抗干扰能力得到了增强，从而提高了系统的可靠性。进行地面试验及其相关试验时，系统的故障率已降低到 0.3%以下。

瓦斯富集强突煤层顺煤层长钻孔水平钻进技术研究

完成单位：煤炭科学研究总院西安分院
芙蓉矿务局

鉴定日期：2000 年 7 月 6 日

该项目是针对瓦斯富集、强突煤层顺煤层预抽瓦斯钻孔施工的实际需要，由煤炭科学研究总院西安分院和芙蓉矿务局共同承担的应用型科研项目。该项目在充分分析国内外有关技术资料和白皎矿区的地质条件基础上，研究了顺煤层瓦斯抽放水平钻进的关键技术。经过一年半的研究和试验工作，在白皎矿 3 个工作面一个回风巷内，沿煤岩破碎、瓦斯高富集易突出的薄煤层中，共完成顺煤层水平钻孔 61 个，累计进尺 5012m，最大孔深达到 158m。

该项研究取得了以下技术成果：

(1) 研制了 ϕ50mm 矩形螺纹联结外平钻杆，该钻杆强度高、易拆装，在钻机强力起拔和打冲击锤的情况下，避免了断杆事故的发生。研制了多级组合钻具，钻具稳定性好、防喷效果明显，是瓦斯富集、强突煤层水平钻进的关键技术设备。

(2) 在高瓦斯煤层水平钻进中采用压风作为冲洗介质，有效地减小了喷孔强度，防止了钻孔坍塌，满足了水平长钻孔钻进要求。研制了孔口防尘、灭火装置，装置结构简单，便于操作，防尘效果好。经生产试验测定，排风粉尘≯7～10mg/m³，满足了《煤矿安全规程》的要求。

(3) 经过试验研究，确定了在瓦斯富集、强突且煤层破碎的情况下水平钻进参数的合理取值范围，即一般应将钻压和转速控制在 3～5MPa 和 200～500r/

min 之间。

(4) 选用了 MKG－5 型全液压坑道钻机，改进了钻机结构，减小了机身长度，适应了巷道截面小的井下施工条件，降低了劳动强度，提高了钻进效率，最高台班进尺达到 120m。

(5)采用钻孔跟踪设计和平行孔交替施工法，有效降低了瓦斯喷出强度，是增加钻孔深度、保证正常钻进的有效措施。

巨厚煤层预抽瓦斯长钻孔近水平钻进技术研究

完成单位：煤炭科学研究总院西安分院
抚顺矿务局
鉴定日期：2000 年 7 月 6 日

该项目是针对巨厚煤层、高瓦斯突出矿井，为解决顺煤层近水平长钻孔瓦斯同放及防突问题而开展的一项应用性研究。本项目由煤炭科学研究总院西安分院和抚顺矿务局共同承担。经过课题组成员一年多的研究试验工作，在老虎台矿采区集煤巷和瓦斯巷的 3 个钻场中，施工试验钻孔 24 个，累计进尺 5385.7m，完成了预定目标，解决了沿煤层近水平钻孔施工中喷孔、塌孔及钻孔轨迹定向等关键技术，取得如下成果：

(1) 研制出适用于厚煤层钻进 Φ94mm 钻孔、近水平深度可达 400m 的 Φ63.5mm 外平钻杆、单向阀接头和控制钻孔方向的系列稳定器。

(2)提出了适合于巨厚煤层、高瓦斯突出矿井的沿煤层近水平的长钻孔(可达 400m)钻进方法和工艺，确定了合理钻进参数取值范围。

(3) 为该类地质条件下受控定向钻进建立了科学依据。

煤层气井取芯装置和开发技术研究

完成单位：煤炭科学研究总院西安分院
鉴定日期：2000 年 12 月 7 日

该专题应用计算机模拟分析技术，结合试验区的具体条件，引进石油定向钻井和复合射孔完井等先进技术，研制出绳索取芯装置，组成了基本上配套的煤层气开发技术。

(1) 研制并定型了一套既适用于粉煤又适用于完整煤层及岩层的煤层气井用大口径绳索取芯装置。该装置独特的卡芯护芯机构，确保了较高的岩煤芯采取率，现场取芯试验结果表明：岩煤芯平均采取率 93.3%，其中煤芯采取率 90.8%，岩芯采取率 94.7%。所配钻头钻效高、寿命长、口径大，可以一次成井。获取的岩煤芯直径达 73mm，对煤芯的扰动小，煤芯样品的代表性强。

(2) 根据试验区的具体条件，引进国内外先进技术，组成了适合于新集试验区的煤层气井的井网设计、钻井、取芯、完井、增产强化、排水采气、集输等基本上配套的工艺技术和专用设备。在研究钻井液造成储层伤害机理的基础上，提出了储层保护钻井液具体技术要求和选择方法，实现安全钻进的同时防止储层伤害。首次将石油定向钻井工艺和复合射孔完井技术应用于煤层气井中，确保井身质量、降低压裂作业压力。在煤层气井固井作业中，首次提出了变密度固井技术要点、设计、实施方法。利用国外引进的 FRACPRO® 软件对 3 口井 8 个压裂层段进行了优化压裂设计、拟合分析及参数计算，三维几何形态模拟，开拓了将优化压裂设计转化为优化施工的重要途径。在分析试验区 3 口井排采数据的基础上，提出了科学排采作业制度的设计和应用方法。

该专题的实施与完成对地质条件中等偏下的新集试验区成功进行地面开发煤层气发挥了关键作用，新集试验区 XS－03 井目前日产气量已超过 3000m^3/d，已经取得了效益。

GX－1 型多功能旋喷钻机及其配套钻具的研制

完成单位：煤炭科学研究总院西安分院
鉴定日期：2000 年 12 月 22 日

GX－1 型多功能旋喷钻机，是在总结 MK 系列全液压坑道钻机和市场上其他旋喷钻机研制经验的基础上，研制的适合于单管、双管、三管高压旋喷注浆工艺技术要求的全液压钻机。研制的二重管、三列管钻具(导流器、钻杆、喷头)，适合土层、沙土层、回填土层、淤泥质地层以及砂层、砾石层等地层的基础处理。

该钻机具有以下特点：

(1)采用双变量泵液压系统，回转速度和给进提升速度可以独立调节，操作方便；可实现无级调速，钻机只作给进提升运动时，主、副泵油液合流，倒杆速度快，辅助时间短，施工效率高，适应钻进成孔和旋喷成桩两种工艺。

(2) 回转器设计为两档变速，高速档用于钻进工况，低速档用于旋喷工况，输出扭矩大，不易卡钻。

(3)采用容积调速，调速性能稳定，液压油发热量少，液压系统效率高，密封件密封可靠性高。

(4)采用全液压动力头式结构，整机分为主机、泵站、操纵台三大部分，各部分之间用高压胶管相连接，解体性好，便于搬迁运输，操作人员可远离主机和孔口，有利于安全施工。

二重管、三列管钻具结构简单，密封可靠性高，在技术上有所创新，采用牙嵌式结构传递扭矩，可以正反转，既能用于旋喷桩施工，又能用于摆喷施工。

陕西黄陵一号井堵水工程综合物探技术研究

完成单位：煤炭科学研究总院西安分院

鉴定日期：2000 年 12 月 22 日

该项目研究了地面综合物探技术及在煤矿突水淹井事故中探测突水、导水通道中的应用。

该项目在大量的试验研究中取得了以下成果：

(1) 采用以高分辨率电测深法和稳态瑞雷波法为主，电剖面法为辅的地面综合物探技术。对突水通道起到聚焦作用，提高了物探的准确性，能较准确的探测出深度 250m 以内的矿井突水通道，且平面误差小于 3m。

(2)对探测技术和解释方法作了改进。采用算术坐标进行高密度数据采集；用多点断面连续解释，以及瑞雷波法新的曲线特征进行解释，明显地提高了解释精度和直观性。

(3) 提出了判断突水通道的标准：①$\Delta p_s \leqslant -10$ 是该区高分辨电法判别采空含水的标志；②$D-V_R$ 曲线的间断型异常和直杠型异常，以及加速度断面上出现 $a \leqslant 0$ 值，是小煤窑采空的标志。

新疆戈壁地区三维地震勘探技术研究

完成单位：煤炭科学研究总院西安分院
新疆哈密矿务局

鉴定日期：2000 年 12 月 22 日

该项研究是针对我国西部戈壁地区地表条件复杂(地表戈壁，高差大，潜水面深，煤层埋藏浅)等问题而开展的三维地震勘探技术研究项目。课题已于 1999 年元月完成并经过一年多的验证，在资料采集、处理和解释等关键技术方面取得了如下成果：

(1)通过大量的对比试验，提出一套适合戈壁地区三维地震资料数据采集的方法，开发编制了利用模糊相似优先比的方法进行地震采集参数最优化的选择及三维观测系统计算机辅助设计的微机软件；通过理论研究和模型试验，总结了适合戈壁地区复杂条件的静校正方法。

(2) 研制了以微机为基础的三维可视化地震资料解释软件，采用以纵剖面为主、横剖面为辅、结合水平切片解释的方法，在计算机上对三维数据进行立体显示，在空间上对断层进行立体追踪与精细解释，明显提高了解释精度。

(3) 该项研究经北泉矿试验区 $2.2km^2$ 的实际应用和一年多的实践验证，表明勘探精度高，确保了工作面的合理布置，取得了显著的经济效益。

新齿型分级破碎机的研究

完成单位：煤炭科学研究总院唐山分院
北京矿务局长沟峪煤矿

鉴定日期：2000 年 8 月 4 日

针对我国破碎设备普遍存在的破碎粒度超限、能耗高、设备老化、破碎效率低、粗细不均、破碎后粉煤量大、破碎齿磨损快、使用寿命短、维修量大，严重影响生产等问题，结合我国国情，采用新技术、新结构，研制出新型高效的 2PF90/100 新齿型分级破碎机。该破碎机具有如下特点：

新齿型分级破碎机，破碎齿螺旋布置在齿辊上，两辊相对运动如旋转的格筛，将小于产品粒度的物料筛去，对大块物料进行破碎，避免了进入破碎机的物料掺杂破碎的缺陷。具有破碎、筛分的双重功效，在一定范围内可单独完成破、筛作业，无需配备筛分设备，简化系统，节省投资。

该机采用固定中心距，对物料进行强行破碎。齿辊的结构尺寸根据产品粒度要求进行设计，严格控制产品通过的空间尺寸。该机可作为最终的粒度把关破碎设备。破碎齿采用特制耐磨焊条堆焊，使用寿命长(比同类型的双齿辊破碎机寿命高 2 倍)。破碎齿磨损后，现场可直接堆焊修复，方便快捷，生产维修费用低。

采用剪切原理，小于要求粒度的物料直接通过，只对大于粒度要求的物料进行破碎，避免了进入破碎机的物料掺杂破碎的缺陷，所以具有极低的过粉碎率，且功耗低、处理能力大，提高了破碎生产率(比同类型的双齿辊破碎机提高 30%)，降低了功耗(比同类型的双齿辊破碎机降低 10%)。

高阻尼不锈钢焊接筛网的研制

完成单位：煤炭科学研究总院唐山分院

鉴定日期：2000 年 8 月

高阻尼不锈钢焊接筛网是在原普通平滑网面焊接筛网的基础上，针对普通平滑筛网存在的脱水性能差、筛分效率低、使用寿命短的缺点，通过对筛条型式和轧制工艺的重点研究，并对原有焊接工艺进行分析和研究，而研制生产出的一种新型高效的不锈钢焊接筛网产品。

主要特点：

(1)采用了增强型梯形截面的筛条，提高了筛网耐磨性能，从而延长了筛网的使用寿命。

(2)采用多次轧制成型的矩形截面的支撑条，强度高，节约材料。

(3)新型筛网的筛条中心有一特定的倾斜角度，成型后的筛网网面成波齿状，增加了网面对物料的截留性能，大大提高了筛分效率，改善了脱泥、脱介、脱水效果，降低了筛上产品的水分含量。

新型管道自动放气阀 (TJGF—Ⅰ型管道自动放气阀)

完成单位：煤炭科学研究总院唐山分院

鉴定日期：2000 年 8 月 10 日

该项目在实践经验、理论分析、调研的基础上，根据生产需求，以阿基米德沉浮定律为理论基础，应用固体应力应变特性与液压密封技术，解决了浆体管道的进排气和一般型式放气阀浮子抗压强度低等问题。经现场使用，所设计的各项技术指标完全满足高、中、低压浆体管道和不同流体输送管道对放气阀的要求。该产品质量稳定可靠，结构合理，密封技术先进，填补了国内粒状物料管道水力输送自动放气阀的空白。其放气阀结构及密封技术达到国际先进水平。

向斜厚煤层条件下井筒与工业广场煤柱开采研究

完成单位：煤炭科学研究总院唐山分院
徐州矿务集团

鉴定日期：2000 年 10 月 27 日

本项研究针对向斜构造、厚煤层开采的特点，通过理论分析与研究，成功地进行了主井、副井、暗立井与工业广场煤柱的开采，矿井生产提升系统保持安全运行，地面主要建筑物得到保护。

(1) 采用有限元模拟分析了向斜厚煤层条件下井筒的受力情况，计算结果表明：暗立井处于采动压应力和剪应力集中区，主、副井主要受偏斜和压缩变形的影响。

(2)通过分析与研究，揭示了向斜构造条件下地表与岩层内部的移动变形规律及其特点，并求取了地表与岩层移动计算参数。

(3) 主井、副井、暗立井均向开采工作面方向产生了偏斜，并在部分区段产生了井壁脱落破坏。破坏均发生在煤层、页岩等软弱岩层区段。

通过实践，总结出一套完整的井筒、井筒装备、地面建筑物及设备的安全保护措施。

细粒煤脱水关键设备 TZJ 型加压过滤机的研究

完成单位：煤炭科学研究总院唐山分院
西山煤电集团西曲选煤厂

鉴定日期：2000 年 11 月 8 日

TZJ96.3 型加压过滤机是针对目前国内选煤厂普遍存在的浮选精煤产品水分高、耗能高、回收率低等难题开发研制的大型高效脱水设备，主要应用于大型选煤厂－0.5mm 粒级浮选精煤脱水，也可用于冶金、化工、环保等行业的细粒物料的固液分离。

TZJ 型加压过滤机技术的创新点：针对国内老式加压过滤机对物料适应性差、系统工作不稳定等难题，经过大量试验，首次建立起影响过滤性能的各参数之间的关系曲线，并通过对工况及运行参数进行合理监控，据物料的不同性质，按要求调控设备处理能力及产品水份。通过对矿浆槽液位与给料泵转速的合理控制，实现了入料的连续性和稳定性，从而保证加压过滤机的正常运转。

TZJ 型加压过滤机首次采用了以下新技术：

新型密封排料装置：实现大型化，处理能力达到 130t/h，并实现 4 万次无故障。

高开孔率、大过流量内滤式滤扇：开孔率达35%～38%，承压达到 0.55MPa，满足过滤能力要求。

新型充气密封圈：断面受力合理，联结可靠，寿命超过 3.5 万次。

高效耐磨喷焊泵的研制

完成单位：煤炭科学研究总院唐山分院
开滦(集团)公司钱家营分公司

鉴定日期：2000 年 11 月 28 日

高效耐磨喷焊泵是针对煤矿和其他金属矿渣浆泵

使用中问题，如衬胶泵寿命短、效率低；高铬合金材料泵，制造工艺复杂、成品率低，价格昂贵等，而开发研制的新产品。该产品主要用于水力采煤矿井输送煤水混合物及选煤厂输送煤浆，也可用于冶金、矿山、电力等行业输送其他含有固体颗粒的无腐蚀性液体。

100PZB—365 喷焊泵的主要创新点与采用的新技术。

首次将喷焊合金粉末技术用于单级渣浆泵蜗壳（护板）的全部过流表面的制造，设计出了特殊的适用于喷焊工艺的单泵壳蜗壳；研究试验出了一整套新的弧形、曲面、大面积喷焊工艺方法。

水力设计采用固液两相流理论，运用计算机技术进行优化和选择结构参数，在充分考虑耐磨性能的基础上使泵的效率有较大提高。在低比转数 $n_s=5.83$ 的情况下，清水最高效率点达 57.25%；额定工况点效率为 55.4%，已达到 JB/T53060—93《离心式渣浆泵产品质量分等》所规定的一等品的效率指标；与参数一致的衬胶泵（$\eta=51\%$）相比，效率提高 4.4 百分点。

提高动筛跳汰机可靠性研究

完成单位：煤炭科学研究总院唐山分院
大屯煤电（集团）有限责任公司姚桥煤矿
上海 704 研究所

鉴定日期：2000 年 11 月 28 日

针对当时国产动筛跳汰机存在的排矸轮卡矸、掉链、液压和电控系统可靠性较差等问题，经攻关研究，研制成功 TD18/3.6 型动筛跳汰机，于 1998 年 10 月在大屯煤电（集团）有限责任公司姚桥煤矿投入生产，运行状况良好，工作稳定可靠。实践证明：该机结构及参数设计合理；设备处理能力大（可达 230t/h），分选精度高（入选 300～25mm 粒级原煤时，不完善度 $I=0.07$）；可靠性明显改善，无故障工作时间已超过 2000 小时，各项指标已达到攻关合同规定的要求，经济效益显著。整体技术水平已达到国内领先水平。

该机采用了新型排矸机构和圆环链传动，有效地解决了排矸轮卡矸和掉链问题；研制的无接触密封装置较好地解决了入料端的密封和磨损问题；采用不锈钢新筛板，使用寿命提高了 1～2 倍；在液压系统方面，研制成功了适应排矸分层要求的新型液压站，首次采用了高可靠性的关键部件，如进口的油泵和比例阀，还解决了系统漏油问题，大大提高了可靠性；在电控系统方面，首次采用 PLC 控制动筛机构的运动参数和自动排矸；由于增设了排矸闸门自动升降装置，大大提高了排矸精度。

新型简化选煤工艺过程控制及自动化

完成单位：煤炭科学研究总院唐山分院
贵州盘江煤电（集团）有限公司老屋基选煤厂

鉴定日期：2000 年 11 月 28 日

本项目的研究在对简化重介质选煤工艺流程进行分析的基础上，首次推导出重介质悬浮液多参数控制系统数学模型，为进一步分析、研究、设计悬浮液参数自动控制系统奠定了理论基础。针对系统模型特点，设计并实施了重介质选煤过程悬浮液参数自校正控制算法；针对重介质选煤过程精煤灰分控制系统的特征，采用了仿人智能控制方案。克服了以往国内外采用常规 PID 控制实现的重介质选煤过程控制系统稳定性差、控制精度低等不足。系统结构以工控机为核心，选用 ADAM 模块实现数据传输，监控软件借助于中文可视组态开发系统编制，实现了重介质选煤过程监视、控制与生产管理功能于一体，增强了系统功能，提高了系统的可靠性、可维护性和二次开发性。

“ZJK 型重介质选煤过程自动控制系统”是本项目最终研究成果，于 1999 年 4 月在贵州省盘江煤电（集团）公司老屋基选煤厂正式投入生产使用。两年来的实际应用结果表明：该系统技术先进，设计合理，运行可靠，悬浮液密度控制精度达到 $\pm0.006g/cm^3$，其他参数的控制均满足工艺要求，全面完成了《专题合同书》规定的研究内容，达到了性能指标要求。该系统的投入使用，对于提高简化重介选煤工艺系统的分选效果、稳定产品质量、加强生产管理、减员提效都起到了十分重要的作用，经济和社会效益显著，具有很好的使用价值和推广应用前景。

简化重介质选煤工艺的研究

完成单位：煤炭科学研究总院唐山分院
贵州盘江煤电（集团）公司老屋基选煤厂

鉴定日期：2000 年 11 月 30 日

该项研究采用 MMD 分级破碎机替代了原煤准备车间；原煤不分级、不脱泥，以新研制的 3NWX1200/850 型无压给料三产品重介质旋流器为主选设备，实现单一低密度悬浮液一次分选出精煤、中煤和矸石；利用三产品重介质旋流器自身固有的分级和浓缩作用，在不使用极细粒度磁铁矿粉的条件下，实现粗煤泥有效分选;合理设计和使用弧形筛与直线振动筛组合的脱介系统,既很好地完成了脱介、脱水作业,又提高了设备的整体可靠性;介质回收系统简单、高效;主选设备与配套辅助设备大型化,促进工艺进一步简化;科学合理的设备布置强化了简化工艺效果。该成果的主要特点:

(1)以自己研究的国际首台大型无压给料三产品重介质旋流器(3NWX1200/850 型)为主选设备,原煤不脱泥、不分级,实现了单一低密度悬浮液一次分选出精煤、中煤和矸石 3 种合格产品,大大简化了作业环节。

(2)使用 MMD 分级破碎机取代原煤准备车间。

(3)设计和使用了独特的可翻转弧形筛与直线振动筛组合脱介、脱水系统。

(4)利用主选旋流器自身固有的分级和浓缩作用,在不使用极细粒度磁铁矿粉的条件下,实现粗煤泥的有效分选。

(5)打破传统模式,采用双段大处理能量磁选机直接磁选,简化介质回收流程。

(6)开发、研制和选用大型设备,简化流程,科学合理的工艺布置强化了简化工艺效果。

大型无压给料三产品重介质旋流器选煤工艺及设备

完成单位:煤炭科学研究总院唐山分院
贵州盘江煤电(集团)公司老屋基选煤厂

鉴定日期:2000 年 11 月 30 日

该项目通过对旋流器内密度场与速度场的分析研究及相似放大准则的应用,确定了大型无压给料三产品重介质旋流器的结构形式、结构参数及工艺参数。该产品选用了较好的耐磨材料及铺衬工艺,设计科学、合理。产品结构灵活、质量稳定、耐磨性能较好、管理方便、投资少。

结构:一段圆筒型,二段圆筒圆锥型,一段直径 1200mm,二段直径 850mm,溢流口直径 270~420mm,底流口直径 240~360mm,入料口直径 380~500mm;

处理能力/$t \cdot h^{-1}$	250~350
入料上限/mm	≤85
有效分选下限/mm	≤0.5
介质循环量/$m^3 \cdot h^{-1}$	900~1400
入料压力/MPa	0.12~0.25
分选精度/$kg \cdot L^{-1}$	$E_{p1}=0.03\sim0.05$, $E_{p2}=0.003\sim0.06$

矿井突出危险区域预测技术及装备的研究

完成单位:煤炭科学研究总院重庆分院
平顶山煤业(集团)有限责任公司

鉴定日期:2000 年 10 月 18 日

研究得出了一套新水平、新采区、新区段突出危险性区域预测指标、方法和装备。研究成果经平煤十矿戊$_{9-10}$煤层试验表明:划分出的突出危险区域面积分别占试验区面积的 37%和 48%,减少工程量 85%以上,采掘速度提高了 45%以上,预测不突出准确率达 100%。研制的无线电透视仪有效探测达 500m(钻孔探测 250m)以上;探测精度为:能分辨落差>1.5m 的断层,平面分布直径>20m 的瓦斯富集区、冲刷带、煤层厚度变化等地质异常;探测总精度>75%,丢失误判率<5%。

突出矿井分级管理技术的研究

完成单位:煤炭科学研究总院重庆分院
平顶山煤业(集团)有限责任公司

鉴定日期:2000 年 10 月 18 日

该项研究在统计和分析了国内外突出矿井历年突出资料的基础上,提出了综合判定矿井突出危险程度的两套指标和方法,以及具体的技术规范,建立了适合我国国情的突出矿井分级管理体系。研究了突出煤的瓦斯涌出规律及形成瓦斯逆流的条件:确定突出后煤中瓦斯涌出规律符合幂函数规律;在平均每吨突出煤瓦斯涌出量 $50m^3/t$ 的条件下,突出后发生瓦斯逆流的最小煤量为 100t;把突出矿井危险程度分为两级:严重和一般,并提出了两套分级指标和方法;在简便方法中用 5 个指标综合判定矿井突出危险程度,其中 3 个为突出危害性指标:最大突出强度、平均突出强度、最近 10 年突出频度;2 个为突出危险性指标:最大瓦斯压力、最大开采深度。根据计算确定其等级,提出了分级管理的原则,以及控制与降低突出危害的管理措施。

工作面突出危险性实时跟踪预测技术及装备的研究

完成单位:煤炭科学研究总院重庆分院
平顶山煤业(集团)有限责任公司
鉴定日期:2000 年 10 月 18 日

经过研究开发、现场试验,研究了一套利用软件(门限 PL 和 A/SZ_0)和硬件(形成噪音水平包络线)滤除声发射机械噪音干扰的方法,解决了机械噪音和人工作业信号干扰的难题;应用人工智能技术研制了自动寻找突出危险判据和临界值的专家系统;研究开发了一套以声发射和瓦斯涌出量为主要参数的工作面突出危险性实时跟踪预测系统(包括软件和硬件);应用声发射技术预测突出的准确率达到 69.56%,不突出的准确率达到 100%;实际提高采掘速度 25%以上。在此基础上扩充了系统功能,使之具有环境监测、突出、火灾等灾害预测功能,并研制成功了 KJ54 型矿井安全监测系统。

KFGC—J4 矿用分布式光纤温度监测系统

完成单位:煤炭科学研究总院重庆分院
阳泉煤业集团公司
鉴定日期:2000 年 10 月 18 日

该项目研制的“KFGC—J4 矿用分布式光纤温度监测系统”在煤炭科学研究总院重庆分院瓦斯煤尘爆炸试验巷道进行的胶带火灾模拟试验中得到了验证:远距离、实时、连续监测传感光纤敷设沿线空间的温度变化,并具有实时直观显示、报警、输出及危险温度点定位等功能。完成了子专题攻关的主要内容,达到预期目标和合同规定的主要技术指标。测温距离:≤6km;温度测试范围:0~120℃;空间分辨率:自由展开光纤 6m;温度测温精度:满量程时<±5℃;测温时间:<70s。

岩石水平长钻孔抽放邻近层瓦斯的研究

完成单位:煤炭科学研究总院重庆分院
阳泉煤业集团公司
鉴定日期:2000 年 10 月 18 日

该项目研究通过数值分析和现场试验,确定了顶板岩石水平长钻孔的合理布孔方式,与西安分院共同完成了长钻孔成孔工艺的研究;通过抽放效果考察,单个大直径顶板岩石水平长钻孔取得较好的抽放效果,使之代替岩石高抽巷成为可能。通过对采场顶板活动规律的研究及采空区覆岩移动破坏的有限元分析,算出采场冒落带的高度为 5.67m,小裂隙带的高度在 16.2~39.28m 之间;采用不取芯回转钻进二次成孔的成孔工艺,可以按设计钻孔轨迹的要求钻出长度 600m 顶板岩石水平长钻孔;在顶板岩石水平长钻孔起作用之前,瓦斯抽放量保持在 30.2~34.12m^3/min 范围内变动,其中高抽巷的抽放量为 24.74~33.2m^3/min;顶板岩石水平长钻孔起作用后,瓦斯抽放量平均为 31.97m^3/min,基本与前阶段保持一致。单个顶板岩石水平长钻孔平均抽放量为 20.3m^3/min,最大 23.92m^3/min。

安全高滤速过滤材料及袋式除尘器完善提高的研究

完成单位:煤炭科学研究总院重庆分院
鉴定日期:2000 年 10 月 18 日

本项研究是为了解决 GBC 袋式除尘器在煤矿井下机掘工作面的体积较大、安全性较差的问题而展开的。所研究的 KZFG 滤料通过对普通滤料材质的选择、结构的研究和阻燃、抗静电性能的研究,解决了滤料的安全性问题;通过对过滤风速与集尘效率、清灰效果的研究,解决了高滤速条件下滤料要具有高集尘效率和良好清灰效果的难题,为缩小袋式除尘器的体积创造了条件。在 3.5~4.0m/min 滤速条件下,滤料对总粉尘和呼吸性粉尘的除尘效率分别达到了 99.8% 和 99.5%。所研究的袋式除尘器通过采用 KZFG 做滤料,扁布袋密集布置结构,以及脉冲清灰、配套风机的电机与污风严格分离和风机叶轮段外箱体内壁镶嵌铜环的技术,解决了袋式除尘器在井下使用的安全、清灰问题以及体积大的难题,使 KLM—60 袋式除尘器的体积比 GBC 袋式除尘器缩小了 41%,对总粉尘和呼吸性粉尘的除尘效率分别达到 99.3%和 95.5%。在机掘工作面使用后,使掘进机司机处的总粉尘浓度和呼吸性粉尘浓度分别降低 91.1%和 92.3%,有效地改善了机掘面的劳动卫生条件。

GKM 型耐高温快速密闭的研制

完成单位：煤炭科学研究总院重庆分院
鉴定日期：2000 年 10 月 18 日

研制出的 GKM 型耐高温快速密闭选用耐高温柔性材料聚酰亚胺薄膜复合高强度玻纤织布作为密闭主体面料；选用重量轻、强度高、架设快捷、适应性强的金属支架作为密闭骨架，在骨架上设置自动关闭的安全窗，缓冲断风时间并为作业人员提供进出通道；采用弹性金属材料结合防漏风裙边及喷涂速凝泡沫提高密闭周边密封性能及对巷道形状的适应性。GKM 型快速密闭达到的技术指标为：承压能力，GKM－1a 型 1563.3Pa，GKM－1b 型 1562.7Pa；使用环境温度，GKM－1a 型 280℃，GKM－1b 型 287.5℃；架设时间，GKM－1a 型，4.5min/4 人，GKM－1b 型 2min40s/4 人；密闭漏风率，GKM－1a 型 9.2%，GKM－1b 型 9.2%，安全窗关闭时间 5.6～14.5min，与设定时间误差在 5%以内，动作可靠。

BQT—E 型突出煤层电磁波透视系统

完成单位：煤炭科学研究总院重庆分院
鉴定日期：2000 年 10 月 18 日

“BQT—E 型突出煤层电磁波透视系统”在平顶山矿务局十矿、八矿多个工作面的试验中得到了验证。无线电波透视仪有效探测最大距离达 500m（钻孔探测 250m），探测精度为分辨落差＞1.5m 的断层，平均分布直径＞20m 的瓦斯富集区、充刷带、煤厚变化等地质异常，探测总精度＞75%。

主要技术指标

防爆型式	ib I（150℃）本质安全型
工作频率（MHz）	0.3、0.5、1.5
发射频率稳定度	不劣于 5×10^{-6}
发射机天线输出功率（W）	4.3（且输出功率误差＜2%）
接收灵敏度	（信噪比 3∶1）0.05μV/m
钻孔接收探头增益	≥32dB
线形式	发射和接收机为环形天线，钻孔发射探头为鞭状天线

隔（抑）爆技术在平顶山矿区的应用研究

完成单位：煤炭科学研究总院重庆分院
平顶山煤业（集团）有限责任公司
鉴定日期：2000 年 10 月 18 日

本项研究针对现有固定式隔爆棚移动困难的问题，以及“八五”隔（抑）爆成果实用性问题，成功研制了 KYG 型快速移动式隔爆棚，二次开发了 XGS 型隔爆棚和 ZYB－S 型自动产气式抑爆装置，并编写了煤矿用被动式隔爆棚安装技术规范。快速移动式隔爆棚移动一次所需工时为固定式隔爆棚的 1/3，安装成本比固定式隔爆棚低 24%，隔爆棚距爆源的有效隔爆距离为 60～160m，组合棚架结构简单，采用简易轨道，设计了放水孔；XGS 隔爆棚分散式布置的隔爆效果好，在 90m、60m、30m 处，用水量为 0.5kg/m³ 时就能有效隔爆；ZYB－S 型自动产气式抑爆装置的控制部件与喷洒器装为一体，减小了体积，方便了在掘进机上的安装。采用火焰传感器与压力传感器组合，提高了可靠性。利用掘进机上的高压水流处理传感器的粉尘污染，非常省时。

高瓦斯综放面火灾防治关键技术的研究

完成单位：煤炭科学研究总院重庆分院
阳泉煤业集团公司
鉴定日期：2000 年 12 月 26 日

阳泉五矿 15# 煤层发火期短，易发火点在综放面切顶线顶煤裂隙带。自然发火期在综放面一般为 2～3 个月，最短 13 天；煤巷一般 30 天左右，最短 10 天。15# 煤层煤氧化性强，陷落柱多，陷落柱氧化带中的水绿矾、黄铁矿共存易氧化矿物及氧化活性高是造成煤层自然发火短的主因；以人工采样分析与束管监测相结合的方法可以有效预报五矿综放面及煤巷自然发火，自然发火临界值为：综放面 CO 发生率 0.012m³/min，煤巷 CO 发生率 0.005m³/min，巷顶破碎带中 CO 浓度 50ppm，煤温≤32℃。以此临界值可有效监测试验工作面的自然发火情况，预测准确率能达到 80%以上。以钠盐类为配方的凝胶材料无毒、无氨味。采用综放面下隅角扇形及高温点注凝胶、煤巷高温点注凝胶，以及注氮惰化综放面采空区，可以有效防治自然发火。

锚杆支护
巷道顶板离层界限值的研究

完成单位： 煤炭科学研究总院北京开采研究所
铁法煤业（集团）有限责任公司
邢台矿业（集团）有限责任公司

鉴定日期： 2000 年 7 月 6 日

锚杆支护是我国煤巷支护技术改革的发展方向，近年来得到了突飞猛进地发展。锚杆支护技术在应用中一个急待解决的问题就是顶板安全问题；锚杆支护巷道顶板的破坏失稳一般没有明显的预兆，冒落具有突发性，且往往冒落规模比较大，因而对井下人员和正常生产更具威胁性。为此，国内外都研制出多种形式的顶板离层指示仪、位移计，并用于监测顶板离层值，但如何用监测到的顶板离层值判定顶板的安全性尚无科学适用的方法，实际上顶板离层指示仪并未发挥其应有的作用，如同虚设。该项目的研究成果为顶板离层指示仪示警值的设定提供了理论依据和确定方法，使顶板离层指示仪真正起到监测顶板动态、保证安全生产的作用。

该研究成果的创新点是：

(1) 对“顶板离层”、“顶板离层界限值”、“顶板离层极限值”等概念重新进行了界定，提出了“广义顶板离层”及“狭义顶板离层”的概念。

(2)确定了影响顶板离层的 8 项指标（顶板岩层强度 σ、埋藏深度 H、巷道宽度 B、锚杆支护强度 Q、顶板完整性系数 K_R、应力集中系数 K_σ、侧压系数 λ、锚固系数 M_s）及取值方法。

(3)提出了适合现场需要、便于操作的顶板离层界限值确定方法。

(4) 新研制的 ZW－4 型遥测多点位移计，填补了国内技术空白。

近水平地层
冻结施工技术研究

完成单位： 煤炭科学研究总院北京建井研究所

鉴定日期： 2000 年 6 月 20 日

本项目的主要成果有：

(1) 对水平冻结工程技术应用的基础理论进行了系统研究，在国内首次解决了冻土抗弯强度试验技术；提出了复杂形状冻结壁不规则冻结孔布置时的温度场和形成规律计算方法；系统研究了考虑冻土蠕变特性的受纯弯曲、横向弯曲或弯压联合作用下冻土结构物的强度和变形问题，提出有关计算公式；系统分析了水平冻结工程施工中地层变形过程、特性、构成因素和控制方法，并对由冻胀和融沉引起的地层变形，在国外给出的垂向变形计算式的基础上，进一步给出地层倾向和曲率变化计算式。这些成果为水平冻结法应用提供了理论依据。

(2) 采用国产水平钻机和本项目开发成功的组合钻头专利技术，配合合适的钻孔工艺，根据水平钻孔钻进和冻结管铺设一次成品的技术路线，在含水软弱流沙层中，进行长度达 45m 的高精度钻孔试验和工程应用，偏率＜1%，这是我国长距离水平钻孔技术进步的一次突破。

(3)采用螺杆盐水机组作制冷设备具有高效、简捷方便的特点，解决了 500m 以上盐水干管安装、保温、减振、防温度变形等技术问题，实现了用地面制冷进行长距离地下供冷技术；采用 6000V 供电技术，实现了地下制冷站近距离井下供冷技术，在供冷中实现流量、制冷量输出监控，为水平冻结安全有效运转提供了可靠保证。这些技术对于立井冻结工程亦有意义。

(4)完成了五个水平冻结工程应用：北京复八线地铁大北窑段 45m 长隧道、流沙层拱顶采用门口式冻结壁冻结工程；上海 2# 地铁四个联络道地下复杂形状硐室近水平冻结工程，其中扬一中路联络道为第一个封闭式冻结壁冻结工程；江一中路和静一石路段联络道为在繁华道路下和建筑物附近的冻结工程；河一陆路段联络道地处黄埔江下 7～8m，为第一个河下冻结工程。这些工程均安全、如期完工，表明我国在水平冻结工程的长度和难度上已达到国际水平。

(5)通过实际工程应用，已掌握了水平冻结的设计方法、施工方法和地层变形控制方法，积累了大量的资料和经验。

大断层严重灾害的治理
及巷道施工工艺

完成单位： 煤炭科学研究总院北京建井研究所
北京中煤矿山工程公司

鉴定日期： 2000 年 7 月 5 日

越南冒溪煤－80 水平西北石门巷道，在掘砌进入 F_A 断层约 10m 处，发生两次涌水冒落事故，涌水量达 $100～105m^3/h$，泥砂、煤泥、岩块等冒落物约 $1550m^3$，充塞巷道长度约 90m，巷道掘砌工程被迫停止。

经过两次涌水冒落后，F_A 断层受到严重破坏和扰动，其影响直达地表，形成直径达 50m、中央深 4m 的塌陷坑，使附近的建筑物和生产设施受到严重的破坏和威胁。

该灾害的治理采用地面预注浆，对 F_A 断层进行堵水加固，共布置10个注浆孔，注浆深度为120m，加固帷幕墙厚度为30m。10个孔分两行排列，注浆孔间距为5m，行间距为4m，注浆段高为5m，注浆方式为下行式。

为了提高注浆效果，减少和克服地面跑浆采取了以下技术措施和工艺方法：监控注浆、交替注浆、定量注浆、间歇式注浆、延伸套管和导向注浆等。

最后一个孔为检查孔，注浆后经检查孔抽水试验和计算，注浆段地层渗透系数 $K=6.08\times10^{-9}$cm/s，远远小于原始地层渗透系数 $K=8.46\times10^{-4}$cm/s。表明注浆堵水加固效果理想，为下一步掘进创造了条件。

为了安全地进行原巷道的修复和 F_A 断层的掘进施工，采用了新奥法与煤矿井巷掘砌技术相结合及监控测量等综合技术措施，短段掘砌，分次支护，超前探测，管棚锚固，并采用撞楔、前探梁及监控测量工艺方法，完成了58m长的巷道修复和掘砌，顺利地通过了 F_A 断层。

该项目的成功，显示了我国的煤炭科技水平，为处理地下工程中涌水冒落塌方事故，为通过断层等复杂地层的掘进积累了经验，具有广阔的推广应用前景。

从煤焦油中制取 2,6—二甲基萘技术研究

完成单位：煤炭科学研究总院北京煤化所
鉴定时间：2000年12月

本项研究是煤炭科学基金资助项目“煤衍生油制取高聚物单体的研究”的继续。对研究开发的一种提纯2,6—二甲基萘的新工艺—逐步升温乳化液膜结晶法进行进一步研究。课题研究了原料性质对逐步升温乳化结晶法的影响、在有效体积为40L的不锈钢釜内进行了放大试验以及废水的再利用研究，进一步完善和改进了2,6—二甲基萘的提纯工艺，为工业应用打下基础。

通过从煤焦油中制取2,6—二甲基萘技术研究，可以得出以下结论：

1. 通过对乳化液膜结晶分离法精制2,6—DMN的放大研究，可以进一步确认，乳化液膜结晶分离法精制2,6—DMN工艺是一种经济有效的新方法，可将2,6—DMN含量为89.79wt%的粗2,6—DMN精制到含量大于97wt%的精2,6—DMN，且回收率接近90%。

2. 乳化液膜结晶生产2,6—DMN过程中产生的废水完全可以重复再利用。但需做进一步的研究工作，如增溶的有机物对过程的影响、多次循环后废水的利用、破乳的其他方法等。

3. 煤焦油中通过直接蒸馏切割出的粗2,6—DMN不能直接作为乳化液膜结晶分离法的原料，必须要经过前处理，降低2,7—DMN的含量。

煤及有机废弃物共液化的基础研究

完成单位：煤炭科学研究总院北京煤化学研究所
鉴定日期：2000年12月

我国是一个富煤贫油、气的国家。煤的液化技术已成为解决我国油品紧缺的重要途径之一。从工艺方面看，煤与废塑料共液化制取液体燃料和化工产品是一项正在积极开发而且富有前景的共处理新工艺。

本项目以研究煤与废塑料共液化反应为重点，首先利用热天平和高压釜试验研究了废塑料与煤共处理的协同作用，选择适宜的反应条件。煤与废塑料共液化结果表明，不同塑料添加入先锋褐煤或柠条塔煤均能提高液化转化率和油产率，降低氢气耗量。利用光电子能谱技术对共液化催化剂的表明形态进行了表征，发现共液化反应中铁系催化剂的活性基团不是传统的磁黄铁矿，而是形成的表面硫酸盐。在国内外首次使用氚标记的示踪技术阐明了煤与废塑料共液化体系中氢的转移途径。首次建立了煤与废塑料共液化反应的五参数动力学模型，并据动力学研究结果解释了煤与塑料之间的协同效应。该项研究本身具有多重意义，既降低了煤液化成本，又使“白色污染”得到资源化利用。

联合循环发电关键技术——高温煤气脱硫剂研制及脱硫再生工艺

完成单位：煤炭科学研究总院北京煤化学研究所
鉴定日期：2000年12月

联合循环发电（IGCC）技术采用了煤炭先气化后发电的工艺，可获得45%～50%的高发电效率和几乎接近于零的粉尘和硫化物排放，其能源效率和环境效益非常显著。其中，高温煤气脱硫为关键技术之一。

作为新技术的开发，北京煤化学研究所参加和承担完成了国家“九五”科技攻关任务，即“联合循环发电关键技术——高温煤气脱硫剂研制及脱硫再生工艺研究的开发”。本专题通过相关的实验研究，研制出具有自主知识产权的高温煤气脱硫剂，开发出SMOVEN气流床脱硫/流化床再生的连续脱硫与再

生工艺。

攻关期间，经过大量的催化剂配方和制备参数筛选，研究制备出适合固定床反应器的 G 系列脱硫剂两种（G－201 和 G－202）共 10kg 和适合 SMOVEN 脱硫工艺的 L 系列脱硫剂原性的真实煤气中顺利地通过了 1500h 的脱硫/再生的考核试验，脱硫剂表现出优良的脱硫性能。独立开发热煤气脱硫 SMOVEN 工艺流程，并建立了先进的工艺试验装置，L－991 和 L－992 脱硫剂分别在该装置上进行了连续脱硫/再生试验，均能达到＞99%的脱硫效率。

GCU－100M 型煤矿用微机电子轨道衡

完成单位：煤炭科学研究总院北京高新技术开发中心
开滦矿务局范各庄煤矿

鉴定日期：2000 年 10 月 5 日

GCU－100M 型煤矿用微机电子轨道衡，具有以下特点：

(1) 该产品吸收了传统静态电子轨道衡和动态电子轨道衡的功能和优点，满足了可行进中自动称量和依称量结果自控或手控准确装车的要求，方案合理，技术先进，系统可靠。

(2)充分应用了硬件软件化技术，提高了系统可靠性，如采用有效的数字滤波技术，在软件上较好地解决了行进中振动及电干扰对称量信号的影响；采用软件逻辑判位功能，提高了车厢到位判别的可靠性，确保实现车头、车厢的自动识别、判位与准确自动计量。

(3)解决了自动化装车过程中自动称量问题，有利于在煤矿装车站实现装车自动化。

(4) 从功能和性能上看，技术水平达到国内领先。

(5) 适用于煤矿需要和今后装车自动化发展的需要，有推广应用的价值。

自然陶粒做混凝土骨料的机理与应用研究

完成单位：开滦（集团）有限责任公司
煤炭科学研究总院南京研究所

鉴定时间：2000 年 10 月 26 日

该成果结合开滦矿区多年锚喷支护的研究与实践经验，采用先进的施工工艺，用充分自燃煤矸石加工成自然陶粒混凝土骨料。试验表明，该产品达到了国内领先水平。

JMPU 型药卷式聚氨酯树脂锚固剂技术

完成单位：兖州矿业集团有限公司南屯煤矿
煤炭科学研究总院南京研究所

鉴定时间：2000 年 11 月 6 日

该项产品具有膨胀性好、渗透性强、搅拌力小、使用方便等优点，是一种易于实现锚杆全长锚固条件下较好的锚固材料。其主要技术性能在同等使用条件下处于国内领先水平，其产品填补了国内空白。

仿工字钢复合可缩支架的研究

完成单位：煤炭科学研究总院杭州环境保护研究所
浙江长广集团公司六矿

鉴定时间：2000 年 1 月 8 日

仿工字钢复合可缩支架以毛竹片状纤维为主要原料，经浸胶、热压复合而成。支架结构设计合理，重量轻，运输方便。胶压性能和防腐效果都能满足工程要求，支架可回收复用。

实验室和现场工业性试验证明，该支架比木支架承载能力高一倍以上，接近矿用工字钢支架的承载能力。支架强度大、韧性好，具有一定的可缩性，允许巷道有一定的变形，能较好的适应回采动压巷道，适用于矿压显现不十分强烈、巷道断面较小的矿井。

该支架可代替木支架和部分矿用工字钢支架，其成本分别降低 48.21%和 40.74%，具有明显的经济效益和良好的社会效益。该支架的力学性能和技术性能达到国内先进水平。可以定型生产，推广使用。

褐煤蜡树脂中萜类和甾醇化合物的基础研究

完成单位：煤炭科学研究总院杭州环境保护研究所
昆明理工大学生物化学工程学院

鉴定时间：2000 年 12 月 20 日

本项目用阴离子树脂交换色谱、硅胶一氧化铝色谱及化学方法，将云南潦浒褐煤树脂、寻甸褐煤树脂和吉林舒兰褐煤树脂分离成游离树脂酸、结合树脂酸、树脂醇及树脂烃，并对其化学组成和分布特征进行了较深入研究，阐明了各族组成的根本区别，同时对这三种褐煤树脂在性质上的异同进行了对比研究。

该研究成果的创新点在于，首次提示了褐煤树脂烃中二芳、三芳和三环二萜烃以及二芳、三芳、四芳和五环三萜烃在脱树脂蜡中的残余量直接影响精制浅色蜡的外观色泽，是造成浅色精制蜡色泽不纯的根本原因，以及中国褐煤蜡经过脱树脂后氧化精制不能达到完全脱色的基本理论问题。

该研究成果对褐煤蜡生产工艺的改进、褐煤蜡脱树脂、精制和改性以及褐煤蜡树脂的综合利用都具有较高的理论指导意义，也为寻求褐煤树脂的药用方向打下了基础。该研究成果达到国际先进水平。

煤矿含铁矿井水处理成生活饮用水技术研究

完成单位： 煤炭科学研究总院杭州环境保护研究所

鉴定时间： 2000 年 11 月 25 日

本项目以沈阳矿务局前屯煤矿含铁矿井水为主要研究对象，分析其原水水质及其含铁的存在形态和含量等，在实验室内采用天然锰砂为滤料，进行接触催化除铁研究试验，当进水 Fe^{2+} 浓度为 8.5～12mg/L 时，经处理后的出水铁含量为 0.23～0.30mg/L，达到了国家标准 GB5749－85 生活饮用水卫生标准要求（≤0.30mg/L）。

工业性试验规模为 2800t/d，水质为浑浊度 80 度，总铁 3.4mg/L。采用一体化净水器净化锰砂除铁滤器除铁、次氯酸钠发生器杀菌消毒的净化除铁工艺。主要经济指标：工程总投资 367.72 万元，吨水投资 1311 元，吨水处理成本为 0.461 元。

实践表明，该处理工艺具有工艺技术先进、结构紧凑、设备运行稳定可靠、处理效果好、占地少和投资省等特点，经济效益和社会环境效益显著，具有广阔的推广应用前景。该项技术总体达到国内领先水平。

SRD－4/130 型喷雾旋流烟气净化装置

完成单位： 煤炭科学研究总院杭州环境保护研究所

浙江省诸暨市福利水泥厂

鉴定时间： 2000 年 11 月 26 日

该产品利用自己开发的高效低阻专用喷嘴，达到高效除尘脱硫，对解决现有湿式烟气脱硫除尘中存在的结垢和堵塞问题是一项创新，并能有效解决烟气带水问题，烟气含湿率低，除雾效果好。

该产品可采用碱性废水、废渣作吸收液；采用 pH 值自动检测系统，提高设备自动化程度和运行稳定性，在工艺上具有创新性。

该产品结构紧凑，运行稳定，阻力低，脱硫效率高，除尘效果好，以废治废，并取得了实际的运行经验和业绩。经实践及杭州市环境监测中心站检测，该产品除尘效率大于 95%，脱硫效率大于 70%，烟尘和二氧化硫排放浓度均达到设计要求和国家排放标准。

该产品为工业锅炉、电站锅炉和工业窑炉提供了一种高效和经济可行的环保设备，具有显著的经济社会效益和良好的推广应用前景。该产品利用先进的喷嘴喷雾技术，其主要性能指标在同类产品中达到国内领先水平，填补了国内空白。

先进单位和个人

先进单位名单

2000年度国有重点煤矿质量标准化矿务局、行业级质量标准化矿井名单（222个）

一、质量标准化矿务局（25个）

大屯　开滦　邢台　阳泉　西山　汾西　潞安　晋城
霍林河　抚顺　铁法　沈阳　七台河　淮北　淄博
新汶　肥城　兖州　龙口　平顶山　焦作　鹤壁
义马　永城　哈密

二、行业级质量标准化矿井（197个）

平朔煤炭工业公司	安太堡露天煤矿
大屯煤电（集团）公司	姚桥煤矿
	孔庄煤矿
	徐庄煤矿
	龙东煤矿
神华集团公司	神东大柳塔煤矿
	神东活鸡兔煤矿
	神东补连塔煤矿
	神东马家塔煤矿
	神东大海则煤矿
	准格尔黑岱沟煤矿
伊敏煤电公司	一露天煤矿
河北省（8个）：	
开滦（集团）公司	唐山煤矿
	范各庄煤矿
	吕家坨煤矿
	荆各庄煤矿
	钱家营煤矿
邢台矿业（集团）公司	邢台煤矿
	东庞煤矿
	葛泉煤矿
山西省（37个）：	
大同煤矿集团公司	煤峪口煤矿
	同家梁煤矿
	四老沟煤矿
	忻州窑煤矿
	马脊梁煤矿
	大斗沟煤矿
	王村煤矿
	云岗煤矿
	四台煤矿
阳泉煤业（集团）公司	一矿
	二矿
	三矿
	四矿
	五矿
	新景煤矿
西山煤电（集团）公司	杜儿坪煤矿
	西铭煤矿
	官地煤矿
	西曲煤矿
	镇城底煤矿
	马兰煤矿
	屯兰煤矿
汾西矿务局	柳湾煤矿
	水峪煤矿
	高阳煤矿
潞安矿务局	石圪节煤矿
	王庄煤矿
	五阳煤矿

	漳村煤矿
	常村煤矿
晋城矿务局	古书院煤矿
	王台铺煤矿
	凤凰山煤矿
	成庄煤矿
太原煤气公司	炉峪口煤矿
	嘉乐泉煤矿
省监管局	荫营煤矿

内蒙古自治区（14 个）：

平庄矿务局	古山矿一井
	古山矿二井
	古山矿三井
	红庙矿二井
	风水沟煤矿
大雁矿务局	大雁一矿
霍林河煤业（集团）公司	南露天煤矿
	北露天煤矿
扎赉若尔矿务局	灵泉煤矿
	灵北煤矿十二井
	灵北煤矿胜利井
	铁北煤矿
	南露天煤矿
宝日希勒煤炭集团公司	一矿

辽宁省（16 个）：

抚顺矿务局	西露天煤矿
	老虎台煤矿
阜新矿务局	海州露天煤矿
	五龙煤矿
铁法煤业（集团）公司	大明一矿
	晓明煤矿
	大隆煤矿
	晓南煤矿
	小青煤矿
	大兴煤矿
	小康煤矿
沈阳矿务局	蒲河煤矿
	红菱煤矿
	林盛煤矿
	西马煤矿
	红阳三矿

黑龙江（11 个）：

鸡西矿务局	滴道煤矿九井
	杏花煤矿
	新发煤矿
鹤岗矿务局	南山煤矿
	富力煤矿
双鸭山矿务局	新安煤矿
	东荣二矿
七台河矿务局	新建煤矿
	新兴煤矿
	桃山煤矿
	新立煤矿

江苏省（11 个）：

徐州矿业集团公司	韩桥井
	权台煤矿
	旗山煤矿
	庞庄井
	张小楼井
	夹河煤矿
	义安煤矿
	诧城井
	张集煤矿
	三河尖煤矿
	张双楼煤矿

安徽省（13 个）：

淮南矿业（集团）公司	李郢孜一矿
	潘一矿
	潘三煤矿
	谢桥煤矿
淮北矿业（集团）公司	袁庄煤矿
	张庄煤矿
	朱庄煤矿
	杨庄煤矿
	朔里煤矿
	石台煤矿
	朱仙庄煤矿
	临涣煤矿
	童亭煤矿

山东省（26 个）：

淄博矿务局	西河煤矿
	岭子煤矿
	埠村煤矿三井
	岱庄煤矿
	许厂煤矿
新汶矿业（集团）公司	良庄煤矿
	华丰煤矿
	协庄煤矿
	翟镇煤矿
	汶南煤矿
	鄂庄煤矿
肥城矿业（集团）公司	杨庄煤矿
	曹庄煤矿
	国庄煤矿
	查庄煤矿
	白庄煤矿
兖矿集团公司	南屯煤矿
	兴隆庄煤矿
	鲍店煤矿
	杨村煤矿
	东滩煤矿
	济宁二号煤矿

	济宁三号煤矿
龙口矿务局	北皂煤矿
	梁家煤矿
	洼里煤矿

河南省（33个）：

平顶山煤业（集团）公司	一矿
	四矿
	六矿
	十矿
	十一矿
	高庄煤矿
	大庄煤矿
焦作煤业（集团）公司	朱村煤矿
	演马煤矿
	中马村煤矿
	九里山煤矿
	位村煤矿
鹤壁煤业（集团）公司	二矿
	四矿
	五矿
	六矿
	八矿
	九矿
义马煤业（集团）公司	千秋煤矿
	常村煤矿
	跃进煤矿
	杨村煤矿
	耿村煤矿
	北露天煤矿
	观音堂煤矿
	新安煤矿
郑州煤炭工业（集团）公司	裴沟煤矿
	米村煤矿
	王庄煤矿
	超化煤矿
	告成煤矿
永城煤电	陈四楼煤矿
	车集煤矿

重庆市（6个）：

南桐矿务局	东林煤矿
松藻矿务局	打通一矿
	打通二矿
	石壕煤矿
永荣矿务局	永川六井
	永川七井

陕西省（2个）：

蒲白矿务局	白水煤矿
	朱家河煤矿

甘肃省（6个）：

窑街矿务局	一矿
	三矿
靖远矿务局	王家山一井
	王家山二井
	魏家地煤矿
华亭管委会	陈家沟煤矿

新疆自治区（2个）：

哈密矿务局	井采公司一矿
	井采公司一矿二井

2000年度地方国有煤矿质量标准化矿务局和行业特级、行业级质量标准化矿井名单（77个）

一、质量标准化矿务局（7个）

扬州市矿务局
江苏天能集团
皖北煤电公司
国投新集能源股份有限公司
神火集团有限公司
华亭矿务局
右江矿务局

二、行业特级质量标准化矿井（18个）

江苏省（5个）：
扬州市矿务局王庄煤矿
扬州市矿务局拾屯煤矿
天能集团永固煤矿
天能集团马庄煤矿
天能集团大刘煤矿
安徽省（7个）：
国有重点标准行业级
皖北煤电公司刘桥一矿
皖北煤电公司刘桥二矿
皖北煤电公司百善煤矿
皖北煤电公司任楼煤矿
国投新集公司新集一矿
国投新集公司新集二矿
国投新集公司新集三矿
河南省（3个）：
国有重点标准行业级
郑州新登集团新登煤业有限公司
神火煤电公司新庄煤矿
神火煤电公司葛店煤矿
甘肃省（3个）：

崇信县新窑煤矿
华亭矿务局东峡煤矿
华亭矿务局杨家沟煤矿

三、行业级质量标准化矿井
（52个）

山西省（7个）：
晋中市榆次兴泉煤矿
晋中市寿阳县段王煤矿
晋中市和顺县南登煤矿
晋中市和顺县古窑煤矿
晋中市平遥县第一煤矿
晋中市平遥县温家沟煤矿
晋中市介休义棠煤矿
内蒙古自治区（1个）：
呼伦贝尔盟五九煤炭公司一号井
江苏省（11个）：
天能集团陈楼煤矿
天能集团新庄煤矿
天能集团柳新煤矿
天能集团沛城煤矿
连云港煤炭公司白集煤矿
连云港煤炭公司马庄煤矿
连云港煤炭公司瓦庄煤矿
连云港煤炭公司唐庄煤矿
新光集团刘东煤矿
新光集团利国煤矿
淮阴洪泽县九里山煤矿
安徽省（5个）：
吴庄煤矿
刘东煤矿
房庄煤矿
窦庄煤矿
淮南市产销公司后台孜煤矿
河南省（14个）：
新密市超化煤矿
新密市任岗煤矿
新密市王村煤矿
禹州市吕沟煤矿
禹州市白庙煤矿（黄牌警告）
长葛市长葛煤矿
禹州市三窑沟矿业公司
禹州市新峰矿务局一矿
禹州市新峰矿务局二矿（黄牌警告）
焦作市白庄煤矿
焦作市方庄煤矿新井
焦作市方庄煤矿一号井
洛阳市龙门煤矿
鹤壁浚县安林煤矿
广西壮族自治区（7个）：
右江矿务局长岭煤矿
右江矿务局州景煤矿
右江矿务局里拉煤矿
右江矿务局塘内煤矿
右江矿务局小龙煤矿
右江矿务局公篓煤矿公篓井
右江矿务局公篓煤矿跃进井
云南省（1个）：
恩洪煤矿二号井
陕西省（1个）：
彬县煤炭总公司下沟煤矿
甘肃省（5个）：
庄浪县煤矿
泾川县豹子沟煤矿
静宁县煤矿
华亭矿务局马蹄沟煤矿
华亭矿务局安口煤矿

2000年度乡镇煤矿质量标准化县和行业级质量标准化矿井名单（54个）

一、乡镇煤矿质量标准化县
（2个）

淮北市杜集区
淮南市谢家集区

二、行业级质量标准化矿井
（52个）

山西省（6个）：
晋中市灵石水峪乡煤矿
晋中市介休义棠镇大佛寺煤矿
晋中市介休樊王乡金山坡煤矿
晋中市寿阳马尾沟煤矿
晋中市寿阳罕山煤矿
晋中市寿阳陈家河联矿
安徽省（26个）：
淮北市友谊煤矿
长青煤矿
大通三号井
大通四号井
大通八号井
大通九号井
唐山一矿
唐山二矿
唐山四矿
赖山一矿

赖山三矿
李郢孜镇煤矿
陶圩一矿
陶圩二矿
陶圩三矿
谢区一矿
赵郢孜煤矿
淮南市一矿
八公山区四矿
八公山区五矿
淮南谢一矿兴达小井
淮南市隆盛达公司五号井
淮南谢一矿煤开公司七号井
淮南市望李煤矿
淮南42处八公山镇联营煤矿
淮南市新杨煤矿
河南省（20个）：
平顶山湛河区吕庄煤矿
郑州登封市登封教学煤矿
郑州登封市大金店蹬槽煤矿
郑州登封市海眼烟煤矿
郑州登封市阳城煤矿
郑州登封市登电集团电厂一矿
郑州登封市王楼煤矿
郑州登封市东金店马池矿七井
郑州登封市徐庄乡天河一矿
郑州新密市刘寨乡刘寨煤矿
郑州新密市牛店乡小王庄西煤矿
鹤壁市大河涧许沟煤矿
鹤壁市鹿楼煤矿
许昌禹州市神后镇边沟煤矿
许昌禹州市磨街乡白坡煤矿
许昌禹州市王山煤矿
许昌禹州市梁北乡郭村煤矿
许昌禹州市下白峪煤矿
许昌禹州市下白峪煤矿西井
许昌禹州市槐树湾煤矿

2000年度高产高效矿井名单（82个）

序　号	矿　井　名　称	级　别	原煤产量 (10^4t)	原煤生产人员效率 (t/人)
1	平朔安太堡露天矿	特级	1378	33.71
2	神华神东大柳塔矿	特级	920.6	92.33
3	兖州东滩煤矿	特级	668.12	17.38
4	兖州兴隆庄煤矿	特级	621.80	17.18
5	兖州鲍店煤矿	特级	531.69	14.51
6	伊敏一露天煤矿	特级	466.37	30.58
7	兖州南屯煤矿	特级	448.69	13.07
8	开滦钱家营煤矿	特级	429	10.11
9	潞安王庄煤矿	特级	420.21	10.71
10	晋城成庄煤矿	特级	404	10.89
11	兖州济宁二号煤矿	特级	400	12.01
12	神华神东活鸡兔煤矿	特级	392	74.6
13	神华神东补连塔煤矿	特级	343	38.74
14	潞安常村煤矿	特级	311.51	11.18
15	阳泉一矿	特级	298.58	11.15
16	铁法大兴煤矿	特级	282	10.14
17	邢台东庞煤矿	特级	246.23	10.79
18	铁法晓南煤矿	特级	241.68	10.10

续表

序　号	矿　井　名　称	级　别	原煤产量 (10^4t)	原煤生产人员效率 (t/人)
19	沈阳红阳三矿	特级	230	10.25
20	铁法大隆煤矿	特级	226.01	10.39
21	淄博许厂煤矿	特级	223.95	10.88
22	潞安漳村煤矿	特级	210.06	10.51
23	义马耿村煤矿	特级	202.17	10.1
24	神华神东马家塔露天煤矿	特级	111.19	25.21
25	神华准格尔黑岱沟煤矿	行业级	686.06	18.79
26	阜新海州露天煤矿	行业级	364.2	9.49
27	开滦范各庄煤矿	行业级	345.37	8.13
28	新集一矿	行业级	335.19	10.21
29	霍林河南露天煤矿	行业级	333.4	22.5
30	大屯姚桥煤矿	行业级	308.17	8.12
31	平顶山一矿	行业级	290.01	8.00
32	西山马兰煤矿	行业级	288.8	8.95
33	西山杜儿坪煤矿	行业级	282.02	8
34	新集二矿	行业级	280.7	2.12
35	大同马脊梁煤矿	行业级	275.17	8
36	西山西铭煤矿	行业级	231.62	8.23
37	平顶山六矿	行业级	219.5	7.60
38	郑州超化煤矿	行业级	215	7.487
39	铁法小青煤矿	行业级	206.13	7.82
40	阜新五龙煤矿	行业级	200.15	7.00
41	皖北任楼煤矿	行业级	196.67	6.67
42	开滦荆各庄煤矿	行业级	190.3	6.40
43	铁法晓明煤矿	行业级	176.1	7.31
44	平顶山四矿	行业级	167.5	6.40
45	淮北朔里煤矿	行业级	165.22	6.42
46	淮北朱庄煤矿	行业级	165.20	6.31
47	徐州旗山煤矿	行业级	159.34	6.61
48	龙口梁家煤矿	行业级	156.68	8.51
49	徐州庞庄煤矿	行业级	151.76	6.96

续表

序号	矿井名称	级别	原煤产量 (10^4t)	原煤生产人员效率 (t/人)
50	义马杨村煤矿	行业级	150.33	7.0
51	西山镇城底煤矿	行业级	145.02	6.30
52	皖北百善煤矿	行业级	142.01	5.93
53	徐州张双楼煤矿	行业级	139.00	7.15
54	西山东曲煤矿	行业级	136.58	8.12
55	徐州夹河煤矿	行业级	133.58	6.20
56	鹤壁四矿	行业级	128.48	4.49
57	铁法大明一矿	行业级	127.10	5.46
58	郑州裴沟煤矿	行业级	125.2	5.8
59	大屯龙东煤矿	行业级	122.96	5.31
60	潞安五阳煤矿	行业级	120.55	5.9
61	龙口北皂煤矿	行业级	115.79	5.32
62	大同大斗沟煤矿	行业级	110.67	5.5
63	大屯孔庄煤矿	行业级	109.3	6.53
64	大雁一矿	行业级	107	6.64
65	靖远大水头煤矿	行业级	80	5.5
66	太原煤气化嘉乐泉煤矿	行业级	74.29	5.56
67	哈密井采公司一矿二井	行业级	58.5	6.00
68	新汶鄂庄煤矿	行业级	48.7	4.66
69	龙口洼里煤矿	行业级	32.17	3.33
70	开滦唐山煤矿	省级	370.65	7.82
71	抚顺老虎台煤矿	省级	281	6.45
72	新汶翟镇煤矿	省级	172.04	6.30
73	新汶协庄煤矿	省级	171.1	5.78
74	邢台邢台煤矿	省级	139.9	5.2
75	新汶良庄煤矿	省级	120.1	5.64
76	平顶山十二矿	省级	103.99	4.01
77	沈阳西马煤矿	省级	97	5.1
78	神华神东大海则煤矿	省级	88.13	38.63(连采)
79	潞安石圪潞节煤矿	省级	86.29	5.48
80	太原煤气化炉峪口煤矿	省级	69.17	3.93

续表

序　号	矿　井　名　称	级　别	原煤产量 (10^4t)	原煤生产人员效率 (t/人)
81	兖州北宿煤矿	省级	66.06	1.95(薄煤层)
82	邢台葛泉煤矿	省级	62.84	4.31

2000年度创水平综采队名单（78个）

序　号	局、矿、队	采煤方法	采　高 (m)	产　量 (t)	效　率
1	神华神东大柳塔煤矿综采队	综采	4.00	8033500	543.68
2	兖州东滩煤矿综采队	综放	5.7	5126069	246.96
3	兖州兴隆庄煤矿综一队	综放	8.58	4001893	241.15
4	神华神东活鸡兔煤矿综采队	综采	3.5	3529360	339.52
5	兖州鲍店煤矿综二队	综放	8.5	3513666	72.80
6	神华神东补连塔煤矿综采队	综采	4.65	343000	308
7	兖州济宁二矿综采一队	综放	6.5	3200493	162.17
8	新集一矿综采队	综采		3168000	
9	兖州南屯煤矿综采队	综采/综放	6.01	3008000	143.1
10	潞安常村煤矿综采队	综放	5.9	2396175	162.91
11	铁法晓南煤矿综采队	综采	3.06	2232818	127.59
12	淄博许厂煤矿综采队	综放	5.4	2086591	48.45
13	铁法大隆煤矿综采队	综采	3.3	2042157	111.1
14	晋城成庄煤矿综二队	综放	2.9	2040102	108.5
15	潞安王庄煤矿综一队	综放	6.7	2020861	108.26
16	阳泉一矿综五队	综放	7.2	2011888	86.59
17	潞安王庄煤矿综二队	综放	6.7	2007899	107.57
18	兖州兴隆庄煤矿综二队	综采/综放	8.42	2001396	149.53
19	潞安漳村煤矿综采队	综放	7.0	1997810	66.83
20	沈阳三矿综一队	综采	4.5	1914000	34.2
21	平顶山六矿综一队	综采	3.2	1891500	
22	阜新五龙煤矿综一队	综采	2.8	1853000	44.48
23	铁法大兴煤矿综二队	综采	3.6	1682068	81.73
24	铁法晓明煤矿综采队	综采	2.8	1630938	61.12
25	兖州鲍店煤矿综一队	综采/综放	5.5	1596966	80.29

续表

序　号	局、矿、队	采煤方法	采　高 （m）	产　量 （t）	效　率
26	大同马脊梁煤矿综采队	综采	3.3	1549725	65.89
27	华亭煤矿综采队	综放	13	1540000	94.7
28	新集二矿综一队	综采		1530000	
29	大屯姚桥煤矿采煤一队	综采/综放	5	1523854	55.75
30	铁法小青煤矿综采队	综采	2.63	1510960	50.3
31	龙口梁家煤矿综采队	综采	3.8	1508813	31.52
32	阳泉二矿综六队	综放	6.9	1506288	52.72
33	开滦钱家营煤矿综三队	综采	3.5	1505548	78.73
34	义马耿村煤矿综一队	综放	9	1500000	
35	郑州超化煤矿综采队	综放	15.8	1482644	29.44
36	铁法小康煤矿综放队	综放	8.2	1481200	97.5
37	晋城成庄煤矿综一队	综放	2.9	1360010	79.7
38	晋城古书院煤矿综三队	综采	2.8	1343070	50.49
39	淮南谢桥煤矿综一队	综采	3.2	1258000	38.6
40	大同燕子山煤矿综二队	综采	3.18	1248859	86.59
41	开滦钱家营煤矿综一队	综采	3	1225254	64.08
42	平顶山一矿综一队	综采	2.9	1216518	
43	阳泉三矿综五队	综放	6.2	1175842	34.81
44	义马杨村煤矿综采队	综采	2.8	1154897	
45	兖州东滩煤矿准备队	综采/综放	5.6	1154456	66.65
46	抚顺老虎台煤矿综四队	综放	23.5	1150000	25.15
47	开滦钱家营煤矿综二队	综采	3.4	1135481	59.38
48	潞安五阳煤矿综采队	综放	6.27	1132200	42.26
49	淮北朔里煤矿综采队	综采	3.2	1120378	
50	皖北百善煤矿综一区	综采	2.7	1119448	19.48
51	晋城凤凰山煤矿综一队	综采	2.8	1118699	32.67
52	大屯姚桥煤矿采煤二队	综放	5	1106188	55.75
53	晋城凤凰山煤矿综二队	综采	2.8	1102458	46.83
54	新集二矿综二队	综采		1080000	
55	铁法大明一矿综采队	综采	3.0	1075756	47.39
56	平顶山四矿综采队	综采	3.2	1069000	

续表

序号	局、矿、队	采煤方法	采高 (m)	产量 (t)	效率
57	大同云岗煤矿综二队	综采	2.32	1058069	41.03
58	西山杜儿坪煤矿综二队	综采	3.2	1055140	68.4
59	义马常村煤矿综采队	综放	7.7	1046405	31.95
60	西山马兰煤矿综一队	综采	3	1043842	34.3
61	西山官地煤矿综二队	综采	3.4	1037827	35.7
62	平顶山十矿综一队	综采	2.8	1035157	
63	兖州杨村煤矿综采队	综放	7.8	1033971	30.5
64	开滦唐山煤矿综二队	综采	2.5	1028456	49.38
65	西山西曲煤矿综一队	综采	3.8	1020425	71.16
66	铁法大兴煤矿综一队	综采	3.6	1018755	46.37
67	大屯龙东煤矿综采队	综采	2.6	1017118	41.95
68	西山屯兰煤矿综一队	综采	3.2	1013056	34.1
69	阳泉四矿综二队	综放	6.4	1012892	27.55
70	平顶山一矿综三队	综采	2.1	1012166	
71	开滦范各庄煤矿综三队	综采	4.0	1008543	46.62
72	大同晋华宫煤矿综一队	综采	2.79	1003925	47.72
73	大雁一矿采煤队	综采/综放	4.85	1002000	38.67
74	大同同家梁煤矿综一队	综采	2.87	1001012	28.82
75	峰峰薛村煤矿 903 队	综轻放	2.1	1000903	
76	大同雁崖煤矿综二队	综采	3.43	1000570	50.12
77	大同大斗沟煤矿综一队	综采	3.18	1000002	43.49
78	抚顺老虎台煤矿综二队	综放	23.4	1000000	24.74

2000 年度创水平高档普采队名单(31 个)

序号	局、矿、队	采煤方法	采高 (m)	产量 (t)	效率
1	新汶翟镇煤矿采一队	高档	2.8	715100	20.6
2	新汶良庄煤矿采一队	高档	2.6	714000	19.8
3	西山镇城底煤矿采二队	高档	2.4	673610	20.84
4	新汶协庄煤矿机采队	高档	2.8	613157	18.9

续表

序　号	局、矿、队	采煤方法	采　高 (m)	产　量 (t)	效　率
5	新汶翟镇煤矿采二队	高档	2.3	607700	20.95
6	新汶协庄煤矿采六队	高档	2.5	546008	17.95
7	汾西水峪煤矿采四队	高档	1.5	541864	21.27
8	大屯孔庄煤矿水采队	水采	3.62	532570	21.79
9	新汶协庄煤矿采二队	高档	1.8	526566	17.5
10	新汶翟镇煤矿准备队	高档	2.2	509600	18.46
11	大屯孔庄煤矿高档队	高档	3.62	502205	9.51
12	平顶山四矿采二队	高档	2.2	502000	
13	鸡西杏花煤矿 135 队	高档	2.0	492001	8.03
14	淮北岱河煤矿采二队	高档	2.2	477273	
15	龙口北皂煤矿高档队	高档	2.5	471114	19.3
16	平顶山二矿采二队	高档	1.5	460603	
17	太原煤气化嘉乐泉煤矿采一队	高档	2.3	454928	15.08
18	峰峰九龙煤矿 1503 队	高档	2.3	451146	
19	新汶潘西煤矿采一队	高档	2.45	451105	10.99
20	神华神东大海则煤矿连采队	连采	1.85	450300	39.26
21	峰峰万年煤矿 1301 队	高档	1.9	450018	
22	山马兰煤矿高档队	高档	2.2	441119	16.2
23	新汶良庄煤矿采二队	高档	2.0	435000	11.4
24	西山镇城底煤矿采一队	高档	2.2	433265	16.2
25	新汶鄂庄煤矿采一队	高档	2.1	431478	25.66
26	鹤壁三矿高一队	高档	2.1	429357	10.70
27	皖北刘桥二矿采二区	高档	2.6	417678	10.39
28	新汶汶南煤矿采一队	高档	1.8	414862	14.58
29	新汶孙村煤矿采一队	高档	2.1	414132	9.9
30	开滦范各庄煤矿采一队	高档	2.2	402896	15.22
31	鹤壁六矿高档三队	高档	2.1	400000	10.77

2000年度创水平炮采队名单（29个）

序号	局、矿、队	采煤方法	采 高 (m)	产 量 (t)	效 率
1	郑州超化煤矿炮采队	炮采	2.0	596828	16.5
2	淮南谢一矿采煤二队	炮采	2.5	530808	9.21
3	淮南新庄孜煤矿采五队	炮采	2	530554	11.75
4	淮北芦岭煤矿采五队	炮采	8.0	478653	
5	平山大庄煤矿采三队	炮采	2.0	449751	
6	淮南谢一矿采煤一队	炮采	1.8	444521	7.74
7	淮南潘二矿采煤一队	炮采	2.2	443910	12.7
8	淮北芦岭煤矿采七队	炮采	8.0	403788	
9	皖北任楼煤矿采一区	炮采	2.1	403454	8.7
10	淮南潘一矿高普二区	炮采	2	401134	13.64
11	兖州北宿煤矿采一区	炮采	0.91	400600	12.7
12	郑州告成煤矿采一队	炮采	2.0	396716	8.5
13	神火新庄煤矿采二队	炮采	2.8	390993	
14	神火新庄煤矿采五队	炮采	2.7	389087	
15	龙口洼里煤矿采煤队	炮采	2.05	385168	14.49
16	平顶山十一矿采一队	炮采	2.2	383179	
17	阜新孙家湾煤矿237队	炮采	2.5	379463	
18	开滦赵各庄煤矿191队	倾斜长壁分层	5.91	378318	10.68
19	皖北刘桥二矿采三区	炮采	2.3	374207	8.56
20	淮北桃园煤矿采二队	炮采	1.3	372184	
21	淮南谢一矿采煤五队	炮采	2.1	371748	6
22	淮南新庄孜煤矿采四队	炮采	2	369162	8.76
23	淮南潘一矿高普一区	炮采	2	367018	11
24	淮北海孜煤矿采四队	炮采	2.4	363780	
25	峰峰通二矿706队	炮采	2.9	357408	
26	皖北刘桥一矿采二区	炮采	2.3	354300	7.2
27	开滦赵各庄煤矿131队	倾斜长壁分层	2.33	352686	10.34
28	淮北岱河煤矿采三队	炮采	1.9	352004	
29	淮北张庄煤矿采一队	炮采	2.1	350520	

2000年度创水平机掘队名单（25个）

序号	局、矿、队	煤岩别	实际进尺（m）	折算进尺（m）	掘进机机型
1	神华神东大柳塔煤矿连采二队	煤	22324	31253	LN—800
2	神华神东大柳塔煤矿连采一队	煤	18166	25433	12CM15
3	兖州兴隆庄煤矿综掘队	半煤	15342	21329	S—100
4	兖州东滩煤矿综掘队	半煤	14717	21034	S—100
5	神华神东榆家梁煤矿连采二队	煤	19964	19964	12CM18
6	神华神东活鸡兔煤矿连采二队	煤	17371	17371	12CM18
7	兖州鲍店煤矿 552 队	半煤	10161	16601	S—100
8	神华神东大海则煤矿连采一队	煤	16475	16475	CM—800
9	鸡西正阳煤矿 303 队	半煤	7217	15757	S—100
10	神华神东大海则煤矿连采二队	煤	15478	15478	LN—800
11	兖州鲍店煤矿 551 队	半煤	6866	11934	S—100
12	平顶山一矿 0124 队	半煤	5892	11834	RH—25
13	铁法大隆煤矿综掘队	煤	8834	11648	S—100
14	潞安王庄煤矿综掘二队	煤	9178	11288	AM—50
15	神华神东榆家梁煤矿连采一队	煤	11156	11156	12CM18
16	潞安王庄煤矿综掘一队	煤	8902	11026	AM—50
17	鸡西城子河煤矿 4807 队	半煤	4570	10829	AM—50
18	潞安漳村煤矿综掘队	煤	8630	10734	AM—50
19	兖州南屯煤矿 122 队	半煤	7365	10706	连续采煤机
20	淄博许厂煤矿综掘队	半煤	7794	10394	S—200
21	大同同家梁煤矿机二队	煤	8567	10280	S—100
22	开滦荆各庄煤矿 801 队	半煤	5256	10112	ELMB—55
23	铁法晓南煤矿 506 队	半煤	5125	10064	AM—50
24	兖州南屯煤矿 141 队	半煤	6621	10046	S—100
25	大同晋华宫煤矿机二队	煤	8355	10026	S—100

2000 年度创水平炮掘队名单（5 个）

序　号	局、矿、队	煤岩别	实际进尺（m）	折算进尺（m）
1	平顶山十矿 1001 队	岩	3671	14091
2	平顶山大庄煤矿 4 队	半煤	6159	11743
3	南票局三家子煤矿掘二队	煤	8409	10388
4	南票局小凌河煤矿 611 队	岩	2626	10176
5	平顶山六矿 4 队	岩、半煤	5293	10026

先进个人名单

2000 年度全国煤矿双十佳矿长名单

兖矿集团济三煤矿矿长　宋子安
龙口矿务局梁家煤矿矿长　梁金久
大同煤矿集团公司忻州窑煤矿　卢国梁
天宝能源股份有限公司虎台煤业分公司总经理　张德利
鹤岗矿务局富力煤矿矿长　胡文波
河南神火煤电公司新庄煤矿矿长　齐明胜
晋城煤业集团成庄煤矿矿长　牛海金
皖北煤电集团公司百善煤矿　严洪泉
淮北矿业集团朱庄煤矿矿长　黄个诚
七煤集团公司新立煤矿矿长　刘文波
靖远煤业集团大水头煤矿矿长　谢俊文
肥城矿业集团白庄煤矿矿长　韩成亮
潞安矿业集团王庄煤矿矿长　郭金刚
宝日希勒第一煤矿董事长　郑新忠
邢台矿业集团东庞煤矿矿长　白忠胜
鹤壁煤电股份有限公司三矿　余广信
阜新矿务局海州露天煤矿矿长　王福清
徐州矿务集团旗山煤矿矿长　王生荣
宁夏太西集团白芨沟煤矿矿长　陆文才
平顶山煤业集团六矿矿长　徐树春

企业简介

煤炭工业部郑州设计研究院

煤炭部郑州设计
研究院院长　杨彬

杨彬，男，1956年9月出生，中共党员，大学本科学历。现任煤炭部郑州设计研究院院长、党委委员、高级工程师，兼任中国煤炭勘察设计协会理事，河南省勘察设计协会副理事长、焦作工学院名誉教授等社会职务。曾参加永夏矿区总体设计等20余项概预算和标底的编制工作。主持编制的《奖金定额管理》获河南省煤炭系统优秀管理奖。任院长以来，带领职工改革创新，开拓进取，使全院的经济效益和整体素质逐年提高。

1985年以来连续被评为"河南省勘察设计行业先进工作者"、"优秀管理者"和"河南省省直优秀共产党员"；1996年以来连续获得全国煤炭系统和河南省勘察设计行业"优秀设计院长"称号。2000年被建设部授予"全国优秀设计院长"称号。

煤炭工业部郑州设计研究院为国家甲级综合性设计机构，拥有煤炭设计、建筑设计、工程勘察、工程监理、工程咨询、工程造价、工程总承包、项目管理等8个甲级资格证书和选煤厂设计、电厂设计、水泥厂设计、环境影响评价等4个乙级资格证书。能够承担矿区、矿井、城区规划、公共建筑、环保治理、电厂、水泥厂、公路、铁路、桥梁和煤气与瓦斯利用等工程设计任务，以及工程总承包、工程勘测、工程监理、工程咨询和资产评估等技术和管理服务。

该院专业设置齐全，技术实力雄厚，设计手段完备，服务品质优良，在勘察设计等领域具有丰富的经验和良好的业绩。现有员工420人，其中具有中高级技术职务的专业技术人员302人，多年来培养了一批在各自的专业领域具有一定影响的技术带头人，院技术顾问为全国首批百名设计大师之一。该院装备有先进的计算机辅助设计系统和计算机信息管理系统，已基本实现了设计过程无纸化和信息交换网络化。同国内近300个单位建立并保持了技术信息交流关系，与12个国家或地区保持了技术合作往来。近10年来曾获得包括国家级优秀设计金质奖在内的各类省部级以上奖励近40项，在大型现代化矿井设计中多次中标。按照ISO9001建立的质量保证体系已顺利通过国际认证。

建院以来，共完成矿区总体设计9部，总规模7200万吨/年；各种类型矿井设计100余部；高层建筑设计100余部；电厂设计40余部；矿区、矿井及电厂环境影响报告10余部；引进外资项目内容介绍8部；公路、铁路专用线及各类桥梁设计40余部；其他单项工程设计及咨询200余项，并承担了菲律宾、泰国、印尼等国家的设计任务。目前，完成的工程总承包及监理项目的总投资已达40多亿元。近年来该院以优质高效的专业服务深得合作单位的信赖和支持，业务领域不断扩大。在国家审计署等三部门联合组织的信誉评价中，被授予"A级设计单位"称号；经河南省统计局评估，被列入河南研究与设计业综合实力30强单位；1996年以来连年被评为"全国煤炭系统优秀设计院"或"河南省优秀设计院"。

地　　址：河南省郑州市中原西路210号
邮政编码：450007
电　　话：0371－7447141
传　　真：0371－7936394
E－Mail：zdrimci @ public2. zz. ha. cn

平煤集团公司

平煤集团公司是国有独资的特大型煤炭企业，位于河南省平顶山市，1955年9月建矿，是新中国自行勘探设计建设的第一个特大型煤炭基地，中南地区最大的炼焦煤基地。矿区绵延百里，地跨平顶山、韩梁、朝川 3 个矿区，面积 767km^2，地质储量 75 亿 t，被誉为“中原煤仓”。

平煤集团公司现有生产矿井 14 座，年生产能力 2000 多万吨，居全国第三位；冶炼精煤选煤厂 5 座，核定生产能力 860 万 t；动力煤洗煤厂 2 座，核定生产能力 540 万 t；基建施工单位 5 家；发电厂 3 座；为生产生活服务的地面单位 28 家；文教卫生单位 7 家。截止 2000 年底，公司资产总额 92.6 亿元，资产负债率 65.9%，职工 12.8 万人，年销售收入 52 亿元。

平煤集团公司经济地理位置优越，临近南方缺煤省区和最具发展潜力的长江中下游地区，依靠京广铁路和长江水道，水陆联运便捷，所产煤炭可直接销往中南、华东等 11 个省，为公司的发展提供了稳定可靠的销售市场。平煤集团公司主导产品有煤和非煤两类：煤炭产品主要有焦精煤、肥精煤、1/3 焦精煤、筛混煤、筛混中块；非煤产品主要有水泥、炸药、焦炭、煤气、碳化硅、石墨电极、皮革等。部分精煤和多经产品出口韩国、日本等国。

建矿以来，平煤集团公司累计生产商品煤 5.2 亿吨，实现利税 58.5 亿元。从 1977 年至今连续 24 年盈利，煤炭产量和利税总额始终居于行业前列。先后荣获“中国煤炭工业优秀企业”、“全国‘五一’劳动奖状”、“中国明星企业”、“中国‘AAA’级最佳企业形象”、“煤炭行业质量信得过单位”、河南省“‘AAA’级重合同守信用”企业等荣誉和称号。1995 年，被国家经贸委和国家统计局评为“中国最优 500 家工业企业”，经济效益综合评价名列行业首位。

21 世纪的平煤集团公司将充分利用平顶山市的资源和地理优势，以煤为本，大力发展煤化工、电力等骨干产业，加快产业产品结构的调整步伐，拉长产业链条，实现非煤产值超过煤炭产值的目标，建成以煤炭、煤化工、电力为主导的多元化发展的大型企业集团。

平煤集团公司竭诚欢迎国内外有识之士与我们开展业务，携手前进，共谋发展，共同繁荣。

集团公司董事长、党委书记：陈庆禄
集团公司副董事长、总经理：聂光国
通讯地址：河南省平顶山市矿工路中段
邮政编码：467000
电子信箱：master@pmjt. com. cn
网　　址：www. pmjt. com. cn
联系电话：0375－2723238、2913768
传　　真：0375－2913768

中煤特殊工程公司

公司党委书记兼总经理李文增，男，1958 年 10 月生人，高级经济师，1999 年 8 月任公司党委书记，2000 年 11 月起兼任公司总经理。

李文增同志到任后，在煤炭基建经济形势趋紧的状况下，正确处理改革、发展与稳定的关系，广泛深入地了解市场行情和企业内部的情况，从理顺内部管理体制入手，深化企业的内部改革，使企业综合素质得到较大程度的提高，同时加大市场开拓力度，努力扩大施工任务量，并加强各项管理，企业的经济运行质量得到提升。经过大量艰苦细致的工作，不仅保持了企业整体的稳定，而且为企业的长远发展奠定了基础。

中煤特殊工程
公司总经理　李文增

始建于 1958 年的中煤特殊工程公司，是全国唯一采用钻井法和冻结法在软土、流砂及不稳定地层等特殊地质条件下从事各类井筒、硐室、隧道、基坑、桩基和有关的国防、市政工程施工的大型专业化企业，系国家建筑安装工程一级施工企业，具有国家经贸委批准的本行业内对外经济技术合作业务经营权。

公司现有在册职工 3106 人，工程技术和高级管理人员 600 余人（其中享受政府特殊津贴待遇的专家 12 人），年施工能力达 3.5 亿元。

不断追求先进的技术工艺使该公司的冻结施工技术保持国内领先水平，其钻井技术位居世界先进行列。该公司采用钻井、冻结方法施工的各类竖井井筒计 160 多口，约占全国同法施工总数的 46%，累计深度近 40km，约占同法施工井筒累计深度的 56%。曾创井筒直径和深度两项全国钻井记录，井筒冻结深度、冻结孔深度两项全国记录，桥梁桩基的冻结法施工填补了国内水下冻结施工技术的空白。几十年来，该公司已成为建筑行业特殊施工的一支劲旅。同时，经过多年的努力，该公司已由原来专业从事特殊施工的企业发展成为具有建筑装潢、机械制造加工、机电工程安装、工业与民用建筑、公路桥涵建筑、土石方工程施工等能力的大型综合施工企业。

2000 年，在国家继续实行宏观经济结构的调整，煤炭基建施工任务依然严重不足的严峻的行业经济形势下，该公司以党的十五届四中、五中全会精神为指针，进一步解放思想，转变观念，正确处理改革、发展和稳定的关系，靠提高企业内涵，靠发挥专业技术优势，开拓新的市场，实现了全年的奋斗目标。

深化内部改革　整体素质得到提高

本着把企业建设成为竞争力强、效益好、管理水平高、技术创新和资本运营强的指导思想，突出“调整——转换”，大力推进了内部改革。为适应现代施工企业管理的要求，理顺内部管理体制，调整了企业的组织机构，简化了全公司的机构设置，精简了管服人员；按照建筑市场需求状况，在强化主业成立“冻结”、“特凿”两个工程处的同时，将原有的相关单位按专业归并，成立了建筑安装工程处，集中和强化了地面建筑方面的力量；根据激活内在机能的要求，对内部三项制度进行了改革，进一步激发了干部职工的积极性；制定并落实了对科技人员的有关政策，更好地发挥了工程技术人员的作用；严把工程质量，“城郊矿北风井（钻井）工程”和“祁东矿副井井筒冻结工程”被评为2000年度全国煤炭建设系统工程质量“太阳杯”工程。

规范内部管理　提高经济运行质量

重视和加强内部管理工作，不断完善各项规章制度，管理粗疏的状况得到改变。严格履行经营承包合同，并提出对因经营不善造成连续两年亏损或完不成减亏指标的承包单位的班子成员实行就地免职的规定，进一步规范了经营者的经营行为；立制建章，制定和完善了资金管理、工资分配、物资设备、安全生产和现场施工等一系列管理办法，尤其是严格了物资采购的程序，并对所属单位的资产进行核实登记，进一步摸清家底，堵塞漏洞，努力提高企业的综合管理水平。

发掘自身优势　不断拓展市场空间

为适应新的经济形势，适时调整了经营格局，以自身优势为依托，积极参与市场竞争。组织和参加了有关的专业技术研讨会和技术咨询会，邀请业主单位对施工现场实地考察，利用宣传媒介进行宣传等等，向社会各界和有关单位展示了特殊施工的业绩和实力，进一步扩大企业的知名度，提高了有关单位选择特殊施工工艺的几率。一系列有效做法，收到了理想的效果，先后承揽了地铁、公路、桥梁、矿井等方面的工程，减少了任务缺口，拓宽了创收渠道，为企业的整体稳定和今后的长远发展奠定了物质基础。

加强党建工作
为企业发展提供有力的政治保证

党建和思想政治工作按照“三个代表”的要求，坚持以特色理论武装全体党员、全心全意依靠工人阶级办企业，使之在思想上政治上和组织上得以巩固。党建工作以加强各级领导班子建设为重点，在组织机构调整的过程中，做到党的组织和行政组织同步设立，并配好党委、（总支）支部班子；强化各级领导班子建设，制定了有关规定，对理论学习、政治立场、工作作风、班子议事、廉政建设等方面提出了具体的要求，努力提高干部素质；工会、共青团工作得到加强，充发发挥了群团组织的作用。思想政治工作，紧密结合形势的变化和职工对物质文化提出的新的要求开展，充分利用各种形式普遍开展政策、形势、任务和道德教育，结合帮助职工解决实际问题，如建造职工住宅楼、落实工资晋级、对符合条件的离退休职工增加离退休费、对下岗职工实行优惠待遇、开展访贫问苦送温暖活动等，提高了教育的实际效果。

公司全体职工正以昂扬的斗志迎接新的挑战。

地　　址：安徽省淮北市东山路131号
电　　话：（0561）3090751
电报挂号：3595
邮政编码：235044

皖北煤电集团有限责任公司

皖北煤电集团有限责任公司董事长　许崇信

许崇信，1956年出生，男，汉族，祖籍山东微山，中共党员，大学学历。

1976年6月至1981年5月，在淮南矿务局工作。

1981年5月至1991年10月，在皖北矿务局刘桥一矿工作，期间于1986年担任矿党委副书记职务。

1991年10月至1994年7月，在皖北矿务局毛郢孜煤矿任矿长。

1994年7月至1996年1月，在皖北矿务局机关工作，任副局长兼局党委副书记。

1996年1月至1998年9月，任皖北矿务局局长、党委副书记。

1998年9月13日，皖北矿务局改制为皖北煤电集团有限责任公司，出任董事长、总经理至今。

皖北煤电集团公司是安徽省属国有大型煤炭企业，前身为皖北矿务局，1984年5月省政府决定设立，1998年9月改制成国有独资公司，2000年1月取得省政府授权经营资格。集团公司现拥有7对矿井、1个控股子公司和两座选煤厂，分别座落在淮北市和宿州市境内。7对矿井中，主力生产矿井3对，分别是百善煤矿、刘桥一矿、任楼煤矿；无能力矿井3对，分别是孟庄煤矿、毛郢孜煤矿、前岭煤矿，其中前岭煤矿已关闭；在建矿井1对，为祁东煤矿。1个控股子公司是恒源煤电股份有限公司，去年底由原刘桥二矿改制而成。8对矿井（含恒源公司）总设计年生产能力546万t，实际年生产能力在700万t以上。两座选煤厂是百善选煤厂和任楼选煤厂，设计年入洗能力分别为60万t和150万t。主要生产气煤、贫煤、焦煤、无烟煤等原煤产品和洗精煤、洗中煤等洗煤产品，销售去向以本省及华东地区为主，部分出口日本、韩国等国家。企业曾先后跨入安徽工业50强、中国煤炭工业50强，1996～1997年度资产总额、销售收入、利税总额分别位居全国工业企业第376位、438位和537位，跻身中国工业企业500强行列，2000年集团公司及下属3对主力矿井和恒源公司分别通过了ISO9002国际质量体系认证。

“九五”期间，集团公司迎难而上，自我加压，外拓市场，内强管理，锐意改革，开拓创新，成功顶住了任楼煤矿特大突水淹井灾害、煤炭市场持续疲软和政策优势不断弱化带来的经营压力，不仅保证了企业生产经营的正常运转和职工工资发放，而且在困境中实现了新的发展。原煤产量5年迈了三大步，1996年突破500万t，1998年突破600万t，2000年接近700万t；原煤生产百万吨死亡率始终控制在省局下达的指标之内，并连续10年杜绝了“一通三防”重大事故，矿井的防灾、抗灾能力显著增强；在同行业企业大面积亏损的情况下，企业始终保持了略有盈利，利税总额年年超亿元；矿区职工生活水平始终保持在中等以上，呈现出稳中有升的良好态势；企业综合实力和发展后劲显著增强，先后自筹资金8亿元，完成了任楼煤矿的水灾治理和生产装备，建成投产了任楼、百善两个选煤厂，开工建设了祁东煤矿和祁东、刘桥两个选煤厂、任楼煤矸石电厂，这些项目都将于今年年底投产，从而为企业的产业结构、产品结构调整奠定坚实基础；企业资产规模日益壮大，截止到2000年末，集团公司总资产达到28亿元，比“八五”末的1995年增加12.5亿元，增长80%；其中净资产达到13亿元，比1995年增加4.6亿元，增长50%，实现了国有资产的保值增值。“九五”是集团公司面临困难最大、发展速度最快的一个时期。

（孙方　周军　李杰）

地　　址：安徽省宿州市西昌路157号
电　　话：0557—3915461
邮政编码：234000

淮南国能矿业工程公司

刘树彪，男，汉族，1957年1月出生，安徽省凤台县人，中共党员。淮南矿业学院矿建地质专业毕业，高级工程师，现任安徽省淮南国能矿业工程公司经理。

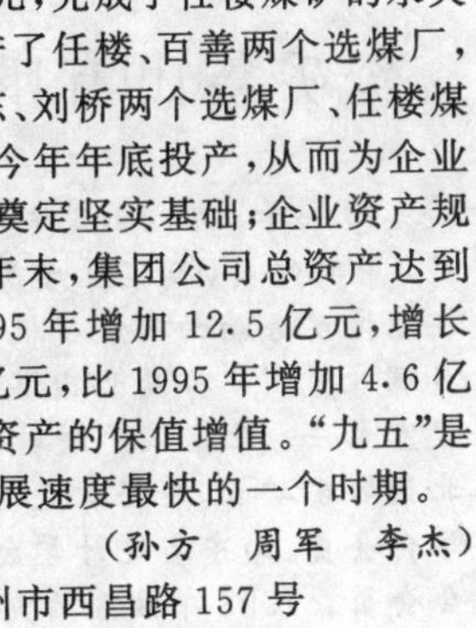
淮南国能矿业工程
公司经理　刘树彪

历任技术员，技术主管，总工程师，处长等职务，先后参加过淮南潘集一矿、潘集二矿、潘集三矿、谢桥煤矿、张集煤矿等大型、特大型煤矿施工建设。撰写的《U型钢支架耳型卡缆应用》、《立井过软弱地层的注浆技术》等论文分获华东“四省一市”论文二、三等奖。曾被评选为淮南矿业集团拔尖人才，优秀知识分子。选举为淮南市政协第十一届委员、淮南市第七次党代会代表，中国煤炭建设协会第四届理事会理事。现在攻读安徽大学硕士研究生经济管理专业和淮南矿业学院工程硕士学位。

安徽省淮南国能矿业工程公司是2000年元月重组成立的。其前身为煤炭工业部四十二工程处、九十六工程处和淮南矿业集团建井工程处的矿建部分。几十年来，南征北战，成绩卓著，曾为淮南煤矿老、新区及祖国西南能源建设立下功勋。

公司是国家建设部审定批准的“矿山建筑安装工程一级资质企业”，现有员工4698人，各类专业技术人员394人，其中高级32人，中级117人，技术工人1126人。拥有16个施工项目部、12个经营性、半经营性二级公司、掘进队伍达37个。直接从事掘进施工人员2700人，公司拥有资产总额9000万元，主要施工设备1478台（件）。

公司具有大直径立井施工和岩巷施工能力，在立井施工中广泛采用整体大模板一次浇铸混凝土，伞钻打眼，抓岩机抓岩，大容量吊桶出矸，地面实行汽车排矸，排水系统采用高压高扬程泵排水；在岩巷施工中，采用激光导向，光面爆破，凿岩台车打眼，多种支护形式；在半煤岩煤巷施工采用综合掘进机，确保施工速度和工程质量，可承建任何大型和特大型矿井的施工。

公司还具备矿山及工业民用建筑的综合施工能力，主要施工矿山配套工程和民用建筑工程，拥有各类建设施工设备30多台（套）。

公司还具备施工机电安装工程的能力，技术力量雄厚，大、精、尖设备齐全，具有大型钢结构井架及塔吊的制作和安装资质，能安装35kV以下变电站（所）及配电工程。能独立完成特大型矿山的所有生产及辅助系统的安装及调试。

公司拥有一支以注浆加固工程为主的施工队伍，能承担桥梁、堤坝及工民建工程的注浆堵水，加固及改良不良岩土层，施工各类探、放钻孔、反井钻，桩基工程兼营测绘工程。

公司先后建成了年产原煤300万t的淮南潘一煤矿、潘二煤矿、潘三煤矿和年产原煤400万t的谢桥特大型现代化矿井。现正在承建年产400万t的特大型煤矿——张集矿井。是淮南矿业集团公司唯一一支实力强劲的专业化煤炭基建施工队伍。

公司在淮南煤矿新区建设史上屡建战功，多次创造和刷新全国、省市、局的掘进进尺新纪录和新水平。1982年，创造了斜巷月单进全国第一、岩平巷月单进全国第二的优异成绩，先后3次荣获煤炭部“全国煤炭基本建设优胜工程处”和“全国煤炭机电管理先进单位”，被煤炭部评为“全国基本建设甲级工程处”，名列全国第一，6次获安徽省“最佳经济效益竞赛夺魁单位”，1993年被中煤总公司评为“全国煤炭基本建设优胜单位”，名列全国第二，连续3年获中煤总公司“安全生产先进单位”、“全国煤炭行业现场管理先进单位”称号。

公司自走上市场以来，始终以质量、速度赢得信誉，实施“双赢”策略，互惠互利。立足矿建主业，辐射相邻行业，进军非煤产业，大力发展多种经营，先后建成了中国高岭土公司苏州改扩建工程，苏州银铅锌矿、山东鱼台鹿洼煤矿，并参与了江苏大屯煤电公司姚桥煤矿，以及淮南新集矿区的建设。在竞争激烈的矿山建设行业中站稳了脚跟。

雄关漫道真如铁，而今迈步从头越。矿业工程公司将继续自我加压，发扬煤矿工人特别能战斗的精神，愿以过硬的施工队伍、先进的技术设备、优良的工程质量、快速的施工进度、雄厚的实力、真诚的态度与各界朋友开展广泛合作，并遵循平等互利讲求实效的原则，竭诚为您提供高质量的服务。

地　　址：安徽省淮南市洞山西路
邮政编码：232038
电　　话：0554－6661035
传　　真：0554－6646557

四川达竹煤电（集团）有限责任公司

董事长　张成露

总经理　柏忠城

四川达竹煤电(集团)有限责任公司原名达竹矿务局，本部位于四川省达州市内。依巴中南麓之体势，扼川东北之门户，物华天宝，矿区绵延百余里；人杰地灵，融巴蜀人文之精髓。交通便捷，资讯发达。

达竹煤电（集团）有限责任公司系国家大二型企业，现有员工16000余人，其中工程技术人员1644人。公司年设计生产原煤180万t，设计原煤入洗能力135万t。年发电总量1亿度。有6对生产矿井，两座洗煤发电厂，1个基建工程处和9个专业化子（分）公司及机电厂等直属单位共计28个二级单位。

集团公司一贯坚持以发展为主题、以结构调整为主线，以改革开放和科技进步为动力，以提高经济效益为中心的指导思想，构建和完善了母子体制，初步建立了现代企业制度。发扬了“深化改革，从严管理，务实求效，团结拼搏，共谋发展”的达竹精神，坚持“品种、质量、效益”和资源的可利用和发展方略，贯彻以人为本的方针，进一步调整产品结构，以不断优化的产品质量满足了用户的需要。1997年被评为四川省国有企业资产50强、国有工业利税30强，洗精煤被省政府命名为“四川名牌产品”。1998年洗精煤被省政府和四川名优特级产品博览会联合命名为“用户满意产品”。通过几代人的不懈努力，一个以煤炭生产加工、电力化工、建筑材料、房地产及餐旅业等多业发展的企业集团正在川东北大地崛起。

地　　址：四川省达州市通川区通川北路5号
电　　话：（0818）2310012
邮政编码：635000
电　　挂：0554

兖矿集团有限公司北宿煤矿

田丰泽，男，1956年8月24日出生于山东省无棣县，中共党员，研究生学历，高级经济师。1975年3月在淄博矿务局西河煤矿桃花峪井参加工作，1976年10月调入兖州矿务局北宿煤矿，历任采煤班长、区长、调度室主任、北宿煤矿副矿长等职务，1991年9月起任北宿煤矿矿长，兼任矿党委副书记。系山东省企业管理学会会员、山东省统计学会会员、济宁市青年企业家协会会员，1998年被列为兖矿集团专业技术拔尖人才。多次被矿务局、集团公司评为“劳动模范”、“优秀共产党员”、“十佳党员”、“民主管理先进个人”，曾荣获“全省煤炭工业战线劳动模范”、“山东煤炭工业管理局优秀科学技术干部”、“中国煤炭工业优秀矿长”等荣誉称号。

中国煤炭工业龙头企业兖矿集团有限公司所属的北宿煤矿，位于兖州矿区的南部、孔孟之乡邹城市境内，1976年12月26日建成投产，原设计生产能力为45万t/a，改扩建生产能力为75万t/a，现实际生产能力达到100万t/a，逐步迈入薄煤层大型矿井行列。现有职工3805人，固定资产原值2.6762亿元，净值1.9857亿元。建矿20多年来，北宿煤矿在上级党政组织的正确领导下，努力实践“艰苦奋斗、勤俭创业、务实求新、争创一流”的企业精神，坚持党在社会主义初级阶段的基本路线，锐意改革，开拓进取，实现了两个文明建设的同步发展，成为全国薄煤层首批“质量标准化矿井”和“现代化矿井”、“煤炭工业二级企展业”、省级“重合同、守信用”企业、“煤质管理标准化特级矿井”、“煤炭系统双文明单位”、省煤管局命名的“花园式单位”。

矿井井田面积27km^2，煤炭储量丰富，共有可采储量5543万t，可采煤层4层，总厚度3.7m。现主采煤层为16、17层，平均厚度0.95m，地质储量4557万t，可采储量3693万t。煤系属石炭纪系，煤质优良，具有富硫、低灰、低灰熔点、高发热量等特点，发热量约为26.5～28.5MJ/kg，可作为炼焦配煤，也是液化、气化和化工用煤的理想原料，液化后可代替原油，属于优质工业动力用煤和良好的生活用煤。原煤经筛选、洗选加工后，主要有混煤、精煤和洗混煤等3个品种，并可根据用户需要进行特殊加工。产品市场前景广阔，畅销全国各地，深受用户好评。煤炭质量已连续12年保持全省第一，被省煤管局命名为"煤炭质量管理信得过单位"，被省技术监督局评为"产品质量先进单位"。

近年来，北宿煤矿审时度势，积极探索寻求市场经济条件下薄煤层高硫煤矿井深化改革、转换机制、转产开发、健康发展的新路子。按照兖矿集团"转小矿"战略部署，依托丰富的矿产资源、雄厚的经济实力和巨大的人才、技术优势，提出并认真实施以"加速三大基地（薄煤层高硫煤开采技术与应用研究、高岭土综合开发与利用、生态养殖与深加工）建设、形成三足鼎立格局"为主体内容的扭亏脱困、转产开发战略决策，为实现矿井在新的世纪里振兴发展，铸就新的辉煌奠定了良好的基础。坚持"以煤为主、多种经营、综合开发、全面发展"的方针，不断拓展经营范围。在搞好主导产品煤炭采选销售的同时，先期投资分别为6000万元、2000万元的高岭土厂和生态养殖场已初具规模。高岭土项目作为兖矿集团公司非煤发展的新兴支柱产业，已开发生产出造纸涂料、电缆填料、涂料、特种氧化铝等4大系列10多个品种，广泛应用于造纸、陶瓷、化工、油漆、氧化铝、橡胶等生产领域。生态养殖项目计划用3～5年的时间发展成为集产、学、研于一体的纯种猪繁育基地、商品猪养殖基地、肉类品加工基地。此外，矿还经营有工矿配件加工、制作、维修、微机耗材、橡塑制品、印刷、建筑建材、多层板材、铝塑和铝合金等装饰材料、饮食服务等业务。北宿煤矿始终信奉"质量第一、恪守信誉、用户至上、重守合同"的经营宗旨和方针，热诚为国内外朋友、客商提供一流的产品和优质的服务。

北宿煤矿地理位置优越：北依泰岱，南瞻峄峰，西北有著名的水泊梁山，西南有山东省最大的淡水湖微山湖，又处于具有渊源历史文化的圣地孔孟之乡。丰富的人文景观、著名的旅游胜地，吸引着众多的游客。这里交通便利、四通八达：10km之内有铁路京沪（北京～上海）线、兖石（兖州～石臼所）线、兖新（兖州～新乡）线，矿井铁路专用线与矿区大东章集配站相通；公路有104国道（北京～福州）、岚济（岚山头～济宁）线；西有白马河并接京杭大运河，可停泊150t级船只，日照石臼所有集团公司自营港口；矿井驻地向西距济宁机场约25km。

地　　址：山东省邹城市北宿镇

邮政编码：273516

北京京煤集团有限责任公司

倪文驹，生于1947年，1968年参加煤矿工作，中共党员，研究生文化，高级经济师。曾先后在北京矿务局木城涧煤矿担任科长、副矿长、矿党委副书记，北京矿务局大台煤矿党委书记、矿长，北京矿务局党委副书记、副局长、局长。现任北京京煤集团有限责任公司党委书记兼董事长。曾获北京市工业系统优秀厂长、北京市爱国立功标兵和首都劳动奖章等荣誉称号，并被录入《中国专家人才库》一书。

北京京煤集团有限责任公司董事长　倪文驹

北京京煤集团有限责任公司是北京市政府授权、由原北京矿务局和原北京市煤炭总公司重组而成的国有独资大型煤炭企业集团，是全国工业企业综合评价最优500家企业之一，国家经贸委确定的全国520家重点企业之一。资产总额53亿元，员工3.4万人，年销售收入25亿元。集团公司是以优质无烟煤产品为主的，集机械加工制造、民爆器材、建筑建材、仓储运输、煤矸石发电、水煤浆、燃料油、电子仪表、科研设计、地质勘探、食品饮料、房地产开发及宾馆、饭店、餐饮、旅游、娱乐等多业并举、综合配套发展的产业群体。所属经营单位分布在北京市16个区县及河北省三河市。集团公司生产的低硫、低磷、低氮、中低灰分、高发热值环保洁净煤，特别适于工业和民用。其产品畅销于京津、华北、东北、中南及日本、韩国、巴西等国家和地区，是中国最大的优质无烟煤生产和出口基地之一。进入新世纪，京煤集团公司将以新的体制、新的机制和新的精神风貌，发扬"务实、创新、进取、奉献"的企业精神，发挥规模优势、产业优势、资源优势、区位优势和重组优势，实施集团发展、结构优化、市场营造、产品创新、科技创新、人才兴企6大发展战略，巩固提升煤炭主业，大力发展优势产业，优化调整多种经营，做大做强房地产业和服务业。壮大骨干支撑点，培育效益增长点，选占技术制高点，形成以法人治理结构为核心，产权多元化、产业结构布局合理和优势主导产业上市融资的营运体系，努力建成以煤为本、多种经营、综合发展的外向型、多功能、综合性的特大型企业集团。

抚顺矿务局运输部

秦而华同志1953年生人，中共党员，大专文化，高级经济师、高级政工师，现任抚顺矿务局运输部主任。他确定实施了"内强管理，外闯市场"的组合策略，深化了内部改革，提高了经济效益，全部年收入连超亿元，2000年实现利润1450万元。

抚矿运输部始建于1904年，是全国煤炭行业大型的准轨电气化铁路运输企业。主营客货运输，兼营砂石开采、电铁线路工程及维修等。现有在籍职工3400人，固定资产2.3亿元，占地660万m^2，电力机车33台，电动客车11列，各种货车363辆，电气化铁路总延长320km^2。运输系统有1个路矿接轨站，4个集配站，40个站所，268条专用线，客运营业里程达37km^2。年综合运输能力，货运量4000万t，客运量5000万人次，担负着抚顺地区150多家大中型企业货物运输和广大乘客的运送任务。

抚顺矿务局运输部
主任　秦而华

全部围绕经济体制和经济增长方式两个根本性转变，外闯市场，内强管理，拓宽了生存发展之路。在开发市场上，抢抓机遇，组建了新的货运营销队伍，取消工资，按增收比例和回款率计酬，上不封顶，下不保底。建立了市场信息网络，大力简化运输手续，打破吨公里计划价格限制，实行浮动运价，采取直达快运、横向联合等措施，巩固了老用户，争取了新用户。积极开辟客运市场，改造车体，增设市内乘降站，根据市场和季节变化随时调整车次，向繁华地区和人口密集地区发展。新上了加油站、水泥制品厂等多经项目，安置了下岗和富余人员。在改革转制上，推行了工资全额浮动分配，将工作数量和质量与个人工资有效挂钩，以质论价，按量计酬，量化分配。实施全员合同制管理，实行临时和季节用工，打破标准工资界限，按岗位确定相应工资。大力推广兼职作业，按定员组织生产，提高了劳动效率。大力精简机关机构，干部实行末位调整，严格工人“三岗”考核，重点工种和热点人员一律公开竞聘，择优上岗，建立健全了能上能下、优胜劣汰、易岗易薪的机制。在安全生产上，以质量达标为突破口，强制落实各级领导干部安全责任制，规范了重点工种标准化作业，实行定置定位管理，开展持续不断的安全检查，量化指标，整治了机客车、工电设备等一批隐患，开创了安全生产新局面。在内部管理上，落实成本目标责任制，设备实行状态修，工电和土建工程不外委，物资采购利用微机网上监控，节省了大量支出。开发了货运微机收费项目，实行了直流电计量，安装了机客车冶金粉沫滑板和无气压升弓装置，推进了科技进步。全部年销售收入连年在1亿元以上，2000年实现利润1450万元，荣获矿务局和抚顺市“先进集体”、辽宁省“文明单位”、辽宁“五一”奖状、全国“模范职工之家”等称号。

山西大同煤矿集团有限责任公司中央机厂

刘恩茂，男，出生于1946年3月19日，河南巩县人，汉族，中共党员，大学本科毕业，高级经济师。1962年参加工作，1985年任矿务局中央机厂计划科副科长、科长，1992年1月任大同矿务局二机厂副厂长，1997年任二机厂厂长，1998年2月任矿务局中央机厂厂长，同年被选为大同市矿区人大代表，并获得“山西省优秀企业家”称号。1999年、2000年连续两年荣获“山西省优秀经营者”称号。2000年被评为“全国煤炭工业‘十佳’厂长”。任大同市企业家协会常务理事、山西省企业家协会理事、中国技术监督情报协会理事。

大同煤矿集团有限责任
公司中央机厂厂长
刘恩茂

山西大同煤矿集团有限责任公司中央机厂始建于1949年，是煤矿集团公司矿用设备制修中心。全国煤炭工业二级企业。全厂现有职工4000多名。厂区占地面积92万m^2，拥有固定资产2.3亿元，各类机床及附属设备2000余台，主要担负着集团公司15个矿、3个工程处，年产3600万t原煤产的采掘、运输、提升、排水、通风、洗选六大类机电设备配件制修任务。2000年工厂实现工业产值1.31亿元，销售收入实现1.32亿元。利润实现1166万元，其他各项指标均创造中央机厂有史以来的最好水平。

工厂制造产品有：各类型号液压支架、胶带输送机、刮板输送机、各种矿车、平巷人车、调度绞车、给煤机、粉碎机、滚筒洗煤机、浓缩机等。修理产品有：国产和引进各种型号的液压支架、采煤机、掘进机、装煤机、电机车以及各种高低压电机、变压器、开关等。生产的配件有：圆环链、联接环、中部槽、各类结构件、各种箱体及轴类、齿轮等矿用和非标配件。

2000年以来，中央机厂紧紧围绕提高企业经济效益这个中心，深化内部改革，转换经营机制，加大管理力度，制定和出台了一系列有利于推进企业制度创新、管理创新、技术创新的措施。

在突出营销工作方面，改革了营销机制，调整了营销策略，开拓了外部市场。把一些懂业务，善公关、能吃苦，热爱营销的人员，充实到营销队伍，使营销工作基本走上正规。同时落实了营销责任制。对专职营销人员建立了业务量与工资挂钩的考核办法，实行了销售含量包干制。强化了激励机制，制定了奖励政策，职工的市场意识得到了加强。

在改革人事用工制度方面，建立了干部评议和实绩考核制度，强化了“能者上、平者让、庸者下”的激励机制，形成了一种上岗靠竞争，收入凭贡献的人事动态管理机制和激励竞争机制。

在加强管理方面，从理顺各项工作程序、明确各级部门职责，确立科学的运行机制入手，制定并严格执行了涉及生产、经营、安全、成本、利润等一系列管理办法和规章制度，使全厂的各项管理工作逐步走上了制度化、科学化的轨道。

在强化产品质量方面，狠抓了产品质量，建立了产品质量一票否决制。拓宽了内外部市场，进一步强化了从技术准备、生产组织到产品售后服务全过程的质量动态管理，提高了企业的信誉。并通过了ISO9002国际认证。被中国质量检验协会列为“质量兴企·争创名牌”的示范企业。

在科技兴厂方面，加快了科技兴厂的步伐，增强了企业的发展后劲，通过开展群众性技术革新和技术改造活动，积极开发新产品、推广应用新工艺、新技术，推动了全厂的技术进步。先后开发研制了S—100掘进机电控装置、胶带机软启动、逆止器等产品。

在精神文明建设方面，始终坚持两手抓，两手都要硬的方针，全面加强了党的建设和精神文明建设。通过开展“争先创优”活动使党支部的战斗堡垒作用和党员的先锋模范作用得到了充分的发挥，成为企业战胜困难的有力保证。同时，厂党政还把关心群众生活，体恤职工疾苦，积极为职工办好事、实事，当做一项重要任务来抓，不断改善职工的住房、供暖、供电、环保设施等，有效地解除了职工的后顾之忧，调动了职工的生产积极性。

工厂连续10年荣获“部级质量标准化机修厂”称号，连续多年被局、市授予“先进单位”、“先进党委”、“文明单位”、“市级文明单位”等荣誉称号，2000年获得全国第五届“设备管理优秀单位”称号。2001年上半年，又被中国技术监督情报协会命名为“2001～2002年度中国‘标准、计量、质量’技术完善知名企业”。

（肖占军）

山西宏厦建筑工程第一有限责任公司

公司董事长兼党委书记刘崇智，1989年毕业于中共中央党校山西分院，大学文化，高级政工师，阳泉市第十一届人大代表、第八届党代会代表，历任阳煤三矿工程区党总支书记、阳煤集团党委组织部副部长、阳煤集团工程处党委书记。自上任以来，内强管理、外拓市场，不断优化经营战略和经营布局，切实加强班子、队伍、党风、企风。四项建设，市场占有率逐年上升，企业效益大幅度提高，实现了两个文明建设协调运行。其本人曾荣获“优秀企业家”、“阳泉市五一劳动奖章”、“山西省优秀党务工作者”等荣誉称号。

山西宏厦建筑工程第一有限责任公司董事长
刘崇智

山西宏厦建筑工程第一有限责任公司，系原山西省阳泉矿务局工程处，始建于1953年。1989年晋升为中国煤炭工业二级企业，同年经建设部核定为矿山建筑安装工程施工一级资质企业，并具有设备安装工程、工业与民用建筑工程、公路工程、爆破工程、土石方工程等施工二级资质。能独立承担各种类型现代化矿井工程建设及机电设备安装、调试、工业与民用大型、超高层建筑、铁路、公路、水利、输变电、爆破、大型土石方、微波通信设施等工程建设，年施工能力4亿元以上，是煤炭系统大型综合性施工企业之一。拥有资产总值12026.81万元，职工2485人，各类专业技术人员693人，高级专业职称人员95人，建设部、原煤炭工业部认证执业资质二级以上项目经理89人，主要施工机械设备1622台（件），技术装备率13689.64元/人，动力装备率11.93kW/人，属山西省“资金信用AAA级企业”。

47年来，始终遵循“科学管理、科技兴企、以诚为本、以优取胜”和“全心全意为用户提供优质服务”企业宗旨，立足本省、开拓全国，施工足迹遍及大江南北。多次被地方政府评为“重合同、守信用单位”，多次被原煤炭工业部授予“特别能战斗的队伍”称号，多次出席全煤系统“双先”表彰会，多次被山西省煤炭工业管理局、基本建设局授予“经营管理好”、“利润过百万”、“利润双百万”等称号；1984年荣获“全国煤炭优胜等级处第一名”称号；1988年被评为“省优企业”；1990年被中国煤炭基本建设管理协会授予“优秀企业”称号；1991年被中国统配煤矿总公司授予“安全生产先进单位”称号；1992年入选“中国500家最大经营规模建筑企业和最佳经济效益企业”，分别名列第342位和213位；1993年在山西省建筑业综合实力首次评比中，入选“前十强企业”，同年被评为“AAA级守信用企业”；1994年被评为“省优建筑企业”；1995年在太旧高速公路建设中被评为“功勋单位”；1996年在原太高速公路建设中，被评为“质量优胜单位”；1997年入选“中国建设系统总产值前500位企业”，名列第495位；1998年在《建筑报》向全社会郑重承诺“优质工程、优质服务”，并被中国煤炭建设协会评为“全国煤炭行业先进施工企业”；1999 年被中国资信评价中心、中国工业设计协会、中国建筑业联合会评为“中国建筑企业信誉 AAA 级单位”；2000 年通过 GB/T19002—ISO9002 质量体系认证。同时被中国煤炭建设协会评为“全国煤炭行业先进施工企业”。

（张世军）

地　　址：山西省阳泉市矿区桥西街 11 号楼
电　　话：0353—7023144
电　　挂：0361
传　　真：0353—7074460
邮政编码：045008

淮北矿业集团公司临涣选　煤　厂

黄建宇，淮北矿业（集团）有限责任公司临涣选煤厂厂长，高级工程师，第二届全国十佳选煤厂厂长，安徽省十大杰出青年企业家，安徽省煤炭系统劳动模范。1982 年毕业于淮南矿业学院，历任淮北矿业集团公司（原淮北矿务局）淮北选煤厂技术员、临涣选煤厂选煤车间主任、计划科科长、生产副厂长、厂长等职务。

淮北矿业集团公司临涣选煤厂厂长　黄建宇

淮北矿业集团公司临涣选煤厂位于安徽省淮北市濉溪县境内，设计年入洗原煤量为 300 万 t，是目前华东地区最大的矿区型选煤厂，1990 年 6 月 26 日建成投产。

临涣选煤厂主要洗选设备分别从日本、美国、德国和澳大利亚引进，部分设备为引进技术，国内知名厂家制造，设备先进，自动化程度较高。生产工艺上，采用了跳汰粗选、重介旋流器精选和煤泥浮选等先进工艺，保证了精煤产品的优质稳定性。工艺系统上，采用了相互独立的两个生产系统，可按入选原煤煤种的不同实行分选、分装、分运，满足客户对产品的不同需求。生产管理上，生产系统采用了引进美国 TI—530 可编程序工业控制器，按工艺流程要求实行生产集中控制，同时在财务、工资、设备、计划、物资、技术及人事管理等方面实现了计算机内部联网。在安全生产上，认真落实“两程一制”（安全规程、操作规程、岗位责任制），加大安全管理力度，投产 11 年来，实现了安全生产。

临涣选煤厂入洗临涣、海孜、童亭 3 对矿井生产的原煤，该 3 对矿井原煤质量稳定、数量充足，主产品为炼焦用焦精煤，有发热量高，特低硫、低磷、中挥发份、强粘结性等特点，为冶炼焦煤的精品，主要销往国内钢铁、冶金、炼焦等企业，并出口日本和印度。副产品为洗末煤、煤泥、矸石等，主要销往电厂、化肥厂、砖瓦厂等，用户遍及江浙及周边地区。

临涣选煤厂现有职工 1001 人，其中管理人员和专业技术人员 92 人，职工队伍的整体素质较高。

临涣选煤厂的企业精神是：团结、务实、管理、增效。投产以来，该厂在抓好选煤生产的同时，认真开展企业文化建设，先后建成职工俱乐部、图书馆、乒乓球室、灯光球场、网球场等体育设施，积极开展丰富多彩的职工业余文娱活动。加强社区文化建设，规范社区管理，绿化、美化社区。

投产 10 多年来，该厂先后被评为“部级质量标准化选煤厂”、“全国‘十佳’选煤厂”、“安徽省质量管理奖”“淮北市文明单位标兵”、“集团公司文明单位”等荣誉称号，并于 1999 年 10 月在全省同行业中首家通过 ISO9002 国际质量体系认证。主产品精煤 2000 年被评为全国百家用户满意产品、出口知名品牌、安徽省名牌产品。

阳泉煤业（集团）有限责任公司

王亦农，阳泉煤业（集团）有限责任公司董事长、党委书记，山西省人大代表。1944 年出生，汉族，河北定兴县人，1965 年入党，北京工业学院化工系毕业，大学文化，高级工程师、高级政工师。1998 年荣获全国五一劳动奖章，1999 年被国务院批准享受政府特殊津贴。

阳泉煤业（集团）有限责任公司董事长　王亦农

阳泉煤业（集团）有限责任公司，由始建于 1950 年的阳泉矿务局改制而成，是国家首批确认的特大型国有企业，长期位居中国最大 500 家企业之列。

近年来，阳煤集团获得首届中国煤炭工业优秀企业奖，煤炭工业管理金石奖，被评为重合同守信用企业，质量标准化企业，AA 级信用度企业，山西省精神文明建设先进企业。

阳煤集团位于山西沁水煤田东北部，矿区面积 3000km^2，拥有 121 亿 t 优质煤炭储量和 6448 亿 m^3 煤层气资源，90 亿元的资产规模，年产煤炭 1600 万 t，6

座现代化洗煤厂，入洗能力 1300 万 t，经洗选的洁净煤有 14 个品种获国家部省优质产品称号，是电力、冶金、化工、化肥、建材、市场民用的上好燃料，“阳优”商标已成为煤炭市场著名品牌，产品畅销海内外。

阳煤集团拥有精良的现代化装备，采煤机械化达 100%，在全国率先采用开天窗放顶煤技术和联合支护新工艺。高科技带来高效率：阳煤集团有 8 个采煤队 44 次年产突破百万吨，一矿综五队 2000 年突破 200 万 t，实现了历史性的突破。

阳煤集团通过不断的科技创新，攻克矿井通风瓦斯治理难题，在全国率先实现瓦斯综合治理，变害为宝。连续 23 年无瓦斯重大事故的安全业绩，使阳煤集团成为全国煤炭行业的一面旗帜。2000 年百万吨死亡率降至 0.072，达到世界先进水平。

现代企业制度的建立，使阳煤集团如虎添翼。通过资产重组购并和产业结构调整，一个跨行业、跨地区、跨所有制、跨国经营的大型企业集团已经形成。集团公司下属宏厦建筑工程有限公司、多种经营总公司、升华实业总公司、发供电总公司、煤层气开发总公司等子公司、分公司 22 个，与国内外商家合资由阳煤集团控股的子公司 10 个，参股公司 10 个。煤电铝、煤气化、磁性材料和新型建材四大非煤产业鼎足而立，其中兆丰铝冶、宏厦建筑、新型建材、京宇磁材等均已做大做强，发展前景广阔。

阳煤集团控股的山西国阳新能股份有限公司，以提供洁净的绿色能源为办企宗旨。原煤全洗生产低硫低灰优质煤；开发煤层气生产甲醇洁净燃料；利用中煤、煤矸石发电，实现煤电铝联产，创造最大效益；融资建设中国最大的活性炭企业，为城市排污处理提供优质充足的环保材料。国阳新能正在运作上市，上市成功必将为阳煤集团插上腾飞的翅膀，书写新的篇章。

新疆生产建设兵团
大黄山煤矿

王庚寅，男，汉族，现年 50 岁，河南省西平县人，大学文化程度，经济师。1964 年进疆参加工作。

历任统计、采煤队队长、计划科长、副矿长，1996 年任矿长、党委副书记至今。

其精于管理，善于筹划，勤思索，性执著，深谋远虑，思维超前。自任矿长以来，成功地治理七号井水患，完成了一号井水平延深和七号井采煤方法改造；几经周折，开拓了中亚焦炭市场。为满足国内外市场需求，现兼任“40 万吨焦化厂”项目负责人，“十·五”期间运作成功后，大黄山煤矿成为新疆大型的矿产企业，成为兵团经济新的增长点。

新疆生产建设兵团
大黄山煤矿矿长
王庚寅

大黄山煤矿位于天山北麓东段的新疆阜康市境内，距天池风景区 60km，距自治区首府——乌鲁木齐市 120km，7km 的矿区公路与 216 国道相连，吐—乌—大高速公路，矿区离铁路运输线 50km，光缆电话与国内外联网，交通、通讯十分方便。

该矿建于 1958 年，经过 40 多年的建设发展现已初具规模成为自治区焦煤、焦炭生产基地之一，是新疆兵团能源行业的骨干企业。矿区占地 3.5 平方公里，生产矿井 4 口，2810 型 2＊23 孔机焦一座，原煤生产能力 30 万 t，焦炭 12 万 t。

全矿职工总数 1446 人，有经营管理人员和生产技术人员共 261 人，其中：高级专业技术人员 10 人，中级专业技术人员 64 人，工程师 6 人，助理工程师 15 人，经济师 6 人，助理经济师 23 人，会计师 4 人，助理会计师 14 人。

该矿自然资源得天独厚，煤层赋存条件好，煤质优良所辖井田范围内地质储量 1.4 亿 t。据精探资料认定，矿井可采储量 9000 万 t，按年产 60 万 t 计算，可采 150 年。

大黄山煤矿生产的原煤，经鉴定煤质属低灰、低硫、低磷、高挥发份的 3 号肥气煤，具有良好的粘结性及可选性。原煤主要理化指标：灰分：2.03%～7.7%，挥发分：36.30%～42.38%，硫：0.20%～0.48%，磷：0.002%～0.006%，X 值 22～48mm，Y 值 12.5～22.00mm，发热量＞7500Cal/kg。全部使用该生产的原煤炼制的焦炭，其主要技术指标：灰分：0.81%～10.83%，挥发分：0.97%～1.74%，硫：0.40%～0.50%，磷：0.002%～0.006%，固定炭含量 85%以上。

该矿所产的原煤不仅是炼制气煤焦的原料，而且是炼制冶金焦的理想配煤。所产气煤焦，含灰份低、低硫、低磷、气孔率大、电阻率高、化学性能好是生产铁合金难得的还原剂，倍受人们的青睐。自 1990 年以来，大黄山煤矿的产品满足疆内用户外，还源源不断地销往甘肃、青海、贵州等省市。矿拥有铁路货站两处，车皮货位 30 个，吞吐量每天可达 3000t；1998 年开拓了中亚市场，通过欧亚大桥，年可出口焦炭 6 万 t，创汇 12300 美元；从 1999 年批准自营进出口权，产品供不应求。

为了保证安全生产，据统计 1990～2000 年，该矿投入瓦斯抽排、灭尘、自动监测报警等方面的资金 1600 万元。从 1995 年至今，年年保持国家煤炭局授予甲级通风矿井称号。

该矿的开拓、采煤、排水、提升、运输，在疆内地方煤矿中，机械化程度和总体装备水平较高，生产、生活用电均由自治区供电局大网电输入，矿内又配有自备电源，电源充足可靠。

为加快资源优势转换，适应国家西部大开发战略，大黄山煤矿拟上《40万t焦化厂及配套60万t矿井扩建项目》，此项目经中国冶金建设集体团鞍山耐火材料设计研究总院、化工部第三设计院、煤炭部南京设计研究总院三家协作完成可行性研究报告，项目总投资4.31亿元。该项目具有资有保护、综合利用出口创汇、技术、工艺先进、环境、资源向效益转化等特点。项目已列入西部大开发兵团重点项目。

世界能源工业的现状和发展前景

能源市场、价格与能源政策目标

黄盛初　副院长　研究员

2001年11月19～23日，联合国可持续能源会议在瑞士日内瓦召开，会议主办单位为联合国经济与社会委员会UNESE主办。来自欧洲、美洲和亚洲40多个国家以及联合国开发计划署、国际能源机构和世界银行等国际组织的官员和专家共140多人参加了会议。笔者作为唯一来自中国的特邀专家出席了会议，并在会上做了“中国煤炭工业结构调整及其前景”专题报告。

1　能源价格改革

1.1　能源价格改革的核心

能源价格在能源生产和能源消费平衡中起着重要作用，它影响着能源生产者和消费者的决策行为。能源价格背离市场价格，无论对于市场经济国家还是经济转型国家都有负面影响，它既不利于产业结构调整，也阻碍着节能和能源效率领域的投资。因此，鉴于目前在世界范围内能源价格仍不同程度地背离其经济价值，必须逐步提高能源价格，使其达到其经济价值和国际市场价格水平。能源价格背离问题可以分为两类国家进行分析：第一类：西方发达国家。这些国家的特点是人民生活质量达到很高水平，国家经济发达，人均能源消费高，节能和能源效率高（表现为单位GDP能耗低），能源市场已经完全放开，能源价格已达到其经济价值水平，能源消费几乎没有任何补贴（虽然个别国家例如德国煤炭生产还有很高的补贴）。在这些国家社会对环境问题极其关注，对解决环境日益重视。但是，另一方面，对采用经济手段如征收能源消费税来解决环境问题在许多国家都遭到反对。加上由于各国能源多样化差别很大，因此对征收能源税一直难以达成一致意见。第二类：东欧和亚洲经济转型国家。这些国家的特点是人民生活水平中等或较低，政治和经济改革尚不彻底，还需要继续进行改革，能源价格低于经济价值水平，特别是在部分独联体国家能源价格比国际市场价格低30%～85%，主要表现在民用能源的补贴，能源消费强度（单位GDP能耗）高，能源生产和利用效率都较低，能源生产导致的环境污染问题严重，技术和设备老化。这些国家强调发展经济和提高人民物质生活水平。

1.2　能源补贴改革

在东欧和亚洲经济转型国家，政府补贴主要是对煤炭工业和对居民供暖及天然气的补贴，这些补贴自从1990年以来已逐步减少。例如，从1990年至2000年多数国家政府对煤炭工业的财政补贴已减少了约75%。取消补贴的方法是提高能源价格，同时对居民给予价格补贴。

1.3　能源外部成本内部化

能源生产（例如煤炭开采和发电）过程中，会造成环境破坏，而治理这种环境所需的费用就是能源生产的外部成本。这种外部成本应该计入能源生产内部成本（或能源价格），这就是能源外部成本内部化。征收能源消费税被认为是最有效的方法，它有利于减少能源消费。但是，无论在市场经济国家还是经济转型国家，征收能源税都遭到了强烈反对。联合国欧洲经济委员会和经济合作组织（OECD）认为，能源价格改革必须考虑环境外部成本，为此，组成了一个联合专家组，对环境外部成本内部化问题进行研究：

(1)对能源外部成本内部化的方法进行研究，充分考虑这一问题的复杂性、数据的可比性和地区差别；

(2) 规范计算方法和定义；

(3) 制定运用包括能源税等财政手段的指导性意见，为各国政府部门决策提供依据。

2 能源市场自由化

当前，“改革之风”已吹遍世界各个角落，对能源市场、工业和企业带来深远影响。中欧、东欧和中亚各国都在加紧进行经济改革，有的已出台能源工业的私有化措施。在西欧、美国和加拿大各国政府正在逐步开放能源市场，特别是天然气和电力市场。与此同时，市场自由化和经济全球化促使资本和人力资源越来越集中到跨国能源集团，使跨国能源集团越来越大，加剧了市场集中化程度。

在北美和西欧国家，要求进一步放开能源市场和打破行业垄断的呼声最高。欧盟电力和天然气委员会要求，到2003年欧盟国家至少要开放32%电力市场和28%天然气市场。到目前为止，市场发展情况表明，上述市场开放目标完全能够实现甚至大大超过。例如：到2001年初欧盟国家电力市场开放程度平均已达55%，欧盟中有部分国家电力市场已经完全放开，而有的国家开放程度仍低于30%，不同国家差别很大。大部分国家天然气市场开放程度为78%左右。

市场自由化趋势将迅速波及中欧经济转型国家，特别是已加入欧盟的中欧国家，到2005年这些国家市场自由化政策和法规将进入实施阶段。其他东欧和中亚国家也将制定相应的法规和进行产业结构调整。

与此同时，政府政策是取消限制和鼓励市场自由化，以促进市场竞争。市场自由化还将导致能源市场的重组。政府需要建立适当的法规机制规范市场运作。另一方面，市场新的变化和新的特点也要求能源公司重新调整公司发展战略和经营方针。

3 能源政策目标

从市场自由化、经济全球化和保护全球环境出发，发达国家共同的能源政策目标是：加强能源安全，提高经济效益，保护人类健康环境。这种能源政策目标对经济转型国家也是有益启示。

3.1 能源安全

能源安全是能源政策的基石，能源和能源工业对所有现代社会成员都至关重要，是国家经济发展和人民生活质量的重要保障。因此，任何国家和政府在任何历史时期都对能源安全给予高度重视。

能源供应安全性是指保证能源短期和长期供应不出现中断情况，也即在能源需求高峰时能维持能源供应，将在短期内能源短缺风险降到最低程度，而在长期计划中，在合理的价格条件下能确保能源供应。

最令能源决策者担忧的莫过于70年代和80年代初出现的能源安全问题，当时曾经出现过两次石油价格飚升，使能源市场遭受前所未有的冲击。正是由于这次石油危机，各国政府开始采取一系列政策措施以保障能源安全。

80年代末和90年代，在能源市场相对缓和的条件下，发达国家能源决策者再次提出能源安全问题，主要是考虑到石油进口依赖性和价格上涨压力，以及电力和天然气供应问题。特别是在美国，能源安全问题越来越受到关注。目前美国政府正在采取措施解决当前和未来能源供应问题，以确保能源安全。最近，欧盟和俄罗斯达成了一项合作计划，旨在维持或增加对西方国家的能源供应。

3.2 经济效益

政府能源政策第二个目标就是在能源生产和能源利用中追求最大经济效益，不仅满足社会发展对能源的需求，还应该做到最低成本和高效利用。而实现这一目标，有赖于能源市场的多样化和自由化，并最终通过市场力确定能源价格，而政府决定能源价格的影响应该越来越小。而在最近几年，无论是在发达国家，还是在发展中国家，技术进步、管理体制改革和社会变革都有利于这些措施的落实，特别是有利于降低成本，提高经济效益。

3.3 保护人类健康环境

能源政策的第三支柱是保护环境。政府的能源政策是否得到社会认可也取决于这第三个目标的实现。必须承认，能源生产和利用不可避免地对环境造成严重影响，最大的问题就是大气污染，此外，还有对土地和资源的破坏，这些影响可持续上千年。而治理这些环境问题是要花费很多费用的，这就是能源的外部成本，必须把这些外部成本分摊到能源内部成本中，这就使能源外部成本内部化，从而促进节约使用能源和改善环境，实现可持续发展。

4 中国煤炭工业结构调整和大集团战略

4.1 调整产业结构

中国是世界煤炭生产和消费大国，1997年煤炭产量曾高达13.7亿t，创历史产量高峰和世界第一。但由此导致了煤炭大量供过于求，煤价下滑，煤炭企业被拖欠贷款和亏损猛增。在此形势下，国务院果断实施关井压产和结构调整政策。至2001年底，关闭非法开采和不符合安全生产条件的小煤矿近6万处，2001年煤炭产量控制在10.02亿t左右，实现了供需平衡，煤炭市场转旺，国有煤炭企业效益上升、煤矿安全状况好转，死亡人数由1997年的6753人下降到2001年的5395人。煤价由市场调节意味着市场放开，但另一方面，关闭小煤矿在一定程度上制约着市场自由化进程。随着经济改革和市场的成熟，以及加入WTO与国际接轨，市场力在煤炭工业调整中将发挥更大作用。

煤炭工业结构调整的另一个重要方面是延长产业链，重点是发展煤电联营和洁净煤技术产业化，才能增强煤炭工业在市场经济中的竞争能力和提高经济效益。

4.2 放开能源市场和价格

中国拥有丰富的煤炭资源。目前全国保有煤炭资源量有9800亿t，煤炭储量约占全国一次能源探明储量的90%。石油和天然气资源所占比例很小。毫无疑问中国能源安全要靠煤炭来保障。中国政府的经济体制改革方向必将推进市场化进程。加入WTO就意味着市场自由化，开放能源市场，将向外国投资者开放，同样也将向国内其他行业开放。联合国有关机构帮助中国国土资源部按照联合国资源分类方案制订“资源及固体燃料和矿产分类方案”，该方案于1999年12月1日开始实施。这一分类方案最终将导致中国煤炭储量重新定义，煤炭储量大大缩水，约为1100亿t左右。这种新的储量定义与世界接轨，可以评价煤炭储量市场价格，有利于吸引外国投资者和国内包括电力公司在内的其他行业合资办矿，共同开发煤炭资源。

4.3 行业重组与大集团战略

随着1998年开始煤炭工业管理体制改革，煤炭企业下放地方，行业集中度低，企业弱小，与其他行业的大集团相比较缺乏竞争力。特别是加入WTO与国际接轨，又面临着世界10大煤炭公司的竞争。自2000年以来，世界10大公司已有4家在调查中国煤炭市场，寻找中国煤矿投资机会。在国内，煤炭行业与电力行业密切相关。目前煤炭市场转旺，按市场经济法则，煤炭涨价是必然趋势，市场煤价平均涨10～15元/t。但是，在2001年12月底厦门煤炭定货会上，煤炭涨价受到电力行业联合体燃料公司的联合抵制，竞争相持不下。同时，随着市场经济的不断推进，外行业可能投资条件有利的煤矿。山东鲁能集团已提出开发山东荷泽矿区的方案并进行论证。电力行业进入投资煤矿，一方面将促进煤炭工业的发展，但另一方面将可能为其控制市场提供可能。因此，在目前煤炭行业集中度低，企业弱小的情况下，必须抓紧研究和实施大集团战略。煤炭信息研究院刚刚完成的研究报告《世界煤炭前景与大集团发展战略》和中国煤炭学会目前组织的研究课题《煤炭行业实施大企业集团的研究》，可以为煤炭行业重组和实施大集团战略提供指导性建议。

5 结论与建议

综合会议讨论的主要内容和观点，同时考虑到我国加入WTO与世界接轨所面临的挑战，可以得出如下结论和建议：

(1)在世界范围内必须逐步提高能源价格，使其达到其经济价值和国际价格水平。建议逐步取消能源消费补贴，实行市场价格。在能源价格改革中，同时要考虑环境外部成本。

(2)能源市场自由化和经济全球化有利于资本和资源的优化配置，导致跨国能源集团越来越强大。在北美和西欧国家，普遍要求取消电力和天然气行业垄断，推进市场自由化。我国在经济改革中要打破电力、石油和煤炭行业垄断，鼓励跨行业、跨地区和跨国经营。

(3)可能是各国共同的能源政策目标：能源安全、能源效益和环境保护。无论是能源紧缺或能源市场缓和时期，能源安全始终是能源政策的基石。我国能源安全要紧紧依据煤炭。要推进洁净煤技术的产业化，提高能源效益和减少环境污染。

(4)我国按照联合国资源分类方案已经制定了《资源及固体燃料和矿产分类方案》，要对煤炭储量重新定义，评价其市场价格，以吸引国外投资者和国内其他行业投资煤矿。

(5)我国煤炭工业结构调整已见明显效果，供需趋向平衡，市场转旺，煤矿安全好转，必须坚定不移地实施产业结构调整战略。同时市场经济和竞争迫使进行行业重组，实施大集团战略，才能参与同国内其他行业竞争和国际竞争。

参 考 文 献

1. 黄盛初、胡予红，《中国煤炭工业产业结构调整极其前景》，联合国欧洲能源会议，联合国欧洲总部，瑞士日内瓦2001年11月19～23日。

2. 赵铁锤、黄盛初、袁宗本，《世界煤炭前景与大集团发展战略》，煤炭信息研究院研究部，北京，2001年11月。

3. NECE Secretariat，Reforming Energy Prices for Sustainable Energy Development，11th Session of the UN Committee on Sustainable Energy，21—22 November 2001.

4. UNECE，Implications of Market Liberalization for Energy Security，11th Session of the UN Committee on Sustainable Energy 21—22 November 2001.

5. UN Task Force and ECE Secretariat，UN International Framework Classification for Reserves/Resources—Current Status of Implementation Process Worldwide，11th Session of the Committee on Sustainable Energy，21—23 November 2001.

6. UNECE/AC. 22/2001/2，Ministerial Statement to the World Summit on Sustainable Development，25 September 2001.

国外洁净煤技术现状及发展前景

朱　超　徐会军　煤炭信息研究院

1 概　述

煤炭在世界能源系统和经济社会发展中占有重要地位。2000年，世界煤炭产量达30.5亿tce，消费量31.2亿tce，占世界一次能源消费量的25%。全球45%的电力、70%的钢和大部分水泥是以煤为燃料而生产的，煤炭的衍生物生产2.5万多种消费品和工业品，我们日常生活的每个方面都与煤直接或间接有关。

煤炭是可靠的能源。截止到2000年底，全世界煤炭资源量为4.86万亿tce，占化石燃料总资源量的67%，按2000年产量计算，可采227年，而石油和天然气剩余可采储量的可采年限分别为40年和61年。尽管随着环保意识的加强和环保法规的日益严格，煤炭在居世界首位一次能源消费中的比重将由目前25%降到2050年的21%，但其消费总量将增至60亿tce，比2000年增加近一倍。

煤炭是廉价的能源。尽管煤炭在燃烧效率和下游利用价值方面不如石油和天然气，但煤炭在价格上相对于石油和天然气有很强的优势。在国际上，根据各国的不同情况，燃用天然气和油的运行成本(包括燃料价格、运杂费和人工、折旧、维修费等)一般为燃用动力煤的2～3倍。

过去10年，全球环境浪潮使煤炭生产利用面临空前的挑战。许多国家的环境和标准越来越严厉。目前，一些西欧国家燃煤电站SO_2排放限值已降到200mg/m^3。在美国，1990颁布的“大气净化法修正案”要求加大SO_2和NO_x的减排力度，并开始关注小于2.5μm的颗粒物以及多种有毒微量元素的排放。

全球气候变化问题是对煤炭生产利用的最大挑战。为实施1992年联合国环境与发展大会通过的气候变化公约，1997年12月在日本召开的气候变化会议上通过了京都议定书，2001年7月23日，在波恩全球气候变化会议上除美国以外的177个国家就执行京都议定书达成协议。根据该协议，36个工业化国家承诺到2008～2012年其温室气体排放量比1990年平均削减14%。据美国能源部测算，要达到京都议定的要求，其2010年煤炭消费至少要比不承诺减排减少20%。

从80年代开始世界上许多国家从能源发展的长远利益考虑，相继开始洁净煤技术的研究工作。发达国家投入大量的人力物力，在洁净煤技术的一些主要领域已取得重大进展，并已经接近商业化推广阶段。

1986年3月美国政府率先提出并实施“洁净煤技术示范计划”，受到世界各国的普遍关注。以提高效率，减少污染为宗旨的洁净煤技术已成为世界煤炭利用技术发展的热点，也是国际高科技竞争的重要领域之一。继美国之后，欧共体、日本等国家也相继推出了以促进能源利用新技术的开发推广，减少对石油的依赖和煤炭利用造成的环境污染为目标的能源计划，如欧共体“兆卡”计划，日本“新阳光计划”。

2 国外洁净煤技术发展与政策

为解决美加周边环境问题，美国于80年代中期最先提出洁净煤技术，其基本含意是：“旨在减少污染和效率的煤炭加工、燃烧、转化和污染控制等新技术的总称”。洁净煤技术一经提出，就被世界各国作为解决煤炭利用与环境问题的主导技术，受到普遍重视和发展。

1）美国洁净煤技术发展与政策

作为世界第一大煤炭生产国和第四大煤炭出口国，美国政府十分重视洁净煤技术的发展，并于1986年就在全球率先提出并大规模实施了“洁净煤技术计划”。自1986年至2000年底，美国洁净煤技术计划共进行了5轮竞争性的示范项目征询和优先，共选出45个示范项目，项目总投资约71亿美元，其中政府部门投资将超过24亿美元。这些示范项目分布在全国21个州，涉及4个主要技术领域，即先进发电技术、环境控制设备、煤制洁净燃料技术和工业应用技术。至今，共有38个示范项目得以实施，其中26项已完成。上述38个项目共投资52.5亿美元，其中联邦政府投入18亿美元，约占34%，企业和州政府投入34.5亿美元，约占66%。

考虑到煤在未来世界市场的重要性，美国政府还多方设法开拓洁净煤技术的出口机会。美国1992年颁发的“能源政策法”规定，为加强本国在未来洁净煤技术市场的竞争力，政府今后将加强以下工作“对美国的商务机构给予技术支持，组织贸易代表团，对其他国家技术人员进行培训，进行洁净煤技术的市场分析，扩大国际技术转让”。

此外，美国能源政策法还规定，能源部长肩负有“促进美国洁净煤技术出口”的职责，为此能源部长有责任制定具体政策和计划来促进美国能源技术向发展中国家转让，协助与外国公司竞争的美国公司去获取在国外承建项目的机会。由此可见，美国在以洁净煤技术改善国内用煤带来的环境等问题的同时，还力图将本国的洁净煤技术推向世界市场，强化国际竞争。

2）日本洁净煤技术发展与政策

与美国不同，日本是一个能源资源贫乏的国家，能源需求的80%以上依赖进口。为了保障国家能源供应安全,日本近年来开始奉行能源多元化政策,其主要目的是,尽量减少石油消费,实现能源多样化,特别是增加煤炭的消费量,以确保能源的长期稳定供应。2000年,日本煤炭消费量为1.6亿t,占其能源总消费量的20%。鉴于煤炭消费量不断增加,为了控制燃煤污染,日本政府和企业在强调新能源和可再生能源开发的同时,积极投入巨资开发洁净煤技术。

日本在1992年制定的煤炭利用政策中规定,洁净煤技术是日本煤炭利用技术发展的重点。1995年日本在其新能源开发机构(NEDO)内成立了一个洁净煤技术中心,专门负责新一代煤炭利用技术的开发,发展洁净煤技术,开展洁净煤技术领域的国际合作,其目的是在下世纪大幅度提高燃煤发电的比重,又不使环境污染程度增加。为了加大环境保护,推进洁净煤技术的发展,日本于1993年提出了"新阳光计划",该计划是将过去的"阳光计划"、"月光计划"和"地球环境技术研究开发制度"合并后形成的,主要涉及能源及能源与环境的研究项目,在2020年前将投资1.55万亿日元。日本的洁净煤技术也包括在新阳光计划中,2000财政年度新阳光计划对洁净煤技术的投资为35.91亿日元,研究的重点是煤炭液化和煤炭气化等。

近两年,由于国际石油价格波动较大,而国际煤炭价格却相对稳定,因此日本又将燃煤发电作为发展重点。日本通产省于2000年公布了"21世纪煤炭计划",该计划提出在2030年前分三个阶段研究开发洁净煤技术,其主要项目有:先进发电、高效燃烧、脱硫脱氮和降低烟尘、利用煤气的燃料电池、煤制二甲醚和甲醛、水煤浆、煤炭液化和煤炭气化等。

目前日本在流化床燃烧、烟气脱硫、水煤浆、型煤和煤炭液化、烟气净化等技术领域取得了重大突破,处于世界领先地位,多项新工艺、新技术已进入工业化运行。日本洁净煤技术开发计划中的大型、长期、基础性的研究项目,因开发难度大、风险大、周期长、费用高,其研究经费主要由政府拨给,项目一般由国家级的研究机构及各大学承担。而小型、中短期、应用研究项目由通产省资源厅负责,参与研究的单位主要是民间企业的研究机构。

3)欧盟洁净煤技术发展与政策

为应对日益高涨的环保浪潮,欧盟制定了"兆卡计划",从1993年开始开发和应用洁净煤技术,其中主要目的是减少CO_2和其它温室气体的排放,使燃煤发电更加清洁,通过提高效率减少煤炭消费量。

欧盟在实施"兆卡计划"第二阶段(1994~1998年)的过程中,共实施了6个洁净煤项目。研究与开发的项目有煤气化联合循环发电;先进的加压、常压流化床燃烧工艺;废气净化新工艺;固体燃料气化与燃料电池联合循环技术等。发展重点是将洁净煤技术的研究成果工业化、商业化。

在1999~2000年,欧盟又推出了新的未来能源计划,该计划总投入达10亿欧元,其中包括有7个洁净煤项目。新能源计划的宗旨是促进欧洲能源利用新技术的开发,减少对石油的依赖和煤炭利用造成的环境污染。该计划主要涉及下列领域:改善能源转换利用;采用可再生能源;核安全;推动核聚变。目前在改善能源转换和利用的研究开发中优先考虑的是减少污染排放及提高能源转换和利用效率。正在研究开发的洁净煤项目有煤气化联合循环发电;煤与生物质及工业、城市或农业废弃物联合气化(或燃烧);固体燃料气化燃料电池联合循环;循环流化床燃烧技术等。

总之,目前洁净为煤技术已得到世界各主要煤炭生产和消费国的重视,并纷纷加大研究开发力度,但从总体上看,美国、日本和欧盟由于起步早,投入大,目前在洁净煤技术领域处于世界前列,在一些技术领域已取得阶段性成果或突破性进展,尤其是美国,已把洁净煤技术作为未来能源战略的重要组成部分,并正在努力以先进的洁净煤技术占领国际市场。

3 洁净煤技术重点领域发展现状及展望

3.1 煤炭洗选

煤炭洗选是利用煤和杂质的物理、物理化学性质的差异,经机械处理将原煤脱灰、脱硫并加工成质量均匀、用途不同的煤炭加工技术,是洁净煤技术体系中的一项有机组成部分。目前选(洗)煤厂有两种发展趋势,小型选煤厂,系统力求简单,安装拆卸方便。而大的矿井选煤厂或中央型选煤厂,随着矿井产量增加向大型化、装配化、设计标准化、全厂自动化方向发展。

1)跳汰选煤

跳汰选煤是最古老也是最成熟的选煤工艺,由于跳汰具有系统简单、分选效率高、对原煤适应性强、操作维修方便及处理量大等特点,因而在可选性适宜的情况下仍被优先选用。目前该种设备正趋于向大型化方向发展,现已有宽5m、长7m单机处理能力1000t/h的块煤跳汰机和宽7m、长6m处理能力600t/h的末煤跳汰机。

目前国外使用的机械脉动跳汰机主要是动筛跳汰机,用于选前的排矸。由于这种跳汰机用水量很低,适合于干旱缺水地区使用。如德国生产的用于分选10mm以上煤的动筛跳汰机,其耗水量仅为鲍姆跳汰机的20%,而单位处理能力较之高40%。澳大利亚研制成功一种离心脉动跳汰机,利用离心力加脉动原理实现物料分层,这种跳汰机适用于分选$-100\mu m$极细物料。

2)重介质分选

重介选煤具有处理能力大、分选效率高、适应于难选煤分选等特点,在一些国家得到广泛应用。如美国重介质选煤量占入选原煤的65%,印度45%、南非60%、澳大利亚60%。其发展趋势是采用各种重介质分选工艺的选煤厂在不断增加,尤其是难选煤分选及临近密度物含量多、而要求有较高分选精度时,将成为首选的选煤工艺。国外几个主要产煤国家根据各自的特点设计了不同型号的块煤重介质分选机。以德国、波兰为代表的立轮重介质分选机和美国使用水平介质流的刮板式重介质分选机，他们的共同特点是处理能力大、分选效率高。末煤重介质分选所用的设备是重介质旋流器，它是在分级旋流器的基础上发展起来的，广泛用于分选13～0.5mm级末煤，目前有增大入料上限和降低分选下限的趋势。有的国家选煤厂根据具体条件把原煤全部破碎到适宜旋流器分选的粒度，从而完全取消块煤分选设备，如美国、南非、澳大利亚等都有这种工艺的选煤厂。分选用旋流器有两产品和三产品两种类型，旋流器最大直径已达1.2m。

3）粉煤处理方法

选煤厂入洗原煤中小于0.5mm级煤占很大的比例，分选这部分煤主要采用浮选工艺。目前世界各国使用的浮选设备很多，但基本上分为两类；机械搅拌式和无机械搅拌式。目前普遍使用的浮选机有德国的双偏摆式、美国的维姆科丹佛D—R型等，近年来随着选煤设备和选煤厂大型化，这类浮选设备也在不断向大型化发展，如D—R型浮选机单槽容积已达$36m^3$，双偏摆叶轮式单槽容积达$40m^3$。随着洁净煤技术的兴起，以喷射自吸浮选、旋流离心浮选、充气浮选方式的无机械搅拌的微泡浮选工艺和设备自90年代陆续进入以脱硫降灰为宗旨的粉煤加工过程。这类设备主要有德国的自动充气式浮选机、美国的旋流充气式浮选机以及MTL型充填介质浮选柱，澳大利亚的詹姆森浮选柱，这类设备都具有设备简单、处理能力大、分选效果好和电耗低等特点，越来越受到世界各国的青睐。

4）世界煤炭洗选发展趋势

世界煤炭洗选发展趋势包括：进一步完善各种选煤工艺，高硫难选煤的选煤方法，使介质消耗、能耗降到最低；继续开发大型高效的块煤重介质分选设备和末煤重介质分选设备，先进的排矸设备及处理能力大、性能高的末煤跳汰分选设备；进一步向选煤厂入选原煤均质化，分选设备合理大型化、工艺系统简单化、厂房布置模块化和全厂自动化方向发展。

在未来的高性能单机设备开发中，将更侧重于研制与脱硫降灰有关的细粒煤和极细粒煤分选设备和以实现洗水闭路循环，降低产品水分为目的的煤泥水处理设备。细粒级和极细粒级煤有效分选设备和分选工艺以及细粒煤的精确分级设备是今后选煤的重点研究和开发目标，这些技术的研制成功，必将使国际选煤技术进入一个新水平，同时也代表着未来的发展趋势。

3.2　水煤浆

水煤浆技术是20世纪70年代世界范围内的石油危机后开始开发的一种以煤代油的煤炭利用新方式。其主要技术特点是将煤炭、水、部分添加剂加入磨机中，经磨碎后成为一种类似石油一样的可以流动的煤基流体燃料。水煤浆具有较好的流动性和稳定性，可以像石油产品一样储存、运输，并且具有不易燃、不污染的优良特性，是目前比较经济和实际的清洁煤代油燃料。

水煤浆技术的主要开发国家有美国、日本、意大利、前苏联、瑞典和中国等。

1）美国水煤浆发展现状

美国是最早研制发展水煤浆的国家之一，从50年代就开始研究和建设中浓度水煤浆输煤管道，1970年建成了黑迈萨输煤管道，由美国亚历山大州黑迈萨煤矿经4个接力泵站，运至内华达州莫哈比电厂，运距440km，设计运煤量500万t/a，电厂装机2×75万kW。至1996年已运煤超过1亿t。

黑迈萨煤电管运系统属于早期中浓度水煤浆技术（浓度50%，平均粒径0.3mm），不使用添加剂，粘度较低。终端采用离心脱水、干燥、磨细制备成煤粉后再送入电站锅炉燃烧。

70年代石油危机时，美国政府大力支持有关院校与企业对水煤浆制备、储运、燃烧技术进行全面研究并取得了重要成果和技术成就。美国电力协会组织对40个大型烧油机组电厂进行改烧水煤浆的工程可行性研究，得出改造工程、油价、浆价价格比例与不同炉型工程费用的相关关系，结论是水煤浆技术是成熟的、有竞争力的替代燃料，但推广要取决于市场情况。

目前，美国已将水煤浆技术纳入洁净煤技术计划，结合煤气化联合循环发电（IGCC）和德士古气化工艺和超低灰水煤浆直接在燃气轮机燃烧技术系统继续研究。

2）日本水煤浆发展现状

日本是国际上最先在大型电厂进行全烧水煤浆的国家。1986年就曾在勿来电厂4号炉（300t/h）上对5种不同煤种的水煤浆进行了为时半年的烧水煤浆试验。

曙光公司在北海道进行过超低灰水煤浆（灰分低于1%～4%）在经改造的烧油锅炉上燃烧的试验。

在日本东京电网常磐共同火力株式会社建成了由日本COM株式会社小名滨储煤中心2×50万t/a高浓度制浆厂，经11km管路（管径370mm），在勿来电厂8号锅炉（1960蒸吨/h）60万kW发电机组上，用11t复合喷嘴（3t加8t）燃烧发电。该厂1988年开始试验，1988～1993年用浆9万t。1993～1997年烧浆120万t，占8号锅炉燃料用量的50%。小名滨煤炭中心同时进行油煤浆制备，以专用轮船运至横须贺电厂长期进行工业试验。

日本还注意水煤浆专用锅炉的制造研究。与我国合作进行的220蒸吨/h水煤浆专用锅炉可同时装备有烧油系统，作为两国合作的绿色援助项目之一，正在北京燕山石化公司进行，由北京矿务局制浆厂供浆。

3）前苏联水煤浆发展现状

前苏联由于独特的资源分布特性，也十分重视水煤浆技术的开发。为解决东部能源西运问题，原苏联由其石油天然气建设部负责制定了运输管道东煤西运计划。并在1992年建成了由库兹巴煤矿至新西伯利亚5号热电站的高浓度水煤浆示范工程（输送近30万t后，由于形势变化而停运了3年，1996年开始恢复生产、试验），管线全长264km，运量能力500万t/a。该水煤浆输送管线由前苏联与意大利联合设计，是目前世界上规模最大、工艺最完善的工业化示范工程。

3.3 煤炭气化

煤炭气化工艺可按压力、气化剂、气化过程供热方式等分类，常用的是按气化炉内煤料与气化剂的接触方式区分，它分成固定床气化、流化床气化和气流床气化。

1）固定床气化技术的发展

比较著名的常压固定床/移动床气化工艺包括苏联的AД型及威尔曼－格鲁夏（W－G）发生炉、两段煤气发生炉、意大利的UGI型水煤气炉、波兰和法国的两段式水煤气炉等。

加压固定床气化工艺主要是德国加压Lurgi气化工艺。鲁奇炉经过连续4代的开发，目前适用煤种已扩大到除粘性太强外的所有煤种，在结构上，除取消内衬外，还增加了布煤器和搅拌装置，从而使其产气率更高，性能更优越。目前，鲁奇炉的最大直径达5000mm，最大产气率达$10\times10^4m^3/h$。

在鲁奇炉的基础上，又开发了二种新技术；(1)鲁尔－100气化炉。开发的目的主要是通过提高操作压力至10MPa，提高气化强度，同时扩大煤种范围，以更经济地生产天然气等。(2)液态排渣鲁奇炉（BG/L）。固态排渣鲁奇炉气化时，必须考虑煤的灰熔点和反应性。为了克服这些缺点同时减少蒸汽耗量和提高生产能力，开发了液态排渣鲁奇炉气化技术。液态排渣鲁奇气化工艺也被美国选作洁净煤示范计划的Clean Energy项目，该项目拟建发电47.7MW的IGCC装置和发电0.125kW的以煤气作燃料的熔融碳酸盐燃料电池。世界上大约安装150余台鲁奇炉，主要第4代鲁奇炉。

2）流化床气化技术的发展

除了使用粉煤和生产能力提高（约4倍）外，流化床气化工艺还具有所产生的煤气不含焦油和酚水、环境性能好、床内温度均匀和易于控制等优点。流化床气化工艺包括常压温克勒（Winkler）气化工艺和加压气化工艺两种。

(1) 常压温克勒气化技术

常压温克勒气化工艺是流化床技术发展过程中最早用于工业生产的气化工艺。第一台工业生产装置在1926年于德国投入运转，以后世界各国共建有约70台温克勒气化炉。典型的工业规模炉内径为5.5m，高23m。当以褐煤为原料，氧气－蒸汽常压鼓风时，单炉生产能力在标准状态下为$47000m^3/h$，生产能力可在25%～150%范围内变化。温克勒气化工艺主要用于甲醇及合成氨生产，如朝鲜“七·七”化工厂生产甲醇已运行了近50年。由于常压温克勒气化炉存在碳转化率低、气化强度不够高等问题，在50年代末和60年代初一度盛行之后，很少新建。前苏联开发过类似的气化工艺－盖依阿帕型流化床气化炉，用于合成氨生产。

(2) 加压流化床气化技术

高温温克勒气化技术：

高温温克勒工艺提高了碳转化率和煤气产量。1986年建立示范装置和商业装置，示范装置工作压力为1MPa，其生产能力是每天720t干褐煤，甲醇的生产能力是11万t/a。1989年，一套处理能力为每天160t干褐煤的装置投入运行，用于燃气轮机发电，其工作压力为2.5MPa，用氧－蒸汽或空气做气化剂。1992年又设计了新的示范装置，气化炉直径为Φ3.7m，处理能力为160t/h，用空气做气化剂，操作压力为2.7MPa，发电量312MW。目前，该示范项目正在进行之中。

U－Gas气化法：

U－Gas气化法是由美国煤气化工艺研究院（IGT）开发，其目的在于生产低、中热值煤气。1974年，美国煤气化工艺研究院建立了中试装置，共进行了130多次试验，用煤3700t。目前，美国洁净煤技术示范计划将其列于Toms Creek示范项目。U－Gas气化炉处理煤量为430t/d，空气鼓风，操作压力为2.0～2.2MPa，发电量55MW。

KRW气化工艺：

KRW气化工艺最早由西屋电气公司燃料部开发，1974年建成15t/d试验装置（PDU），开始时为空气－蒸汽鼓风两段炉，1978年改为一段氧气－蒸汽鼓风加压气化炉，从而使处理能力增加至30t/d。已试验过许多煤种，总运行时间达11000h以上。1980年又建成内径为3m，高为9.14m的冷态试验装置，并进行了冷态试验。1984年，西屋公司将中试厂转让给Kellog Rust Synfuels Inc.，由此中试厂更名为KRW能源系统公司。美国洁净煤技术示范计划将KRW气化炉列于Pinon Pine示范项目，采用空气鼓风，煤处理量为800t/d，发电量80MW。该项目于1998年启动。

3）气流床气化技术的发展

气流床气化工艺主要包括干法加料的K　T、Shell－Koppers、Shell、Prenflo、GSP和水煤浆加料的Texaco、Destec等。

(1) 湿法加料气流床气化工艺

Texaco工艺：

Texaco气化技术属于第二代煤气化技术，由美国德士古开发公司开发，它以泵送水煤浆的方式从气化炉顶部加料，气化炉内部采用耐火材料衬里结构。1948年在Montebello建成第一套日处理15t煤的中试装置，1958年建立了日处理量为100t煤的原形炉，操作压力为2.8MPa，气化剂为空气，生产合成气供合成氨用。Texaco气化炉是目前商业运行经验最丰富的气流床气化工艺，操作压力已达到6.5MPa，单台气化炉耗煤量已达到2000t/d。目前世界上有近20台Texaco运行，用于生产合成氨、甲醇或发电等。

Destec气化工艺：

Destec气化工艺原叫Dow气化法，它是在德士古气化工艺基础上发展的两段式煤气化工艺。1987年在Dow化学公司路易斯安娜煤气化工艺公司的制造总厂内建成LGTI商业示范装置，设计处理能力为2200t（干煤）/d，生产的煤气用于联合循环发电（160MW）。1995年又在美国的Wabash River建成并投运了另一套商业化IGCC示范装置，耗煤量达2544t/d，气化压力达2.8MPa，发电量262MW。目前该电厂正在运行。

（2）干法加料气化工艺

K－T气化炉：

第一代干法粉煤气技术是德国Krupp（现Uhde）公司于20世纪40年代开发的常压煤粉气流床气化炉，即K－T炉，它是最早得到应用的气流床气化炉。自1950年在芬兰的奥陆建成第一座商业化工厂以来，该工艺得到了广泛的商业应用，曾经有一段时间，在国外的煤基合成氨生产中，90％以上气化工艺采用了K－T技术。世界上计有18个国家的20家工厂先后使用了77台K－T气化炉，主要用于工业合成氨、甲醇、制氢或作燃料气。K－T炉的碳转化率高达95％以上，但由于经济原因，目前K－T气化炉已不再发展。

Prenflo气化工艺：

1985年，Krupp-Uhde公司开始在德国的Fuerstenhausen建设一套48t/d的示范装置，于1986年建成，并正式定名为Prenflo气化法，当年8月投入运转，同月12日生产出首批煤气。Prenflo气化工艺几乎可以顺利气化任何煤种，而不会遇到问题；其碳转化率非常高，达99％以上，冷煤气效率和热效率也很高。

Prenflo加压气流床气化技术还被用于西班牙的Puertollano建设的整体煤气化联合循环发电（IGCC）示范厂，其单台气化炉的耗煤量为2600t/d，发电量300MW，净供电效率达45％，是目前世界上运行的单台能力最大的加压气流床气化炉。该电厂1996年4月用天然气点火，1998年3月燃气透平开始用煤气发电，目前运行状况良好。

Shell加压气流床气化工艺：

在Shell-Koppers气化炉的基础上，Shell公司1987年在休斯顿建立225～400t/d称为SCGP－1的示范装置，该炉的设计操作压力是20～40bar。一般碳转化率在99％，冷煤气效率80％～85％，加上过热蒸汽中含的16％～17％可用热能，热煤气效率要超过95％。

1989年4月，荷兰电力生产部SEP公司决定采用Shell加压粉煤气化工艺在荷兰南部建立一座发电量为253MWe的IGCC示范厂。1993年全部建成后实现了联合循环和空分厂联动生产煤气成功，1994年4月用煤气联合发电成功。98年后转入商业运行。

3.4 煤炭液化

根据不同的加工路线，煤炭液化可分为直接液化和间接液化两大类。

煤的直接液化技术的特点是对煤种要求较为严格、热效率高、成本低。一般情况下，1t无水无灰煤能转化成0.5t以上的液化油，加上制氢用煤约3～4t原料产1t成品油，液化油在进行提质加工后可生产洁净优质的汽油、柴油和航空燃料等。

煤的间接液化技术的特点是适用煤种广、成本较高、投资大，一般情况下，约5～7t原煤产1t成品油。

1）直接液化

煤直接液化技术是由德国人于1913年发现的，并于二战期间在德国实现了工业化生产。二战后，中东地区大量廉价石油的开发，煤炭直接液化工厂失去竞争力并关闭。

70年代初期，由于世界范围内的石油危机，煤炭液化技术又开始活跃起来。日本、德国、美国等工业发达国家，在原有基础上相继研究开发出一批煤炭直接液化新工艺，其中的大部分研究工作重点是降低反应条件的苛刻度，从而达到降低煤液化油生产成本的目的。目前世界上有代表性的直接液化工艺是日本的NEDOL工艺、德国的IGOR工艺和美国的HTI工艺。这些新直接液化工艺的共同特点是，反应条件与老液化工艺相比大大缓和，压力由40MPa降低至17～30MPa，油产率和油品质量都有较大幅度提高，降低了生产成本。到目前为止，上述国家均已完成了新工艺技术的处理煤100t/d级以上大型中间试验，具备了建设大规模液化厂的技术能力。煤炭直接液化作为曾经工业化的生产技术，在技术上是可行的。目前国外没有工业化生产厂的主要原因是，在发达国家由于原料煤价格、设备造价和人工费用偏高等导致生产成本偏高，难以与石油竞争。

但据权威机构预测，如果石油价格能够稳定在25美元/桶以上，煤炭直接液化在经济上就具有竞争力。美国能源部所作的研究表明，煤炭直接液化厂通过与现有工厂建在一起，可节约投资，降低液化油成本，使生产的液体燃料的价格可以达到相当于石油19～23美元/桶。此外，煤炭直接液化的研究和发展仍有潜力，还可进一步降低生产成本。

2）煤炭间接液化

1923年，德国化学家首先开发出了煤炭间接液化技术。40年代初，为了满足战争的需要，德国曾建成9个间接液化厂。二战以后，同样由于廉价石油和天然气的开发，上述工厂相继关闭和改作它用。之后，随着新型催化剂和反应器的开发和应用，煤间接液化技术不断进步，但由于煤炭间接液化工艺复杂，初期投资大，成本高，因此除南非之外，其他国家对煤炭间接液化的兴趣相对于直接液化来说逐渐淡化。

煤炭间接液化技术主要有3种，即南非的萨索尔（Sasol）费托合成法、美国的莫比尔法（Mobil）和正在开发的直接合成法。目前，煤间接液化技术在国外已实现商业化生产，全世界共有3家商业生产厂正在运行，它们分别是南非的萨索尔公司和新西兰、马来西亚的煤炭间接液化厂。新西兰煤炭间接液化厂采用的是Mobil液化工艺，但只进行间接液化的第一步反应，即利用天然气或煤气化合成气生产甲醇，而没有进一步以甲醇为原料生产燃料油和其它化工产品，生产能力

1.25 万桶/d。马来西亚煤炭间接液化厂所采用的液化工艺和南非萨索尔公司相似，但不同的是它以天然气为原料来生产优质柴油和煤油，生产能力为50万t/a。因此，从严格意义上说，南非萨索尔公司是世界上唯一的煤炭间接液化商业化生产企业。

南非萨索尔公司成立于50年代初，目前建有3个液化厂，年加工原煤总计约4600万t，产品总量达768万t，主要生产汽油、柴油和蜡等113种产品，其中油品占60%，化工产品占40%。该公司生产的汽油和柴油可满足南非28%的需求量，其煤炭间接液化技术处于世界领先地位。

此外，美国SGI公司于80年代末开发出了一种新的煤炭液化技术，即LFC（煤提油）技术。该技术是利用低温干馏技术，从次烟煤或褐煤等非炼焦煤中提取固态的高品质洁净煤和液态可燃油。美国SGI公司于1992年建成了一座日处理能力为1000t的次烟煤商业示范厂。

3.5　循环流化床燃烧技术

1）循环流化床燃烧技术现状

循环流化床技术始于70年代初德国Lurgi公司用于三氧化铝焙烧工艺过程。世界上第一台循环流化床锅炉，普遍认为是1979年芬兰Ahlstrom公司开发的20t/h循环流化床锅炉。80年代中期完成了100MWe级的开发，1986年Lurgi的95.8MW的270t/h锅炉，1988年Ahlstrom的110MW的420t/h锅炉相继投运发电。90年代后期完成了300MWe级的开发。如Stein公司开发的250MWe循环流经床锅炉已于1995年在法国Gardanne电厂安装运行，其后美国伊利诺伊州2台250MWe、韩国一台225MWe、波兰两台230MWe循环流化床锅炉已于近年相继安装运行。目前，更大型的500～600MW循环流化床电站锅炉的建设也正在筹划之中。法国阿尔斯通公司目前已完成了600MWe超临界循环流化床锅炉的全部设计图纸，法国电力（EDF）目前正在为其寻找用户。

尽管主要的商业化循环流化床锅炉的工作原理都是一样的，但是由于燃烧方式的改变，引起了锅炉整体布置的根本性改变，因此各家根据自已的经验和认识设计开发了结构有所不同的循环流化床锅炉，并且各具特点。其中最有代表性的主要技术分别为德国的Lurqi技术、芬兰的Pyroflow技术和美国的FW技术等。

2）目前世界上最主要的循环流化床技术

（1）德国Lurgi型循环流化床技术

自从1982年第一台Lurgi循环流化床锅炉投运以来，全世界不少锅炉制造厂先后取得了Lurgi公司循环流化床工艺技术许可证或以其它技术合作方式，设计制造Lurgi型循环流化床锅炉。其中，法国Stein公司和美国ABB－CE公司在Lurgi型循环流化床锅炉大型化开发应用方面有较显著业绩，目前最大容量的Lurgi型循环流化床锅炉为Stein公司制造，安装在法国Gardarne电厂的250MWe（700t/h）锅炉，该锅炉1995年5月开始试运。SO_2排放运行值为103mg/m_n^3，NO_x排放运行值为230mg/m_n^3，CO排放运行值为8.44mg/m_n^3。

（2）芬兰Ahlstrom公司pyroflow型循环流化床锅炉

Pyroflow型循环流化床锅炉结构系统相对比较简单而耐用，占地少，可燃用多种燃料。第一台商业化的Pyroflow型循环流化床锅炉热功率为15MW_{th}，1979年在奥斯龙总公司一家轧钢厂投运。我国在四川内江引进安装了一台410t/h(100MWe)Pyroflow型循环流化床锅炉，锅炉测试热效率为90.79%，性能试验SO_2排放值为684mg/m_n^3（Ca/S比为2.219），NO_x排放值为78mg/m_n^3，CO排放值为211mg/m_n^3。目前，已有数十台发电功率在100MWe～250MWe的Pyroflow型循环流化床锅炉在运行，其中一些已有10多年的成功运行经验。最大容量的Pyroflow型循环流化床锅炉安装在波兰Turow电厂，发电功率为235MWe（665t/h），该锅炉1998年投运。

（3）美国FW型循环流化床锅炉

FW型循环流化床锅炉从80年代初开始研制，至今已投运20多台，已运行的最大容量的FW型循环流化床锅炉为375t/h，高压中间再热，额定发电功率为120MWe。1995年，美国FW公司兼并了芬兰Ahlstrom公司的循环流化床技术后，其循环流化床锅炉产品在全世界的市场占有率达48%左右，100MWe级以上的市场占有率达63%。

3）流化床技术发展趋势

(1)主流派技术，差别可能仅局限于带有外置换热器和不带有外置式换热器，这直接与锅炉的容量、参数和燃用的燃料相关。

(2)循环流化床锅炉的大型化。目前煤粉锅炉单台机组容量可以达到120万kW，而循环流化床锅炉目前仅达到25万kW，因此强烈的发展是开发出更大容量循环流化床锅炉，如单台配60万kW发电机组的循环流化床锅炉，以此逐步替代传统的煤粉锅炉。

(3) 加紧研究因单台锅炉容量的放大所带来的技术问题，特别集中在：通过内部燃烧过程的合理组织，进一步降低污染物的生成与排放；加强燃料种类的适应性；加强运行可靠性和经济性。

(4)采用超临界参数的超大型技术，来达到高效低污染的显著效果，以其低成本低排放向联合循环发电(IGCC）挑战等等。

3.6　清洁高效的燃煤发电技术

近年来，面对环境保护压力和清洁能源需求的日益增长，世界各国都在积极开发清洁高效的发电技术。目前先进的发电技术主要有超临界粉煤发电技术、循环流化床发电技术、加压流化床发电技术和煤气化联合循环发电技术。

1）超临界粉煤发电技术

粉煤电厂因其操作简单、可靠性强和建设成本相对较低而在世界上普遍采用。采用高温高压蒸汽改造常规粉煤电厂可显著提高电厂的热效率。由于用于临界设备部件的材料限制，蒸汽温度和压力一般低于600℃和275bar。目前，粉煤发电技术正朝着超临界和超超临界发电技术方向发展。超临界发电的热效率达46%～47%，而要求临界设备材料能够承受温度为650℃甚至700℃，压力为300bar的蒸汽工作条件。

1997～2000年间，在OECD国家投入使用的新的燃煤机组中，85%是超临界的；在非OECD国家，一次建造超临界锅炉的计划正在迅速展开。在欧洲，丹麦阿尔堡电厂正在运行的3号双再热机组（285bar、580℃）和德国下奥瑟姆电厂的K型褐煤发电机组（275bar、580℃/600℃）代表着目前现代化燃煤电厂，其发电效率约47%。

2）循环流化床发电技术（CFB）

循环流化床发电技术主要目的是提高电厂的燃料适应性，从而使电厂不仅能燃用普通煤炭，还能燃用劣质煤和石油焦等其他燃料。目前，世界上因采用循环流化床锅炉而提高的热输出达45GW，最大的循环流化床锅炉电厂为法国的加丹纳电厂，其发电能力为250MW。

循环流化床发电技术目前已比较成熟，而且与250MW汽轮发电机组配套的循环流化床锅炉已投入运行，它为大容量的电站锅炉使用循环流化床燃烧技术开创了局面。因而从长远来看，CFB能适用于不同容量的电站锅炉。CFB可以实现90%的脱硫效率，与粉煤电厂加FGD所能达到的水平相当，NO_x排放量则比粉煤电厂加FGD低很多。CFB电厂的投资为1000美元/kW，发电效率与常规粉煤电厂接近。

3）加压流化床联合循环发电技术（PFBC－CC）

PFBC－CC技术基本上已趋于成熟。世界上已建成80～100MW等级的PFBC－CC电厂5座，它可以使原有燃煤电厂的发电效率提高3%～5%。2000年世界上有6～7座PFBC－CC电厂在建，其中2～3座为350MW等级，电厂的发电效率达42%，可以燃用劣质煤，脱硫和脱氮的水平比CFB还要稍微好一些。PFBC－CC电厂的投资约为1100美元/kW。第二代PFBC－CC技术正在示范之中，其发电效率最高可达50%。

4）煤气化联合循环发电技术（IGCC）

IGCC技术正渐趋成熟。目前已有3座350MW等级的IGCC电厂投入商业运行，其发电效率达40%～43%。位于西班牙的世界最大的IGCC电厂（318MW）已于1998年投入运行，其发电效率达到47%。IGCC电站的脱硫效率高达98.5%～99%，NO_x排放量很低。IGCC技术推广的主要障碍是基建投资高，比常规电厂高20%。IGCC电厂特别适宜于使用含硫量高于3%的煤种。

3.7 烟道气脱硫技术

烟道气脱硫技术作为一种控制大型固定排放源SO_2排放的方法，正得到越来越广泛的应用。烟道气脱硫技术种类很多，大部分是用碱性吸收剂从烟道气中脱除酸性的硫化物。最为广泛应用的烟道气脱硫技术是石灰石石膏法和石灰石改型法以及喷雾干燥法。石灰石石膏法产生的是一种可出售的副产品石膏，石灰石改型法产生的是一种易处理的残渣，而喷雾干燥法产生的则是一种混合固体废弃物。烟道气脱硫技术投资成本为100～125美元/kW。

1）石灰石石膏法

该技术以石灰石稀浆来处理烟道气，以脱除其中的SO_2，最终产品是二水合硫酸钙。石灰石石膏法烟道气脱硫技术是一种发展最成熟，在全球范围内得到最广泛应用的烟道气脱硫技术，通常被大型电厂所采用。仅燃煤电厂，采用石灰石石膏法烟道气脱硫技术的全球总装机容量已近149GM。该技术的脱硫效率在95%以上。

石灰石石膏法投资成本相对较高，系统也比较复杂。但其生产成本较低。这是因为通常情况下石灰石比石灰更便宜，而且副产品石膏能够作为商品出售。

2）喷雾干燥法

该技术通过将浓缩石灰浆注入烟道气中脱除其中的SO_2、SO_3和HCL等酸性化合物，最终产品是干燥的粉状钙化合物的混合物。喷雾干燥法烟道气脱硫系统产生的副产品没有使用价值，但其安装费用相对较低，一般是同等规模的石灰石石膏法烟道气脱硫系统的70%左右。然而，由于石灰用量大且副产品需要处理，其运行成本位列烟道气脱硫技术的首位。

喷雾干燥法烟道气脱硫技术是一项发展最成熟的烟道气脱硫技术之一，并在全世界得到广泛应用，其总装机容量超过15GW。该技术的脱硫率能达到85%～90%。

4 洁净煤技术展望

从资源量和分布情况来看，煤炭是最可靠的化石能源，但另一方面，煤炭利用又面临着巨大的环境压力。无论是温室气体排放，还是SO_2和颗粒物的排放，煤炭在化石能源中都处于最不利的位置。因此，洁净煤技术的不断推广和应用将成为煤炭工业可持续发展的必由之路。近期内，石油天然气在能源消费结构中将占有越来越高的比例。据国际能源机构发表的《2000年世界能源展望》，到2020年，石油需求量年均增长1.9%，天然气为2.1%，而煤炭为1.7%。但从长远来看，煤炭必将成为全球最重要的化石能源，煤炭不仅可以通过转化成液化油和气体燃料来替代部分石油和天然气，而且还能通过高效的发电技术向市场提供越来越多的电能。今后，煤炭利用的增长将主要集中在发电部门。根据世界能源消费结构向油、气、电等清洁能源转变以及环境压力的影响，今后，世界洁净煤技术发展重点将包括下列4个领域。

1）清洁高效的燃烧技术

循环流化床技术因其燃烧效率高、煤种适应性强和环境性能好，正在世界被广泛推广使用。目前，世界上已有几百台不同容量的循环流化床锅炉投入运行。循环流化床燃烧技术可广泛用于电厂和工业锅炉。循环流化床燃烧技术将在世界市场上占据越来越多的份额，据专家预测，到2020年，循环流化床技术将占世界煤炭燃烧市场份额的20%。

2）高效清洁的发电技术

鉴于未来煤炭需求的增长主要集中在发电领域，高效清洁的发电技术的推广应用将对煤炭工业的可持续发展产生重大影响。目前这类发电技术主要包括超临界发电技术、循环流化床燃烧技术、加压流化床燃烧发电技术和煤气化联合循环发电技术。据专家预测，2020年世界燃煤电厂的装机总容量将达1681GW，其中超临界发电、CFB发电、PFBC发电和IGCC发电将分别占92.8%、4.4%、0.8%和2.0%。超临界发电系统的热效率可高达55%。

3）煤炭转化技术

随着世界石油价格的上涨和世界各国对石油供应安全的关注，煤炭液化技术将进入快速发展时期。南非已实现了煤炭间接液化的商业化，美国、日本和德国已掌握了成套的直接液化示范技术。随着煤炭液化成本的降低，人们将生产越来越多的煤炭液化产品以弥补石油供应的不足。由于煤炭直接液化受煤种和重油供应的影响较大，煤炭间接液化有可能成为煤炭液化的主流。另外，对褐煤和次烟煤进行提质处理以生产液化油和洁净煤产品也将被推广应用。

随着人们对清洁燃料需求的不断增长，富煤缺气的地区将更加关注煤炭的气化。目前的煤炭气化主要是为了工业应用，多数城市煤气仅仅是焦炭生产的副产品，其数量和质量难以满足需求的增长，而且煤气生产还受焦炭生产的制约。煤炭完全气化并结合甲烷化技术很有可能成为煤炭气化的方向，这种气化工艺可以提供质量与天然气相接近的燃气产品。随着气化成本的降低，这种替代天然气的气化技术将被广泛应用。

4）烟道气脱硫技术

无论是为工业锅炉还是电厂锅炉，烟道气排放是大气污染的最主要的来源。酸性物质和颗粒物排放是烟道气的最主要污染物。颗粒物排放已通过静电除尘器得到有效控制。然而，SO_2、NO_x排放控制因成本太高，而未能得到普遍应用。未来烟道气净化技术将偏向于低运行成本、高效的湿法技术。烟道气净化技术的发展不仅要有效地去除SO_2和NO_x，而且还能生产可销售的副产品，如石膏等。

2 0 0 1

中国煤炭工业年鉴

国家安全生产监督管理局
国家煤矿安全监察局 编

*

煤炭工业出版社 出版
（北京市朝阳区芍药居 35 号 100029）
煤炭工业出版社印刷厂 印刷
新华书店北京发行所 发行

*

开本 787×1092mm 1/16 印张 21 1/2 插页 27
字数 820 千字 2002 年 5 月第 1 次印刷
广告许可证：京东工商广字第 0158 号
ISSN 1008—6528
CN11—(N)1032

定价 150.00 元
版权所有 违者必究
本书如有缺页、倒页、脱页等质量问题，本社负责调换